ACCESO GRATIS *a la Lectura en la Nube*

Para visualizar el libro electrónico en la nube de lectura envíe junto a su nombre y apellidos una fotografía del código de barras situado en la contraportada del libro y otra del ticket de compra a la dirección:

ebooktirant@tirant.com

En un máximo de 72 horas laborables le enviaremos el código de acceso con sus instrucciones.

CUANDO LA VIDA SE ESCRIBE
REFLEXIONES SOBRE EL GENOMA HUMANO Y LA NUEVA GÉNESIS

Procedimiento de selección de originales, ver página web:
www.tirant.net/index.php/editorial/procedimiento-de-seleccion-de-originales

CUANDO LA VIDA SE ESCRIBE
REFLEXIONES SOBRE EL GENOMA HUMANO Y LA NUEVA GÉNESIS

María del Carmen García Casas

tirant lo blanch
Valencia, 2026

En caso de erratas y actualizaciones, la Editorial Tirant lo Blanch publicará la pertinente corrección en la página web www.tirant.com.

La aceptación de la presente obra ha tenido en consideración la evaluación y calificación otorgada por los expertos componentes del tribunal calificador de la tesis doctoral en la que se basa, cumpliendo con el criterio correspondiente de los revisores externos y ofreciendo la calidad debida a la presente edición.

EDITA: TIRANT LO BLANCH
C/ Artes Gráficas, 14 - 46010 - Valencia
TELFS.: 96/361 00 48 - 50
FAX: 96/369 41 51
Email: tlb@tirant.com
www.tirant.com
Librería virtual: www.tirant.es
DEPÓSITO LEGAL: V-491-2026
ISBN: 979-13-7021-829-4

Si tiene alguna queja o sugerencia, envíenos un mail a: *atencioncliente@tirant.com*. En caso de no ser atendida su sugerencia, por favor, lea en *www.tirant.net/index.php/empresa/politicas-de-empresa* nuestro procedimiento de quejas.

Responsabilidad Social Corporativa: http://www.tirant.net/Docs/RSCTirant.pdf

Índice

AGRADECIMIENTOS

PRÓLOGO

ABREVIATURAS

INTRODUCCIÓN

CAPÍTULO I
GENÓMICA Y LA NUEVA MEDICINA

CAPÍTULO II
FUNCIÓN DEL BIODERECHO Y LA BIOÉTICA ANTE LOS DESAFÍOS DE LA EDICIÓN GENÉTICA

CAPÍTULO III
FILOSOFÍA/ ÉTICA APLICADA
MOVIMIENTOS SOCIALES

CAPÍTULO IV
LA INFLUENCIA DE LA RELIGIÓN
EN LAS CONDUCTAS

CAPÍTULO V
ASPECTOS JURÍDICOS CRISPR

CAPÍTULO VI
GENÓMICA Y NUEVAS FORMAS DE REPRODUCCIÓN

CAPÍTULO VII
TEORÍA ASASAW CIENCIA/GENÓMICA NEURODERECHO Y RELACIÓN CON IA

CAPÍTULO VIII
SÍNTESIS Y PROPUESTAS

BIBLIOGRAFÍA

AGRADECIMIENTOS

Cuando algo se queda muy alejado en el tiempo, y la metodología actual no lo puede comprobar/medir, se tiende a denominar mito o leyenda,

Sin embargo, la correlación de esa mitología con nuestra ciencia actual, en ocasiones singulares, es tan íntima, que la una no se hace comprensible sin la otra.

-María Del Carmen
García Casas-

Agradecimientos

'A todos'

En especial;

A La Dra. Orly Lacham-Kaplan por inspirar una parte importante de esta investigación, era el año 2001 cuando mi instinto, en la búsqueda de respuestas te descubrió, la sincronicidad que separa quince mil ochocientos treinta y cinco km, Australia de España, son una singular apreciación. Gracias por aceptar nuestra colaboración en lo que promete ser, como poco, un apasionante viaje, en el que yo, voy a dejar a rienda suelta la inspiración.

Al Dr. Petrovich Gariaev por sus interesantes y revolucionarios aportes en la nueva comprensión de la genética y su comportamiento, y a su esposa la Dra. Ekaterina Aleksándrovna por sus contribuciones en las mismas, y facilitarnos el acceso privilegiado a tan valiosa información y compartir con nosotros tanta sabiduría.

Al Dr Ilya Prigogine, Dra. Isabelle Stengers, Dr. Luc Montagnier, Dra Bárbara Ann Brennan, Dr Masaru Emoto, Dr Georges Lakhovsky, Dr.Karim Nayernia, Dr.Alain Aspect, Dr. John Clauser, Dr. Anton Zeilinger, Dr. John Nash, Dr. Benjamin Libet, Dr. Robert Sapolsky, Dr. Jacques Cohen, Dr. Tomohiro Kono, Dr Stanley Balfour Lynn, Dr. Friedmund Neumann, Dra., Martha McClintock, Dr Damian Chapman, Dr Karim Nayernia, Dr. Beasley, Dr Tyrone Hayes, Dr. A.A. Lubishchev , Dr. AG Gurvich , Dr. N. Beklemishev.

Al Dr. JP Garnier Malet, por darnos la oportunidad en sus formaciones, de compartir tanto conocimiento, en esa intimidad en que permite, con su pequeño grupo de alumnos, de esa nutrición y un aliciente confirmativo de mi palpitar.

A Dr. Moncayo y Goio, que fueron, sin pretenderlo, un punto de inflexión en mi vida, porque no podría expresar con palabras mundanas lo que supuso para mí, vuestro paso por mi caminar, y por ser un germen invisible de este trabajo, sembrado en aquella singular ruta, que tuve el honor de compartir y vivir en primera persona, en que pudimos ver a tantas personas enfermas, aliviarse con la tecnología de aquel proyecto por el año 2010, que sembró sus semillas, del hoy presente.

A Dr. Alberto Pérez Roldán, por invitarme a aquel viaje a Vermont (Boston), en esa increíble convivencia con tantos maestros, en que pudimos vivir experiencias increíbles, compartiendo mesa con el Nobel de medicina Luc Montagnier, y sala con Brian David Josephson entre otros muchos de su talla. Allí por octubre de 2010 comenzó la andadura, la cual recuerdo como un viaje en el tiempo, así como sacado de una película que atesoro en la trastienda de los recuerdos más bellos.

A Antonio, mi profesor de Física, por abrirme la puerta de su hogar, en su casita de Pozuelo, en donde tantos días, que acababan en noches, hiciste lo posible por hacerme entender un poco más del mundo. Gracias por tu paciencia con esta alumna inquieta, que siempre llegaba a destiempo, apresurada, y con la frente sudada de la velocidad, pero tan deseosa como la niña que mira con inocencia las primeras creaciones mágicas del mundo.

A mis hijos Dimas y Daniela, que Amo con toda mi alma, y son mi motor de vida, mis grandes maestros, extensión y prolongación de mi árbol, y la mayor de las inspiraciones de este trabajo.

A mi madre, en su sabiduría y nobleza reside mi calma y mi paz, a ella le debo todo, su amor me hace grande. Ha pasado por tanto que su siembra deja estela para millones de sedientos.

A mi padre, porque estar cerca suyo era despertar obligado, por enseñarme que el amor tiene tantas formas de manifestación a veces incomprensibles.

A mis hermanos, que adoro, a mis familiares y mis ancestros que han sido parte de mi raíz sistémica.

A mis suegros por traer a la vida a tan bello y luminoso regalo, y por estar presentes en los momentos más importantes.

Al amor de mi vida, por la incondicionalidad de su acompañar, permitiéndome siempre ser lo que soy. Dicen que la pareja con la que compartes tu vida determina, en sintonía con uno mismo, la calidad y evolución de la relación y por ende la vida misma, y no puedo estar más de acuerdo con esas sabias afirmaciones.

Nuestro encuentro es faro e inspiración en la esencia de este trabajo, gracias infinitas por tu apoyo y paciencia.

Y en especial a esa voz que yo escucho, que a veces me susurra en forma de jurista, poeta, de físico, de filósofo…, que me trae revelación, canal, intuición, luz y voz, esa misma que en ocasiones, me deja desprovista de todo conocimiento, para concederme el regalo de mayor grado, no ser nada, y de ese único modo, poder serlo todo.

A los compañeros de viaje en el trayecto de mi trabajo, que me han traído tantas enseñanzas, y tantos momentos de vida. A los amigos que amo, ellos saben, aunque no nos veamos lo que nos gustaría y lo que necesitaríamos, en mí permanece siempre, en forma de poema, la experiencia compartida siempre perpetuada en el exhalo de mi aliento, que toma vida y voz, tantas veces contenida, dando tantas veces por priorizado el deber en pos de lo sentido.

A los que han estado más presentes en mi vida, y a todos los que, aun ausentes, me han enviado su luz y fuerza, aunque ni ellos mismos sean conscientes de ello.

Ha requerido de un ímprobo esfuerzo, difícil de explicar el llegar aquí, un recorrido de muchísimos acontecimientos y eventualidades.

Agradecida también a todos los contrapesos que me ha puesto la vida delante, que lejos de tomarlos como una traba, los observé y trabajé como experiencia vital que necesitaba vivir para la preparación de mi próximo estadio de vida.

Mi pasión por la genética viene de tan lejos, que no me resulta fácil marcar una fecha. Era el año 2011, cuando formalizaba la matrícula de mi segundo curso en Física en la UNED, por ese entonces aún no había culminado mi recorrido en Derecho, pero era tal mi pasión por la Física, La Genética, la Medicina, que me inquietaba y me turbaba la sola posibilidad de dejarlo pasar.

Por razones de trabajo en el año 2013 me marché a LAM, con proyectos en distintos países Irapuato México, Paraguay, Bolivia, Colombia, residí en Paraguay durante año y medio, y me llevé conmigo, como no podría ser de otro modo, a mis dos hijos mellizos, Dimas & Daniela, que entonces no habían cumplido un año.

Mi estancia iba a ser más larga de lo que finalmente fue, así que decidí matricularme en medicina en la universidad UNINORTE, turno de tardes, mi alegría era inmensa. En España no había sido posible. Sin embargo, por razones de fuerza mayor se me requirió de nuevo volver a España, no continuando con los proyectos iniciados en Latino América, y tampoco con mis estudios en medicina, pero puedo decir, que he tenido la experiencia de haber sido alumna de medicina, al menos por un curso. En realidad, mi pasión por la medicina no era tal, sino la sanación, la comprensión del cuerpo en su nivel ínfimo Subatómico.

En el año 2011 constituimos CIS- Ciudad Internacional de la Salud, que nació con la finalidad de investigación en enfermedades degenerativas. Participamos con diversos convenios en varios proyectos de Investigación. Un apoyo importante en aquellas fechas fue Isabel Plazas, amiga y buena compañera durante muchos años, agradezco todo lo vivido, me ayudó en jornadas extraordinarias, después de su trabajo, a realizar las convocatorias y selección de proyectos en colaboración con distintas universidades españolas, todos ellos enfocados en enfermedades degenerativas, por entonces de gran prevalencia la de Alzheimer.

Hace apenas unos meses, encontraba entre mis notas, un escrito de año 2012 titulado 'persona, genética y derecho', y me ha resultado muy curioso, lleva fecha 25/05/2012, y por esa fecha en mis pensamientos más conscientes no estaba realizar esta investigación, estaba más bien en mi desarrollo como Consultor/Jurista mientras ahondaba en mi pasión por la física y la genética. Sin embargo, cómo es esto del tiempo, que acaba llevándote al lugar donde perteneces, si te dejas llevar, y no opones resistencia.

Lo importante para mí ha sido disfrutar del trabajo, dejar una expresión líquida de lo que resultaba valedero y genuino a criterio de la autora, sin permitir que la presión del trabajo de investigación, de cómo habría de ser, su expresión para encajar en un marco predeterminado, me limitase de algún modo.

He tratado de abordar la investigación desde un marco jurídico, en la perspectiva Bioderecho, en un lenguaje comprensible y accesible a casi todo público, pues también en esa esencia reside el espíritu de este trabajo.

Acostumbrada a compartir opiniones con compañeros que tienen su formación en otras áreas, y que a menudo, me cuentan lo difícil que a veces resulta entender o traducir algunos textos, pese a sus extensas formaciones, principalmente la jerga jurídica, aunque extrapolable a cualquier otra, y que ello supone a menudo una barrera.

Aunque existe la percepción de que la jerga jurídica se extravía en páramos lingüísticos ininteligibles, esto no es del todo cierto. Aunque los no profesionales del derecho a veces sienten que los juristas hablan en un lenguaje inaccesible, la realidad es que el lenguaje jurídico no difiere drásticamente del coloquial. Y aunque en cierto sentido puede parecer impenetrable, en realidad es una parte necesaria del lenguaje profesional de la disciplina del derecho. Su uso preciso y técnico deviene fundamental para la comprensión y aplicación de las leyes y normativas.

Y siendo que la dimensión que se pretende alcanzar recae definitivamente tanto en las diversas disciplinas, como en el público común, he interesado especialmente un lenguaje lo más llano posible.

Ciertamente tengo que reconocer que este trabajo me ha parecido quasi interminable pues son tantos los puntos que se hace necesario coordinar para establecer la coherencia pretendida, que no hacerlo habría desvirtuado la finalidad del mismo. Y aunque definitivamente he tenido que desechar mucha información que en principio estaba incorporada en el trabajo, en el objeto de hacerlo más transitable, ha resultado sorpresivamente mucho más nutritivo en tanto ha superado las expectativas que tenía puestas en ello.

Especialmente agradecer a mi Amor, mi llama, por su inmensa paciencia y acompañamiento, apoyo infinito en los momentos de mayor tensión y dificultad, por ser mi mar y mi remo, sin ti no habría sido posible. Prometo recuperar las infinitas horas y salvaje tiempo dedicado al trabajo y estudio de esta investigación y analogías.

A las miradas de luz, que me encuentro causalmente, caminando por la calle, entrelazando procesos de vida, en esa búsqueda épica de coherencia que va escribiendo y formando el tejido del tiempo que antes no existía, ¿Qué es el tiempo?

'Lo que buscas también te está buscando a ti'.
Rumi.

PRÓLOGO

A menudo las personas que descubren un nuevo hallazgo,

Están tan seguras y certeras de ello,

Que nada puede convencerles de lo contrario.

-María Del Carmen García Casas-

Prólogo

He encontrado a Dios[1] y el milagro de la creación,
En infinidad de recónditos lugares,
En el Amor de una Madre y Padre,
En la mano de un hermano,
En la Naturaleza que abriga,
En el Mar que regocija, nutre y limpia,
En el bien amado,
En la mirada del niño,
En la compasión,
En la rabia del incomprendido,
En el baile atómico de las células del prójimo,
En la unión matrimonial sacramentada por el amor,
En las estrellas,
En la mirada de la pobreza y la indigencia,
En la abundancia infinita del universo,
En el don talentoso,
En la dificultad de acceder al don,
En el mil veces caído,
En el que se levanta,
En el que no alcanza aliento suficiente para levantarse,

---

1 Proviene del latín «deus», derivado del indoeuropeo deiw- «brillar», deiwos «dios»

En la comprensión de la Genética,

Las leyes de la Física,

En la meditación,

En la voz del poeta que me vive dentro,

En el dolor de la pérdida,

En el resquebrajo de la piel,

En la mirada lánguida del triste,

En el júbilo de la sonrisa,

En el lenguaje encriptado del latido,

En las personas que hablan de amor sin manual,

En la sincronicidad que acerca al don divino,

En la reciprocidad de las miradas de luz,

En el hermano que elije mirar, el tamaño de tus zapatos, antes del juzgar,

En quien intenta sostenerse en este, tantas veces, ilógico mundo,

En quien abraza sin preguntar,

En el beso de las lágrimas,

En la sonrisa que abraza el llanto,

En quien se aleja de parametrizar y excluir,

En quien te mira, y ve, que solo eres eso,

Una 'personica'.

En el sueño despierto (sueño paradójico MOR)

En la vigilia soñada,

En los placeres inherentes a la vida, la naturaleza, y al Ser Humano,

En la paz,

E Incluso, en la religión.

En la Comunicación,

En la cohesión,

En el vínculo indisoluble de ese mapa,

Que contiene el patrón de inteligencia invisible,

Que rige la mayor en la materia,

Nuestra genética como Seres Humanos.

¿Dónde sino en el ADN, habría escogido un sabio Dios, para aguardar El grial de las escrituras sagradas?

¿Cómo es posible tantos siglos de ciencia, filosofía, teología, y no conocemos, ni muestra interés pretérito alguno para la mayoría,

Lo que vendría a ser lo más importante que conforma nuestra existencia como especie?

Y sin embargo nos mostramos atemperados por el temor a lo desconocido,

Por el temor a conocernos.

¿Cómo es posible?

-María Del Carmen
García Casas- MCGC

ABREVIATURAS

*'La palabra muerte se inventó para ce-
rrar un caso sin resolver'*

-María Del Carmen
García Casas-

20/01/2012

Abreviaturas

AAAS	American Association for the Advancement of Science (Asociación Americana para el Avance de la Ciencia)
ACGT	Advisory Commitee on Genetic Testing
ACMG	American College of Medical Genetics and Genomics (Colegio Americano de Genética Médica y Genómica)
ADN	Ácido desoxirribonucleico
ADNmt	Ácido desoxirribonucleico mitocondrial
ADO	Allele drop-out (pérdida alélica)
AEMPS	Agencia Española de Medicamentos y Productos Sanitarios
AHEC	Australian Health Ethics Committee
apdo., apdos.	Apartado, apartados
ARN	Ácido ribonucleico
ARRIGE	Association for Responsible Research and Innovation in Genome Editing (Asociación para la Investigación e Innovación Responsables en la Edición del Genoma)
ART	Assisted reproductive technology
Art., Arts.	Artículo, Artículos
ASEBIR	Asociación para el Estudio de la Biología de la Reproducción

ASHG	American Society of Human Genetics (Sociedad Americana de Genética Humana)
ASRM	American Society for Reproductive Medicine
ATC	Auto del Tribunal Constitucional
BGH	Bundesgerichtshof
BMJ	British Medical Journal
BOE	Boletín Oficial del Estado
Cap.	Capítulo
Cas	CRISPR-associated (asociadas a CRISPR)
Cas9	CRISPR asociated protein 9 (proteína 9 asociada a CRISPR)
CBE	Comité Bioética de España
CC	Código Civil
CAHBI	Comité ad hoc de Expertos sobre el Progreso de las Ciencias Biomédicas
CC.AA.	Comunidades autónomas
CCEAG	Consejo de Cooperación para los Estados Árabes del Golfo
CCMO	Centrale Commissie Mensgebonden Onderzoek
CCNE	Comité consultatif national d'éthique pour les sciences de la vie et de la santé
CDB	Convenio sobre la Diversidad Biológica (Convenio de Río)
CDBI	Comité Director para la Bioética
CDC	Centers for Disease Control and Prevention
CDFUE	Carta de Derechos Fundamentales de la Unión Europea, del 7 diciembre del 2000

CDHB	Convenio para la protección de los derechos humanos y la dignidad del ser humano con respecto a las aplicaciones de la Biología y la Medicina (convenio relativo a los derechos humanos y la biomedicina o convenio de Oviedo) del 4 de abril de 1997
CDN	Convención sobre los Derechos del Niño, del 20 noviembre de 1989
CE	Constitución Española de 1978
CEBES	Centro de Estudios en Bioderecho, Ética y Salud
CEDH	Convenio Europeo para la Protección de los Derechos Humanos y de las Libertades Fundamentales (Convenio Europeo de Derechos Humanos)
CEI	Comité de Ética de la Investigación
CER	Centro de Estudios para la Reproducción
Cfr.	Cónfer (Compárese con)
CFTR	Cystic fibrosis transmembrane conductance regulator (regulador de conductancia transmembrana de la fibrosis quística)
CGH	Comparative Genomic Hybriditation
CI	Consentimiento informado
CIB	Comité Internacional de Bioética de la UNESCO
CIE	Clasificación Internacional de Enfermedades, 11ª revisión
CIDH	Corte Interaméricana de Derechos Humanos

CNRHA	Comisión Nacional de Reproducción Humana Asistida
CNPMA	Consejo Nacional de Procreación Medicamente Asistida
Coord.	Coordinador(a)
COVID-19	CoronaVIrus Disease-19 (enfermedad por coronavirus-19)
CP.	Ley Orgánica 10/1995, de 23 noviembre, del Código Penal
CRBC	Cross-border reproductive care
CRISPR-Cas9	Clustered Regularly Interspaced Short Palindromic Repeats (repeticiones palindrómicas cortas, agrupadas y regularmente interespaciadas)
CSEC.	Commissions de la Science, de L'éducation et de la Culture
CSIC	Consejo Superior Investigación Científica
DA	Disposición Adicional
DBK	Deutsche Bischofskonferenz
DBT	Department of Biotechnology
DD.HH.	Derechos Humanos
DF	Disposición Final
DGP	Diagnóstico Genético Preimplantacional
DGPI	Diagnóstico genético preimplantatorio
DIDGH	Declaración Internacional sobre los Datos Genéticos Humanos
Dir.	Director(a)
DIY	Do-It Yourself (hazlo tú mismo)
DNA	Deoxyribonucleic Acid

DOUE	Diario Oficial de la Unión Europea
DPI.	Diagnostic préimplantatoire
DPJIB	Directiva 98/44/CE del Parlamento Europeo y del Consejo, de 6 de julio de 1998, relativa a la protección jurídica de las invenciones biotecnológicas
DRGAGF	Declaración sobre las Responsabilidades de las Generaciones Actuales para con las Generaciones Futuras
DS	Revista Derecho y Salud
DT	Disposición Transitoria
DUBDH	Declaración Universal sobre Bioética y Derechos Humanos, del 19 de octubre 2005
DUDH	Declaración Universal de los Derechos Humanos de 10 de diciembre de 1948
DUGHDH	Declaración Universal sobre el Genoma Humano y los Derechos Humanos de 11 noviembre de 1997
EASAC	European Academies' Science Advisory Council (Consejo Asesor Científico de las Academias Europeas)
EBD.	Epidermólisis bullosa distrófica
ECDC	European Centre for Disease prevention and Control (Centro Europeo para la Prevención y el Control de las Enfermedades)
ECE-MC.	Estudio Colaborativo Español de Malformaciones Congénitas
ECLI	European Case Law Identifier (identificador europeo de jurisprudencia)
Ed.	Editor / Editores / Edita

EE.UU.	Estados Unidos
EEMM	Estados Miembros
EGE	European Group on Ethics in Science and New Technologies (Grupo Europeo de Ética de la Ciencia y las Nuevas Tecnologías)
Ej.	Ejemplo
ELA.	Esclerosis lateral amiotrófica
EM	Exposición de Motivos
EMA	European Medicines Agency (Agencia Europea de Medicamentos)
EMBO	European Molecular Biology Organization (Organización Europea de Biología Molecular)
EMBRYOCRISPR	Proyecto de investigación sobre la edición de genes con CRISPR-Cas9 en embriones humanos para el estudio del desarrollo embrionario temprano
ENCODE	ENCyclopedia Of DNA Elements (Enciclopedia de los Elementos del ADN)
EPOC.	Enfermedad pulmonar obstructiva crónica
ESHG	European Society of Human Genetics (Sociedad Europea de Genética Humana)
ESHRE	European Society of Human Reproduction and Embryology (Sociedad Europea de Reproducción Humana y Embriología)
et al.	et alter (y otros)
Etc.	et cetera (y el resto)
FCSRCA	Fertility Clinic Success Rate and Certification Act

FDA	Food and Drug Administration (Administración de Alimentos y Medicamentos de los Estados Unidos)
FEAM	Federation of European Academies of Medicine (Federación de Academias Europeas de Medicina)
FECYT	Fundación Española para la Ciencia y la Tecnología
Fig	Figura
FIGO	Federación Internacional de Ginecología y Obstetricia
FISH.	Fluorescence in situ hybridization.
FIV	Fecundación in Vitro
FJ	Fundamento Jurídico
GenTG	Gesetz zur Regelung der Gentechnik – Gentechnikgesetz (Ley que regula la ingeniería genética - Ley de Ingeniería Genética)
GnRH	Hormona liberadora de gonadotrofinas
GRC	Genome Reference Consortium (Consorcio del Genoma de Referencia)
HDR	Homology directed repair (reparación dirigida mediante homología)
hCG	Human chorionic gonadotropina
HEXA	Hexosaminidase subunit alpha (Subunidad alfa de la hexoaminidasa)
HFEA	Human Fertilisation and Embryology Authority (Agencia de Reproducción Humana y Embriología de Reino Unido)
HGC	Human Genetics Commission
HGP	Human Genome Project (Proyecto Genoma Humano)

HLA	Human leukocyte antigen
HTT	Huntingtina
IBC	International Bioethics Committee (Comité Internacional de Bioética de la UNESCO)
Ibid	Ibidem (obra citada inmediatamente antes)
ICMART	International Committee for Monitoring Assisted Reproductive Technology
ICMR	Indian Council of Medical Research
ICSI	Intracytoplasmic sperm injection
Id.	Ídem (referencia idéntica a la citada antes)
IECDHB	Informe explicativo del Convenio para la protección de los derechos humanos y la dignidad del ser humano con respecto a las aplicaciones de la Biología y la Medicina
IMABE	Instituts für Medizinische Anthropologie und Bioethik
IMC	Índice de masa corporal
INE	Instituto Nacional de Estadística
Infra	Abajo
IRA	Instituto de Reproducción Asistida.
IVF	In vitro fertilisation
JAMA	Journal of the American Medical Association
JSHG.	Japan Society of Human Genetics
LAP	Ley 41/2002, de 14 de noviembre, básica reguladora de la autonomía del paciente y de derechos y obligaciones en materia de información y documentación clínica

LCCSNS	Ley 16/2003, de 28 de mayo, de cohesión y calidad del Sistema Nacional de Salud
LCTI	Ley 14/2011, de 1 de junio, de la Ciencia, la Tecnología y la Innovación
LDUEF	Ley 42/1988, de 28 de diciembre, de donación y utilización de embriones y fetos humanos o de sus células, tejidos u órganos
LFCGICT	Ley 13/1986, de 14 de abril, de Fomento y Coordinación General de la Investigación Científica y Técnica
LFEH	Ley de Fertilización y Embriología Humana.
LGS	Ley 14/1986, de 25 de abril, General de Sanidad
LGURMPS	Real Decreto Legislativo 1/2015, de 24 de julio, por el que se aprueba el texto refundido de la Ley de garantías y uso racional de los medicamentos y productos sanitarios
LIB	Ley 14/2007, de 3 de Julio, de Investigación Biomédica
LO	Ley Orgánica
LPMA	Loi fédérale sur la procréation médicalement assistée
LRA	Ley 35/1988, de 22 de noviembre, sobre Técnicas de Reproducción Asistida
LTAIBG	Ley 19/2013, de 9 de diciembre, de transparencia, acceso a la información pública y buen gobierno
LTRA	Ley 35/1988, de 22 de noviembre, sobre Técnicas de Reproducción

LTRHA	Ley 14/2006, de 26 de mayo, sobre técnicas de reproducción humana asistida
LTRHA	Ley 14/2006, de 26 De mayo, sobre Técnicas de Reproducción
MCI.	Masa celular interna
MDA.	Multiple Displacement Amplification. NAD. National Association of the Deaf.
MIT	Massachusetts Institute of Technology (Instituto de Tecnología de Massachusetts)
NAE	National Association of Evangelics.
NASEM	National Academies of Sciences, Engineering, and Medicine (Academias Nacionales de Ciencias, Medicina e Ingeniería)
NBIC	Nanotecnología, Biotecnología, Informática y Ciencias cogniyivas
NEJM	New England Journal of Medicine
NgAgo	Natronobacterium gregory Argonaute (proteína Argonauta de la bacteria Natronobacterium gregory)
NHEJ	Non-homologous end joining (unión de extremos no homólogos)
NHMRC.	National Health and Medical Research Council.
NIH	National Institutes of Health (Institutos Nacionales de la Salud)
N°	Número
Núm. núms	Número, números
OCDE	Organización para la Cooperación y el Desarrollo Económico

OEI	Organización de Estados Iberoamericanos
OMIM	Online Mendelian Inheritance in Man
OMS	Organización Mundial de la Salud
ONU	Organización de las Naciones Unidas
Op. cit.	Obra citada
p.	Página
p., pp.	Páginas
P.ej.	Por ejemplo
PA	Protocolo Adicional
Párr.	párrafo
PBP	Principio de Beneficiencia Procreativa
PCC	Partido Comunista Chino
PCR	Polymerase chain reaction
PGD	Preimplantation genetic diagnosis.
PGD-A	Preimplantation genetic diagnosis for aneuploidy.
PGDIS	Preimplantation Genetic Diagnosis International Society.
PGH	Proyecto Genóma Humano
PGS	Preimplantation genetic screening.
PHCR	Prohibition of Human Cloning for Reproduction Act.
PMO	Programa médico obligatorio
PHS	Public Health Service.
PID	Präimplantationsdiagnostik.
PIDCP	Pacto Internacional de Derechos Civiles y Políticos, de 16 de diciembre de 1966
PIDESC	Pacto Internacional de Derechos Económicos, Sociales y Culturales, de 19 de diciembre de 1966

PIDV	Regelung der Präimplantationsdiagnostik.
PMO	Programa Médico Obligatorio.
PNAS	Proceedings of the National Academy of Sciences
PPA	Proteína precursora de la beta amiloide.
PS1	Presenilina 1
PS2	Preselesina 2
RAE	Real Academia Española de la Lengua
RD	Real Decreto
RDL	Real Decreto-Ley
REDA	Revista Española de Derecho Administrativo
REDC	Revista Española de Derecho Constitucional
REEC	Reglamento (UE) n° 536/2014 del Parlamento Europeo y del Consejo, de 16 de abril de 2014, sobre los ensayos clínicos de medicamentos de uso humano, y por el que se deroga la Directiva 2001/20/CE
RGPD	Reglamento (UE) 2016/679 del Parlamento Europeo y del Consejo, de 27 de abril de 2016, relativo a la protección de las personas físicas en lo que respecta al tratamiento de datos personales y a la libre circulación de estos datos y por el que se deroga la Directiva 95/46/CE (Reglamento General de Protección de Datos)
RHA	Reproducción Humana Asistida

RICYT	Red de Indicadores de Ciencia y Tecnología Iberoamericana e Interamericana
RIHE	Research Involving Human Embryos Act
RTAC	Reproductive Technology Accreditation Committee
RTC	Reproductive Technology Council
S.L.	Sociedad Limitada
SAF.	Fertility Society of Australia
SARS-CoV-2	Severe Acute Respiratory Syndrome COronaVirus 2 (coronavirus-2 causante del Síndrome Respiratorio Agudo Grave)
Secc.	Sección
SEF	Sociedad Española de Fertilidad.
SEGO	Sociedad Española de Ginecología y Obstetricia
SNP	Single Nucleotide Polymorphisms (polimorfismos de un solo nucleótido)
SNS	Sistema Nacional de Salud
SS.	Siguientes
SSI	Orden del Ministerio de Sanidad, Servicios Sociales e Igualdad
STC	Sentencia del Tribunal Constitucional
STS	Sentencia del Tribunal Supremo
STSJ	Sentencia del Tribunal Superior de Justicia
Supra	Arriba
TALEN	Transcription activator-like effector nuclease (nucleasas tipo activadores de transcripción)

TC	Tribunal Constitucional
T2T	Telomere-to-Telomere Consortium (Consorcio "De Telómero a Telómero")
TDAH	Trastorno de Déficit de Atención con Hiperactividad
TEDH	Tribunal Europeo de Derechos Humanos
TFUE	Tratado del Fundamento de la Unión Europea
TRA	Técnicas de reproducción asistida
TRHA	Técnicas de reproducción humana asistida
TS	Tribunal Supremo
TSJ	Tribunal Superior de Justicia
UCM.	University College Maastricht
U.S.A.	Estados Unidos de América
UE	Tratado de Funcionamiento de la Unión Europea
UK	United Kingdom
UMC	United Methodist Church
UNESCO	United Nations Educational, Scientific and Cultural Organization (Organización de las Naciones Unidas para la Educación, la Ciencia y la Cultura)
URHA	Unidad de Reproducción Humana Asistida.
U.S.A	Estados Unidos de América
Vid.	Vide (véase)
VIH	Virus de la Inmunodeficiencia Humana
vol.	volumen

VV.AA.	Varios Autores
WGA	Whole Genome Amplification.
WHO	World Health Organization (Organización Mundial de la Salud)
ZFN	Zinc finger nucleases (nucleasas de dedos de Zinc)

INTRODUCCIÓN

'Por primera vez en la historia de la ciencia, caminamos con nuestro libro de instrucciones en la mano'.

Francis Collins,
Director del Proyecto Genoma Humano

-Año 2003-

Introducción

1.PLANTEAMIENTO DE LA INVESTIGACIÓN

Pocos resultados científicos han sido anunciados a lo largo de la historia por un presidente de una nación, en este caso EEUU, el 26 de junio de 2000, Bill Clinton, entonces presidente de Estados Unidos, presentaba en la Casa Blanca el primer borrador del "libro genético de la vida humana": el genoma humano.

Puede dimensionarse así la magnitud del alcance de la noticia que revolucionaría a la comunidad científica y al conjunto de la sociedad en general. Y ciertamente no era para menos anunciar lo que vendría a ser el acceso a las instrucciones de la propia vida. Sin embargo, aunque ciertamente han sido importantes los avances con el proyecto Genoma Humano desde entonces, no tardarían en desproporcionarse, los titulares avanzados, con los resultados en relación a la inmensa incomprensión que todavía hoy subyace en el misterio de la genética y su comportamiento, relegando a miles de investigadores y científicos a un recorrido de investigación de cuello de botella con serios puntos de congestión en los procesos, habida la capacidad limitativa de la propia línea de base de estudio seguida.

Sin embargo, esta investigación, confronta de algún modo la idea tradicional preconcebida en materia genómica en el ámbito de la ciencia, y la sociedad en general, utilizando elementos dinamitadores frente a las bases previamente establecidas. En la pretensión final de orientar al lector en la introducción de un nuevo concepto de genética hasta hoy no planteado, fundamentado en magnas investigaciones representadas por nuestro panel de científicos. Y sobre ello plantear el preceptivo debate ético y jurídico. Habido que a esta autora no le ha sido posible trabajar sobre una base que considera inconclusa e ineficaz, sin previamente, traer a esta investigación todas aquellas contradicciones e incoherencias que a menudo se resuelven de modo discordante a lo pretendido, presumiblemente por las inconsistencias del planteamiento rector.

La Genética como ciencia potencial, y sus estudios de aplicación en edición de genes, ha resultado ser históricamente un asunto difícil de abordar, cuyas líneas de investigación permanecieron a la sombra durante décadas.

Existe una tendencia tradicional a nivel mundial de restricción legislativa en la materia debido a la colosal potencialidad de esta técnica, y el gran desconocimiento que sus aplicaciones representa.

El descubrimiento de la técnica CRISPR/CAS9 de edición genética genera amplias vías de investigación científica. Los problemas Ético-Jurídico que se plantean, para la aplicación de la mencionada técnica en humanos, son innumerables, lo que trae consigo un extenso debate jurídico, ético, social y científico.

El mundo científico ha puesto de manifiesto desde los primeros pasos de la técnica Crispr, su preocupación, en numerosas publicaciones, poniendo en valor la necesidad de realización de estudios que abarquen los problemas éticos, sociales y jurídicos que podrían generarse con su utilización.

Para entender las motivaciones de la legislación nacional e internacional, se hace necesario un análisis de los diversos factores de influencia que afectan a los distintos estados y sus legisladores. Así como lo son la reserva de los avances científicos a intra muros de laboratorio, el fenómeno religioso, los sucesos históricos, las tradiciones socioculturales, los sistemas de organización familiar y el factor económico. Todos ellos de gran influencia e impacto en el desarrollo de la aplicación de esta técnica.

A pesar de las discrepancias entre los distintos países en materia de propuestas legislativas, primaba la existencia de una inercia generalizada tendente a armonizar criterios. Sin embargo, en los últimos siete años, y muy especialmente en los tres últimos, se ha puesto de manifiesto tan diversas como opuestas y confrontadas propuestas legislativas, por parte de los diferentes estados.

Las diferencias son cualitativamente significativas, debido fundamentalmente a factores de tipo ideológico, sociocultural, económico o religioso. Ética, ciencia, derecho y diversas filosofías, se confrontan en debates épicos de magnitudes descomunales.

Y es que nos encontramos ante el abordaje de un asunto que no se puede legislar individualmente por cada nación, sino que, por el contrario, se hace necesario un proceso homogéneo de propuesta y debate bioético y legislativo que contemple todos los aspectos anteriormente reseñados.

Se trata por tanto de un tema de afección mundial, como lo fue en su momento acometer el cambio climático, que nos afecta a todos por igual, en cualquier parte del planeta, o como también lo fue en materia de eficiencia energética, así, de igual modo la incipiente Ley de IA en la que se encuentra trabajando la UE y que se presenta como primera propuesta normativa sobre inteligencia artificial en el mundo[1].

---

1 PARLAMENTO EUROPEO
El uso de la inteligencia artificial en la UE estará regulado por la Ley de Inteligencia Artificial, la primera ley integral sobre IA del mundo. Aquí más información sobre cómo funcionará.

Se presume inescindible dotar al marco jurídico internacional de una armonización entre países, en lo relativo a edición genética. Que, si bien se plantea en opciones restrictivas en la mayoría de los países, de la propia observación se detrae que su regulación es dudosa o inexistente, lo que genera un inmenso vacío legal. Además de la explícita exposición de riesgo a la que se someten involuntariamente el resto de los países normalizados.

En este estudio, se hace una especial mención a la diferencia que aplica la ciencia en relación a la terapia génica en línea somática, dirigida a la prevención, tratamiento y cura de enfermedades, así como la terapia génica en línea germinal, sustanciando y confrontando de algún modo, la versatilidad de las células somáticas y su susceptible potencialidad de función reproductora.

La investigación pone en relación el derecho a la vida y a la integridad física y moral proclamado en Art 15 CE, con el presumible derecho fundamental que habría de vincularse este status, con el 'Derecho a estar sano' y 'disfrutar de una vida longeva sin enfermedad', concordante con las evidencias cien-

---

Publicado: 12-06-2023
https://www.europarl.europa.eu/topics/es article/20230601STO93804/ley-de-ia-de-la-ue-primera-normativa-sobre-inteligencia-artificial
Como parte de su estrategia digital, la UE quiere regular la inteligencia artificial (IA) para garantizar mejores condiciones de desarrollo y uso de esta tecnología innovadora. La IA puede aportar muchos beneficios, como lo son una mejor asistencia sanitaria, un transporte más seguro y limpio, una fabricación más eficiente y una energía más barata y sostenible.
En abril de 2021, la Comisión propuso el primer marco regulador de la UE para la IA. Propone que los sistemas de IA que puedan utilizarse en distintas aplicaciones se analicen y clasifiquen según el riesgo que supongan para los usuarios. Los distintos niveles de peligro implicarán una mayor o menor regulación. Una vez aprobadas, serán las primeras normas del mundo sobre IA.

tíficas que proclaman su posibilidad en materia de genómica, limitadas hasta el momento, intra muros de laboratorio.

Así como la libre elección que habría de resultar legítima en derecho de acceso a la propia genética, de cada sujeto, habiendo de constituir un derecho individual inherente a la persona, y no una restricción taxativamente limitada, en favor del proclamado patrimonio genético de la humanidad.

A lo largo de la investigación, e íntimamente relacionado con lo anteriormente expuesto, se han sucedido hitos, de especial trascendencia, en torno a los cuales se ha suscitado un mirífico planteamiento necesario de diálogo académico, ético, jurídico, social y científico, que han reconducido necesariamente la ampliación de la investigación en determinados campos, íntimamente conectados con la genética, como los neuroderechos, IA, sendos descubrimientos en física, la funcionalidad del ADN no codificante, y con aplicación a enfermedades degenerativas, entre otras, así como futuribles métodos de reproducción.

Ello pone de manifiesto la necesidad de abrir el paraguas del entendimiento, comprensión y aplicabilidad del alcance de los avances científicos, mundialmente reconocidos, en materia genómica. Pues se deduce una enorme brecha entre los descubrimientos científicos y la realidad aplicable tanto en las enfermedades como en métodos de reproducción.

Siendo que la opción de mecanismos meramente restrictivos, únicamente limitan y merman las posibilidades evolutivas que enfrenta el ser humano. Y que la mayoritaria corriente de estudios e investigaciones aboga por restringir y/o limitar, así como solicitar una mora en las aplicaciones en línea germinal.

Ciertamente estaría íntimamente vinculada con la aversión social manifiesta en relación a la edición del genoma, que, aunque despierta elevada curiosidad, ello no superaría la necesidad o riesgo de modificar el status actual conocido. Y cuyo cambio vendría dado por la necesaria educación en genómica que hoy es plenamente nula en las aulas, y que habría de implantarse en un sentido muy amplio y extendido a todas las áreas de conocimiento. Una formación abierta que permita el acceso real a la participación del conocimiento escudriñado de la genómica, así como se imparte con otras disciplinas como las matemáticas, que, con mayor o menor voluntad o ganas, resulta obligatorio pasar por el estudio de teoremas, ecuaciones, límites, derivadas, algebra, etc…

No resultaría viable hablar de modificación genómica sin la participación social, y máxime cuando ella estaría restringida mayoritariamente a la ignorancia, habido no se tiene ni la mínima percepción de lo que significa, más allá de la ambivalencia entre el temor eugenésico y el surrealismo alineado con las capacidades de superhombre que mal interpretado quedaría plenamente desnaturalizado.

Por tanto, se podría interpretar que el diálogo de la edición genómica recae en la actualidad exclusivamente en representantes del mundo de la ciencia en sus diferentes áreas y poderes políticos, incluyendo religión en política, habido que ésta última encontraría frecuentemente en la religión un aliado y partner en el apoyo y lealtad de la población.

2. METODOLOGÍA, OBJETIVOS DEL ESTUDIO Y FINALIDAD, CONTENIDO Y ESTRUCTURA

2.1. Metodología y Finalidad de la investigación.

La metodología empleada es fundamentalmente teórica, apoyada en la bibliografía de contraste, en relación a la confluencia de investigaciones que han de ponerse necesariamente en común, a la luz de sus resultados, entiende la autora, no habrían de quedar inconexas entre las distintas disciplinas íntimamente conectadas, tales como la Genética, la reproducción, la IA, Neuroderechos, Bioética, Bioderecho, en tanto de su conjunción se detrae la mayor de las innovaciones y avances, no debiendo quedar sesgada por disciplina intramuros de un laboratorio.

En la investigación se extrapolan diversas ideas al objeto de estudio, con desarrollo de supuestos sobre las hipótesis presentadas, argumentos demostrativos constitutivos de la investigación, con sus objeciones, análisis, deducciones, conclusiones y propuestas.

Con enfoque que abarca cuestiones específicas del derecho, la ética, biología, medicina, genética, aunque si bien, sigue la estructura y método propio del ámbito jurídico, con la enriquecida perspectiva multidisciplinar que necesariamente ha de tomar para abarcar el estudio riguroso y ambivalente de la edición genética Crispr-Cas, y sus amplias aplicaciones desde la libertad de investigación científica.

Así, el método empleado recae principalmente en el estudio de las fuentes normativas y jurisprudenciales en las distintas materias y enfoques de ámbito nacional e internacional, en la obtención y la revisión de la doctrina más relevante, así como la puesta en valor de investigaciones de especial consonancia, y en último término determinar la inferencia inductiva, la sistemática que llevan a apuntar las diferentes conclusiones y propuestas.

Esta investigación se aborda desde una perspectiva interdisciplinar, diferente, de lenguaje abierto y accesible en el marco de bioderecho, en palabras del Prof Dr JOSÉ RAMÓN SALCEDO;

> 'Bioderecho como nueva forma de afrontar la búsqueda de solución a los conflictos propios de la era moderna desde planteamientos éticos, con el aval de la ciencia y bajo el marco de

> un derecho cercano a la sociedad cuyo referente radica en el imperativo sustentado por los Derechos Humanos. Una ciencia en la que el trabajo entre especialistas y profesionales de diferentes ciencias se combina, se enriquece con la visión que aporta cada una y con la que, indefectiblemente, se alcanzan soluciones más cercanas a la realidad de las cosas y, por supuesto, más justas para las personas. Derecho, ética y ciencia como una sola cosa; cada disciplina con sus principios específicos; con sus métodos propios de análisis; pero con una nueva metodología y pautas de resolución propias al combinar todos los saberes. Esa es la realidad de un Bioderecho que nace del método interdisciplinar y del trabajo en equipo[2].'

De igual modo en una perspectiva bioética, en palabras del Prof Dr ROMEO CASABONA;

> 'La Bioética no suele ser entendida como una disciplina especial, sino especializada, dentro de la ética general (de la cual se nutre en buena parte de sus fundamentos, y a la inversa, desarrolla aquélla), no tanto como ética teórica cuanto aplicada. Sin embargo, la novedad que aporta la Bioética es su metodología, inexistente con anterioridad: su discurso multidisciplinar, esto es, el abordaje de un conflicto desde las diferentes y complementarias perspectivas que ofrecen unas disciplinas y actividades diversas. Puede afirmarse que la Bioética es hoy un claro ejemplo de aproximación a un objeto de estudio común multidisciplinar (para algunos incluso interdisciplinar), en la que confluyen diversas ciencias, además de la ética, con sus respectivas perspectivas y sus metodologías propias: la Medicina (en sus dimensiones tanto investigadora como clínica y asistencial), Biología (en sus dimensiones científica y tecnológica), diversos ámbitos de la Filosofía (además de la Ética), Teología, Psicología, Sociología, Economía, diversas tecnologías, etc. En

---

2 BIODERECHO Y DERECHO A LA LIBERTAD DE PENSAMIENTO, CONCIENCIA Y RELIGIÓN (p.524). https://riucv.ucv.es/bitstream/handle/20.500.12466/1232/Tema%2021.pdf

> este sentido amplio de su manifestación empírica, también el Derecho se integraría en ella[3].'

En este sentido se aborda la investigación desde un marco jurídico, en la perspectiva Bioderecho, en un lenguaje comprensible y accesible a casi todo público, pues también en esa esencia reside el espíritu de este trabajo. Acostumbrados a compartir opiniones con compañeros que tienen su formación en otras áreas, y que a menudo, transmiten lo difícil que a veces resulta entender o traducir algunos textos, pese a sus extensas formaciones, principalmente la jerga jurídica, aunque extrapolable a cualquier otra, y que ello supone a menudo una barrera.

Aunque existe la percepción de que la jerga jurídica se extravía en páramos lingüísticos ininteligibles, esto no es del todo cierto. Aunque los no profesionales del derecho a veces sienten que los juristas hablan en un lenguaje inaccesible, la realidad es que el lenguaje jurídico no difiere drásticamente del coloquial. Y aunque en cierto sentido puede parecer impenetrable, en realidad es una parte necesaria del lenguaje profesional de la disciplina del derecho. Su uso preciso y técnico deviene fundamental para la comprensión y aplicación de las leyes y normativas.

Y siendo que la dimensión que se pretende alcanzar recae definitivamente tanto en las diversas disciplinas, como en el público común, se ha interesado especialmente un lenguaje lo más llano posible.

Ciertamente se hace obligatorio reconocer que este trabajo habría resultado quasi interminable pues son tantos los puntos que se hace necesario coordinar para establecer la coherencia

---

3 El Bioderecho y la Bioética, un largo camino en común file:///C:/Users/Usuario/Downloads/admin,+Bioetica03_09.pdf

pretendida, que no hacerlo habría desvirtuado la finalidad del mismo. Y aunque definitivamente se ha desechado mucha información que en principio estaba incorporada en el trabajo, en el objeto de hacerlo más transitable, ha resultado sorpresivamente mucho más nutritivo en tanto ha superado las expectativas que la autora tenía puestas en ello. Habida cuenta que no habría de sesgarse, castrarse, o resultar reduccionista por no pretender encajarlo en un formato probabilísticamente esperado, en tanto ello lo alejaría plenamente de su esencia.

Tiene como finalidad, plantear un análisis de los resultados más representativos e innovadores en las áreas de Edición Genética, Neuroderechos, IA, Física, modos de reproducción, habido la íntima relación coexistente entre ellas, así como necesario para dar respuesta al planteamiento rector de este trabajo 'Implicaciones Ético Jurídicas de técnica CRISPR en enfermedades degenerativas'.

Analizando la regulación existente y la necesidad de adaptaciones y reformas en aras a la proyección de los resultados esgrimidos de las investigaciones científicas en las áreas señaladas.

Tal análisis nos llevaría a rediseñarnos el planteamiento de lo que significa verdaderamente nuestro genoma, nos alejará presumiblemente, cada vez más, de modo inexcusable, de la concepción reduccionista que hoy se tiene, llevándonos al destino inevitable que determinará tantas actuaciones impracticables de pensar hoy día.

Con esencial impacto en el sistema educativo, en la salud, neurociencia, la IA, etc, no quedando ningún área incólume. Así como en la concepción de nuestras capacidades, inherentes, como ser humano, el modo de reproducirnos, tal como lo conocemos.

Resulta ciertamente paradójico la determinación de establecer normativa terminantemente restrictiva en materia de modificación genómica, edición de genes como lo es, p.ej. CRISPR, cuando en realidad ya se estarían produciendo despiadadas técnicas que dañarían severamente nuestro genoma, a saber, y siguiendo el último ejemplo que cita el Dr Gariaev, el producido por el mero sometimiento del genoma al ultrasonido de una sencilla ecografía, o el producido por los alimentos alterados genéticamente del que cita simple ejemplo la patata, lo cual dicho así suena incluso irrelevante y banal, tan acostumbrados a ello, pocas veces lo cuestionaríamos y que sin embargo encierra una compleja mecánica tras de sí, de interacciones y mutaciones en nuestra genética[4].

Y todo ello se estaría llevando a cabo, en principio, con motivo del desconocimiento y la ignorancia. Y ciertamente qué ironía encierra el ser humano en su comportamiento, primeramente, crea un problema que no existía, y luego trata de resolverlo.

---

4 Mientras ambos cultivos GM están en etapa experimental avanzada, Estados Unidos y Canadá ya aprobaron comercialmente en 2014 y 2016 respectivamente, una variedad de papa GM que aparte de ser resistente a los machucones y el pardeamiento, produce un 70% menos de acrilamida, un potencial producto cancerígeno que se forma inevitablemente cuando las papas son cocinadas o fritas [28]. Y la empresa que desarrolló esta papa, Simplot, ya desarrolló una segunda generación de la papa GM que produce 90% menos de acrilamida – variedad que ya fue aprobada por el USDA y la FDA en Estados Unidos (solo falta la aprobación de la EPA) mientras que la empresa comenzará pronto los trámites regulatorios en Canadá.
American Cancer Society. "What Causes Cancer?". Consultado el 26 de marzo de 2016. Disponible en: http://www.cancer.org/cancer/cancercauses/
National Cancer Institute, 2015. Questions and Answers About Lycopene – Prostate Cancer, Nutrition, and Dietary Supplements (PDQ®). Disponible en: http://www.cancer.gov/about-cancer/treatment/cam/patient/prostate-supplements-pdq/#section/_3

Damos por sentado que editar el genoma plantea ética y moralmente un dilema sin precedentes, si bien ello se sucedería principalmente habido el temor a que sea modificada la herencia genómica, por ello se apunta al carácter permisivo en células somáticas y restrictivo por el momento en células reproductoras.

Sin embargo, habido precisamente, la revolución conceptual que nos han traído los avances en genómica, cabe como mínimo el planteamiento de cuestionarnos ¿Qué es y qué alcance tiene el genoma humano? ¿Qué entendemos por genoma?

Estas cuestiones no pueden quedar dispensadas o gestionadas en un modo individual desvinculado de su matriz, habido que de ser así quedaría plenamente desnaturalizado e ineficaz su resultado.

Los avances en genómica ponen de manifiesto una completa revolución que ha de ir acompasada del modo en que es visto el genoma humano, para ello ha de trascender básicamente el conocimiento, hasta alcanzar el necesario entendimiento de la sociedad, para con ello emitir un juicio de valor apropiado tanto ético, como moral, así como jurídico.

Tal transición no podrá conseguirse en un día, sin embargo, deviene plenamente necesario, no pudiendo quedar exclusivamente a intra muros del laboratorio, la explicación y exposición abierta al mundo del significado real del Genoma Humano.

Ello supondrá necesariamente un nuevo enfoque, habido que no se trataría tanto de vulnerar un derecho humano donde reside el planteamiento actual, el cual se centra en que la edición de genes para la reproducción humana conlleva riesgos sociales enormes. Conforme afirman determinadas vertientes, tiene el potencial de amenazar la salud y la autonomía de las generaciones futuras, exacerbar las desigualdades sociales existentes y sentar las bases para una nueva eugenesia de mercado que impulsaría la discriminación y el conflicto. Lejos de tal planteamiento envuelto de temor y desconocimiento que sembraría un pánico irracional en la sociedad, y más bien todo lo contrario, el nuevo planteamiento que traemos a esta investigación, perseguiría defender un derecho inalienable a la vida, y a una vida sana y longeva, de un modo distinto a cómo tenemos concebido actualmente; nacer, enfermar, envejecer y morir en un máximo de 82 años de esperanza de vida, en los cuales con 60 años, los más suertudos, empezarían a presentar importantes complicaciones de salud, aludiendo a la suerte en tanto que las enfermedades no están reñidas necesariamente con la edad, existiendo niños enfermos, adolescentes, de cualquier edad, considerándose ésta la excepción general.

¿Y cuál es ese nuevo planteamiento adaptado a los avances actuales en genómica, que perseguiría el derecho a la salud y la vida sin enfermedad?, lo planteamos en la investigación, previo repaso del enfoque actual.

En la actualidad, hay un intenso debate sobre si debemos arriesgarnos a que esto suceda, y viene motivado mayoritariamente por el desconocimiento del alcance, primeramente, de lo que es el genoma humano, y posteriormente las consecuencias que puede tener su intervención.

En este sentido El bioderecho habría de mediar intervención con carácter preventivo admitiendo en sus propuestas aquellas técnicas contrastadas que aporte la ciencia, sin embargo, seleccionando en aplicación de la ética de mínimos, así como señalada observación compatible con los derechos de la persona, el ejercicio de sus libertades y el respeto a su dignidad.

Así, la UNESCO ha puesto una particular atención al desarrollo, la promoción y la enseñanza de la filosofía, entendiéndola como un camino indispensable para lograr la paz en el mundo y la construcción de sociedades democráticas, más justas y más dignas. Declarándose como organización que, interpreta la filosofía como una forma de abordar los problemas universales de la vida y la existencia humana y de inculcar a las personas una manera de pensar independiente, a partir de la educación filosófica, se promueve un pensamiento reflexivo y crítico que permite a los individuos y sociedades avanzar hacia el logro de un desarrollo humano pleno.

Ya desde los comienzos de ésta, previo a la Primera Conferencia General (1946), se propuso a la UNESCO la elaboración de un programa de filosofía que tuviese por finalidad imbuir en la mente de los ciudadanos un bagaje de nociones filosóficas y morales, destinadas a promover el respeto de la personalidad humana, el amor a la paz, el rechazo al nacionalismo mezquino y al imperio de la fuerza bruta, la solidaridad, la entrega al ideal de la cultura.

Por ello, puede entenderse también en la filosofía (Ética Aplicada Bioética) una escuela de solidaridad humana y una base para un mejor entendimiento y respeto mutuo, elementos fundamentales para fomentar el diálogo entre las civilizaciones, como así resulta uno de los principales cometidos de la UNESCO

Así en la base de esos principios, de esta enorme necesidad de reflexión, de forma global y colectiva, y como principales ejes para el desarrollo de proyectos orientados con esta filosofía frente a las problemáticas planteadas en el presente trabajo, nace, como propuesta de una nueva Escuela de Pensamiento, en el marco de esta investigación, a propuesta de la autora, y en el seno de una entidad privada, escuela MACA, tras un reconocido periodo previo de planteamientos y estudios, que adaptan sus estatutos y proyectos iniciales a las necesidades actuales de la sociedad, en un espacio en donde ciencia y filosofía se encuentran en el diálogo para un mundo más consciente en el cruce magno del saber.

En este momento nos encontramos trabajando en los diferentes proyectos, entre los que se encuentra la edición genética mediante CRISPR en enfermedades degenerativas, así como el desarrollo de Teoría aSASAw, en su primera fase. Si bien su objeto y finalidad recoge el corolario que se detalla en el capítulo III de la investigación.

La Finalidad de la investigación persigue un genuino resultado tras el abordaje del estudio desde una perspectiva multidisciplinar e interdisciplinar.

Otro aspecto importante es el planteado en garantía del derecho de los ciudadanos a recibir información veraz de los medios de comunicación (Art 20 CE). Siendo que los medios tienen la responsabilidad de proporcionar información objetiva y contrastada, lo que permite a las personas formarse opiniones fundamentadas y tomar decisiones informadas. Lo que es meramente cuestionable y exiguo, en visos de las predecibles limitaciones que operan en las imposiciones restrictivas a la propia libertad de investigación, y que limita a su vez el potencial acceso al conocimiento de la población.

Hemos considerado útil y conveniente poner en escena los factores determinantes que confluyen en el devenir de la simplificación o complicación de la armonización de Crispr aplicado a enfermedades degenerativas, desde la medicina predictiva, así como terapia génica somática y en línea germinal. Cuestionando particularmente las diferencias entre las últimas, somática y germinal, ello por la libertad permisiva de una y no de otra, en virtud de los estudios conocidos hoy por la ciencia, y dirigidos entre otros, a la infertilidad del varón, que presumen utilizar una célula de cualquier parte de su cuerpo para fecundar otra mediante FIV, que se desarrollan en el capítulo VI.

Plantear que conocemos el mecanismo de fertilización y reproducción y simplificarlo a estas dos frases anteriores (somática o germinal), deviene tan atrevido como iniciarse en la afirmación que por el simple hecho de ser progenitores (padres o madres), habríamos resultado partícipes de diseñar a nuestros hijos. Siquiera siendo conocedores de la predominante ingeniería genética de hoy, del conocimiento humano, hoy en día en genómica dependiese, el hijo descendiente, fácilmente podría nacer con una oreja en la pierna, y con una pierna en el antebrazo. Habida la todavía hoy complejidad del código genético para la perspectiva con la que lo estaríamos interpretando.

Lo inédito aportado en esta investigación, viene a representar una nueva perspectiva de evaluación que invita a los agentes intervinientes, política, bioeticistas, científicos, filósofos, teólogos, juristas, y la sociedad en general, a una nueva mirada en relación a la edición de genes mediante Crispr, y otros avances como genética de onda, desde una visión menos temerosa, que dota el conocimiento polímata y no obstante en las áreas de especial incidencia en la materia.

Así como las genuinas propuestas de trabajo que han germinado a partir de esta investigación, como lo es Escuela MACA. Siendo que los trabajos mencionados en esta investigación no habrían de quedarse intra muros de un laboratorio, inaccesibles para la sociedad supeditados a la priorización de los intereses económicos y políticas de cada país.

De la investigación y análisis extraemos las conclusiones útiles que nos llevan a un modelo de propuesta tendente a legislación restrictivo, o bien, un modelo de propuesta de legislación permisivo. Así como a la necesidad de regular los cambios, sin medida, que la tecnología (las grandes tecnológicas) ha venido salvajemente implantando sin discriminación en todos los aspectos y áreas de nuestras vidas, con una finalidad puramente comercial, extra muros de todo código moral, ético y legal.

2.2. Objetivos, Contenido y Estructura de la Investigación

La investigación se define en ocho capítulos de necesaria utilidad relacionar, por el interés que presenta la incidencia y confluencia de unos sobre otros.

CAPÍTULO I

GENÓMICA Y LA NUEVA MEDICINA

En relación a la revolución genómica a la que asistimos, la cual está modificando la medicina tal como la entendemos hoy, tendiendo a un modelo de medicina de precisión o predictiva, encontrándose implantando actualmente la especialidad MIR en genética por primera vez en la historia de la medicina, incluyendo la Medicina Genómica y Terapia Génica. Coincidentemente con el nuevo proyecto Pangenoma.

En este capítulo se lleva a cabo el análisis de los importantes desafíos de la situación actual que presenta la edición genética aplicada a las enfermedades degenerativas y envejecimiento como principal enfermedad degenerativa. Edición genética CRISPR – Enfermedades Neurodegenerativas y ALFA-SINUCLEÍNA/ Factores genéticos, y mención especial en genética de onda y principales inconvenientes de medios diagnostico actualmente utilizados, mediante ultrasonido (ecografías), los cuales dañarían el ADN.

CAPÍTULO II

FUNCIÓN DEL BIODERECHO Y LA BIOÉTICA ANTE LOS DESAFÍOS DE LA EDICIÓN GENÉTICA

Hace especial incidencia en los avances y manifiestos del debate bioético de la edición genética. Así como sobre el principio de Beneficencia Procreativa en oposición al derecho inalienable a existir en virtud de la eficacia jurídica absoluta de la dignidad humana.

El Ser Humano y sus continuas, necesarias, intuitivas e instintivas elecciones ordinarias, extraordinarias y sus consecuencias. Así como una nueva perspectiva adaptada a los avances en genómica.

Se lleva a cabo el necesario análisis de eugenesia y su evolución, así como sus actuales aplicaciones.

Se plantea nueva propuesta, ¿Qué es y qué alcance tiene el genoma humano?, ¿Qué entendemos por genoma? Modelo adaptado a las prácticas probadas por nuestro método científico, observación, postulación de hipótesis y comprobación mediante la experimentación.

Analizamos la eficacia jurídica del principio constitucional de la dignidad de la persona. Y la dignidad humana ¿fundamento de los derechos?, y respecto a la preservación del patrimonio genético como derecho humano.

CAPÍTULO III

FILOSOFÍA/ ÉTICA APLICADA

MOVIMIENTOS SOCIALES

El papel de la filosofía en los avances de edición genética. La filosofía como elemento fundamental de la bioética, el bioderecho. No se puede hablar de bioética sin hablar de filosofía. Análisis de los problemas éticos que suscitan las ciencias modernas. Métodos de Análisis y resolución de problemas. Evolución entre genética y filosofía en el tiempo.

CAPÍTULO IV

LA INFLUENCIA DE LA RELIGIÓN EN LAS CONDUCTAS

La influencia de la religión en la conducta del ser humano y posible colisión con la bioética en aplicación de ética de máximos y mínimos. La bioética y la religión una relación ambivalente. Nexo entre Religión y Antropología en las conductas.

CAPÍTULO V

ASPECTOS JURÍDICOS CRISPR

Analizamos el marco internacional regulatorio de normativa en materia de edición genómica mediante el cual identificamos las variables a poner en valor que nos llevan a definir las cuestiones en las que habría de protegerse un carácter permisivo, así como en las líneas en que fijarlo resultaría limitante y obstructivo, debiéndose despejar el carácter permisivo, así como en los ámbitos en que por su riesgo habrían de establecerse los diversos protocolos de medición específicos.

En este sentido se sugieren bases de propuesta, susceptibles de revisión y reformas que podría tener en cuenta el legislador respecto a los artículos que se citan en aras de establecer armonización y cobertura regulatoria adecuada a las necesidades de nuestra sociedad actual en consonancia con los avances en genética alcanzados en el ámbito de investigación con la finalidad de que tales avances desciendan al alcance de los ciudadanos.

En relación y aplicación al principio de razonabilidad, por el cual se debe proceder de forma racional y razonable en todas las cuestiones jurídicas, siendo que las decisiones jurídicas han de tomarse considerando todos los factores relevantes y de forma proporcionada. Aplicando el principio de razonabilidad tanto a la interpretación de las leyes como a la aplicación de las mismas.

Especial distinción merece la aplicación Crispr en línea Germinal y Somática en tanto la capacidad también reproductora manifiesta de las células somáticas que señalamos en la investigación.

Límites y acciones coercitivas en el derecho a la libertad de Investigación, colisión entre la libertad de investigación científica y otros derechos o bienes jurídicos.

De la Libertad de Investigación y los Principios Bioéticos y Bioderecho.

Marco Jurídico Internacional de aplicación Edición Genética.

Marco Jurídico Nacional de aplicación Edición Genética.

En relación a la regulación de nuevas formas de Reproducción.

Respecto al Método ROPA FIV.

Respecto a las nuevas formas de reproducción FIV estandarizada, Partenogénesis, Macagénesis.

En relación a la regulación de los vacíos que presentan las nuevas investigaciones en genómica, neuroderechos y física cuática.

CAPÍTULO VI

GENÓMICA Y NUEVAS FORMAS DE REPRODUCCIÓN

Se aborda el planteamiento del futuro de la reproducción asistida FIV, como modo general de reproducción, en relación a la reducción del riesgo de enfermedades. Análisis desde el punto de vista ético y jurídico.

Se plantea la libertad de reproducción femenina mediante Partenogénesis en la cual la mujer llevaría a cabo el nacimiento de su descendencia sin el gameto masculino para los casos de familia monoparental.

Así como se plantea la reproducción mediante Macagénesis, consistente en la fertilización de un óvulo con células de su pareja también femenina sin la necesidad de donación de gameto masculino externo.

Se analiza el actual planteamiento de aplicación permisivo de edición genética en células somáticas y se cuestiona su función reproductora. Así como en la parte final se manifiestan diversas investigaciones que pondrían de manifiesto el colosal desconocimiento del funcionamiento molecular existente aplicado en consonancia con las investigaciones científicas actuales.

CAPÍTULO VII

TEORÍA ASASAW, CIENCIA/GENÓMICA, NEURODERECHO Y RELACIÓN CON IA

Nuevo enfoque de la Genética. Las palabras y frecuencias modifican el ADN.

Historia de la genética lingüística ondulatoria, como ramas del tronco básico de la biología y la genética clásica.

La tecnología de hoy, conocedora presumiblemente, que la genética tiene como base y patrón fundamental el campo cuántico, así como igualmente el circuito neuronal, y a través de la IA, sin tan siquiera tocar el cuerpo físico, conseguirían incidir en los pensamientos, en la conducta y el comportamiento del ser humano.

La inteligencia artificial (IA) es un campo en constante evolución que ha demostrado su capacidad para influir en la conducta humana de diversas maneras. Aunque no "toca" físicamente a las personas, su impacto es significativo. Podemos citar distintos modos en que se puede afectar el comportamiento humano:

Los algoritmos de recomendación utilizados en plataformas como Netflix, Amazon y YouTube analizan nuestros patrones de comportamiento y preferencias para ofrecer contenido específico, lo que influiría en nuestras elecciones y decisiones, los algoritmos de redes sociales seleccionarían qué contenido vemos en función de nuestras interacciones previas. La automatización basada en IA puede cambiar la dinámica laboral y afectar la forma en que las personas realizan sus tareas. La interacción con asistentes virtuales y chatbots estarían afectando nuestra comunicación y comportamiento. Estos sistemas estarían proporcionando respuestas, sugerencias y apoyo emocional.

Ciertamente, aunque la IA no toca físicamente, en estos ejemplos citados, a las personas, su presencia y efectos son innegables en nuestra sociedad actual. Es importante considerar cómo se implementa y regula para garantizar un impacto positivo en la conducta humana.

La necesidad de regular los neuroderechos no comenzaría con el proyecto de Elon Musk, en la investigación de la interfaz cerebro-máquina con Neuralink,

Ni con Sam Altman de OpenAI y ChatGPT, o los supercomputadores de Huang de Nvidia, que tienen como cometido remodelar nuestro mundo a través de la disrupción tecnológica.

La genómica y la inteligencia artificial como dos campos que se complementan y potencian mutuamente. La genómica se encarga de estudiar el genoma, el conjunto de genes que contiene la información genética de un organismo. La inteligencia artificial se encarga de crear sistemas que imitan las capacidades humanas de aprendizaje, razonamiento y decisión. Algunas aplicaciones de la inteligencia artificial en la genómica son:

Identificar genes relacionados con enfermedades o rasgos específicos, comprender interacciones genéticas que determinan la expresión y función de los genes, predecir mutaciones que pueden alterar el genoma y causar enfermedades o resistencia a fármacos, diseñar fármacos más eficaces y personalizados basados en el perfil genético de cada paciente, editar genes con mayor precisión y seguridad usando técnicas como CRISPR-Cas9.

Se hace necesario establecer la pronta anticipación de unas bases regulatorias adecuadas a la inusitada y vasta magnitud que alcanzará la genómica en binomio con la IA en la próxima década.

CAPÍTULO VIII

SÍNTESIS Y PROPUESTAS

CAPÍTULO I
GENÓMICA Y LA NUEVA MEDICINA

«Ars cum natura ad salutem conspirans»

Real Nacional Academia
de Medicina

Capítulo I:

Genómica y la nueva medicina

1. LA REVOLUCIÓN GENÓMICA

Nos encontramos en un cambio de era y paradigma como podría afirmarse ningún otro le precede. Tan cardinal y sin previo precedente en el que sentar base, en tanto no se prestaría a mayor alternativa que ir creando la realidad paso a paso, bajo la cripta de un lenguaje aun hoy desconocido.

Pocos ponen en duda que estamos asistiendo a la revolución genómica más importante de los últimos siglos conocida por la ciencia. Tal revolución apenas habría alcanzado su edad adulta, habido que dio sus primeros pasos en el año 2000 tras lograr el primer borrador del genoma humano, que traía acumulando en su proyecto más de una década de gestación empleado en una compleja investigación.

Y todo sucede a la vez, y mientras el tiempo se acelera[1] (HARTMUT ROSA), con el fin de situar este movimiento

---

1 HARTMUT ROSA
Es en este aspecto –el de relacionar la aceleración creciente de la modernidad tardía con el concepto clásico de alienación– donde se encuentra lo novedoso de la reflexión de Rosa sobre dicho fenómeno. En las obras anteriores dedicadas a ese tema, por ejemplo, en Beschleunigung. Die Veränderung der Zeitstrukturen in der Moderne, se hacía una consideración inicial sobre una teoría de la aceleración social que daba paso a distintos aspectos relacionados con ese tópico como la modernidad y la aceleración, las distintas dimensiones de la aceleración social, sus efectos y manifestaciones –aceleración técnica, aceleración y cambio social y aceleración del ritmo

sobre el cimiento y sostén más sólido posible, y que no es otro que sobre la aceleración del tiempo en el conjunto de sus preocupaciones intelectuales y académicas en torno a la modernidad, el mundo de la ciencia, filosofía, jurídico, ético y teológico, se debaten en la pretensión de poner palabras a los sucesos y acontecimientos, establecer métodos y en su virtud, acometer una planificación y proyección de lo previsible en la revolución que nos asiste.

Y en el devenir de proponer, estudiar, analizar, los titulares se llenan de ensayos, noticias, respecto a los adyacentes escenarios que simultánea y sucesivamente en una secuencia casi lineal, como si de un efecto en cadena se tratase, emergen tomando identidad, y obligando a los agentes de cambio tomar cartas en el asunto.

La genética y gran desconocimiento que, sobre la materia, posa en el verso y en la prosa, en el artículo y en la novela, en la literatura, en la memoria filosófica, en la hipótesis, e incluso en los desafíos al propio método científico.

---

de la vida–, la aceleración como proceso autorreferente, las fuerzas motrices de la aceleración social, la relación entre la aceleración y el ejército, la identidad y la política situacionales, y la aceleración y petrificación como tentativa para redefinir la modernidad.
Con el fin de situar su tesis sobre la aceleración del tiempo en el conjunto de sus preocupaciones intelectuales y académicas en torno a la modernidad.
Alienation as Acceleration. Towards a Critical Theory of Late-Modern Temporality es la última reflexión de Rosa, hasta el momento, sobre la aceleración social del tiempo en la modernidad tardía. Ademásde su trabajo sobre Charles Taylor, Identität und kulturelle Praxis. Politische Philosophie nach Charles Taylor, habría que mencionar, entre otras contribuciones suyas anteriores dedicadas al tópico de la aceleración, Beschleunigung. Die Veränderung der Zeitstrucktúren in der Moderne.
https://www.elsevier.es/es-revista-acta-sociologica-75-articulo-la-aceleracion-del-tiempo-como-S0186602816000062

Y entre tanto el furor mediático, por el previsible impacto causante de los avances en genómica, regresan, de los confines del tiempo curvo, el miedo colectivo a la eugenesia que late en la memoria de la piel. Que a su vez conecta con los miedos contemporáneos, el transhumanismo, el desafío de implantar una IA horizontal, en tanto medido quede el riesgo subordinado de la presumible y descontrolada verticalidad.

Y, en ello subyace, el entumecido y a veces sordo temor, a reconocer que se nos escapa el conocimiento entre los dedos, como agua que fluye y por más que ansíes, entre las manos solo podrás llevar la que puedes beber, y entre tanto heroicos por el gran descubrimiento, y con el agua contenida en mano, titulares que rompen audiencias, mientras de los propios manuscritos se deduce, la inmensa distancia que existe entre la evidencia, y el consiguiente instante después. Acabado de leer el artículo de última novedad, las manos quedaron apenas sudorosas y vacías del agua que ya no contienen.

Así de efímero se erige el conocimiento acerca de nuestro genoma mientras sea limitado su acceso a su infinito potencial. Mas bien resulta lo que se publica ya pertenece a la obsolescencia y no concordante con las necesidades del mundo actual.

Se hace necesario una nueva mirada hacia el genoma, hacia lo que entendemos por genoma.

Así pues, el ser humano, asiste hoy a una revelación, que lejos de lo que se piensa, que es el humano quien provoca tal manifestación, tan solo habría de ser un espectador, que se ve en la obligación de gobernar las fuerzas naturales que emergen, mucho antes de ser identificadas, medidas, metodizadas, y legisladas.

La genómica o estudio de los genomas es uno de los campos científicos con avances más revolucionarios desde que, hace más de 20 años, que se secuenciara el primer borrador del genoma humano.

Revolucionario no tanto por lo descubierto hasta la fecha presente, lo cual es significativamente interesante, sino por el impacto de la probabilidad potencial del mismo ha supuesto al conocimiento científico y social, así como la sociedad se ha visto en la obligación de activación de protocolos, alertas, y reiterada normativa al fin de implantar restricciones que hasta hoy se ha considerado medida preventiva.

El evento rector fue anunciado el 26 de junio de 2000 en exposiciones que tuvieron lugar de forma simultáneas en Washington y Londres.

La noticia resultaba de tal envergadura que fue anunciada en presencia del entonces presidente, Bill Clinton, quien aparecía acompañado por los científicos Francis Collins y Craig Vente, exponiendo con gran entusiasmo, en palabras de Collins, actualmente director de los Institutos Nacionales de Salud de los Estados Unidos.

> "Celebramos hoy la culminación del primer borrador del libro humano de la vida",

El genoma completo fue publicado en 2003, transcurridos 13 años de un arduo esfuerzo internacional sin parangón ni precedente alguno.

Diversos grupos de científicos en Estados Unidos, Alemania, Reino Unido, Francia, China y Japón, participaron en un consorcio de centros públicos liderado por Collins, así como también una empresa privada estadounidense, Celera Genomics, dirigida por CRAIG VENTER [2].

---

2 Celera Genomics es el nombre de una empresa estadounidense fundada en mayo de 1998 por Applera Corporation y J. Craig Venter, con el objetivo primario de secuenciar y ensamblar el genoma

Dos décadas después de aquel épico titular que sentó un reconocido hito científico, nace este pasado año, en mayo de 2023, el proyecto Pangenoma, que viene a representar el siguiente nivel al que nos lleva el conocimiento en genómica al que vamos a poder acceder una vez desarrollado, y del que hablaré más adelante, sin embargo, antes es importante resaltar lo que ha significado el proyecto Genoma humano de 2003 hasta la fecha.

Los científicos lograron secuenciar o leer el orden de los 3.000 millones de pares de lo que se conoce como bases, los compuestos químicos que son los bloques de construcción del ADN y se simbolizan con las letras A, C, G y T.

Contar con el primer mapa de genoma permitió multitud de ensayos como la comparativa, al de personas que padecen una enfermedad e investigar si la causa de esa patología podría reflejarse mediante cambios en su genoma.

En palabras de Manuel Pérez-Alonso, Investigador y emprendedor en Biomedicina y Catedrático de Genética de la Universidad de Valencia, fundador de Laboratorio de Genética

---

humano en el plazo de tres años. Para ello utilizaron el método Shotgun, basado en la rotura del ADN en múltiples trozos, su clonación, y búsqueda de solapamientos con aplicaciones bioinformáticas.

En el año 2001 presentaron en la revista Science su primer esbozo, de 5 genomas de diferentes etnias, entre ellos, se encontraba el de su director, Craig Venter

Pan, Z; Scheerens, H; Li, SJ; Schultz, BE; Sprengeler, PA; Burrill, LC; Mendonca, RV; Sweeney, MD et al. (2007). «Discovery of selective irreversible inhibitors for Bruton's tyrosine kinase». ChemMedChem 2 (1): 58-61. PMID 17154430. doi:10.1002/cmdc.200600221.

Celera Genomics Announces Sale of Therapeutic Programs to Pharmacyclics

Molecular del Desarrollo, experto en Genética y Genómica aplicadas a la salud humana;

> "Esa es la clave de todo", afirmó Pérez Alonso. "Porque antes de tener este primer borrador del genoma humano no había una referencia".

Los investigadores han avanzado desde entonces con entusiasmo en la búsqueda de información encriptada en nuestros genes que nos aporte la respuesta anhelada de la solución a millones de enfermedades, incluida el envejecimiento producido por la degeneración progresiva de las células y la pérdida de capacidad regenerativa y que conocemos como envejecimiento, resultando una enfermedad más.

Conocemos como principales las enfermedades del sistema nervioso, oftalmológicas y de visión, auditivas, cardiovasculares, respiratorias, del sistema digestivo, de la piel, del aparato genitourinario, autoinmunes, congénitas y alteraciones cromosómicas, alergias, oncológicas, infecciosas y parasitarias, de la sangre, del sistema inmunitario, endocrinas, trastornos mentales, del comportamiento y del desarrollo, enfermedades raras y degenerativas.

Resultando que todas ellas podrían tener una fórmula de curación que pasa ineludiblemente por el conocimiento del contenido de nuestros genes.

¿Podremos algún día erradicar las enfermedades más mortales del ser humano?

Una respuesta afirmativa está cada vez más cerca de producirse, sin embargo, a resultas de los avances más cercanos podemos deducir que disponemos de un fichero de macrodatos de dimensiones gigantes, y que, sin embargo, no disponemos de la tecnología suficiente para interpretar el contenido del genoma.

Reconocer que aún estamos lejos de saber cuál es el significado completo e interpretación de cada letra. Infinidad de genes que todavía no están localizados que producen enfermedades, pero no sabemos cuál es el gen causante. Pues ciertamente conviene explicar, siguiendo la teoría de la genética lingüística ondulatoria de PETROVICH GARIAEV, bajo la que propone una comprensión distinta de los patrones de código genético, fue un reconocido genetista y biólogo molecular ruso, nominado al premio nobel en 2021[3].

En la página Web de Bioética web reza un artículo escrito por Dra. Vidal de año 2004[4], en donde explica las ventajas e inconvenientes del proyecto genoma humano y sus problemas éticos presumibles a fecha de febrero del año 2004, así como la investigación clínica a fecha 1993.

Exponiendo las directrices adoptadas por el Consejo de Ciencias de la Salud de Japón relativas a la investigación clínica sobre terapia génica, dadas en abril de 1993. En ella se prohíbe la modificación génica de células germinales, así como la investigación clínica relativa a la terapia génica que comporte una posibilidad de modificar genéticamente células germinales humanas. Deberá de obtenerse el consentimiento claro antes de la realización de la investigación clínica.

A finales de 1994 se habían aprobado más de 100 protocolos y el número de pacientes que comenzaba a tratarse superaban los 300. De estos estudios cerca del 60 % se dirigía al tratamiento del cáncer, 25 % a enfermedades genéticas, 10 %

---

3 PETROVICH GARYAEV, Teoría de la genética lingüística ondulatoria (BTY). Gariaev https://wavegenetics.org/es/ekaterina-aleksandrovna-leonova-garyaeva/

4 VIDAL CASERO, El Proyecto Genoma Humano. Sus ventajas, sus inconvenientes, y sus problemas éticos, Bioética web, 3 de febrero de 2004, https://www.bioeticaweb.com/el-proyecto-genoma-humano-sus-ventajas-sus-inconvenientes-y-sus-problemas-acticos-dra-vidal-casero/

al sida y el resto a otras condiciones intratables como artritis reumatoideas y enfermedades vasculares periféricas.

Todos estos estudios se encontraban en ensayos en fase I e iban dirigidos a establecer la seguridad de los procedimientos. Distinguía haberse producido mínimos efectos adversos. No obstante, mientras que la transferencia no parece estar exenta de riesgos, no hay mucha evidencia de su eficacia clínica. Dos jóvenes con síndrome de inmunodeficiencia a deficiencia de adenina deaminasa parece haber sido tratada con éxito con infusiones repetidas de linfocitos que contenían genes ADA insertados.

Así describe en el artículo la potencialidad presumible del proyecto genoma humano, relaciona los problemas éticos e incluso la medicina predictiva.

2. PANGENOMA Y MEDICINA PREDICTIVA O MEDICINA DE PRECISIÓN, Y NUEVA ESPECIALIDAD MIR EN MEDICINA GENÉTICA.

El once mayo de 2023, se publica en la revista nature el borrador del genoma, que ha sido elaborado por el Consorcio de Referencia del Pangenoma Humano. Iniciado en 2019. Con ello se revela el primer Pangenoma humano que aspira a catalogar la diversidad genética.

Se han publicado ya los resultados preliminares que pretenden capturar la totalidad de la variación genética humana. Hasta ahora teníamos un grupo de genomas que utilizamos para encontrar, aquello que falta o aquello que está redundante, que está duplicado, en las personas que tienen una enfermedad, pero a veces no se encontraba esa mutación, probablemente porque lo estábamos comparando con un genoma incorrecto.

Este consorcio de investigadores ha aumentado el número de genomas que podemos utilizar para comparar, habido que en realidad el mundo es mucho más complejo, todos los habitantes del planeta tenemos un genoma ligeramente distinto.

No se puede obtener el genoma de todas las personas, pero sí es posible agruparlas por zonas geográficas asumiendo que aquellas zonas determinadas tengan un genoma relativamente parecido.

Y esto es lo que han hecho estos investigadores, en lugar de tener uno o pocos genomas de referencia, como antes se tenía, un solo genoma en el proyecto inicial de genoma humano, ahora se dispone de 47, los cuales pueden utilizarse para diagnosticar las enfermedades raras de base genética que afectan a las personas.

Tal proyecto, marcará un antes y un después para la mejora del diagnóstico de las personas con enfermedades raras, habido que se contaba con un genoma incompleto.

Para el planteamiento del tratamiento de la enfermedad, lo primero que hay que despejar, es a qué nos enfrentamos, en esto siempre se insiste mucho tanto en investigadores como médicos, ¿Cuál es el origen de esa enfermedad?

Desde el Ciberer[5], en España, se investiga y se mejora para trasladar al sistema de salud las tecnologías diagnósticas y las tecnologías terapéuticas.

Estos son los dos pilares que se consideran fundamentales, Diagnóstico y Terapia, en la finalidad de detectar a qué nos enfrentamos, y una vez diagnosticado, qué podemos hacer para solucionarlo.

Ciberer define el diagnóstico como la puerta, la oportunidad, a la terapia, habido que sin ello no tendremos la tan esperada medicina de precisión, tanto para enfermedades raras

---

5 CIBERER MAPER MAPA DE RECURSOS PARA ENFERMEDADES RARAS EN ESPAÑA
http://www.ciberer-maper.es/

como para enfermedades complejas. En este sentido el proyecto Pangenoma nos ayudará a mejorar nuestra salud, nuestro bienestar.

El conocimiento de las herramientas CRISPR, es algo que hemos aprendido de las bacterias, que llevan millones de años sobre la tierra, muchos más que el ser humano, y han tenido tiempo de desarrollar sistemas para defenderse de los virus que las infectan. Las bacterias también tienen virus, como nosotros, y las bacterias lo que hacen para defenderse, es capturar un fragmento del genoma del virus, capturan la información, esto lo transmiten a las bacterias hijas, y esas bacterias hijas ya no son infectables por ese mismo virus.

Es un sistema de inmunidad fascinante que, por cierto, descubrió un microbiólogo de la universidad de Alicante, Dr. FRANCISCO JUAN MARTÍNEZ MOJICA en sus experimentaciones en las salinas de Santa Pola.

Las salinas tienen ese color rosado debido a estos microorganismos que viven donde Mojica encontró estas secuencias repetidas que estaban separando los fragmentos de diferentes virus.

Fue descubierto por Mojica en verano de 2003, casualmente coincidente a la fecha en que se lanza el primer borrador de genoma humano. Y veinte años después, también al mismo tiempo, sin que hubiese habido en estas dos décadas proyectos de gran calado, 20 años después coinciden en el tiempo el descubrimiento técnico CRISPR, con el nuevo proyecto de Pangenoma.

Al Dr. FCO MOJICA le habría costado casi tres años publicarlo y convencer al resto de la comunidad científica de su hallazgo, y, sin embargo, años después el mismo sistema que utilizan las bacterias para defenderse de los virus, es el que se emplea para realizar el recorta, pega y colorea. Ello para efectivamente localizar una frecuencia que es incorrecta, extinguirla, suprimirla o cambiarla.

No estamos hablando de tijeras físicas para cortar ADN, sino una proteína que actúa cortando esta molécula del ADN, y que sin embargo no cortaría en cualquier sitio, siguiendo como una especie de guía, de piloto que le dice 'tienes que cortar aquí', y esto nos da la versatilidad de poder cortar, y promover la edición del gen que consideremos, por ejemplo, el que causa una enfermedad, en palabras de Dr. LLUÍS MONTOLIU, vicedirector del Centro Nacional de Biotecnología., investigador Científico del CSIC. Departamento de Biología Molecular y Celular, Centro Nacional de Biotecnología (CNB-CSIC).

Afirma Montoliu que la proteína se denomina Cas 9, y existen en el orden de 80 ensayos clínicos, aunque por el momento no hay ningún tratamiento aprobado, pero estima que, entre ellos, de 20 a 23 proyectos serían los primeros tratamientos que se aprueben precisamente para enfermedades que afectan a muchas personas, que no es precisamente la enfermedad rara, la anemia falciforme, en que 350.000 mil personas al año son diagnosticadas.

Apenas un 5% de enfermedades raras tienen un tratamiento disponible actualmente, de las casi 7 mil enfermedades raras existentes, por tanto, queda mucho por hacer[6].

Apunta Montoliu que, los tratamientos, aunque quisiéramos que fueran curativos, en ocasiones aún no posible, es importante también aumentar la calidad de vida. Desarrollar tratamientos sintomáticos que vayan al origen de estos síntomas y que permitan que esa enfermedad rara que permite una cierta discapacidad, se pueda sobrellevar, mejorar, o interrumpir la

6 CLAUDIA GONZAGA JÁUREGUI, (2021) Hay en el mundo 7 mil enfermedades raras, del LIIGH de la UNAM, coautora y coordinadora de 15 expertos internacionales. https://www.gaceta.unam.mx/hay-en-el-mundo-7-mil-enfermedades-raras/

degeneración, el deterioro, asociado a esa enfermedad. Todo ello es un beneficio para el paciente.

Lo que intentamos hacer los investigadores, -explica Montoliu- con aproximaciones en modelos celulares o p. ej. en modelos animales. A veces cuesta trasladar la relevancia del uso de los animales, p. ej. una persona diagnosticada con albinismo tiene su correspondiente ratón avatar, esos ratones están creados con la anomalía genética de las personas.

Los ratones llevan la misma mutación, y con las herramientas CRISPR de Mojica ahora se puede investigar cómo se establece una enfermedad y cómo desarrollar la estrategia terapéutica, permitiendo un extenso recorrido antes de correr el riesgo de administrársela al paciente, puede valorarse la seguridad y la eficacia que tiene esa terapia en ese correspondiente modelo animal.

A los pacientes que tienen albinismo, que no es una enfermedad, sino una concepción genética, no van a dejar de ser albinos, lo que se pretendería en ese caso en que, el problema fundamental, es una discapacidad visual, con una visión muy disminuida, de hecho, en España se consideran ciegos legales, teniendo una agudeza visual frecuentemente menor de un 10%. Lo que se pretendería con CRISPR en este caso concreto sería el logro de aumentar esa agudeza visual, simplemente un 5, un 10, un 20%, esto ya sería un mundo, que supondría como el día y la noche para el sujeto, que no se trataría de curar o restaurar la visión normal, porque en realidad no hay una definición y referencia de 'normal', todos tenemos alguna cosa, todos somos mutantes.

La finalidad en enfermedades raras vendría por encontrar otras estrategias terapéuticas que mejoren la calidad de vida de los pacientes. Una cosa es curar, que probablemente lleguemos a curarlo con edición génica y otra cosa es mientras tanto utilizar otros fármacos.

El desarrollo de las vacunas COVID, –explica Montoliu– han traído dos beneficios para la ciencia en general, en primer lugar, el ARN mensajero que en el caso de las vacunas lleva la información de una de las proteínas del virus, y así nos vacunamos contra el virus.

Pero resulta que ese ARN mensajero de la misma forma que lleva esa información de esa proteína para el virus puede llevar la información de una de estas herramientas CRISPR con lo cual estamos llevando la herramienta donde podría ser necesario.

Y el segundo beneficio que viene también derivado de la COVID deviene del planteamiento de cómo está protegida esa molécula de ARN (la gotita de grasa), nanopartículas lipídicas, que nos permite llevar el ARN donde queremos, bien sea como vacuna, bien sea como tratamiento.

Existiendo varios ensayos clínicos con enfermedades raras de este RNA, que con la proteína va a producir aquella biomolécula que les falta a los pacientes, y sin lugar a duda ha sido un desarrollo vertiginoso de estos vehículos para llevar los RNA donde queremos que estén.

Cuando las personas se plantean preguntan, ¿cómo puede ser que se haya desarrollado la vacuna en menos de un año?, –responde Montoliu– que es necesario negar la mayor, habido que los inventores del ARN mensajero, KATALIN KARIKÓ y DREW WEISSMAN, Nobel de Medicina o Fisiología en 2023[7]

---

7 El Nobel de medicina es otorgado a los pioneros de la vacuna contra la covid. El premio concedido a Katalin Karikó y Drew Weissman reconoce un trabajo que condujo al desarrollo de vacunas que se administraron a miles de millones de personas en todo el mundo. https://www.nytimes.com/es/2023/10/02/espanol/premio-nobel-medicina-covid-vacuna.html

empezaron a desarrollar esa tecnología en 2005, quince años antes.

KARIKÓ, hija de un carnicero que había llegado a Estados Unidos desde Hungría dos décadas antes cuando su programa de investigación en ese país se quedó sin recursos, estaba preocupada por el ARNm, que proporciona instrucciones a las células para fabricar proteínas. Desafiando la ortodoxia de décadas según la cual el ARNm era clínicamente inutilizable, ella creía que podría impulsar innovaciones médicas.

Por aquel entonces, Weissman buscaba desesperadamente nuevos enfoques para una vacuna contra el VIH, contra el que había resultado imposible defenderse desde hacía mucho tiempo. Como médico y virólogo que había intentado y fracasado durante años desarrollar un tratamiento para el sida, se preguntó si él y KARIKÓ podrían asociarse para hacer una vacuna contra el VIH.

Finalmente, descubrieron que las células protegen su propio ARNm con una modificación química específica. Así que intentaron hacer el mismo cambio en el ARNm sintetizado en el laboratorio antes de inyectarlo en las células. Y funcionó: el ARNm fue absorbido por las células sin provocar una respuesta inmunitaria.

Era una idea marginal que, cuando empezaron a investigar, parecía poco probable que funcionara. El ARNm era delicado, tanto que cuando se introducía en las células, estas lo destruían al instante. Los revisores de las subvenciones no quedaron impresionados. El laboratorio de Weissman recurrió al capital inicial que la universidad concede a los nuevos profesores para empezar.

"Vimos el potencial y no estábamos dispuestos a rendirnos", dijo Weissman.

Posteriormente, Las premio Nobel de CRISPR, fueron capaces de leer el descubrimiento de Fco Mojica desde otra perspectiva, nadie había sido capaz de hacer esto, Fco Mojica nunca trabajó en edición genética, él mismo lo reconoce, así como describió el sistema inmunitario de las bacterias. Lo que hicieron las científicas, premio nobel de CRISPR, JENNIFER DOUDNA y EMMANUELLE CHARPENTIER, fue darse cuenta de que la misma estrategia que usa la bacteria para defenderse del virus, la podemos utilizar nosotros para editar un gen, y así y lo propusieron en junio del 2012, siendo que ocho años después, debido a esta propuesta recibieron muy merecidamente el premio nobel de química.

Existe un enorme futuro con estas herramientas para el desarrollo de terapias, trescientos millones de personas en el mundo aproximadamente con alguna enfermedad rara esperando curas, por tanto, deviene como imperativo moral el hacerlo.

Los cerdos que se utilizan para trasplantes de órganos, tienen nada menos que 10 modificaciones genéticas, esto era ciencia ficción hasta septiembre de 2021, en que se puso un riñón de este cerdo en la pierna de una mujer en muerte clínica, en la pierna, porque lo que querían ver es si se rechazaba, y en enero del año 2022 David Bennett, fue la primera persona que recibió el corazón de uno de estos cerdos, vivió dos meses, falleció por otras causas, pero demostró que puede ser posible[8].

Todos nos acordamos en los años 60 el, Dr. CHRISTIAAN NEETHLING BARNARD, en Sudáfrica, que llevó a cabo el

---

8 Muere David Bennett, el primer paciente en recibir un trasplante de corazón de cerdo.
David Bennett, que sufría de enfermedad cardíaca terminal, sobrevivió dos meses después de la cirugía realizada en Estados Unidos.
Pero su condición empezó a deteriorarse hace varios días, explicaron sus médicos en la ciudad de Baltimore, y el paciente de 58 años murió el 8 de marzo de 2022.
https://www.bbc.com/mundo/noticias-60676613

primer trasplante de corazón, en su día fue algo muy peligroso, las personas no se lo acababan de creer. Sin embargo, cuantas personas hoy viven gracias al trasplante de corazón.

Resulta evidente que no podemos frenar el avance de la tecnología en técnicas de edición genómica aplicado a la salud, y que cada vez nos exige más banda ancha y capacidad adaptativa en la perspectiva de pensamiento. De poco o nada sirve oponerse sin argumentativa suficiente, más allá de especulaciones temerosas. El futuro de la tecnología en genética es prometedor. Se espera que la secuenciación del ADN sea aún más rápida y económica, lo que permitirá un mayor acceso a la información genética. Además, se espera que la edición genética se perfeccione y se utilice en una variedad de aplicaciones, desde la medicina hasta la producción de alimentos.

Sin embargo, también es importante considerar los aspectos éticos y sociales a medida que avanzamos en la tecnología genética. Es necesario establecer regulaciones, hojas de ruta y políticas claras, para garantizar un uso responsable y equitativo de esta tecnología.

Deviene fundamental promover los cambios tendentes a articular una adecuada legislación permisiva, en concordancia con las tecnologías potenciales que nos asisten. Censurar y restringir como medida de contención no justificativa, no es una vía posible para una sociedad en evolución, que se va transformando a través de pequeños pasos que van desde la sencillez a mayor complejidad, y cuya actuación, la restrictiva no suficientemente fundamentada, vulneraría el derecho a la libertad de investigación científica, y por qué no, el propio derecho a la vida proclamado en el Art 3 de la Declaración de Derechos Humanos, interpretando la restricción como una privación al derecho a vivir una vida sana, omitiendo la posibilidad potencial de aplicarlo, teniendo el conocimiento técnico de esa posibilidad.

La privación de la vida supone daños o lesiones deliberados o, de algún otro modo, previsibles y evitables, que ponen fin a la vida, causados por un acto o una omisión. Va más allá del daño o la amenaza a la integridad física o psíquica, prohibidos en el artículo 9, párrafo 1.

Lo que aplicado a la potencialidad de la edición genética se refiere en la salvaguarda de la salud, la privación de la vida puede devenir, tanto de un acto, como de la omisión del mismo.

El artículo 6 reconoce y protege el derecho a la vida de todos los seres humanos. Se trata del derecho supremo respecto del cual no se autoriza suspensión alguna, ni siquiera en situaciones de conflicto armado y otras emergencias públicas. El derecho a la vida tiene una importancia decisiva tanto para las personas como para el conjunto de la sociedad. Constituye en sí mismo el valor más preciado, en cuanto derecho inherente a todo ser humano, pero también es un derecho fundamental, cuya protección efectiva es requisito indispensable para el disfrute de todos los demás derechos humanos y cuyo contenido puede ser conformado y permeado por otros derechos humanos.

El derecho a la vida no debe interpretarse en sentido restrictivo. Se refiere al derecho de las personas a no ser objeto de actos u omisiones cuya intención o expectativa sea causar su muerte prematura o no natural, así como a disfrutar de una vida con dignidad. El artículo 6 garantiza este derecho a todos los seres humanos, sin distinción de ninguna clase, incluidas las personas sospechosas o condenadas por los delitos más graves. El párrafo 1 del artículo 6 del Pacto dispone que nadie podrá ser privado de la vida arbitrariamente y que el derecho estará protegido por la ley. En él se sientan las bases de la obligación de los Estados parte de respetar y garantizar el derecho a la vida, darle efecto por conducto de medidas legislativas y de otra índole y proporcionar recursos y reparación efectivos a todas las víctimas de violaciones del derecho a la vida.

¿Supondría la privación de aplicación CRISPR, en enfermedades, una violación del derecho a la vida, conocido que la aplicación de la técnica permitiría al individuo vivir y/o, por el contrario, no aplicarla, y morir?

Es un hecho que la legislación siempre va por detrás de la ciencia, y lo que tenemos que pedir a nuestros legisladores es que se regule y que se defina lo que se puede y lo que no se puede hacer, ciertamente no debería poderse utilizar CRISPR para algo que no sea una mejora para la humanidad, en materia de salud.

3. TERAPIA GÉNICA

Existen, en la actualidad numerosos ensayos clínicos de terapia génica en el mercado y algunos de ellos han llegado a pacientes, a personas que se lleva a cabo mediante proyectos destinados a buscar en los pacientes que tienen estas patologías. Lo que está ocurriendo es que los pacientes tienen un infra diagnóstico, no se están reconociendo porque realmente no se está identificando la causa y la terapia está disponible para identificar estos pacientes que se beneficien de una terapia génica, de la inclusión del gen en determinadas células, hay algunas que van al cerebro, otras que van dirigidas de forma hepática, de una forma controlada. Pero vuelve a aparecer el diagnóstico, la oportunidad, la ventana, los pacientes tienen que tener su etiqueta para aplicar, su identificación de esas variantes.

Aplicar la terapia, o que esté disponible, o que esté por venir, además de aportarles cierta serenidad, lo mismo tiene una patología en la que no se puede identificar el nombre, y que no puedes tratar. A tratar un nombre y una posibilidad de tratamiento.

Hay miles en desarrollo, centenares que están ya en ensayos clínicos, y pocas, decenas de terapias génicas que están ya aprobadas en diferentes partes del mundo y que se pueden administrar.

Ahora nos enfrentamos al problema de accesibilidad a esas terapias, el cuarto de los principios de bioética nos recuerda que es el principio de justicia, que todo aquello que hagamos tiene que ser beneficioso para todo aquel que lo necesite, sin importar sus medios económicos, su situación geográfica, su género, etc., y esto no está sucediendo, y es un problema que tenemos que resolver, p.ej. algunas de las terapias aprobadas están en el mercado por un precio que es de varios millones de euros por paciente.

En marzo 2023, en el seno de la tercera cumbre internacional del genoma de la edición genética en humanos, se presentó como invitada a una paciente, VICTORIA GRAY, que participó en un ensayo clínico para SCD. Recibió tratamiento en Nashville, Tennessee, en 2019, lo que la convirtió en la primera persona en los Estados Unidos en someterse a un tratamiento para una enfermedad genética mediante una terapia basada en CRISPR [9].

La primera persona que ha sido curada con terapia génica, de su anemia falciforme. Así en la cumbre los representantes

---

9 INSTITUTO DE GENÓMICA INNOVADORA. Victoria Gray tiene anemia de células falciformes (SCD). La ECF es una enfermedad genética que hace que los glóbulos rojos tengan forma de media luna en lugar de redondos. Las células falciformes bloquean los vasos sanguíneos, ralentizando o deteniendo el flujo sanguíneo. Esto causa un dolor repentino y severo. Las complicaciones incluyen daño a órganos, accidentes cerebrovasculares, anemia y muerte prematura. Conozca más sobre la Iniciativa de células falciformes del IGI. https://innovativegenomics.org/es/biblioteca-multimedia/conoce-a-victoria-gray/

de Tanzania, en sus ponencias manifestaron que ellos no podían pagar 2 millones de euros por cada paciente. Así pues, tenemos una herramienta con la que poder erradicar millones de enfermedades, el reto consiste en conjugar el legítimo derecho que tienen las empresas farmacéuticas en resarcirse de la inversión realizada, con un precio razonable que sea asumible por el sistema nacional de salud. Han de sentarse empresa y administración y alcanzar un acuerdo para que esos tratamientos sean una realidad para la sociedad.

Para implementar una MEDICINA DE PRECISIÓN, un diagnóstico adecuado, nuestro país tiene que aprobar la especialidad de genética, la especialidad sanitaria genética, que se encuentra en pleno proceso, sin ese requisito, los pacientes no se van a beneficiar de una adecuada utilización de la tecnología por parte de los profesionales médicos, que no tienen ni idea de genética.

Recientemente, el pasado 13 de junio de 2025, el Ministerio de Sanidad dio luz verde a la creación de las especialidades de Genética Médica y Genética de Laboratorio. Esta medida responde al acuerdo adoptado por la Comisión de Recursos Humanos del Sistema Nacional de Salud en diciembre de 2024. La aprobación marca un paso clave en la consolidación de la medicina personalizada en España. Ambas especialidades se integrarán en el sistema de Formación Sanitaria Especializada (FSE).[10]

Deviene evidente que nos encontramos ante dos grandes desafíos que enfrenta la aplicación de CRISPR en enfermedades;

1. La accesibilidad a la terapia génica con un precio razonable al alcance de todo ciudadano.

2. La formación de los profesionales de medicina en materia genómica. La medicina del futuro, que ya está aquí,

---

10 Ministerio de Sanidad - Prensa y comunicación - Noticias

no es como la entendemos, y los profesionales médicos de cualquier especialidad han de tener una base esencial de formación en genómica.

La medicina de hoy tiene su base en el diagnóstico, tratamiento y planteamiento de la solución de las enfermedades de forma muy analógica, desde el punto de vista de la propia concepción que se tiene, a su vez, del origen de las disfunciones generadoras de enfermedades. Que ha de pasar necesariamente por una transformación basada en la capacidad tecnológica y humana atribuida al diseño del nuevo mapa de la medicina.

Que no tienen nada que ver con los ingeniosos avances en las tecnologías que se aplican hoy, en los medios de diagnóstico, cirugía robótica en el quirófano, en herramientas ofimática de gestión, realidad virtual holográfica, telemedicina, bio-impresión de órganos artificiales, sensores cerebrales inalámbricos, medicina de precisión.

Podemos tener una tecnología muy avanzada de IA para llevar a quirófano con robot de última generación, que permita a un equipo de cirugía hacer un trasplante de corazón sin apenas la intervención humana, con una asombrosa minuciosidad. Sin embargo, el reto pasa por entender, que esa cirugía podría evitarse, tratando la enfermedad en el patrón genético, que el principal recurso tecnológico ha de emplearse en la terapia génica.

Lo que hoy por hoy definimos como medicina de precisión está basado en permitir a los profesionales médicos seleccionar medicamentos y terapias para tratar enfermedades, como el cáncer p. ej., basándose en la composición genética del sujeto. Esta medicina personalizada es mucho más eficaz que otros tipos de tratamiento, ya que ataca los tumores basándose en los genes y proteínas específicos del paciente, causando mutaciones genéticas y facilitando su destrucción por los medicamentos contra el cáncer. Sin embargo, solo es el primer paso de un largo camino, habido que la medicina de precisión, desde el punto de vista de las posibilidades que ofrece la edición genómica, apunta a la definición de hoja de ruta a seguir en el código de cada enfermedad, en modo de prevención, de manera que al paciente se le acabaría costeado su tratamiento en última instancia, por prevenirlo y no por curarlo, para el caso de las enfermedades que estuviesen en esa fase, y la aplicación de soluciones de terapia génica en las enfermedades más avanzadas en fase.

Un sistema nuevo que funciona hace decaer las estructuras obsoletas, sin que exista ningún tipo de resistencia de forma natural.

¿Quién querría hoy día utilizar un teléfono móvil analógico?, obviamente no se entiende, sino por la férrea posición de adherirse a lo conocido por el temor a lo nuevo y sus consecuencias. El mero hecho de pensar que esa era nuestra tecnología de comunicaciones telefónicas hace dos décadas, nos produce la sensación rara de extrañeza por lo inverosímil del hecho en la retrospectiva del tiempo.

Nuestro país asume el compromiso de subirse al carro de la medicina de precisión, habiendo tomado conciencia que la tecnología está aquí (Edición Genética), y sin embargo los profesionales médicos no tienen formación en genómica, habido que nunca se había tomado la genética como una especialidad necesaria en la medicina.

¿Podría haberse previsto?, seguramente sí, todo va de la mano, la nueva especialidad en medicina genómica, hasta ahora inexistente, ha sido puesta en marcha por el ministerio, pudiendo tener los primeros médicos genetistas para realizar su especialidad de MIR en Genética, en año 2024.

La Asociación Española de Genética Humana, que representa 1.100 profesionales en el Sistema Nacional de Salud (SNS), ya inició los cauces también en julio de 2022 para favorecer el nacimiento de la nueva disciplina con el mismo objetivo de alinearse con la tendencia de la Unión Europea.

Su meta pasa por recuperar un área que ya existió en España durante poco más de año y medio, hasta ser anulado el Real

Decreto sobre troncalidad del año 2014. Su propuesta consiste en dar un apartado específico a esta área que aborda aspectos como el diagnóstico, tratamiento e investigación de patologías de base genética como cáncer, malformaciones congénitas, discapacidad intelectual/autismo, anomalías de la fertilidad y enfermedades raras neurológicas, cardiológicas, hematológicas o pediátricas.

Paralelamente, sus impulsores también han destacado su papel en el estudio y aplicación clínica de los marcadores genéticos de susceptibilidad, de pronóstico y respuesta terapéutica (farmacogenética) en la mayoría de las enfermedades[11].

Necesitamos especialistas en genoma, en genética, el conocimiento de nuestros médicos en materia de genoma, y ello sea prioritario de los profesionales médicos. Comenzar a hablar con lenguaje genético deviene prioritario, habido el cuerpo humano es mucho más que un mosaico de órganos y moléculas independientes, sino un conjunto coherente, un campo de interconexión altamente ordenado y orquestado.

Ha señalado la Sociedad Española de Neurología (SEN) en un comunicado al hilo de los resultados del trabajo, también un 1,7% superior a la media de los países occidentales europeos;

---

11 REDACCIÓN MÉDICA
La ministra de Sanidad, Carolina Darias, ha anunciado que se ha alcanzado un "consenso" con las comunidades autónomas para el despliegue de las nuevas especialidades que se incorporarán al MIR. Tras un arduo debate que ha obligado a crear un grupo de trabajo para abordar las "controversias" de los títulos, finalmente el Consejo Interterritorial del Sistema Nacional de Salud (SNS) se ha decantado por desbloquear con carácter prioritario las futuras ramas de Urgencias y de Genética.
https://www.redaccionmedica.com/secciones/formacion/asi-son-las-dos-nuevas-especialidades-mir-de-la-sanidad-espanola-9545

> «Los resultados de este estudio indican que la carga económica y social de las enfermedades neurológicas ha sido subestimada y que además está en aumento. Las enfermedades neurológicas son ya la principal causa de años de vida ajustados por discapacidad en todo el mundo, así como de años de vida perdidos. Por lo tanto, es crucial implementar estrategias eficaces de prevención, tratamiento y rehabilitación para abordar los trastornos que afectan al sistema nervioso»,

Ha afirmado al respecto Jesús Porta-Estessam, presidente de la Sociedad Española de Neurología, hace apenas unos días, el pasado 15 de marzo de 2024.

4. CRISPR Y ENVEJECIMIENTO COMO PRINCIPAL ENFERMEDAD DEGENERATIVA.

El envejecimiento es conocido como un proceso gradual y adaptativo degenerativo que viene dado por una disminución relativa de la respuesta homeostática, debido a su vez, a las modificaciones morfológicas, fisiológicas, bioquímicas y psicológicas, propiciadas por los cambios inherentes a la edad y al desgaste acumulado ante los retos que enfrenta el organismo a lo largo de la historia del individuo en un ambiente determinado. Desde un punto de vista biológico, el envejecimiento es la consecuencia de la acumulación de una gran variedad de daños moleculares y celulares a lo largo del tiempo, lo que lleva a un descenso gradual de las capacidades físicas y mentales, un aumento del riesgo de enfermedad, y finalmente a la muerte.

Así lo define la Profª. Dra. Dña. MARÍA TRINIDAD HERRERO EZQUERRO, Neurociencia clínica y Experimental (NiCE- CIBERNED) Facultad de Ciencias de la Salud (Medicina), en los aspectos del envejecimiento humano, vendrían determinados por degeneración progresiva de los huesos y articulaciones, pérdida progresiva de los sistemas homeostáticos, aumento de la tensión arterial, pérdida progresiva de la capacidad del sistema inmunitario, de la libido, de olfato, gusto y audición, pérdida progresiva de la capacidad visual, la coordinación motora y la cognición[12].

En 2013 un artículo titulado The Hallmarks of Aging daba respuesta a esa pregunta que todos nos hacemos en algún momento de nuestra vida: ¿Por qué nuestros cuerpos envejecen? Este artículo hablaba de 9 categorías, causas o "hallmarks" principales que explicaban todos los procesos que van provocando el envejecimiento de nuestro organismo, al que ahora se han unido 5 nuevas.

Las 14 causas del envejecimiento

1. **Disfunción mitocondrial**

   Las mitocondrias son orgánulos celulares encargados de suministrar energía a las células. La mayoría de nuestras células contienen de cientos a miles de mitocondrias para poder realizar sus funciones, por lo que son esenciales para un correcto funcionamiento del cuerpo. El problema es que, a medida que envejecemos, las mitocondrias se dañan y, sin la energía suficiente, las células no pueden llevar a cabo sus mecanismos de reparación, lo que puede llevar a problemas como trastornos neurodegenerativos, enfermedades cardiovasculares o cáncer.

2. **Cambios epigenéticos.**

   El epigenoma es el encargado de que unos genes se activen o desactiven, marcando lo que el genoma debe

---

12 MARÍA TRINIDAD HERRERO EZQUERRO, (2013). Envejecimiento cerebral, inflamación y neurodegeneración. Localización: Anales (Reial Acadèmia de Medicina de la Comunitat Valenciana), ISSN-e 2172-8925, Nº. 14, 2013, https://www.uv.es/ramcv/2013/035_V_Envejecimiento_cerebral2peq.pdf

hacer y dónde debe hacerlo. A medida que pasan los años se producen cambios en la expresión genética de nuestras células, por lo que perdemos información genética y la capacidad de interpretarla correctamente, afectando al estado de todas las células.

3. Pérdida de proteostasis

Las proteínas forman parte de nuestras células y realizan muchas funciones en ellas. A lo largo de toda nuestra vida las proteínas se descomponen, reciclan y reconstruyen continuamente en un proceso llamado proteostasis. Pero, al envejecer, las proteínas no son capaces de descomponerse y reciclarse adecuadamente, por lo que se acumulan formando depósitos de proteínas que no pueden ser eliminados y que aumentan el riesgo de aparición de diversas enfermedades graves.

4. Inestabilidad genómica

Nuestro ADN contiene las instrucciones para que cada célula realice las funciones que tiene encargadas para que todo funcione correctamente. Al envejecer, nuestro ADN se daña dos formas principales, por causas externas como los rayos ultravioletas, la exposición a químicos, etc.; y por daños internos como la aparición de cada vez más radicales libres. Todo ello produce una gran inestabilidad genómica, por lo que nuestras células no funcionan bien.

5. Desgaste de telómeros

Los telómeros son regiones de secuencias repetidas de nucleótidos situadas en los extremos de cada cromosoma. Con cada división celular, los telómeros se acortan y, cuando son demasiado cortos, las células dejan de dividirse y funcionar, lo que hace que el ADN se vuelva inestable, causando diversos daños.

6. Senescencia celular

Cuando las células se vuelven senescentes dejan de replicarse y se vuelven resistentes a los estímulos que promueven el crecimiento. Este proceso ocurre por el acortamiento de los telómeros, el daño al ADN y la señalización oncogénica.

7. Agotamiento de las células madre

Las células madre son células capaces de producir células nuevas y diferenciadas, necesarias para reponer y construir nuevas células donde hagan falta. A medida que envejecemos, nuestras células madre pierden su capacidad de dividirse, se vuelven disfuncionales o mueren, lo que afecta a todos nuestros tejidos.

8. Comunicación intercelular alterada

La comunicación entre las células es esencial para el buen funcionamiento de todos los órganos. Al envejecer, en torno de las células cambia y se vuelve proinflamatorio, pro-envejecimiento y dañino, lo que hace que nuestras células envejezcan más rápido y secreten sustancias dañinas que afectan a las sanas.

9. Detección de nutrientes desregulada

Las principales vías metabólicas se interrumpen a medida que las personas envejecen, por lo que no se detectan correctamente los nutrientes y, como consecuencia, no se aprovechan, aumentando el riesgo de diversas enfermedades relacionadas con el envejecimiento.

10. Autofagia comprometida

La autofagia es el proceso por el cual las células consumen sus propios componentes para mantenerse sanas. Este proceso se daña al envejecer, por lo que las células acumulan partes dañadas, lo que puede causar neurodegeneración e inmunosenescencia.

11. Desregulación del empalme de ARN

El proceso de empalme que construye el ARN a partir del ADN se ve afectado en personas mayores, por lo que no funciona adecuadamente. Además, la poliadenilación alternativa de ARNm, que ya se sabe que contribuye al cáncer, se altera con el envejecimiento y puede contribuir a la senescencia.

12. Alteración del microbioma

El microbioma es el conjunto de microorganismos que habitan en nuestro cuerpo, especialmente en el intestino, la boca o la piel, realizando una serie de funciones esenciales. Al envejecer se producen cambios en este microbioma que puede producir inflamación y diversas enfermedades.

13. Propiedades mecánicas alteradas

Las propiedades mecánicas alteradas se aplican tanto a las células como al medio extracelular. Los cambios en la motilidad son de gran relevancia en el envejecimiento del sistema inmune innato, que deja de funcionar como debería. El nucleoesqueleto también se altera durante el envejecimiento, con la lámina nuclear desestabilizada, lo que disminuye la esperanza de vida. Finalmente, la matriz extracelular también cambia con el envejecimiento, lo que altera en gran medida el comportamiento celular.

14. Inflamación sistémica

La inflamación crónica causada por la edad está implicada en una amplia gama de problemas y enfermedades.

> Pero todavía no hay consenso sobre si estos procesos son la causa del envejecimiento en sí, o simplemente el resultado visible del proceso de envejecimiento.

Del mismo modo sugiere una serie de consejos para combatir el envejecimiento[13].

1. Seguir una dieta saludable y variada rica en nutrientes esenciales como vitamina C, A, D, complejo B, E, hierro, calcio, magnesio, etc. Hay que potenciar los alimentos frescos y evitar los ultraprocesados.
2. Realizar ejercicio físico con regularidad combinando ejercicios aeróbicos con otros de fuerza/entrenamiento para evitar la pérdida de masa muscular y ósea.
3. Dormir al menos 7 horas al día respetando nuestro ritmo circadiano.
4. Cuidar las relaciones sociales y evitar el aislamiento y la soledad.
5. Evitar el estrés crónico.
6. Evitar sustancias externas nocivas como los rayos ultravioletas sin protección, el tabaco, el alcohol, los químicos, etc.

---

[13] CARLOS LÓPEZ-OTÍN, MARÍA A. BLASCO, LINDA PARTRIDGE, MANUEL SERRANO, Y GUIDO KROEMER, (2013). The Hallmarks of Aging, Celúla.
doi: 10.1016/j.cell.2013.05.039, https://www.sanidad.es/causas-del-envejecimiento-y-como-evitarlas/#:~:text=Las%2014%20causas%20del%20envejecimiento%201%201.%20Disfunci%C3%B3n,8%208.%20Comunicaci%C3%B3n%20intercelular%20alterada%20...%20M%C3%A1s%20elementos

7. Recurrir a suplementos antienvejecimiento que pueden ayudarnos a contrarrestar todas las causas antes explicadas.

Numerosos estudios han sido motivación de miles de científicos, en todo el mundo, en relación al envejecimiento provocado por enfermedades neuro degenerativas, como enfermedad de Alzheimer, esclerosis lateral amiotrófica, ataxia de Friedreich, enfermedad de Huntington, demencia con cuerpos de Lewy, enfermedad de Parkinson, atrofia muscular espinal, entre otras.

En consonancia, la Profª. Dra. Dña. MARÍA TRINIDAD HERRERO EZQUERRO, ha llevado a cabo múltiples investigaciones en su infatigable búsqueda de una respuesta a la principal enfermedad degenerativa conocida, el envejecimiento, y que define como un proceso que comienza poco después del nacimiento, y que no estaría necesariamente vinculado a la edad.

Entre sus investigaciones citamos, en relación a enfermedad Parkinson, la llevada a cabo junto a autores Valentina Annese,M Di Pentima, A Gómez, L Lombardi, Carmen María Ros Tristán, Vicente de Pablos, E Fernández-Villalba, María Egle De Stefano, entre otros. Que concluyen sugiriendo que la MMP-9 liberada por las neuronas lesionadas favorece la activación de la glía; Las células gliales, a su vez, refuerzan su estado reactivo a través de la liberación autocrina de MMP-9, lo que contribuye a la degeneración de la vía nigroestriatal. La modulación específica de la actividad de MMP-9 puede, por lo tanto, ser una estrategia para mejorar los resultados inflamatorios dañinos en el parkinsonismo.

La metaloproteinasa-9 contribuye a la activación inflamatoria de la glía y a la degeneración de la vía nigroestriatal en modelos de ratón y mono de parkinsonismo inducido por 1-metil-4-fenil-1,2,3,6-tetrahidropiridina (MPTP) [14].

Las principales enfermedades neurodegenerativas no encuentran una respuesta para su efectivo tratamiento, tales como el Alzheimer. Así una investigación reciente de tesis doctoral dirigida por Profª. Dra. Doña MARÍA TRINIDAD HERRERO EZQUERRO concluye por la ya Dra. y autora Dña. CRISTINA ESTRADA ESTEVAN;

> 'A pesar de los avances en investigación y del gran volumen de datos que se obtienen a diario en relación con la EA, el diagnóstico de certeza solo se consigue en estudios postmortem. Los tratamientos farmacológicos para la EA tienen efectividad limitada, son caros y pueden inducir efectos secundarios. Las nuevas estrategias terapéuticas, como por la estimulación magnética, están siendo útiles como tratamientos complementarios. El desarrollo de nuevos métodos no invasivos de estimulación cerebral ha incrementado el interés en técnicas neuromoduladoras como herramientas terapéuticas para rehabilitación cognitiva en EA.'[15]

---

14 VALENTINA ANNESE, MARÍA TRINIDAD HERRERO EZQUERRO, M DI PENTIMA, A GOMEZ, L LOMBARDI, CARMEN MARÍA ROS TRISTÁN, VICENTE DE PABLOS, E FERNANDEZ-VILLALBA, MARIA EGLE DE STEFANO, (2015). Metalloproteinase-9 contributes to inflammatory glia activation and nigro-striatal pathway degeneration in both mouse and monkey models of 1-methyl-4-phenyl-1,2,3,6-tetrahydropyridine (MPTP)-induced Parkinsonism. Brain Structure and Function, ISSN 1863-2653, ISSN-e 1863-2661, Vol. 220, Nº. 2, 2015, págs. 703-727.
Los estudios en modelos animales de la enfermedad de Parkinson (EP) sugieren que la neuroinflamación sostenida exacerba la degeneración de la vía nigroestriatal dopaminérgica (DA). Por lo tanto, el conocimiento de los mecanismos inflamatorios de la EP puede ayudar al desarrollo de nuevas estrategias terapéuticas contra esta enfermedad.
https://dialnet.unirioja.es/servlet/articulo?codigo=6569315.

15 CRISTINA ESTRADA ESTEBAN, (2017). Rendimiento cognitivo en envejecimiento efecto del sueño, del ejercicio y de la TMS en

En este sentido, cabe destacar las investigaciones de Dr. DAVID SINCLAIR[16], especialmente la que lleva por nombre 'La edición genética predice retardar el envejecimiento' —David Sinclair— , científico de Harvard afirma sin titubeos en su investigación —¡La vejez es una enfermedad y puede ser tratada y curada mediante edición genética! —. Así como recuerda lo hemos visto con diversos experimentos, entre ellos el ratón genéticamente modificado al que llamaron 'Matusalén'[17].

Octodon degus. Directores de la Tesis: María Trinidad Herrero Ezquerro (dir. tes.) Lectura: En la Universidad de Murcia (España) en 2017, https://dialnet.unirioja.es/servlet/tesis?codigo=154897.

16 El doctor David Sinclair es profesor titular de Genética en la Facultad de Medicina de Harvard y uno de los mayores expertos mundiales en el campo de la longevidad. Sinclair publicó en diciembre de 2023 un artículo en el que explica su nueva teoría sobre las causas del envejecimiento celular y cómo evitarlo. Según el investigador basta con restaurar el epigenoma, el sistema que regula cómo la información genética se traduce en proteínas, que se acaba dañando con el paso del tiempo.

17 YUANCHENG RYAN LU, XIAO TIAN , DAVID A SINCLAIR, (2023). The Information Theory of Aging, Nat Aging. Dec;3(12):1486-1499. doi: 10.1038/s43587-023-00527-6. Epub 2023 Dec 15.
https://pubmed.ncbi.nlm.nih.gov/38102202/#:~:text=The%20Information%20Theory%20of%20Aging%20(ITOA)%20states%20that%20the%20aging,tissues%20by%20catalyzing%20age%20reversal.
Abstract
Information storage and retrieval is essential for all life. In biology, information is primarily stored in two distinct ways: the genome, comprising nucleic acids, acts as a foundational blueprint and the epigenome, consisting of chemical modifications to DNA and histone proteins, regulates gene expression patterns and endows cells with specific identities and functions. Unlike the stable, digital nature of genetic information, epigenetic information is stored in a digital-analog format, susceptible to alterations induced by diverse environmental signals and cellular damage. The Information Theory of Aging (ITOA) states that the aging process is driven by

La esperanza de vida se ha visto modificada en el último siglo, resultando a principio del mismo era de 50 años, y resultando ahora de 84 años, habiéndose ampliado en un 40%, ello sin contar con las técnicas que hoy conocemos. Lo que haría deductible un planteamiento a las personas de edad actual 30 años puedan vivir 140 años con manifiesta sencillez, en aplicación de técnicas de edición genética.

¿Y qué ocurriría con las personas que tienen 60, 70, 80 años o incluso más en relación a la aplicación y resultado esperado de la edición genética?

¿Se verían redimidos de su supuesto derecho en relación con los más jóvenes?

La respuesta viene dada por la facilidad que tendría la edición genética de incidir en cualquier estructura celular, con independencia de la edad del sujeto, permitiendo cambiar bases concretas, reprimir genes, silenciando o activando información

---

the progressive loss of youthful epigenetic information, the retrieval of which via epigenetic reprogramming can improve the function of damaged and aged tissues by catalyzing age reversal.

El almacenamiento y la recuperación de información es esencial para toda vida. En biología, la información se almacena principalmente de dos maneras distintas: el genoma, que comprende ácidos nucleicos, actúa como modelo fundamental y el epigenoma, que consiste en modificaciones químicas del ADN y las proteínas histonas, regula los patrones de expresión genética y dota a las células de identidades y funciones específicas. A diferencia de la naturaleza estable y digital de la información genética, la información epigenética se almacena en un formato digital-analógico, susceptible a alteraciones inducidas por diversas señales ambientales y daño celular. La Teoría de la Información del Envejecimiento (ITOA) afirma que el proceso de envejecimiento es impulsado por la pérdida progresiva de información epigenética juvenil, cuya recuperación mediante la reprogramación epigenética puede mejorar la función de los tejidos dañados y envejecidos al catalizar la reversión de la edad.

genética, de forma que el abanico de posibilidades de edición genética puede llegar a ser inimaginable con independencia de la edad que presente el sujeto [18],[19].

El Dr. DAVID SINCLAIR también considera que debemos cambiar radicalmente la forma en la que pensamos sobre el envejecimiento, hasta hoy considerarlo un proceso común y natural, hemos de abordarlo como una enfermedad y, como tal, como algo que se puede tratar o incluso curar.

Otras investigaciones de interés entre los miles que se podrían citar en relación al envejecimiento, conviene citar la de los investigadores Ioannis Grammatikakis, Amaresh C Panda 1, Kotb Abdelmohsen, Myriam Gorosp, en relación a ARN largos no codificantes (lncRNAs) y las características moleculares del envejecimiento [20].

---

18 WANG H, LA-RUSSA M, LI QS. (2016). "CRISPR/Cas9 in Genome Editing and Beyond". Annual Reviews in Biochemistry 85:227-64 (2016). https://revistes.ub.edu/index.php/RBD/article/view/28551, https://www.ncbi.nlm.nih.gov/pmc/articles/PMC7553049/

19 REARDON S. (2019) "CRISPR creates wave of exotic model organisms". Nature 568: 441-442. https://revistes.ub.edu/index.php/RBD/article/view/28551.

20 IOANNIS GRAMMATIKAKIS, AMARESH C PANDA, KOTB ABDELMOHSEN, MYRIAM GOROSPE, (2014), ARN largos no codificantes (lncRNA) y las características moleculares del envejecimiento, Envejecimiento. (Albany NY), doi: 10.18632/envejecimiento.100710. https://pubmed.ncbi.nlm.nih.gov/25543668/
Durante el envejecimiento, los cambios deletéreos progresivos aumentan el riesgo de enfermedad y muerte. Las características moleculares prominentes del envejecimiento son la inestabilidad genómica, el desgaste de los telómeros, las alteraciones epigenéticas, la pérdida de proteostasis, la senescencia celular, el agotamiento de las células madre y la alteración de la comunicación intercelular. Los ARN largos no codificantes (lncRNA) desempeñan un papel importante en una amplia gama de procesos biológicos, incluidas las enfermedades relacionadas con la edad como el cáncer, las pa-

El anhelo por trabajar en la edición genética está presente en la mayoría de los científicos de nuestro tiempo, y predice interés y aplicación en las investigaciones presentes y futuras.

Lo que, ciertamente, añade fulgurante interés en la práctica desde el punto de vista ético y moral. Tal emergente aspiración investigadora, no resta la debida cautela y prudencia en las investigaciones habidos los riesgos que hoy por hoy comporta la técnica, de los que también se habla, y están presentes[21], p.ej. la investigación llevada a cabo por investigadores del IRB Barcelona identifican puntos críticos del genoma, en los que

---

tologías cardiovasculares y los trastornos neurodegenerativos. Está surgiendo evidencia de que los lncRNAs influyen en los procesos moleculares que subyacen a los fenotipos asociados a la edad. Aquí, revisamos nuestra comprensión actual de los lncRNAs que controlan el desarrollo de los rasgos de envejecimiento.

21 MIGUEL M ÁLVAREZ, JOSEP BIAYNA & FRAN SUPEK, (2022). TP53-dependent toxicity of CRISPR/Cas9 cuts is differential across genomic loci and can confound genetic screening, Nature Communications, DOI: 10.1038/s41467-022-32285-1.
https://www.irbbarcelona.org/es/news/cientificas/la-edicion-genetica-mediante-crisprcas9-puede-provocar-toxicidad-celular-e. Científicos del IRB Barcelona, liderados por el investigador ICREA Dr. Fran Supek, han desvelado ahora que, dependiendo del punto del genoma al que se dirija, la edición genética con CRISPR puede dar lugar a toxicidad celular e inestabilidad genómica. Este efecto no deseado está coordinado por la proteína p53 (también conocida como proteína supresora de tumores) y depende de la secuencia de ADN cercana al punto de edición y por factores reguladores en la región circundante.
Utilizando métodos computacionales, los investigadores del laboratorio de Genome Data Science han analizado la biblioteca CRISPR más popular diseñada para células humanas y han detectado 3.300 posibles puntos de edición en el genoma que muestran fuertes efectos tóxicos. El trabajo, publicado en Nature Communications, también desvela que alrededor del 15% de los genes humanos contienen al menos un punto de edición tóxico.

la edición de genes podría causar una respuesta no deseada, ofreciendo recomendaciones para enfoques más seguros, afirmando que la edición genética mediante CRISPR/Cas9 puede provocar toxicidad celular e inestabilidad genómica.

La medicina de la próxima década, presumiblemente, ha de encontrar su base en el binomio Genética/IA, que corregirá los problemas de salud previo a que fuesen manifestados.

5. EDICIÓN GENÉTICA CRISPR – ENFERMEDADES NEURODEGENERATIVAS Y ALFA-SINUCLEÍNA/ FACTORES GENÉTICOS.

Conocemos CRISPR como un mecanismo que utiliza la proteína Cas9, actúa 'cortando' esta molécula del ADN, y no en cualquier sitio, sino que tiene una especie de piloto guía dirigiendo específicamente en donde tiene que editar el específico gen.

En este sentido podemos asimilar y establecer analogías respecto a las ventajas que podría suponer la utilización de esta técnica en enfermedades neuro degenerativas.

Las enfermedades neurológicas, afectan ya a más de 3.400 millones de personas, lo que supone más del 43% de la población mundial. Estos trastornos son, de hecho, la principal causa de mala salud en el mundo, tal y como apuntan los resultados del estudio Global, regional, and national burden of disorders affecting the nervous system, 1990-2021: a systematic analysis for the Global Burden of Disease Study 2021, publicado en la revista Lancet Neurology [22].

[22] Las enfermedades neurológicas ya son la primera causa de mala salud en el mundo. Más del 43% de la población mundial sufre una dolencia relacionada con el cerebro o el sistema nervioso (2024)

En España, más de 23 millones de personas padecen algún tipo de enfermedad neurológica, una prevalencia un 18% superior respecto a la media mundial y también un 1,7% superior a la media de los países occidentales europeos, ha señalado la Sociedad Española de Neurología (SEN) en un comunicado al hilo de los resultados del trabajo.

Reiterados estudios relacionan la proteína Alfa-Sinucleína (a-sinucleina, con el Parkinson, es una proteína intraneuronal perteneciente a la familia de las sinucleínas (junto a gamma y beta). Está codificada en el cromosoma 4q21, en el gen SNCA y está constituida por 140 aminoácidos.

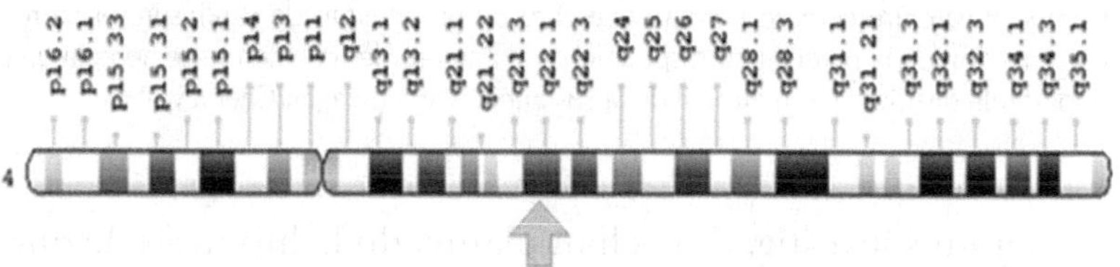

Representación del cromosoma 4 y localización del gen SNCA (Imagen ChemEvol)

No se sabe con exactitud la correlación entre la agregación de alfa-sinucleína y la patogénesis del Parkinson. Sin embargo, una gran cantidad de estudios establecen que el proceso de agregación de esta proteína es una reacción de polimerización dependiente de nucleación lenta, en la que se van formando intermediarios como oligómeros o protofibrillas, que podrían ser especies altamente citotóxicas causantes de la muerte neuronal.

---

https://www.elmundo.es/ciencia-y-salud/salud/2024/03/15/65f43b9a21efa07f718b4586.html

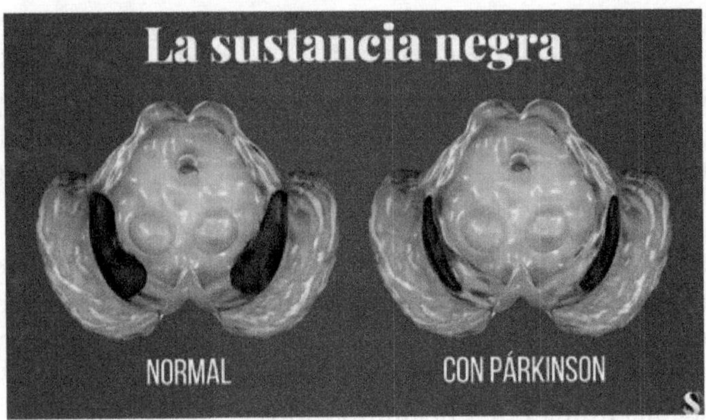

Comparativa entre cerebro normal y cerebro de un enfermo de Parkinson: en la representación de la derecha correspondiente al cerebro de un enfermo se aprecia una importante disminución neuronal de la sustancia negra (Imagen ChemEvol)

Algunos investigadores han planteado la hipótesis de que la alfa-sinucleína forma oligómeros transitoriamente inestables con potencial citotóxico, y de forma eventual durante el proceso de agregación, estos se convierten en fibrillas amiloides las cuales son termodinámicamente más estables y capaces de secuestrar a los oligómeros tóxicos de alfa sinucleína[23].

Investigadoras de ChemEvol, Biología Molecular, Evolución Química y Astrobiología, Universidad de Alcalá, Laura Sánchez Roncero y Mar Vaquerizo Medina, relacionaron en estudio presentado el pasado 10 enero de 2023, buscan la relación entre ambos.

---

23 GADHE, L., SAKUNTHALA, A., MUKHERJEE, S., GAHLOT, N., BERA, R., SAWNER, A. S., KADU, P. & MAJI, S. K. (2022). Intermediates of α-synuclein aggregation: Implications in Parkinson's disease pathogenesis. Biophysical Chemistry, 281, 106736. https://doi.org/10.1016/j.bpc.2021.106736

Como se ha mencionado anteriormente, la forma natural de la proteína participa en ciertos procesos celulares importantes como la interacción con fosfolípidos y otras proteínas dentro de los terminales sinápticos de las neuronas afectando al transporte de dopamina.

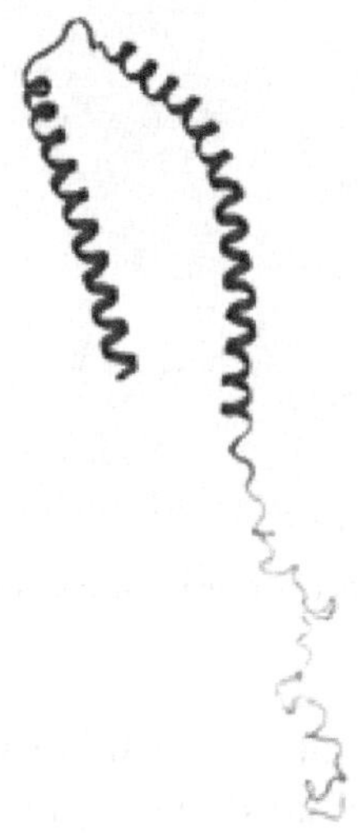

Estructura natural de la alfa sinucleína (Imagen ChemEvol)

En las últimas décadas, se ha vuelto más complejo el mecanismo de la enfermedad, habido se demostró que las fibrillas que se formaban de alfa sinucleína tenían capacidad infecciosa y propiedades polimórficas.

Los cuerpos de Lewy son agregados que causan la muerte de neuronas dopaminérgicas en la sustancia negra y la enfermedad de Parkinson se caracteriza por la pérdida de estas neuronas dopaminérgicas ya que se inhibe la actividad del tálamo y de la corteza causando los temblores que caracterizan a esta enfermedad.

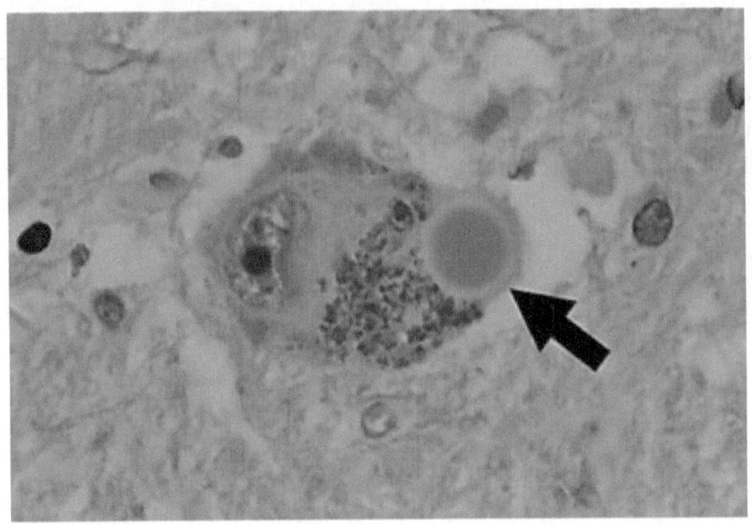

Cuerpos de Lewy (señalado con flecha negra) (Imagen ChemEvol)

En condiciones normales, la célula va a contener sistemas que son capaces de eliminar dichos agregados, pero, si se produce algún fallo en estos sistemas de reparación es cuando se desarrolla la enfermedad.

Sin embargo, algunos estudios recientes apuntarían, aunque los cuerpos de Lewy están relacionados con la pérdida neuronal descrita en la enfermedad del Parkinson, estas inclusiones no son las que provocan la muerte celular; e incluso se sugiere que dichos agregados fibrilares pueden funcionar como mecanismo citoprotector. Aun así, queda mucho trabajo de investigación por delante para poder afirmar con certeza cual es el verdadero papel de los cuerpos de Lewy[24].

24 WAKABAYASHI, K., TANJI, K., ODAGIRI, S., MIKI, Y., MORI, F., & TAKAHASHI, H. (2013). The Lewy body inParkinson's disease

Existen evidencias de la existencia de factores genéticos que están involucrados en el desarrollo de la enfermedad. Existe una historia familiar de Parkinson en el 16% al 24% de los casos y se ha demostrado un riesgo significativamente aumentado de desarrollar la enfermedad en los familiares de primer grado.

En los últimos años se han descrito varios genes asociados a formas mendelianas de la enfermedad de Parkinson: dos de ellos, a-sinucleína y LRRK2, son causantes de una forma autosómica dominante del Parkinson, y otros como PARKIN, DJ-1 y PINK1 originan formas recesivas de la enfermedad.

Estas mutaciones sólo explican un reducido número de casos familiares. Los estudios de asociación del genoma completo han detectado varios «genes de riesgo» (sinucleína y tau) que contribuyen a aumentar la probabilidad de desarrollar la enfermedad.

Mutaciones en el gen glucocerebrosidasa (GBA) también se asocian a su desarrollo. Además, la enfermedad de Parkinson es más frecuente en familiares de individuos que padecen la enfermedad de Gaucher[25].

Resulta especialmente llamativo en las enfermedades neurodegenerativas habida la gran laguna que presenta el desarrollo de una cura, en tanto la mirada pixelada que se estaría teniendo, en palabras del Dr. Rafael Yuste[26], así como la Dra.

---

and related neurodegenerative disorders. Molecular neurobiology, 47(2), 495–508. https://doi.org/10.1007/s12035-012-8280-y.

25 MARINA GRACIA MAZA, (2017). Alfa sinucleina y futuros tratamientos en la enfermedad de parkinson. tfg. (2017-2018), https://zaguan.unizar.es/record/111897/files/TAZ-TFG-2018-926.pdf

26 RAFAEL YUSTE, (2019). Neuroderechos: Un escudo contra los abusos de la neurotecnología y la manipulación cerebral.
El doctor Yuste publicó en 2019 un experimento en el que mediante electrodos implantados en el cerebro de ratas podía hacer que los animales vieran cosas que en realidad no estaban ahí.

Trinidad Herrero[27], la aplicación de esta nueva visión respecto a la genómica que nos ofrece el Dr. Petrovich[28].

Hoy, nadie duda de que, tarde o temprano, las tecnologías de edición genética se acabarán empleando en las clínicas de fertilidad. La segunda cumbre internacional sobre edición del genoma humano (Hong Kong, 2018)[29] asumía que "en el futuro, la manipulación genética de la línea germinal podría ser aceptada si se abordasen los riesgos y se reuniesen unos criterios".

6. EL ULTRASONIDO DAÑA Y ROMPE EL ADN

El Dr. Petrovich, define en sus investigaciones que los medios de diagnóstico utilizados en la medicina actual mediante ultrasonido dañan, rompe el ADN, lo desnaturaliza.

Yuste consiguió demostrar que se podía controlar la actividad del cerebro, con lo que se abre la posibilidad de manipular, monitorizar o extraer información del cerebro sin consentimiento. https://confilegal.com/20240225-neuroderechos-un-escudo-contra-los-abusos-de-la-neurotecnologia-y-la-manipulacion-cerebral/

27 PEPA GARCÍA, LA VERDAD.- MARÍA TRINIDAD HERRERO, (2022) «Hay que ver el lado positivo de las cosas; el optimismo es salud» https://www.laverdad.es/verano/estio-a-la-murciana/maria-trinidad-herrero-20220814215942-nt.html.

28 TERESA VERSYP, (2016). Investigación sobre la energía del ADN de P. Gariaev, Posted, by T.Versyp,, https://teresaversyp.com/actualidad/investigacion-adn-gariaev/.

29 La segunda cumbre internacional sobre edición del genoma humano recomienda trazar el camino hacia la edición genética germinal. https://www.observatoriobioetica.org/2018/12/la-segunda-cumbre-internacional-sobre-edicion-del-genoma-humano-recomienda-trazar-el-camino-hacia-la-edicion-genetica-germinal/29214.

Esto disminuiría las capacidades del ser humano, desde antes de nacer que le practican la ecografía.

Puede verse modo de p. ej. en la página de hielscher[30]

> Fragmentación de ADN por ultrasonidos Durante la fragmentación del ADN y el ARN, las moléculas de ADN se rompen en trozos más pequeños. La fragmentación del ADN/ARN es uno de los pasos importantes de la preparación de muestras necesarios para crear bibliotecas para la secuenciación de nueva generación (NGS). El cizallamiento ultrasónico del ADN utiliza las fuerzas de la cavitación acústica para romper el ADN o el ARN en trozos de 100 – 5kb pb. El cizallamiento ultrasónico permite fragmentar el ADN con precisión y adaptarlo a la longitud deseada.

En donde, a modo de distintas pruebas, con la genética se produce la fragmentación de ADN por ultrasonidos. Durante la fragmentación del ADN y el ARN, las moléculas de ADN se rompen en trozos más pequeños. La fragmentación del ADN/ARN es uno de los pasos importantes de la preparación de muestras necesarios para crear bibliotecas para la secuenciación de nueva generación (NGS). El cizallamiento ultrasónico del ADN utiliza las fuerzas de la cavitación acústica para romper el ADN o el ARN en trozos de 100 – 5kb pb. El cizallamiento ultrasónico permite fragmentar el ADN con precisión y adaptarlo a la longitud deseada. Cizallamiento del ADN mediante ultrasonidos Hielscher Ultrasonics ofrece diversas soluciones basadas en ultrasonidos para el cizallamiento de ADN, ARN y cromatina.

---

30 HIELSCHER ULTRASONICS,(s.f).Fragmentación de ADN por ultrasonidos,Read more: https://www.hielscher.com/es/ultrasonic-dna-shearing.htm Read more:

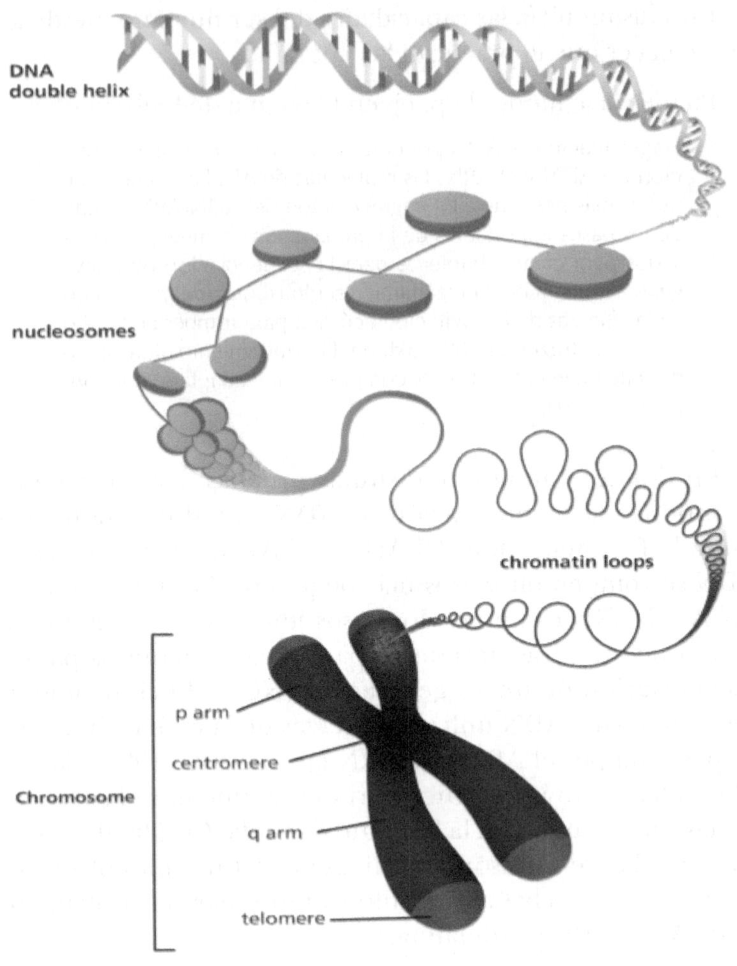

Ilustración que muestra cómo se empaqueta el ADN en un cromosoma. Crédito de la imagen: Laura Olivares Boldú / Wellcome Connecting Science [31]

31

Se hace necesario, en este sentido, tomar la perspectiva de la capacidad del Genoma Humano, para tomar una dimensión del daño que se estaría ocasionando al sujeto, y a la herencia genómica, y el inmenso e infinito ámbito de aplicación que vendría a tener ese daño en millones y millones de células.

El Genoma está formado por 3.200 millones de pares de bases (o letras) que componen el ADN de un ser humano, pero otros organismos tienen diferentes tamaños de genoma.

Si se imprimieran los 3.200 millones de letras de su genoma sería posible;

Realizar una pila de libros de bolsillo de 61 m (200 pies) de altura.

Así como 200 directorios telefónicos, cada uno con 500 páginas.

Y del mismo modo tomaría un siglo recitar, a una letra por segundo, durante las 24 horas del día.

Habría de tener la capacidad de extenderse hasta 3.000 km (1.864 millas), aproximadamente la distancia de Londres a las Islas Canarias, de Washington a Guatemala o de Nueva Delhi a Hanoi[32].

---

[32] https://www.yourgenome.org/theme/what-is-a-genome/

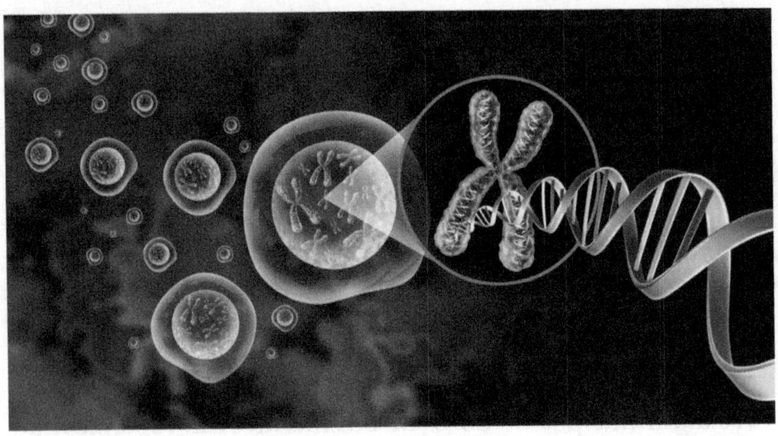

Crédito de la imagen: Shutterstock[33]

¿Cómo se utiliza CRISPR en el laboratorio?

Cuando Cas9 hace un corte en una molécula de ADN, deja extremos expuestos donde se pueden quitar o agregar bases (los componentes básicos del ADN). Esto significa que un científico puede cambiar la secuencia del ADN como quiera.

La enzima Cas9 se puede adaptar para diferentes funciones, lo que permite a los científicos hacer aún más cosas en el sitio específico del ADN. Una adaptación muy útil implica eliminar la función de corte de Cas9 y reemplazarla con un tipo diferente de enzima.

Más comúnmente, las nuevas enzimas utilizadas para reemplazar Cas9 están diseñadas para activar (aumentar) o inhibir (reducir) la transcripción de un gen específico. Estos métodos se conocen como CRISPRa, que significa activación CRISPR, o CRISPRi, que significa interferencia CRISPR.

---

33 https://www.yourgenome.org/theme/what-is-a-genome/

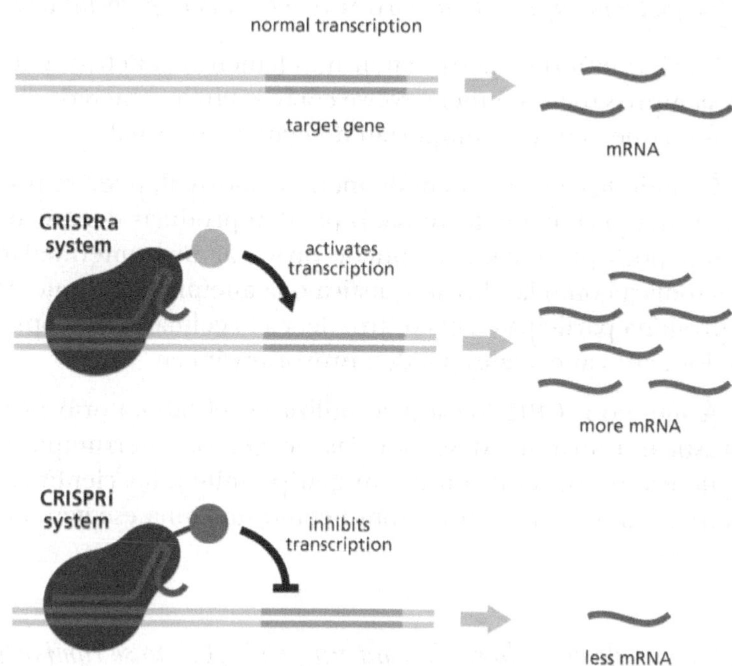

CRISPRa y CRISPRi son tecnologías que se utilizan para activar y desactivar genes, o para aumentar o disminuir su nivel de activación. Crédito de la imagen: Laura Olivares Boldú / Wellcome Connecting Science[34]

34 YOURGENOME (s.f) ¿Cómo utilizamos la edición de genes CRISPR para estudiar enfermedades? https://www.yourgenome.org/theme/how-do-we-use-crispr-gene-editing-to-study-diseases/

¿Qué podemos aprender de CRISPR sobre las enfermedades?

Muchas enfermedades tienen un elemento genético, pero no siempre sabemos mucho sobre cómo están involucrados los genes o qué genes se comportan de manera anormal.

Cuando los genes actúan de manera anormal, pueden producir una proteína defectuosa, o pueden producir demasiada o muy poca proteína. Esto puede provocar una enfermedad metabólica como la fibrosis quística o la anemia falciforme. Si la proteína participa en el control del ciclo celular o la apoptosis, los genes anormales pueden provocar cáncer.

A menudo, CRISPR-Cas9 se utiliza en el laboratorio para investigar funciones desconocidas de genes. Interrumpir la secuencia o transcripción de un gen permite a los científicos plantear muchas preguntas sobre cómo funciona ese gen, entre ellas:

¿Qué sucede cuando se elimina un gen?, ¿Cómo se comporta de manera diferente una célula u organismo modelo cuando falta un gen en particular?

¿Cuál es el efecto de pequeños cambios específicos en una secuencia? Estos cambios, conocidos como mutaciones, suelen ocurrir de forma natural. Al recrearlos en el laboratorio, vemos si tienen algún impacto en los procesos dentro de una célula, como la alteración de la función de las proteínas.

Si la transcripción de un gen aumenta o disminuye, ¿cambia esto las características de la célula u organismo?

Al estudiar enfermedades genéticas, la secuenciación del ADN permite a los científicos observar diferentes mutaciones que ocurren en individuos y poblaciones. Esta información nos permite identificar mutaciones que se encuentran con mayor frecuencia en personas con enfermedades específicas, lo que sugiere que la mutación aumenta las posibilidades de que ocurra la enfermedad.

Para probar más a fondo el vínculo entre mutaciones y enfermedades específicas, los científicos investigan si la producción de una mutación específica hace que una célula pase de sana a enferma. Esta técnica es cada vez más útil en la investigación del cáncer.

El mismo enfoque se utiliza para ver si un cambio genético específico causa otros efectos biológicos interesantes; por ejemplo, ¿cambiar una secuencia en una bacteria le permite volverse resistente al tratamiento farmacológico? Esto podría ayudarnos a abordar la resistencia a los antibióticos en el futuro.

Existe un enorme potencial para que CRISPR se utilice como tratamiento de enfermedades, no solo como una herramienta para estudiarlas.

Un ejemplo es la terapia con células inmunitarias para pacientes con cáncer, a través de la cual los médicos extraen un tipo de célula inmune llamada células T de un paciente y modifican su ADN para entrenarlas para matar células cancerosas. Las células T modificadas regresan al torrente sanguíneo de los pacientes. Se está investigando la tecnología CRISPR como una mejor forma de editar estas células, en comparación con los métodos de edición de genes anteriores.

En el futuro, CRISPR podría usarse en embriones para modificar mutaciones que se sabe que aumentan el riesgo de enfermedad.

Hay mucho debate sobre las implicaciones éticas de editar células humanas, especialmente cuando estos cambios se realizan en las células de la línea germinal (reproductivas) de una persona y podrían ser heredados por generaciones futuras.

Así como afirma la investigadora Olivia Edwards, al editar el ADN de las plantas cultivadas, CRISPR ayudará a crear cultivos que produzcan muchos más alimentos o se vuelvan resistentes a la sequía. Estos mayores rendimientos ayudarán a superar la escasez de alimentos, tierras agrícolas y agua[35].

Sin embargo, tales técnicas no quedarían exentas de efectos adversos que más adelante explicaremos.

El día que el ser humano tome conciencia de lo que es verdaderamente el ADN todo cambiará irremediablemente en sus vidas.

Nos toca reescribir la historia

Y tenemos la responsabilidad y obligación moral de hacerlo.

-María Del Carmen García Casas-

---

[35] OLIVIA EDWARDS, investigadora de doctorado del Wellcome Sanger Institute. analiza la definición de reguladores de estados celulares clínicamente significativos en una variedad de tipos de cáncer, utilizando una combinación de secuenciación de ARN unicelular y detección de perturbaciones CRISPR.

Campus Wellcome Genome, Hinxton, Cambridgeshire, CB10 1SA. Reino Unido, Sanger Institute

https://www.sanger.ac.uk/person/edwards-olivia/

CAPÍTULO II

FUNCIÓN DEL BIODERECHO Y LA BIOÉTICA ANTE LOS DESAFÍOS DE LA EDICIÓN GENÉTICA

Si verdaderamente queremos evolucionar como especie hemos de leer como prioritario el ADN,

De acabar el mundo mañana,

Podríamos decir que hemos dejado lo esencial para lo último.

No podemos avanzar tecnológicamente, lo suficiente, si no conocemos el ADN, cuesta trabajo creer que no se destine como proyecto prioritario el recurso al conocimiento de nuestra estructura vital y esencial como expresión génica.

-María Del Carmen García Casas-

Capítulo II:

Función del bioderecho y la bioética ante los desafíos de la edición genética

1. LOS AVANCES Y MANIFIESTOS DEL DEBATE BIOÉTICO DE LA EDICIÓN GENÉTICA

La edición genética junto con la IA representa actualmente un significativo desafío bioético para la sociedad de nuestro tiempo.

Los procedimientos de selección y mejora genética han existido desde que el ser humano comenzó a intervenir en el medio natural persiguiendo su beneficio, teniendo su comienzo en selección de cultivos y animales a través de control de la reproducción , y posteriormente aparecidos los avances manifiestos en la segunda guerra mundial, surgieron los proceso de mutagénesis, que consistirían en alteraciones genéticas dadas por agentes externos, físicos, como la exposición a grandes temperaturas o presiones o químicos como el uso de ciertas sustancias. Las mutaciones aparecían en algunos de los individuos de las poblaciones modificadas, seleccionándolos para su posterior aprovechamiento (Montoliu, 2019;134).

Con posterioridad tuvieron lugar los organismos modificados genéticamente, con origen en los años ochenta, así los genes exógenos o transgenes que se extraen de un ser vivo para introducirlo en otro, confiriéndole ciertas habilidades nuevas, beneficiosas para sí mismo o para su proceso de producción (Montoliu, 2019:134-135).

A diferencia de lo anterior, la edición genética constituye un novedoso avance biotecnológico para alterar genéticamente los organismos, siendo que las técnicas tradicionales de selección génica y los primeros modos de ingeniería genética se caracterizaron por introducir las alteraciones de forma aleatoria en el genoma de los seres vivos. La edición genética introduce o elimina genes particulares en lugares muy concretos de las cadenas de información de los organismos, siendo que la edición genética no necesita recurrir al material genético de otros organismos para operar, puede conseguir los cambios deseados incamente usando el genoma del organismo que se quiera modificar.

La técnica más importante de edición genética es CRISPR/Cas9, que desde que descubierta en año 2012, ha hecho que numerosos expertos le atribuyan posibilidades a la edición genética que antes parecían imposibles, así con CRISPR la sociedad está mucho más cerca de aplicar la edición del genoma para solucionar problemas de salud, tratar terapéuticamente enfermedades como el cáncer o eliminar enfermedades congénitas.

Sin embargo, pese a la infinita potencialidad de sus posibilidades, cuenta con determinados riesgos, como así lo han podido presentar otros mecanismos de edición, denominados off-target effects o 'mosaicismo', cuando parte de las células de un organismo expresan una edición y otro grupo no la presenta, constituyendo mosaicos entre aquellas células modificadas y las que no lo están (Lander, 2016).

Ciertamente nada asegura que con CRISPR no puedan darse ambas complicaciones, sin embargo, la probabilidad no se puede asemejar a las anteriores técnicas de edición genética (Ledford, 2018).

La comunidad científica condenaría moralmente las intervenciones en embriones, habido los experimentos que se llevaron cabo sin consenso o acuerdo social, y en claro quebranto de las leyes del país en cuestión, corriendo el riesgo de que alguna de estas intervenciones tuviese como resultado el nacimiento de bebés modificados, provocando la edición genética en la línea germinal humana (EGLGH)[1].

Ello a consecuencia de la primera edición genética en embriones que tuvo lugar en China en abril de 2015 (Huang,2015), en que un grupo de científicos trató de reemplazar el gen que causaría la enfermedad congénita de la sangre, en embriones humanos no viables, y declarando posteriormente que la intervención había dado como resultado un importante número de alteraciones off-target, y tan sólo un número reducido de embriones incorporaría la edición exitosamente.

Sin embargo, y no obstante de la alerta por parte de la comunidad científica, no frenaría el deseo de estos investigadores obstinados en el empeño de obtener resultados viables, y un año más tarde, también en China, tiene lugar la segunda intervención en embriones (Fan, 2016), mediante la cual se llevó a cabo el intento de inmunizar a veinte embriones ante el virus VIH, y de los que se incorporó exitosamente la edición en cuatro de ellos.

Del mismo modo al año siguiente un grupo de investigadores de EEUU eliminó una enfermedad congénita en un importante número de embriones con CRISPR (Ledford, 2017).

Y en 2018 se llevó a cabo lo que puso patas arriba el temor de la utilización de la técnica CRISPR a nivel mundial, y por

---

1 La EGLGH se trata de cualquier edición de una célula humana en la que los cambios sobre el genoma puedan heredarse por los descendientes de tales células. Incluyendo a los gametos o células en fase embrionaria.

lo que ha sido mayoritariamente conocida la técnica para infortunio de quienes persiguen a través de la misma alcanzar fines garantes y seguros. Sería el investigador chino He Jiankui, quien llevaría a cabo el experimento mediante el que modificaría embriones viables de una pareja, inmunizándolos ante el virus VIH, para posteriormente implantarlos, y del que nacerían dos bebés mellizas, que vendrían a ser los primeros seres humanos nacidos con línea germinal modificada. Ello a extra muros de cualquier comité de bioética que nunca fue informado, tampoco la universidad de la que formaba parte, ni tan siquiera la propia familia fue informada del alcance de las consecuencias. El riesgo sufrido fue altísimo, y supuestamente salió bien, y ¿Qué consecuencias habría tenido de haber salido no tan bien?

El investigador fue procesado y después de haber cumplido tres años de condena penitenciaria, que acabó en año 2022, continúa con sus investigaciones en la misma línea de edición genética, afirmando que cumple con las pautas legales y éticas.

Tales intervenciones moralmente reprobables, además de punible y reprochable, resultaron la motivación para que científicos de todo el mundo se reuniesen en tres cumbres internacionales que tuvieron lugar en 2015 y 2018.

En diciembre de 2015, tuvo lugar la primera cumbre internacional a este respecto, concluyendo que la edición genética germinal no estaba lista para llevarse a la clínica, pero "a medida que el conocimiento científico avance y las opiniones de la sociedad evolucionen, el uso clínico de la edición de la línea germinal debe revisarse periódicamente".

Casi 500 personas entre científicos, especialistas en cuestiones éticas y legales, y grupos de defensa de más de veinte países se reunieron en Washington D.C. para consensuar unas directrices sobre el uso de la edición genética en humanos, un hecho que ilustra la gran influencia y preocupación que ejerce la ingeniería genética sobre la sociedad.

Cuarenta años antes, (nada menos) en 1975, un grupo compuesto principalmente por científicos estadounidenses asistieron a una conferencia paradigmática en Asilomar, California, y establecieron unas rigurosas pautas para el uso de herramientas que permitían combinar ADN de distintas especies.

En 2015, con un grupo mucho más diverso, el acuerdo sería considerablemente bastante menos definitivo, concluyendo únicamente en la recomendación de no detener la edición genética en humanos, pero sí evitar la investigación y los usos de embriones humanos modificados para provocar un embarazo[2].

El 29 de noviembre de 2018 se publicaron las conclusiones de la segunda cumbre internacional sobre edición del genoma humano, que tuvo lugar en la Universidad de Hong Kong entre los días 27 y 29 de noviembre de 2018.

La declaración final de este Congreso, firmada por relevantes investigadores, entre ellos Jennifer Doudna, creadora junto a

---

[2] La cumbre 2015 sobre edición genética en humanos concluye con opiniones divergentes. Éticas, culturas y valores. Las diferencias culturales se hallan detrás de la diversidad de regulaciones, con lo que homogenizarlas parece complicado. El experto en bioética Renzong Qiu, de la Academia China de Ciencias Sociales, apuntó que, en los Estados Unidos, el debate acerca de si los embriones tienen derechos humanos había dado lugar a las leyes que prohíben el uso de los fondos públicos para investigación en las que se crean o destruyen embriones humanos (ver Estatuto Biológico desde su primera andadura). En China, en cambio, este aspecto no es ni siquiera parte de la discusión, comento, ya que, según Confucio, el ser humano comienza a partir del nacimiento.
https://www.observatoriobioetica.org/2016/06/cumbre-sobre-edicion-genetica-en-humanos-opiniones-divergentes/14068.

Emmanuelle Charpentier de la revolucionaria técnica de edición genética CRISPR, concluían textualmente las investigadoras;

> "Los riesgos son demasiado grandes como para permitir ensayos clínicos de edición de la línea germinal humana en este momento. Sin embargo, el progreso en los últimos tres años y las discusiones en la cumbre actual sugieren que ha llegado el momento de trazar un camino riguroso hacia esos ensayos."

La Tercera y última hasta el momento celebrada, Cumbre Internacional sobre Edición del Genoma Humano se llevó a cabo recientemente, en marzo de 2023, con el objetivo de debatir los avances y desafíos relacionados con la modificación del genoma humano. Este encuentro reunió a expertos en el campo y se centró en dos áreas clave: la edición somática y la edición del genoma heredable[3].

La edición somática implica cambios en el ADN de una persona que no se transmiten a la descendencia.

En la cumbre se destacaron los notables progresos en la edición somática del genoma humano, lo que ha permitido llevar a cabo múltiples ensayos clínicos con herramientas como CRISPR para tratar enfermedades antes consideradas incurables.

---

3 La edición del genoma humano heredable implica que la modificación del genoma pueda transmitirse a la descendencia y posteriores generaciones. En este caso, los miembros del comité organizador de la Tercera Cumbre Internacional sobre Edición del Genoma Humano son claros: en la actualidad esta opción sigue siendo inaceptable. "Las discusiones públicas y los debates políticos continúan y son importantes para resolver si esta tecnología debería utilizarse. No existen marcos de gobernanza ni principios éticos para el uso responsable de la edición hereditaria del genoma humano. No se cumplen las normas de seguridad y eficacia necesarias", destacan en el comunicado. https://genotipia.com/genetica_medica_news/edicion-genoma-humano-tercera-cumbre-internacional/

Aunque prometedor, se resalta la necesidad de la continuidad de la investigación con la finalidad de ampliar la gama de enfermedades que pueden tratarse y comprender mejor los riesgos y efectos no deseados.

La modificación del genoma heredable, que afecta a los gametos o embriones, sigue siendo un reto con implicaciones científicas y sociales significativas.

La cumbre mantiene la posición de que la edición del genoma humano heredable es inaceptable en la actualidad.

En resumen, aunque la edición somática muestra un gran potencial terapéutico, la edición del genoma heredable sigue siendo un tema delicado y sujeto a debates continuos. Estas cumbres internacionales son esenciales para abordar los aspectos científicos, éticos y sociales de la edición del genoma humano y guiar su desarrollo futuro.

2. SOBRE EL PRINCIPIO DE BENEFICENCIA PROCREATIVA EN OPOSICIÓN AL DERECHO INALIENABLE A EXISTIR EN VIRTUD DE LA EFICACIA JURÍDICA ABSOLUTA DE LA DIGNIDAD HUMANA.

El Principio de Procreación Autónoma (PA) sostiene que cualquier opción procreativa es moralmente plausible siempre y cuando sea elegida por los progenitores de forma autónoma[4]. Habida cuenta, los padres tendrían la libertad de tomar

---

4 ENRIQUE BURGUETE,(s.f). Profesor En El Observatorio. Debate bioético sobre el principio de Beneficencia Procreativa.. DE BIOETICA DE LA UNIVERSIDAD DE VALENCIA. https://www.bioeticacs.org/iceb/seleccion_temas/procreacion/El_principio_de_Beneficencia_Procreativa.pdf

decisiones sobre la reproducción sin restricciones externas, siempre que lo hagan de manera consciente y autónoma.

Este principio se contrapone al Principio de Beneficencia Procreativa (BP), propuesto por Julian Savulescu. El BP sostiene que si las parejas o monoparentales deciden tener un hijo y la selección es posible, existe una razón moral significativa para elegir al embrión cuya vida se espera que sea mejor, o al menos no peor, que la de cualquier otro que no se elige. En este contexto, la fecundación in vitro (FIV) permitiría a los progenitores obtener información relevante a través del diagnóstico genético preimplantacional (PGD y PGS) para determinar qué embrión debe ser implantado, eligiendo aquel que ofrece mayores garantías de disfrutar de una vida saludable.

Sin embargo, el PA defiende la autonomía de los progenitores en la elección procreativa, independientemente de las expectativas de calidad de vida del futuro hijo. Aunque el BP busca maximizar el bienestar del niño por nacer, el PA enfatiza la libertad de los padres para decidir sin restricciones externas.

En última instancia, el debate entre estos principios bioéticos plantea cuestiones fundamentales sobre la responsabilidad de los padres, la autonomía reproductiva y la consideración de la vida futura del hijo. Ambos principios tienen implicaciones éticas, morales y sociales significativas, y su discusión sigue siendo relevante en el ámbito de la bioética contemporánea.

El principio de Beneficencia Procreativa (BP), desarrollado por Julian Savulescu, sigue siendo objeto de un intenso debate bioético en relación al inicio de la vida. Este principio, redefinido en 2009 con la colaboración de su compañero de claustro en la Universidad de Oxford, Guy Kahane, se enuncia actualmente de la siguiente manera:

> "Si las parejas (o reproductores individuales) deciden tener un hijo, y la selección es posible, existe una razón moral significativa para elegir a aquel de cuya vida se puede esperar, en función

> de la información disponible más relevante, una vida mejor, o al menos no peor, de la que tendría cualquier otro" .

El núcleo central del BP radica en la "exigencia moral" que supuestamente obliga a los padres a traer al mundo al mejor ejemplar posible, algo que solo es factible mediante la fecundación in vitro. Esta técnica permite, tras un diagnóstico genético preimplantacional (PGD y PGS), obtener información relevante para determinar qué embrión debe ser implantado, es decir, cuál ofrece mayores garantías de disfrutar de una vida saludable.

Sin embargo, este principio no está exento de críticas, resaltando principalmente los que apoyan el PA, según el cual, cualquier opción procreativa es moralmente plausible siempre y cuando sea elegida por los progenitores de forma autónoma. Savulescu, no obstante, criticaría al PA por permitir a los progenitores seleccionar al niño con menores garantías de disfrutar de una vida feliz.

En otro sentido, también se sostiene por otras opiniones, que la búsqueda activa de la descendencia más óptima a través de la fecundación in vitro no garantiza que se obtenga la mejor versión del hijo que podría darse mediante la selección natural. Sin embargo, Savulescu argumenta que esta posibilidad no impide que los padres busquen el mejor comienzo de la vida para sus hijos, incluso si cometen errores en el proceso.

En definitiva, el principio de Beneficencia Procreativa plantea dilemas éticos y morales al enfrentar la elección de traer al mundo a un hijo con base en criterios de salud y calidad de vida. La dignidad humana, con su eficacia jurídica absoluta, también debe ser considerada en este contexto, ya que todas las personas tienen un derecho inalienable a existir, independientemente de su estado de salud.

En palabras de José María Porras, La Dignidad Humana como Principio Fundamental en el ámbito jurídico y Constitucional, manifiesta su eficacia en el reconocimiento y garantía de Derechos, contribuyendo al pleno reconocimiento y garantía de los derechos fundamentales[5].

En otro sentido, como afirmaría Kant, los seres humanos están dotados de un valor absoluto al que se ha dado en llamar «dignidad», de cuyo manifiesto se desprende que todo ser humano es alguien único, irrepetible, portador de derechos y de obligaciones, sujeto y no solo objeto, fin y no solo medio (Kant, 1996 [1785])[6].

---

5 JOSÉ MARÍA PORRAS RAMÍREZ, Universidad De Granada Eficacia Jurídica Del Principio Constitucional De La Dignidad De La Persona. Anuario de Derecho Eclesiástico del Estado, vol. XXXIV (2018). El empleo de una categoría moral, ajena al Derecho, como la de dignidad humana, se revela superflua cuando sólo sirve para que los operadores jurídicos la invoquen como mero refuerzo argumental de sus decisiones, más sin atribuirle eficacia resolutoria alguna. Aun así, la apelación a la dignidad humana puede ser de utilidad cuando contribuye al pleno reconocimiento de los denominados «derechos de prestación», habitualmente faltos de una garantía efectiva. O en las ocasiones en que ayuda a identificar o descubrir nuevos espacios de libertad. No obstante, su cara negativa aparece cuando se recurre a ella para restringir el alcance de los derechos, a fin de salvaguardar una particular moral social que se considera amenazada por el ejercicio de aquéllos. Esa condición de límite genérico, frecuentemente alegado, nos enfrenta al riesgo de distorsionar el sistema iusfundamental vigente. De ahí que urja determinar su exacto alcance, que no es otro que proclamar la igual consideración que merece todo ser humano, vinculada a un mandato efectivo de no discriminación. Ir más allá resulta incompatible con el modelo de democracia constitucional trabajosamente construido. https://www.boe.es/biblioteca_juridica/anuarios_derecho/abrir_pdf.php?id=ANU-E-2018-10020100223

6 THOMAS GUTMANN, (2017). Dignidad y autonomía. Reflexiones sobre la tradición kantiana, Doi: 10.17533/udea.ef.n59a11http://www.scielo.org.co/pdf/ef/n59/0121-3628-ef-59-00233.pdf

Aun así, a pesar de la excelencia ética que se atribuye a la misma, lo cierto es que no puede dejar de repararse en su carácter de referencia axiológica normativamente inconsistente, retórica, e incluso, como proclama Rubio Llorente, F [7] , en tanto que manifestación de una categoría no objetivada, carente, en fin, de eficacia precisa y contrastada para el Derecho, conforme define Ricardo Chueca[8], así como identifica la declaración del Tribunal Constitucional, en su STC 53/1985, de 11 de abril, promulgando:

> «La dignidad es un valor espiritual y moral, inherente a la persona, que se manifiesta en la autodeterminación consciente y responsable de la propia vida y que lleva consigo la pretensión al respeto por parte de los demás» (F.J. 8.º). De todos modos, a pesar de la fragilidad de que adolece, su aptitud potencial para fungir como elemento dinamizador y renovador del ordenamiento, al relacionarse con el pleno reconocimiento y garantía de derechos, hasta ahora, considerados incompletos y con la aparición o el «descubrimiento» de nuevos y emergentes espacios iusfundamentales, que requieren de eficaz protección, viene a revelar, también, su versatilidad. Mas eso no le resta un ápice de arriesgada incerteza, habida cuen-

---

7 RUBIO LLORENTE, F., (1997). Principios y valores constitucionales (dir.), Derechos fundamentales y principios constitucionales, Barcelona, Ariel, 1995, p. VIII. También, Ibidem, «Principios y valores constitucionales», en VVAA, Estudios de Derecho Constitucional. Homenaje al Profesor Rodrigo Fernández Carvajal, Murcia, Universidad, Volumen I, pp. 645 y ss. https://dialnet.unirioja.es/servlet/articulo?codigo=568060.

8 RICARDO CHUECA RODRÍGUEZ, (2015) R., «La marginalidad jurídica de la dignidad humana», en op. cit., pp. 27 y ss. https://www.researchgate.net/publication/280877527_La_marginalidad_juridica_de_la_dignidad_humana.
El libro estudia la inserción de la dignidad humana en las constituciones modelo, así como su función en los sistemas internacionales de protección de derechos. The book studies the inclusion of human dignity in the constitutions of reference and its role in international rights protection systems.a

> ta de que tan socorrida expresión, más allá de erigirse, con manifiesta impostura histórica, en fundamento genérico de cuantos derechos han sido específicamente asegurados, es, hoy, frecuentemente invocada por los operadores jurídicos, no sólo como apoyo, sustento o refuerzo argumental de las facultades jurídicas reconocidas por otros preceptos a sujetos que son titulares de los derechos; sino, también, como justificación añadida a la restricción de los mismos, empleada en aras de garantizar la salvaguardia de ciertos bienes jurídicos que se consideran amenazados. De ahí que el recurso a su condición de límite inconcreto nos enfrente al riesgo de distorsionar el sistema iusfundamental vigente. Todo ello nos convoca a la necesidad de determinar su contenido o significado propio y resolutorio, exigiendo su formalización preceptiva, «de manera compatible con lo que sea propio a la democracia constitucional» [9]

En este sentido, la dignidad de la persona, expresada en el artículo 10.1 de la Constitución española,

Apartados del Artículo 10 CE

- **El primer apartado (Art 10.1 CE)** reconoce los derechos fundamentales de la persona, que son el fundamento del orden político y de la paz social:
    - La dignidad de la persona
    - Los derechos inviolables que le son inherentes
    - El libre desarrollo de la personalidad
    - El respeto a la ley y a los derechos de los demás

---

[9] JIMÉNEZ CAMPO, J., (2008) «Artículo 10.1», en M.E. Casas Baamonde y M. Rodríguez-Piñero y Bravo-Ferrer (Dirs.), Comentarios a la Constitución española en su XXX aniversario, Madrid, pp. 178 y ss.https://dialnet.unirioja.es/servlet/libro?codigo=728270

- **El segundo apartado (10.2 CE)** establece que las normas relativas a estos derechos fundamentales y a las libertades que la Constitución Española reconozca se interpretarán de conformidad con la Declaración Universal de Derechos Humanos (DUDH) y los tratados y acuerdos internacionales sobre las mismas materias ratificados por España.

Del mismo modo no habría de reputarse expresiva de una norma, pues no prescribe actuación alguna, ni conlleva ninguna obligación jurídica específica por parte de los poderes públicos. Y, menos, aún, puede considerarse, al modo alemán, un derecho fundamental autónomo, dado que la Constitución española, que, además, rehúsa a considerarla, como sí hace p. ej. la Ley Fundamental de Bonn (art. 1.1)[10].

De este modo, habido su carácter de principio, la reseña a la dignidad de la persona exige indicadores a seguir a los poderes públicos y a los sujetos particulares. No obstante, su poder expansivo se produce en amplias direcciones afectando a cuantos sectores del Derecho aparecen vinculados al mismo. Lo que invita a su precisión posterior, al contener un imperativo de perfeccionamiento y un deber de protección, que se proyecta, en general, sobre el ejercicio de todas las funciones constitucionales y, en particular, en lo que respecta a la aplicación e interpretación de las diferentes prescripciones jurídicas referidas a los derechos de la persona.[11]

---

10 LFB (s.f). «La dignidad de la persona es intangible. Todos los poderes del Estado están obligados a respetarla y protegerla» (art. 1.1 LFB). Pag 16, https://www.btg-bestellservice.de/pdf/80206000.pdf.

11 ALEXY, R. (1994). Theorie der Grundrechte (Trad. esp. Madrid, Centro de Estudios Constitucionales, 2007, segunda edición, pp. 86 y. https://www.pensamientopenal.com.ar/system/files/2014/12/doctrina37294.pdf.

Del planteamiento principal del BP deviene la «exigencia moral» que supuestamente sometería a los padres a traer al mundo al mejor ejemplar posible. En un reciente artículo publicado en Journal of Medical Ethics[12], T.S. Petersen muestra que las objeciones planteadas hasta el momento a este principio han resultado infructuosas. De ahí le nace proponer un supuesto práctico que desvela eficazmente las aporías del BP.

Para Petersen, el comienzo de planteamiento frustrado viene dado con J.A. Robertson, habida su oposición en relación a la «exigencia moral» de fecundar in vitro su «principio de Procreación Autónoma» (PA) [13]. Habido que defendería cualquier opción procreativa sería moralmente plausible siempre y cuando sea elegida por los progenitores de forma autónoma. Savulescu, sin embargo, le reprocha al PA que permite a los reproductores seleccionar al niño con menores garantías de disfrutar de una vida feliz [1: 279-280].

Petersen, en este sentido, habría planteado dos razonamientos en relación a la supuesta «razón moral significativa que secundaría a los padres para seleccionar al descendiente de cuya vida pueda esperarse mayor calidad». Por un lado, qué significa exactamente tener una razón moral significativa; y en otro sentido, por qué la parcialidad hacia los propios hijos es una razón moral significativa. Savulescu entendería que son «moralmente significativas» todas aquellas razones que tienen una fuerza relativa mayor que el resto de razones morales que compiten con ellas. Y respecto de la segunda, reconocería que

---

12 PETERSEN, (2015). TS. Journal Medical Ethics pg 771-774. https://forskning.ruc.dk/en/publications/on-the-partiality-of-procreative-beneficence-a-critical-note.

13 ROBERTSON, JA. (1994). Children of Choice: Fredoom and the New Reproductive Technologies. Princeton University Press, https://press.princeton.edu/books/paperback/9780691036656/children-of-choice.

el peso de estas razones sólo es evidente cuando se refieren al bienestar individual del descendiente que habría escogido en relación con el resto que no, pero no en relación a lo que define como personas ya existentes, habido que conforme su planteamiento considera personas las ya nacidas. Savulescu y Kahane admiten, de hecho, que «el PB requiere que la mayoría de progenitores seleccione el niño más aventajado salvo que al hacerlo se prevea una pérdida muy importante de bienestar de las personas ya existentes[14].

Petersen formularía un supuesto práctico que a su juicio invalidaría el BP de Savulescu. En el mismo plantea que una pareja tiene que decidir entre dos futuros hijos, A y B, que gozan de las mismas oportunidades para una buena vida. Sin embargo, A tiene un tipo de sangre que lo convierte en receptor. Para Petersen, la parcialidad implícita al PB aporta una «razón moral significativa» para seleccionar al niño A. Pero la razón práctica y el sentido moral común instan a la optimización del mundo, lo que aconsejaría la selección de B. Por tanto, existe una divergencia inapelable entre la razón práctica y el PB. Y para Petersen, la ciencia y la Filosofía moral deben inclinarse siempre por la racionalidad, evitando sesgos originados por la falta de información y/o la distracción causada por circunstancias irrelevantes [15].

Ciertamente la crítica de Petersen deja ver las contradicciones que presenta el BP, obviando aspectos importantes que no son ajenos al actual debate bioético. Nótese, p.ej. que Petersen admite sin debate la eticidad de la selección de los hijos

---

14 SAVULESCU J, KAHANE G. (2009). The moral obligation to create children with the best chance of the best life. Bioethics 2009; 23:274-90.
https://pubmed.ncbi.nlm.nih.gov/19076124/

15 PETERSEN, (2015) TS. Journal Medical Ethics 2015;41: 771-774. https://jme.bmj.com/content/41/9/771.info

por parte de sus progenitores. Centrando el dilema ético del PB en si existe o no un deber de parcialidad a favor del hijo con mayores posibilidades de disfrutar de una vida feliz; y en si esta parcialidad debe estar limitada por la razón práctica y el sentido común. Y, sin embargo, resulta llamativo que no se cuestione planteamientos bioéticos previos de carácter más fundamental.

Tales como que la propia selección implica la exclusión de los embriones no seleccionados, y que los mismos embriones tienen derechos inalienables, y tales derechos no dependerían del juicio de conciencia de los demás[16], en tanto que un derecho que puede ser derogado por aquellos para quienes es fuente de obligaciones, no merece el nombre de derecho [17].

Petersen en su postura, estaría admitiendo que es factible anticipar el futuro que les espera a nuestros hijos por la mera información que aportan el PGD y el PGS.

Respecto de las consecuencias cabría destacar esencialmente en este sentido, preguntarse, el efecto que tendrá en el nacido, conocer que ha venido a la vida con motivo de una elección de sus progenitores por resultar el más sano y viable genéticamente, y que, de haber presentado una mera incompatibilidad o la probabilidad potencial de portar una enfermedad, de la que quizá nunca en toda su vida se hubiese activado dicho gen, no habría sido seleccionado por sus padres para nacer.

Así pues, desde una perspectiva consecuencialista se ve obligado a proyectar un escenario de resultado ciertamente

---

16 SPAEMANN, R. (2005). Ética: cuestiones fundamentales (7ª ed.). (J. M. Yanguas, Trad.) Eunsa, ISBN978-84-313-2335-6.

17 SPAEMANN, R. (2003). Límites. Acerca de la dimensión ética del actuar (J. Mardomingo, & J. Fernández, Trads.). Ediciones Internacionales Universitarias.

cortoplacista, que presumiblemente podría también tener alcance axiomático a largo plazo. Pero sin embargo por el momento no se habría proyectado razón suficiente de esa probabilidad.

La dignidad humana es un pilar fundamental en el derecho y debe ser respetada y protegida en todas las circunstancias, y en este sentido encontraría oposición respecto a la no discriminación en su derecho de trato igualitario por razón de raza, género, religión, orientación sexual o cualquier otra característica personal, la cual representaría una violación a la dignidad humana.

En definitiva, cualquier acción que degrade, humille o niegue los derechos fundamentales de una persona atenta contra su dignidad humana. Y devine vital proteger y promover este principio que habría de extenderse en todas las circunstancias.

La dignidad está reconocida a todas las personas con carácter general y es el fundamento para la existencia de los derechos fundamentales[18].

La Constitución Española, en su art. 10.1, al definir los fundamentos del orden político y la paz social, cita junto al respeto a la ley y a los derechos de los demás,

> «la dignidad de la persona, los derechos inviolables que le son inherentes y el libre desarrollo de la personalidad».

Ruiz-Giménez[19] ha distinguido cuatro dimensiones de esa dignidad personal:

---

18 DERECHOUNED, (s.f) La dignidad de la persona. Dimensión religiosa, otológica, ética y social https://derechouned.com/libro/constitucional-3/la-dignidad-de-la-persona#google_vignette

19 En los últimos años, Joaquín Ruiz-Giménez ha desempeñado importantes cargos en instituciones de defensa de los derechos humanos. Entre 1982 y 1987 fue el primer Defensor del Pueblo en España. Y

La dimensión religiosa, para quienes creen en la religación del ser humano con Dios, que les hizo a su imagen y semejanza y que tienen un destino trascendente que cumplir;

La dimensión ontológica, como ser dotado de inteligencia, de libertad y conciencia de sí mismo, con dominio sobre su propia vida;

La dimensión ética, o conciencia valorativa ante normas y conductas;

La dimensión social, como estima y fama dimanante de su comportamiento en privado y en público.

La recepción más clara de este principio puede encontrarse en la Declaración Universal de los Derechos Humanos de 1948, que parte de la dignidad de toda persona en su preámbulo y en los arts. 1 y 23.3; poco después, en 1949, la Ley Fundamental de Bonn proclama en su art. 1.1.

«la dignidad de la persona humana es intangible»

En 1950, en el Convenio Europeo de los Derechos Humanos; en 1961 en la Carta Social Europea; en 1966, en el Pacto Internacional de Derecho Civiles y Políticos y, en 1976, el art. 1 de la Constitución portuguesa declara a esta basada en la dignidad de la persona humana.

El Estado viene obligado a reconocer la dignidad de la persona y, en consecuencia, a reconocer al hombre su condición de protagonista del Derecho y, por ende, su personalidad jurídica. Además, promoverá las condiciones para que la misma

---

poco más tarde, entre 1989 y 2001, fue presidente del Comité Español de UNICEF. https://www.uc3m.es/biblioteca/colecciones/ruiz-gimenez/breve-biografia

sea efectiva y removerá los obstáculos que impidan o dificulten que la libertad o la igualdad alcancen su plenitud (art. 9.2 CE).

El Tribunal Constitucional ha definido la dignidad de la persona como «valor jurídico fundamental» y también como «un valor espiritual y moral inherente a la persona», añadiendo que «la dignidad está reconocida a todas las personas con carácter general» y es el prius lógico y ontológico para la existencia de los derechos fundamentales. En este sentido, conviene afirmar la idea de que toda persona, con independencia de cuál haya sido su comportamiento social, conserva su dignidad natural, la cual habría de ser respetada hasta su muerte, incluso en circunstancias como la privación de libertad.

La dignidad humana desprende eficacia jurídica absoluta que inhabilitaría cualquier tipo de ponderación. Todas las personas tienen, sin discriminación alguna, el derecho irrenunciable a existir, con independencia de su estado de salud. La vida humana comprende un valor absoluto, y habría devenir incluso inverosímil el mero planteamiento de que una vida pueda valer más que la otra.

Existen múltiples manifestaciones para desistir de la supuesta alineación entre el Principio de Beneficencia y el Principio de No Maleficencia, habido que habría de entenderse que la aplicación de ambos principios es diferente. Teniendo el segundo principio aplicación en término más generalista, a diferencia del primero. Siendo más verdad que no tenemos el deber de beneficiar a todo el mundo, máxime porque devendría una misión imposible para el ser humano común, aunque ciertamente sí tenemos el deber de no perjudicar a nadie.

Sin embargo, viene a ser el aspecto que inadmiten las teorías consecuencia listas, llegando a considerar que tenemos el deber de producir el mayor bien posible y, por tanto, que el rango de aplicación de los principios es igualmente amplio. Al igual que estaría mal hacer daño a alguien, del mismo modo, tenemos el deber de hacer mucho más bien en el mundo de lo que ocurre actualmente. P. ej. imaginemos el caso concreto de no dar más a la caridad, con ello estamos contribuyendo que muchas personas mueran y tal hecho devendría en definitiva tan perjudicial como privarle de su vida a alguien.

Esto puede extenderse e incluso descomponerse, en términos matemáticos, a conductas y circunstancias que forman la cotidianeidad en las elecciones diarias del propio sujeto, tales como pueden ser, la elección de invertir el dinero fruto y rendimiento de su propio trabajo en comprarse una casa nueva o un coche nuevo, o bien renunciar a ello para dar el dinero a la caridad, evitando así un número probable menos de víctimas que pasan penurias durante un tiempo limitado, habido que un solo sujeto no puede, generalmente, hacer contribuciones a gran escala.

O por el contrario invertir todos los recursos en crear una estructura mayor, en forma de empresa u organización, que a la vez le permita llevar un número mayor de designación de recursos a la donación, a la ayuda o a la protección desde su ahora status profesional más cualificado y posicionado, habida su mayor capacidad de generación de recursos. O simplemente, en otra opción o modalidad de pensamiento, no donar nada, bien por no poder o bien por no tener voluntad de hacerlo.

Curioso, plantear y fijar un hito en un horizonte temporal determinado de la conciencia, ¿Dónde nace y dónde termina la obligación moral de cada uno? Tal planteamiento permite a la persona enjuiciar moralmente la realidad y los actos, especialmente los propios. Y, sin embargo, en definitiva, en la aplicación general, se relega al más íntimo y puro sentido moral y ético personalísimo y casi privado de cada cual, sin que se instaure socialmente un modo generalizado de actuar voluntario y/o con carácter normativo.

Después de todo, estamos evaluando lo correcto o incorrecto de nuestras acciones por las consecuencias de nuestros actos y estas pueden ser producidas tanto por acción como por omisión.

Los defensores de las teorías deontológicas sugieren que hay una diferencia importante entre el Principio de Beneficencia y el Principio de No Maleficencia. Kant, por ejemplo, plantea el deber de no maleficencia como un deber perfecto y del deber de beneficencia como un deber imperfecto.

Kant vendría a definir un deber perfecto como uno que no permite ninguna excepción en interés de la inclinación'[20], lo que quiere decir con esto puede ilustrarse con el ejemplo del suicidio[21]. Dado que el deber de no maleficencia, de no causar daño, es un deber positivo, aunque tengamos una fuerte inclinación a acabar con nuestra vida, esto no nos da derecho a suicidarnos y a hacer una excepción al Principio de No Maleficencia. Sin embargo, en el caso de los deberes imperfectos, como el Principio de Beneficencia, podemos consultar nuestras inclinaciones en el sentido de que, hasta cierto punto, nos corresponde decidir a quién ayudar. Si un médico decide hacer un voluntariado para ir a cuidar a niños de una aldea de Mozambique, no se le condena por el hecho de que, p.ej. haya más necesidad en Nigeria y sin embargo se hubiese decidido por Mozambique.

En este ejemplo se pone de relieve la cierta libertad para decidir a quién se ayuda, y que sin embargo el deber de no causar daño es aplicable universalmente.

Esta distinción refleja una intuición de sentido común bastante extendida, según la cual los deberes perfectos, como el

---

20 KANT, I. (1948). `Groundwork of the Metaphysic of Morals'. En H.J. Paton (ed) The Moral Law. Hutchinson University Library, Londres, p85.

21 JARVIS THOMSON, J. (1986). `A Defense of Abortion'. En P. Singer (ed) Applied Ethics. Oxford University Press, Oxford, pp37-56.

de no causar daño, son más estrictos que los imperfectos. Es decir, nuestro deber de no perjudicar es mayor que nuestro deber de beneficiar. Por lo tanto, en caso de conflicto entre la beneficencia y la no maleficencia, ésta última prevalecerá normalmente sobre la beneficencia.

'Primum non nocere'

3. EL SER HUMANO Y SUS CONTINUAS, NECESARIAS, INTUITIVAS E INSTINTIVAS ELECCIONES ORDINARIAS, EXTRAORDINARIAS Y SUS CONSECUENCIAS.

Ciertamente y de forma instintiva, todos deseamos que nuestra descendencia disfrute de una vida larga y sin enfermedades. En este sentido, se entiende el diseño de estrategias *ad casum.*

Habido lo desarrollado en el punto anterior habría de interpretarse que el consecuencialismo no debería fundamentar las decisiones éticas. Los motivos devienen diversos, en el sentido que éste no sería capaz de explicar la sencilla experiencia del deber que se hace presente de manera inmediata en la conciencia moral. En este sentido, y desde la perspectiva del logro de la vida, lo conveniente no coincide necesariamente con lo bello ni con lo bueno, que repetidamente percibimos de un modo intuitivo y obviamente anterior a cualquier ponderación de bienes. Del mismo modo, el consecuencialismo, vulnera a menudo el principio de justicia, y en otras muchas, somete al sujeto a una exigencia excesiva (escoger siempre la opción con mejores consecuencias), o bien le exige menos de lo que debiera (como la atención al mandato deontológico de acoger al hijo enfermo).

Pero, sobre todo, el consecuencialismo es contraproducente porque obedece incondicionalmente a un mandato de optimización global que, de suyo, admite la instrumentalización de la vida humana.

Sin embargo, volviendo al punto más rechazable del argumento de Savulescu en el sentido de promover la selección del embrión sano, ciertamente plantea abiertamente un triaje en función de la probabilidad supuesta de buena salud, y aquí nace la principal controversia, en el sentido que la selección de seres humanos deviene estrictamente inmoral, en tanto la dignidad personal es incompatible con la posibilidad de que una vida valga más que otra. Ni el sexo, ni las expectativas de salud, ni cualquier otra circunstancia justifica el triaje. Esta razón, por sí sola, sería suficiente para impugnar la propuesta de Savulescu.

Ciertamente los argumentos de Savulescu, aunque atrayentes, se sustentan sobre la base de una ética consecuencialista un tanto incompleta, que precisa de un mayor recorrido orgánico hasta completar un grado de madurez de aceptabilidad aplicable.

Sin embargo, el dilema no habría de recaer única y expresamente en la elección del embrión más viable y/o en editar los genes mediante CRISPR en células somáticas o reproductoras, habido que devendría reduccionista y parcial.

Ello en tanto, que, en el más sentido práctico hemos citado múltiples ejemplos en que la elección, (un ejercicio obligado de supervivencia inherente al ser humano desde su nacimiento), forma parte del modus operandi del ser humano en todos los sentidos y aspectos del largo y ancho de su vida, y muchísimas de esas elecciones afectan indirectamente al estado potencial de otras vidas. E incluso en el caso específico de los embriones. Situémonos a este efecto en el habitual tratamiento FIV, cuando una pareja se somete a un tratamiento de fecundación in vitro (FIV), la mujer recibe un tratamiento hormonal cuyo objetivo es favorecer la producción del ovario. De esta manera, se obtiene el mayor número de óvulos, aumentando con ello las probabilidades de embarazo.

De entre todos los embriones obtenidos, se seleccionarán aquellos de mayor calidad para la transferencia al útero de la futura madre, a la espera de lograr el embarazo. Lo común es transferir entre 1 y 2 embriones, aunque la ley permite la transferencia de hasta un máximo de 3 embriones. El resto de embriones que presenten buena calidad, los llamados embriones sobrantes, serán criopreservados a través del proceso de congelación conocido como vitrificación.

La pareja deberá escoger qué hacer con los embriones criopreservados que han sobrado de su tratamiento. Los posibles destinos permitidos según la Ley 14/2006, sobre Técnicas de Reproducción Humana Asistida son los siguientes:

- Criopreservación para tratamientos propios en el futuro.
- Donación con fines reproductivos, es decir, la embriodonación o donación de embriones sobrantes para el tratamiento reproductivo de otras parejas.
- Donación de embriones para investigación.
- Destrucción. Esta opción solo se podrá llevar a cabo cuando haya culminado la vida reproductiva de la mujer.

A diferencia de otros países, como en Italia, en España no está limitado el número de embriones sobrantes, extrayendo en primera fase del procedimiento FIV sendos óvulos e inseminándolos, habido que en ese momento no se conocería cuántos de ellos habrían de ser viables, para el caso concreto del tratamiento de una supuesta dificultad para fecundar de modo natural, por presentar tanto por parte del marido como de su mujer cierta vaguedad en el funcionamiento que refiere principio e infertilidad, en el proceso de extracción de óvulos, se obtienen todos los posibles en una primera fase, pasando posteriormente a una fase madurativa, y conforme a su evolución se fecundan, y en función de la evolución del embrión en esas primeras horas, se selecciona a los embriones más óptimos y viables para la transferencia.

Habido que un % muy alto no sale adelante incluso después de haber sido implantado en el seno materno, lo cual significa que, aun escogiendo al que supuestamente presenta mayor viabilidad de salir adelante, no supone en sí ninguna garantía.

Lo que sí resulta una obviedad, es que de 15 embriones que proceden de los 17 óvulos extraídos en la operación, dos de ellos no viables para fecundar imaginemos, tan sólo uno se implantaría.

¿Qué ocurre con los otros 15?, la selección se estaría haciendo sin que los padres discriminen cual de todos tiene mayor o menor salud, sometiendo a los demás a una crioconservación seguramente para toda una vida. Habido que un porcentaje elevadísimo de parejas los criogeniza, para si en un futuro sus hijos presentasen la necesidad de células madre, o con la esperanza de volver a quedar embarazada, y no tener que pasar por el proceso nuevamente.

Deviene evidente que resulta muy irracional tal elevadísimo cuestionamiento moral de selección y triaje en relación a la elección del más viable en referencia a la propuesta de Savulescu, cuando lo cierto y verdad es que la práctica habitual entraña, en sí, la selección, si bien no por el más sano, sí porque no es plausible implantar quince embriones, y ha de elegir solo uno, o dos, privando a los demás si no de vivir, de tener al menos las mismas posibilidades que el electo, en tanto es sabido que los embriones crioconservados no gozan de las mismas ventajas de prosperabilidad, por lo que en definitiva estaríamos en el mismo punto de resultado.

Y aunque no idéntico, ni analógico, el ejemplo en tanto el principio de selección que interpreta el BP procreativa aplicado a los embriones, afecta a la vida, para el caso de trasplante de órganos, p.ej.

¿Qué ocurre con las personas enfermas de corazón que necesitan un trasplante y únicamente podrían alistarse en espera de recibir un donante, de cumplir el requisito de tener menos de 65 años?, ¿Qué ocurre con el derecho a la vida si necesitas un corazón y tienes 66 años, respecto al derecho a la vida del que necesita un corazón y tiene 65 años?, ¿doce meses determina el derecho a vivir a uno más que el otro, incluso cuando la esperanza de vida del que tiene 65 fuese inferior al que tiene 66 por la complejidad del mismo?[22].

Volvemos de nuevo a retomar las elecciones a las que el ser humano se ve obligado a tomar a lo largo de su vida, como el caso del médico que va dirección a la iglesia el día de su boda, y se encuentra con un accidentado, que requiere de una atención inmediata, y no hay nadie más próximo que pueda atenderle, y de su atención urgente pende el salvarle la vida, y que su intervención, aunque primaria por falta de medios, le salvaría potencialmente la vida hasta llegar al hospital. ¿qué habría de priorizar?, ¿300 invitados que esperan dos horas el plantón del novio, y siendo el día de su boda, o una vida? Habríamos de encontrar en este sentido cientos de enmiendas a las que acogerse la conciencia de cada cual de mirar para otro lado el día de su boda, obviamente es un caso in extremis, el planteado, pero de la vida real que pone de relieve la constante necesidad de elegir opciones a y b, que ha de adoptar el ser humano desde que pone un pie delante de otro en este mundo.

Resulta en este sentido importante, tomar una mayor conciencia en el espectro analítico, en el sentido de no vincular necesaria e íntegramente la responsabilidad directa de las actuaciones u omisiones del sujeto, a los resultados, pudiendo citar miles de ejemplos a modo ilustrativo. Sin que estén vinculados necesariamente con el derecho a la vida, y que deviene

---

22 https://www.revespcardiol.org/es-guias-actuacion-clinica-sociedad-espanola-articulo-X0300893299001920

más bien superfluo y que sin embargo se cita para su mayor comprensión. Pongamos p.ej. que un votante elije poner su voto a favor de un partido político, y como resultado de las elecciones resulta ganador el partido al que este habría votado.

En consecuencia, el nuevo gobierno toma el poder y el partido político opositor, a consecuencia de la brutal pérdida de votos quedaría afectada la representación política y la estabilidad de su partido, resultando que uno de los representantes que ha recaído en situación de paro, es vecino y su hijo va al mismo colegio del votante.

¿Es responsable el voto particular del votante en relación a que el hijo de ocho de edad del ex político, ahora en paro, no pueda asistir a sus clases de piano, porque su padre en su nueva condición de parado transitoriamente no pueda abonarlas, habido que apenas alcanzaría para abonar el comedor?

Obviamente somos un ecosistema que convive conjuntamente, y que ciertamente las decisiones de unos afectan claramente al status de otros, modo de vida, e incluso si tengo la suerte de ser el receptor de un corazón proveniente de un donante o por el contrario formo parte de los que se quedan en lista de espera en vías de otro destino distinto.

En definitiva, aunque el ser humano no sea plenamente consciente, cada día de su vida vendría a tomar un número indeterminado de elecciones, de forma natural y automática; me levanto, no me levanto, me quedo en casa o me voy. No nos olvidemos que la inacción también implica una consecuencia, así quedarse en casa, igualmente, vendría a ser una elección que trae consigo sus propias consecuencias. Del mismo modo que otras muchísimas cotidianas; trabajo, no trabajo, estudio, no estudio, qué estudio, qué no estudio, apruebo o no apruebo, llamo a este cliente, no le llamo, me alimento, no me alimento, hago este curso, no hago este curso, compro este producto, o este otro, voy a un supermercado o a otro, vivo de alquiler o me hipoteco, vivo en la montaña o en la ciudad, solicito un préstamo o prescindo de ello, modifico y amplío mi formación específica para esta otra que requiere la actual demanda o me quedo en la obsolescencia, dedico tiempo intensivo a trabajar o mejor al ocio, hago deporte o no, atletismo o natación. La actitud que elijo tener y cómo, ello determina la vida que voy a proyectar, las compañías que elijo, los amigos, el modo de vivir, solo o en la pareja, la familia y tipo de familia, el colegio que escojo para mis hijos determinará quienes son sus compañeros, dejo una moneda o no dejo una moneda al indigente. Ideología, dogma que sigo, religión, filosofía que alimento, giro a la derecha o a la izquierda. Cientos de elecciones cada día tomamos, y todas y cada una de las elecciones, sin excepción alguna, van a tener una contrapartida en alguien, y en sí mismo, qué duda cabe la elección es un ejercicio instintivo e intuitivo tan integrado en la personalidad que no se convierte en un dilema moral y ético hasta que alcanza un confrontamiento visible, y no por ello queda indemne.

4. NUEVA PERSPECTIVA ADAPTADA A LOS AVANCES EN GENÓMICA

Quizá nos encontremos en el momento procesal oportuno, en argot jurídico, para realizar un planteamiento más abierto, en el paralelismo coincidente, no por casualidad, de los avances en genética de los últimos años, cuya razón recae esta investigación.

Damos por sentado que editar el genoma plantea ética y moralmente un dilema sin precedentes, si bien ello se plantea habido el temor a que sea modificada la herencia genómica, por ello se apunta al carácter permisivo en células somáticas y restrictivo por el momento en células reproductoras.

Sin embargo, habido precisamente, la revolución conceptual que nos han traído los avances en genómica, cabe como mínimo el planteamiento de cuestionarnos ¿Qué es y qué alcance tiene el genoma humano? ¿Qué entendemos por genoma?

Estas cuestiones que ya han sido dirimidas en el capítulo anterior y siguientes, no pueden quedar dispensadas o gestionadas en un modo individual desvinculado de su matriz, habido que de ser así quedaría plenamente desnaturalizado e ineficaz su resultado.

Los avances en genómica ponen de manifiesto una completa revolución que ha de ir acompasada del modo en que es visto el genoma humano, para ello ha de trascender básicamente el conocimiento, hasta alcanzar el necesario entendimiento de la sociedad, para con ello emitir un juicio de valor apropiado tanto ético, como moral, así como jurídico.

Tal transición no podrá conseguirse en un día, sin embargo, deviene plenamente necesario, no pudiendo quedar exclusivamente a intra muros del laboratorio, la explicación y exposición abierta al mundo del significado real del Genoma Humano.

Ello supondrá necesariamente un nuevo enfoque, habido que no se trataría tanto de vulnerar un derecho humano donde reside el planteamiento actual, el cual se centra en que la edición de genes para la reproducción humana conlleva riesgos sociales enormes. Conforme afirman determinadas vertientes, tiene el potencial de amenazar la salud y la autonomía de las generaciones futuras, exacerbar las desigualdades sociales existentes y sentar las bases para una nueva eugenesia de mercado que impulsaría la discriminación y el conflicto. Lejos de tal planteamiento envuelto de temor y desconocimiento que sembraría un pánico irracional en la sociedad, y más bien todo lo contrario, el nuevo planteamiento que traemos a esta investigación, perseguiría defender un derecho inalienable a la vida, de un modo distinto a cómo tenemos concebido actualmente; nacer, enfermar, envejecer y morir en un máximo de 82 años de esperanza de vida, en los cuales con 60 años, los más suertudos, empezarían a presentar importantes complicaciones de salud, aludiendo a la suerte en tanto que las enfermedades no están reñidas necesariamente con la edad, existiendo niños enfermos, adolescentes, de cualquier edad, considerándose ésta la excepción general.

¿Y cuál es ese nuevo planteamiento adaptado a los avances actuales en genómica, que perseguiría el derecho a la salud y la vida sin enfermedad?, lo planteamos más adelante, previo repaso del enfoque actual.

En la actualidad, hay un intenso debate sobre si debemos arriesgarnos a que esto suceda, y viene motivado mayoritariamente por el desconocimiento del alcance, primeramente, de lo que es el genoma humano, y posteriormente las consecuencias que puede tener su intervención.

La edición genética para la reproducción humana, también conocida como modificación hereditaria o de la línea germinal humana, implica realizar cambios en el ADN de los espermatozoides, óvulos o embriones humanos. No es lo mismo que los esfuerzos para utilizar la edición de genes como tratamiento médico, los cuales se centran en las células somáticas o no reproductivas de pacientes existentes. Mientras que la edición genética somática, o "terapia génica", pretende tratar o curar enfermedades en personas vivas, la edición genética reproductiva no es un tratamiento médico. Crearía una nueva persona con una composición genética predeterminada que heredarían todos sus descendientes.

Si se logra que sea segura, eficaz y ampliamente asequible, la terapia génica sería una grata adición a la medicina moderna. La modificación de la línea germinal, por el contrario, no referiría un tratamiento y vulneraría el derecho de los nuevos niños nacidos, privándolos a ellos y a las siguientes generaciones de la opción de dar su consentimiento para que se modifique su ADN. Y si el objetivo es evitar la transmisión de enfermedades hereditarias, no devendría necesaria tal actuación. Cuando existe el riesgo de transmitir una mutación genética grave, ya existe una prueba de detección en embriones (el diagnóstico genético previo a la implantación o DPI) que, en casi todos los casos, puede eliminar la variante genética no deseada del linaje familiar. Sin duda, las pruebas de detección en embriones necesarias para el DPI plantean preguntas éticas desafiantes sobre qué condiciones se considera que "no merecen vivir". Pero es un proceso mucho más seguro y con menos complicaciones sociales y éticas que la manipulación de la línea germinal humana.

Hace unos veinte años, se produjo una primera ola de preocupación por la modificación de la línea germinal humana en los círculos científicos y políticos, y en la cultura popular. GATTACA, una película distópica estrenada en 1997, representó una sociedad brutal que privilegiaba a las personas con mejoras genéticas frente a las que carecían de ellas. De manera similar, Lee Silver, biólogo molecular de la Universidad de Princeton, llegó a las noticias por su visión de una sociedad genéticamente estratificada, al predecir que "la ya amplia brecha entre las naciones ricas y pobres podría ampliarse cada vez más con cada generación, hasta que desaparezca toda la herencia común"[23].

Durante el mismo periodo, las preocupaciones sobre la seguridad, los derechos humanos y el potencial de una eugenesia de alta tecnología basada en el mercado llevaron a más de 40 países, incluidas casi todas las naciones con un sector biotecnológico considerable, a prohibir la modificación de genes que se transmiten a las generaciones posteriores. Varios instrumentos

---

23 MARCY DARNOVSKY, LEAH LOWTHORP, KATIE HASSON. (2018). La edición genética reproductiva pone en peligro los derechos humanos universales, Open Global Rights. https://www.openglobalrights.org/reproductive-gene-editing-imperils-universal-human-rights/?lang=Spanish.

internacionales de derechos humanos importantes también concluyeron que la modificación de la línea germinal humana violaría la dignidad humana, un concepto central para los derechos humanos.

Uno de ellos, la Convención sobre Derechos Humanos y Biomedicina de 1997 del Consejo de Europa (también conocida como Convención de Oviedo), es un tratado internacional vinculante. Su Artículo 13 prohíbe de forma explícita las intervenciones "que tengan por objeto modificar el genoma de la descendencia".

Por su parte, la Declaración Universal sobre el Genoma y los Derechos Humanos de la UNESCO de 1997 estipula que "el genoma humano es la base de la unidad fundamental de todos los miembros de la familia humana y del reconocimiento de su dignidad intrínseca y su diversidad". Y, en su Artículo 24, concluye que "las intervenciones en la línea germinal" podrían "ir en contra de la dignidad humana".

De hecho, una importante motivación para redactar la Declaración Universal de los Derechos Humanos fue la constancia de los abusos eugenésicos que se perpetraron durante la Segunda Guerra Mundial. Esta misma lógica establece las bases para la eugenesia orientada al consumidor que resultaría si se permitiera la modificación de la línea germinal, en la que las posibilidades de vida de las personas quedarían limitadas si sus genes no modificados se consideraran inferiores desde el nacimiento.

Dada esta posibilidad, los intentos recientes de revertir la prolongada y generalizada oposición internacional a la modificación de la línea germinal humana han resultado particularmente preocupantes para los defensores de los derechos humanos. Por ejemplo, un informe elaborado en 2017 por un comité de las Academias Nacionales de Ciencias y Medicina de los EE. UU. recomendó que se permitiera la edición genética para la reproducción humana en ciertas circunstancias[24], dejando abierta la posibilidad de ampliar dichas circunstancias en el futuro. Pero en el mundo real de las presiones comerciales y las deficiencias normativas, esos límites presumiblemente no se cumplirían.

Deviene interesante recordar que los documentos esenciales de derechos humanos prohibieron estas prácticas de manera específica, con anterioridad a que fueran técnicamente factibles, lo que lleva a interpretar la presumible presunción de riesgo aun cuando no existían tales técnicas de edición genómica. Todo ello y a resultas del temor histórico siempre presente de la eugenesia que ha venido dejando su sombra a lo largo del tiempo.

Para poder abordar la nueva propuesta enfocada a los avances en edición genómica, se hace necesario previamente hacer un breve repaso de los episodios que han teñido de temor eugenésico a la población mundial a lo largo de la historia, y que señalamos sucintamente en el siguiente apartado.

---

[24] La edición del genoma humano considera cuestiones importantes sobre la aplicación humana de la edición del genoma, entre ellas: equilibrar los beneficios potenciales con los riesgos no deseados, gobernar el uso de la edición del genoma, incorporar los valores sociales en las aplicaciones clínicas y las decisiones políticas, y respetar las diferencias inevitables entre las naciones y las culturas que determinarán cómo y si se deben utilizar estas nuevas tecnologías. Este informe propone criterios para la edición de la línea germinal hereditaria, proporciona conclusiones sobre la necesidad crucial de educación y participación pública, y presenta 7 principios generales para la gobernanza de la edición del genoma humano. National Academies of Sciences, Engineering, and Medicine. 2017. Human Genome Editing: Science, Ethics, and Governance. Washington, DC: The National Academies Press. https://doi.org/10.17226/24623. https://nap.nationalacademies.org/read/24623/chapter/1

5. EUGENESIA Y SU EVOLUCIÓN.

Hablar de modificación genética no supone ninguna novedad en la historia de la humanidad, e inconscientemente conecta al ser humano con la representación de eventos que no precisamente suponen un motivo de estimación y orgullo, sino que, por el contrario, inducen a conectar con sentimiento despreciable e indigno en relación a aquellos actos, que, aunque alejados en el tiempo, representaron verdaderas salvajadas, atrocidades y barbaries. Y cuyos hitos permanecen en la memoria del ADN transgeneracional, patrimonio de la humanidad, como todas las experiencias vividas.

Y ello colocaría al ser humano en el extremo del temor, al hilo de las posibles potencialidades latentes que pudieran manifestarse, y la necesidad ante ello, de establecer límites infranqueables habidos los actos que han precedido en la historia, de ahí los postulados, normativas restrictivas que en modo generalizado se establecieron, y hasta el día de hoy vigentes, de ámbito internacional, en protección y salvaguarda de la dignidad humana.

'homo homini lupus'

¡El hombre es un lobo para el hombre!, —Exclamaba un conocido Magistrado del orden penal, en junio de 2018—, coincidiendo en un encuentro formativo, en alusión a la investigación de una lúgubre instrucción de delitos de sangre, cuya causa recaía en su jurisdicción y competencia, y extrapolaba al diálogo de lo allí debatido, sin que ningún nexo común se entreviese, y sin embargo él sí lo encontraba, en aras de su necesidad de marcar límites y salvaguardas previas ante la potencialidad temeraria que entendía inherente al ser humano, contraviniendo mi posición pacífica.

Ciertamente en la historia de la humanidad los períodos ausentes de conflictos han sido bastante más largos que los períodos bélicos, siendo éstos una excepción a una normalidad básicamente caracterizada por la paz. Conviene en este sentido traer a colación en las decenas de miles de años –todo el paleolítico y dos terceras partes del neolítico– en las que la humanidad habría sobrevivido sin estados, ejércitos ni policías. Lo que no significa ni se traduce en ausencia de violencia individual y grupal, que existía, sin embargo, no a los niveles alcanzados tras el inicio de la "civilización".

Así, la Dra. Castellano Arroyo M[25] señalaba

> Es primordial reconocer el valor superior del hombre en sí mismo, que no debe servir a fines utilitaristas, sea cual sea su situación personal en esa experiencia de quebranto de su salud. La dimensión moral del ser humano le lleva a ordenar todos los elementos de la naturaleza para su propio perfeccionamiento y una evolución dirigida a conservar lo que se le encomienda y a buscar el bien común. Respecto a esto, ya decía Mu- María Castellano Arroyo Desde el Derecho médico al deber ético-deontológico de la personalización en la relación médico-paciente Cuadernos de Bioética. que "...la sociedad está hecha para el hombre y no el hombre para la sociedad"

Del mismo modo, desde sus orígenes, la humanidad ha resuelto la mayor parte de los conflictos individuales y colectivos sin recurrir al uso masivo y permanente de las armas. Y lo sigue haciendo cada día. Siendo esto posible habida la capacidad inherente al ser humano de conciliar y encontrar soluciones no violentas a los múltiples conflictos en los que se han visto y se ven inmersos en sus vidas. En contra de lo que mucha gente opina, el pacifismo no es algo ajeno a la experiencia humana, sino algo profundamente enraizado en ella.

---

[25] CASTELLANO ARROYO. M. (2022). Cuadernos de bioética, ISSN-e 2386-3773, ISSN 1132-1989, Vol. 33, Nº 109, 2022 (Ejemplar dedicado a: Un maestro de la ética médica española), págs. 263-267

La exigencia de acabar con los conflictos bélicos aparece prioritaria en el preámbulo de la Carta de las Naciones Unidas. En él se dice:

> "Nosotros los pueblos del mundo, resueltos a preservar a las generaciones venideras del flagelo de la guerra que dos veces durante nuestras vidas ha infligido a la humanidad sufrimientos indecibles".

Sin embargo, plantear el objetivo de rehuir la guerra como medio de resolución de los conflictos, obligaría establecer un planteamiento profundo con raíces que van más allá de impedir el estallido de las hostilidades entre dos posiciones enfrentados en una causa que en apariencia pudiera tener su nacimiento cercano. Resultaría preciso erradicar las causas profundas que generan malestar social que puede ser reconvertido en apoyo popular a un conflicto bélico. En ese sentido, un pacifismo consciente de las dimensiones de la tarea que se propone debe asociarse al conjunto de fuerzas sociales y políticas que luchan por una humanidad justa en una tierra habitable.

Sin embargo, y, no obstante, el pacifismo no habría de entenderse como pasividad ante las situaciones de violencia, miseria, explotación y opresión, sino que por el contrario se valdría de fructíferas herramientas capaces de redimir la perpetua espiral de represalias de acción y reacción de la violencia.

La frase 'homo homini lupus' no devenía del Magistrado obviamente, fue acuñada por el filósofo inglés del siglo XVIII Thomas Hobbes en su obra El Leviatán (1651) para referirse a que el estado natural del hombre lo lleva a una lucha continua contra su prójimo[26]. La obra de Hobbes, marcadamente materialista, puede entenderse como una justificación del Estado

---

26 HOBBES, THOMAS. (1980). Leviatan o de la materia, forma y poder de una república eclesiástica y civil. (original en 1651). Fondo

absoluto, a la vez que, como la proposición teórica del contrato social, y establece una doctrina de derecho moderno como base de las sociedades y de los gobiernos legítimos.

La predominancia de ese pensamiento habría situado a la humanidad en la necesidad de protegerse, paradójicamente de sus propios congéneres hermanos. Y esa conducta generada habría llevado a la vez al ser humano, a lo largo del tiempo, a protegerse de sí mismo, blindando e incluso bloqueando, su propia esencia y capacidades de autodesarrollo en términos genéticos.

Como es sabido la expresión de nuestros genes se modifica a lo largo de nuestra vida. Los factores ambientales interaccionan con nuestros genes, e interacción con los demás, provocando procesos bioquímicos que modifican la estructura general del ADN sin modificar la secuencia del material genético, es lo que llamamos epigenética.

El deficiente conocimiento, en términos generales en materia genómica, lleva a pensar a las personas comunes que el interés reside únicamente en los ya conocidos genes, y no conceden al entorno y/o ambiente la importancia que tendría. Siendo este un factor elemental en el comportamiento, activación y desactivación de genes. Así como incluso para la mayoría de enfermedades complejas como la diabetes y el cáncer, o enfermedades del corazón, es una interacción entre los genes y el ambiente lo que da lugar a la enfermedad. Usted puede estar predispuesto a una enfermedad determinada por la genética, pero probablemente no va a contraer la enfermedad a menos que el factor ambiental o entorno desencadenante esté presente también. Así que ésta es un área muy importante de la investigación actual, para tratar

---

de cultura económica. https://filosofiaenlared.com/2022/12/el-leviatan-de-thomas-hobbes/.

de comprender cómo los genes y el ambiente trabajan juntos y cómo podemos modificar el entorno para alguien cuya susceptibilidad genética indica que está a riesgo de una enfermedad[27].

Nuestro ADN no sería estático; está influenciado por factores externos y nuestras experiencias emocionales. La epigenética estudia esta interacción entre el entorno y los genes. Los genes disponen de mecanismos con capacidad tanto de activación como de silenciar, y estos mecanismos estarían en constante interacción con nuestro entorno. Por lo tanto, nuestras emociones, alimentación, ejercicio y a las frecuencias expuestas, podrían activar o desactivar genes que afectan nuestra salud[28].

Estudios en ratones: En experimentos con ratones, se observó que aquellos que recibieron afecto y atención durante la lactancia reaccionaron mejor al estrés en la edad adulta. Por otro lado, los ratones con poco afecto mostraron más nerviosismo y agresividad. Aunque estos estudios se realizaron en ratones, plantean la pregunta de si mecanismos similares pueden aplicarse a los seres humanos[29].

---

27 NATIONAL HUMAN GENOME RESEARCH INSTITUTE https://www.genome.gov/es/genetics-glossary/Interaccion-genes-ambiente

28 VERÓNICA ABANTO-REYES, LOURDES CHALAN-AZABACHE, FIORELLA LINARES-NAVARRO. (2020). Neurociencia: Epigenética del cáncer y su relación con las emociones, JOURNAL OF NEUROSCIENCE AND PUBLIC HEALTH 1(1):13-18 https://www.academia.edu/67821063/Neurociencia_Epigen%C3%A9tica_del_c%C3%A1ncer_y_su_relaci%C3%B3n_con_las_emociones?uc-g-sw=40522778

29 NATHALIE ZAMMATTEO, (s.f) El impacto de las emociones en el ADN, Ediciones Obelisco https://www.academia.edu/40522778/El_impacto_de_las_emociones_en_el_ADN

Trauma y expresión genética: Las experiencias traumáticas, especialmente en la infancia, influyen en la aparición de problemas. Por ejemplo, el cerebro de personas maltratadas durante la infancia muestra etiquetas epigenéticas que no aparecen en aquellos que no han vivido violencia. Estas etiquetas pueden afectar la expresión de genes relacionados con la depresión, ansiedad y trastornos de la personalidad[30].

La epigenética ha tomado una importancia primordial en los últimos años en lo que a regulación génica se refiere. Lo que hace unos años se creía respecto al funcionamiento de los factores de transcripción ha quedado totalmente obsoleto y hoy nadie duda de la necesidad de una regulación epigenética sobre la función de los factores de transcripción. Sin embargo, más allá de la función puntual sobre genes concretos, es la estabilidad generacional lo que hace de la epigenética un mecanismo primordial para dar entidad a las células. Es decir, la capacidad de ser heredados generación tras generación es lo que determina el verdadero valor de los mecanismos epigenéticos y es en esta memoria epigenética en lo que se basa una célula para saber qué es y que función tiene dentro del organismo.

---

30 VALERIANO LÓPEZ-SEGURA (2013) Memoria Epigenética Y Cáncer 25(suplemento 1):443-447
Desde este punto de vista, el cáncer es en gran medida una enfermedad de la memoria celular, un desconocimiento de sí misma que hace a la célula tumoral comportarse como lo que no es. De este modo, uno de los mecanismos epigenéticos más importantes en la generación de un tumor es el proceso de hipometilación que provoca la activación de genes erróneamente, entre los que, en muchas ocasiones, se encuentran oncogenes, ya lo sea por mutaciones o por la propia desrregulación en su expresión.https://www.academia.edu/34379261/Memoria_Epigen%C3%A9tica_y_C%C3%A1ncer?uc-g-sw=67821063

Los estudios que trabajan la relación entre emociones y ADN han demostrado que las emociones positivas afectan favorablemente al ADN, y en cambio, emociones negativas crearían un efecto adverso.

En resumen, nuestras emociones no solo influyen en nuestra conducta, sino que dejaría una clara huella en nuestro ADN que determinaría tanto expresiones de conducta como enfermedades. Es un recordatorio poderoso de cuán conectados estamos a nosotros mismos y cómo nuestras experiencias moldean nuestra biología.

La frase opuesta a "el hombre es un lobo para el hombre" es aquella que sostiene que "el hombre es bueno por naturaleza", una idea defendida por Jean-Jacques Rousseau cien años después, quien creía que los seres humanos nacen buenos y libres, pero el mundo los corrompe.

> 'Nacemos sensibles, y desde nuestro nacimiento nos afectan de diversa forma los objetos que nos rodean. Luego de que tenemos, por así decirlo, la conciencia de nuestras sensaciones aspiramos a poseer o evitar los objetos que las producen, primero, según sean aquellas gustosas o desagradables; luego, según la conformidad o discrepancia que entre nosotros y esos objetos hallamos; y finalmente, según el juicio que acerca de la idea de felicidad o perfección que nos ofrece la razón nos formamos. Estas disposiciones de simpatía o antipatía crecen y se fortifican a medida que aumentan nuestra sensibilidad y nuestra inteligencia, pero, limitadas por nuestros hábitos, las alteran –a veces más, a veces menos– nuestras opiniones. Antes de que se alteren, constituyen lo que yo llamo naturaleza.'

–Jean-Jacques Rousseau, Emilio–

Posteriormente otros muchos han aportado sus análisis, entre ellas una interpretación marxista de la frase de Rousseau podría adaptar su contenido para explicar que el hombre, en esencia un ser social, que es corrompido por la sociedad capitalista, cuyo sistema, basado en la explotación del hombre por el hombre, es fundamentalmente egoísta, individualista e injusto, y contrario a la naturaleza social del ser humano.

En cualquier caso, queda manifiesto el modo en que las experiencias vividas condicionan plenamente nuestra genética. Así no escapa a ello las memorias que a lo largo de la historia se han perpetrado a través de las salvajadas de carácter eugenésico de las que el ser humano ha sido víctima.

Conocidos son los principales responsables evolucionistas de la eugenesia Charles Darwin, Francis Galton y Ernst Haeckel, aunque ciertamente conviene recordar sus predecesores históricos.

Ya en el 378 a.C., el propio Platón establecía un pensamiento que tenía mucho que ver con esa filosofía. En su obra La República, hacía referencia directa a la necesidad de que existiesen ciertos mecanismos de selección natural en los niños recién nacidos, con el objetivo de mejorar la raza humana y evolucionar como sociedad[31]. El filósofo, fraile dominico y poeta italiano, Tommaso Campanella, publicó una obra en el año 1632, conocida como Ciudad del Sol, en la que presenta una ciudad utópica, donde es el Gobierno el encargado de planificar y gestionar cualquier aspecto o característica de la vida de la población, esta dominación de la vida privada incluía también la elección de la pareja de cada individuo, la cual se elegiría atendiendo a conseguir los mejores descendientes posibles [32].

---

31 LA BIBLIOTECA FILOSÓFICA (s.f) El Legado Filosófico de Platón: Un Análisis Profundo de «La República» https://labibliotecafilosofica.com/la-republica-platon/

32 RESUMEN DE LA CIUDAD DEL SOL, Enciclopedia Herder
Los interlocutores son un caballero de la orden religiosa de los hospitalarios y un almirante genovés, que ha descubierto la Ciudad del Sol en Taprobana, Ceilán, en el ecuador. La ciudad se eleva sobre un montículo rodeada de siete círculos de murallas, tantos como los

No obstante, aunque ha estado presente a lo largo de la historia, no fue hasta el año 1883 que se acuñó bajo el término de eugenesia. El autor de ello fue el intelectual británico Francis Galton (1822-1911), fue el padre de la eugenesia. Médico inglés, primo de Charles Darwin, desarrolló las primeras bases para mejora de la raza. Su primera idea fue inspirada en el proceso de selección y mejora de caballos de carrera. Cuya metodología se propuso aplicar en la mejora de la raza humana, expresando literalmente[33];

> «... así como es fácil, a pesar de ciertas limitaciones, obtener por selección cuidadosa razas estables de perros o caballos dotados con facultades especiales para la carrera o para hacer cualquier otra cosa, así de factible debería ser producir una raza de hombres altamente dotada por medio de bodas sensatas a lo largo de varias generaciones consecutivas.»

---

círculos concéntricos de los planetas. En esta ciudad, creada a imagen de la República platónica, gobierna la filosofía, encarnada en Hoh, el Metafísico, asistido por tres ayudantes: Pon, Sin y Mor, personificaciones de Poder, Sabiduría y Amor, las tres «primalidades». Poder dominar sobre la guerra y el arte militar; a Sabiduría compete gobernar sobre las artes, la mecánica y las ciencias; Amor se encarga del matrimonio, la procreación y la educación de los hijos.
Uno de los rasgos fundamentales de esta sociedad que se describe como igualitaria es la comunidad de bienes y de mujeres, que no requiere ni dinero propio ni familia; eliminando así la fuente del egoísmo, desaparecen también los robos, los crímenes y la violencia. Delitos menores se castigan con gran severidad y las leyes son pocas, breves y claras. La ciencia, la técnica y la cultura -detalle renacentista de su autor- tienen una importancia máxima, y los solarianos son creyentes, oran a Dios y admiran a Copérnico.
https://encyclopaedia.herdereditorial.com/wiki/Recurso:Resumen_de_La_Ciudad_del_Sol

33 EQUIPO EDITORIAL, ETECÉ. (2020). "Eugenesia". De: Argentina. Para: Concepto. De. Disponible en: https://concepto.de/eugenesia/. Última edición: 30 de septiembre de 2020.
Fuente: https://concepto.de/eugenesia/#ixzz8cymF8Qvp
https://concepto.de/eugenesia/

En 1883 Francis Galton plasmó su teoría sobre la eugenesia (la verdadera semilla o el nacimiento noble), en su libro Investigaciones sobre las facultades humanas y su desarrollo, basando su teoría en las siguientes premisas[34]:

1ª La evolución de las especies y la teoría de selección natural de Darwin.

2ª Las ideas de Malthus de que los recursos mundiales tenían una capacidad limitada inversamente proporcional al crecimiento de la población.

3ª La degeneración de la raza por culpa del: hacinamiento en las ciudades, surgimiento de enfermedades que se pensaban eran hereditarias, como la tuberculosis, la sífilis o el alcoholismo.

Galton fundó en 1904 el Laboratorio Eugenésico de Londres. Allí desarrolló el modelo de «Eugénica nacional», identificando las variables sociales que deben estar bajo el control del estado, para evitar perjudicar las cualidades raciales de las generaciones futuras, tanto física como mentalmente. Llegó a la conclusión de que el estado debería orientar los matrimonios. Si se fomentaba el matrimonio entre las parejas mejor situadas y dotadas de la sociedad, entonces mejoraría la sociedad, ya que una de sus principales preocupaciones era que los matrimonios de clases inferiores producían más hijos que los de clases más elevadas o dominantes.

---

[34] JULIO ALEJANDRO CASTRO MORENO. (2014). Eugenesia, Genética y Bioética. Conexiones históricas y vínculos actuales, Revista de Bioética y Derecho. ISSN 1886-5887.
https://scielo.isciii.es/pdf Revista de Bioética y Derecho, núm. 30, enero 2014, p. 66-76 /bioetica/n30/original4.pdf#:~:text=Francis%20Galton%20propuso%20el%20t%C3%A9rmino%20%E2%80%9Ceugenesia%E2%80%9D%20eugenics%29%20%28en,%28mejorar%29%20los%20rasgos%20hereditarios%20en%20la%20especie%20humana.

Y a mayor abundamiento, Galton denunció a las organizaciones caritativas, ya que al asumir el cuidado de los pobres y de los enfermos, a los que denominaría 'degenerados, ineptos e inferiores' que impedirían el proceso espontáneo de la *"selección natural"*.

Incluso antes de la era de Darwin, los espartanos, que vivieron en Grecia entre los siglos V y III antes de Cristo, serían los que inicialmente practicarían de manera organizada la eugenesia. Por lo tanto, no era necesario conocer la teoría evolucionista de Darwing para aceptar e implantar socialmente la eugenesia. Fueron los auténticos precursores del movimiento eugenésico.

Nada más nacer, el niño era examinado por un consejo de ancianos en el Pórtico. Si se detectaba que el bebé padecía de un defecto físico o mental, simplemente se le lanzaba al vacío desde el monte Taigetos. El jefe del consejo de ancianos, el Gerusia, tomaba la decisión de terminar con la viva del niño.

En 1913, la Academia Sueca le otorgó el Premio Nóbel de Medicina a Charles Richet quien, en su obra cumbre *La sélection humaine* (Paris, 1919), dedicó un capítulo a "la eliminación de los anormales".

> «Lo que hace al hombre es la inteligencia. Una masa de carne humana sin inteligencia humana no es nada. Hay mala materia viva que no es digna de ningún respeto ni de ninguna compasión. Suprimirlos resueltamente sería prestarles un servicio, pues jamás podrán otra cosa que sobrellevar una existencia miserable».

En este sentido la sociedad sueca se habría adelantado a los nazis a la hora de aplicar la eutanasia para lograr la pretendida *Higiene Racial.* En 1922 el parlamento sueco aprobó la creación del Instituto Nacional de Biología de las Razas para identificar la antropología del pueblo sueco y establecer una clasificación de las distintas razas[35].

Se creó una base de datos con estadísticas y fotografías de 100.000 suecos. En 1926 se publicarían los resultados en el libro *"Swedish racial studies"* por el profesor Herman Lundborg, director del Instituto.

Diversos estudios fueron avanzando y en 1934 el parlamento sueco aprobó con el apoyo de todos los partidos políticos, la ley de esterilización obligatoria a las personas irresponsables, incapaces de ejercer sus derechos cívicos, si no podían criar hijos o si podían transmitirles sus taras. La esterilización se aplicó sin que el consentimiento fuese requerido.

Desde 1934 hasta su derogación en 1975 alrededor de 62.000 personas fueron esterilizadas por considerarlas, *'deficientes, desviados y una carga para la sociedad* ', y 4.500 fueron lobotomizados por *"indeseables"*.

En el verano de 1997, la periodista Maciej Zaremba probó la esterilización de 60.000 mujeres siguiendo directrices más próximas presumiblemente a grupos nazis que a las sociedades democráticas. Esta noticia sobre las esterilizaciones forzadas convulsionó a la sociedad sueca.

«Lo que ha sucedido no es otra cosa que un acto de barbarie", declaró la entonces ministra sueca de Asuntos Sociales, Margot Wallström, quien se comprometió a presentar al Gobierno las demandas de indemnización que se podían prever ante el anuncio. Esterilizaciones parecidas tuvieron lugar también en Francia, Canadá, Suiza, Austria, Finlandia y Dinamarca.

---

35 SANZ J (2011). Los suecos, Un Ejemplo Para Los Nazis. https://historiasdelahistoria.com/2011/10/06/los-suecos-un-ejemplo-para-los-nazis

Uno de los mayores defensores de la eugenesia en Europa sería el primer ministro de Inglaterra Winston Churchill. Cuando fue ministro del Interior en 1910, Winston Churchill propuso esterilizar a 100.000 *'degenerados mentales'* y enviar a otros varios miles a campos de concentración para salvar a la raza británica de la decadencia[36].

> "El aumento rápidamente creciente y contranatural de las clases enfermas e y dementes, constituye un peligro nacional y para la raza, imposible de exagerar. Creo que debería cortarse y sellarse la frente a partir de la cual se nutre la corriente de locura antes de que pase otro año" Winston Churchill 1910. Secretario de Interior y futuro presidente de Inglaterra.

En julio de 1944 propondría a sus jefes de estado mayor que utilizaran gas venenoso o cualquier otro método de guerra que no hubieran utilizado hasta el momento contra los alemanes. El 24 y 25 de julio de 1943 ordenó el bombardeo incendiario de Hamburgo durante el cual mató a un mínimo de 48.000 civiles. Luego ordenó el de Dresde (13 de febrero de 1945), causando entre 135.000 y 200.000 muertos. Llegó a decir que «todo el mundo bombardea civiles». Estos datos vendrían a suponer del mismo orden de magnitud que los datos oficiales de fallecidos por las bombas atómicas lanzadas por EE.UU. sobre Hiroshima y Nagasaki, respectivamente de 83.793 y 71.370[37].

La Eugenics Society inglesa entre sus fines perseguiría los siguientes:

---

36 CUADERNO DE CULTURA CIENTÍFICA (2014). El camino hacia la neoeugenesia
https://culturacientifica.com/2014/07/04/el-camino-hacia-la-neoeugenesia/

37 ACADEMIALAB (s.f) Bombardeo de Hamburgo en la Segunda Guerra Mundial
https://academia-lab.com/enciclopedia/bombardeo-de-hamburgo-en-la-segunda-guerra-mundial/

1. Educar al pueblo en el sentido eugénico e inculcarle la responsabilidad ante la descendencia para el ennoblecimiento de la maternidad y de la paternidad.
2. Luchar contra los factores que impiden la reproducción de los mejores y que permiten la multiplicación de los tipos inferiores, eugénicamente hablando.
3. Propagar la idea de que las personas *'tarados o degeneradas'* no deben reproducirse, lo cual puede conseguirse por los procedimientos de segregación y esterilización voluntaria u obligatoria.
4. Trabajar de una manera activa e inmediata con la labor legislativa, a fin de poder intervenir eficazmente, ya oponiéndose a las medidas tomadas, ya defendiéndolas, cada vez que el interés de la raza lo reclame.

Junto con Francis Galton, Leonard Darwin, hijo del biólogo Charles, lideró en Inglaterra el movimiento eugenésico. En 1913 desarrollaron la Mental Deficiency Acto donde se definiría claramente a quienes debía de ser aplicada la metodología eugenésica.

En la historia una de las más crudas y radicales aplicaciones de la eugenesia fue en la Alemania del Partido Nacionalsocialista Obrero Alemán (Nazis), durante el periodo del Nacionalsocialismo. La ideología Nazi buscaba poblar Alemania con la llamada raza aria y para ello aplicaría una política de exterminio masivo y de todos aquellos que no entraran dentro del ideal, sobre todo judíos, gitanos y personas con algún tipo de defecto.

El nacionalsocialismo aplicó oficialmente los criterios eugenésicos mediante las Leyes de Nüremberg del 15 de septiembre de 1935:

1° Impidiendo los matrimonios con personas de razas inferiores.

Para proteger la raza germana se prohibieron los matrimonios entre "personas no saludables" y personas consideradas genéticamente impuras. Se persiguieron todas las conductas que atentaban contra la procreación como el aborto y homosexualidad.

> 'Artículo 1°: Quedan prohibidos los matrimonios entre judíos y ciudadanos de sangre alemana o afín.
> Artículo 2°: Queda prohibido el comercio carnal extramatrimonial entre judíos y ciudadanos de sangre alemana o afín.'

2º Programa de esterilizaciones obligatorias.

Se crearon 300 tribunales de Justicia especiales, formados por dos médicos y un Juez para dictaminar quién debía ser esterilización. El 25% de los médicos alemanes colaboraron en el proceso de identificación y esterilización masiva. Durante el programa de esterilizaciones masivas, más de 350.000 personas fueron esterilizadas contra su voluntad[38].

El asesinato de los enfermos mentales se realizaba mediante esterilización, inyecciones letales, desnutrición, gas, o inyectando dosis bajas de barbitúricos con lo que se favorecía la aparición de una neumonía que generalmente era terminal. En agosto de 1941 se suspendió el asesinato de enfermos mentales mediante gas.

3º Programa para promover el nacimiento de gente de raza aria en las granjas nazis.

Lebensborn (alemán para «fuente de vida») fue una organización creada en la Alemania. Su objetivo era expandir la raza aria. Esta organización proveía de hogares

---

38 EL HOLOCAUSTO, (s.f.). Historia Virtual del Holocausto, El genocidio nazi cometido conta la población judía europea entre 1933 y 1945.
https://elholocausto.net/parte03/0309.htm

de maternidad y asistencia financiera a las esposas de los miembros de las SS y a madres solteras; asimismo, administraba orfanatos y programas para dar en adopción a los niños.

Durante el programa de Lebensborn, miles de chicas solteras ingresaron en centros especialmente acondicionados con la única intención de procrear y traer al mundo niños arios, dignos de pertenecer a la SS. En estas granjas de cría de niños arios, las madres solteras seleccionadas para la procreación cedían su bebé a los 3 meses para que el estado se encargara de su educación (al estilo de espartano). Es decir, una vez que los niños nacían pertenecían al Tercer Reich, Pero si la genética y las leyes de Mendel no hacía su papel y el recién nacido presentaba algún rasgo no ario, sería *«desechado»*[39].

4º Programa de eutanasia: Aktion T4.

Bajo el nombre de Aktion T4 los nazis programarían un terrible programa de eutanasia obligatoria. T4 viene del lugar donde se organizó el programa, «La Tiergartenstrasse número 4 - Berlín». Es la dirección de la sede actual de la Orquesta Filarmónica de Berlín.

Fue diseñado y ejecutado bajo la supervisión de médicos durante el régimen nazi, bajo el objetivo del programa era eliminar a personas señaladas como enfermos incurables, niños con taras hereditarias o adultos improductivos, considerados un lastre para la sociedad. En el programa de eutanasia fueron asesinadas 70.273 víctimas.

---

39 NATIONAL HUMAN GENOME (2016). Panorama general del Proyecto del genoma humano, Research Institute. https://www.genome.gov/breve-historia-del-proyecto-del-genoma-humano

El programa Aktion T4 se aplicó por intereses en la economía alemana. Se ahorraron recursos sanitarios, camas, personal, etc. Los programas médicos, como el T4 de eutanasia, contribuían a la higiene racial necesaria para la buena salud de la economía de Alemania, ya que las personas eliminadas eran presentadas por la propaganda nazi como un lastre para la sociedad alemana.

Los nazis consideraban genéticamente enfermos a personas como: esquizofrénicos, epilépticos, maniacodepresivos, ciegos y con sordera genética, alcohólicos crónicos, dementes seniles, paralíticos, sifilíticos, y a todos aquellos con síntomas de retraso mental y deformidades físicas.

Se creó un organismo para hacer un registro[40] de enfermedades hereditarias y congénitas. Se establecieron 6 centros de Eutanasia dirigidos por Karl Brandt. En Bernburg, Brandenburg, Grafeneck, Hadamar, Hartheim, y Sonnenstein. La Función de los Médicos era: crear un ambiente médico tranquilo y relajante; abrir las llaves del dióxido de carbono; y emitir los certificados de defunción para informar a la familia que habían fallecido de causa natural[41].

La idea consistía en estudiar el enfermo en vida, durante años, y posteriormente se les privaba de su vida y se estudiaban sus cerebros. Las investigaciones se suspendieron después de la derrota de Stalingrado.

---

40 https://encyclopedia.ushmm.org/content/es/artifact/hartheim-register?parent=es%2F4032

41 NATIONAL HUMAN GENOME. (2016). Panorama general del Proyecto del genoma humano, Research Institute.. https://www.genome.gov/breve-historia-del-proyecto-del-genoma-humano https://www.genome.gov/breve-historia-del-proyecto-del-genoma-humano

Para los bebés, se crearon comisiones que decidirían sobre el estado de salud de los recién nacidos. Estaban formadas por dos médicos de niños y un psiquiatra. La comisión estaba obligada a informar de todo nacimiento afectados por invalidez, deformaciones, microcefalia, síndrome de down y encefalopatías. Los niños que eran merecedores de la eutanasia eran trasladados a uno de los 20 hospitales especializados en el tratamiento. El Museo Topografía del Terror de Berlín documenta el asesinato de más de 5.000 niños menores de 10 años a causa de alguna minusvalía física o clasificados como *«débil mental» o «no apto para ser educado»*[42].

El método seleccionado para terminar con la vida del enfermo consistió en la asfixia con dióxido de carbono (CO2) o por medio de una sobredosis de barbitúricos (Luminal).

La T4 Aktion permitió a los nacionalsocialistas desarrollar capacidades tecnológicas eficientes que más tarde aplicaron en los campos de exterminio en la solución final.

A fines de 1940, el Departamento de Bienestar Público de USA, comenzó a promover la esterilización como solución a la pobreza. Treinta y tres (33) Estados de los EEUU reconocieron que llevaron a cabo programas de esterilización durante el siglo XX. En un principio estaban dirigidos únicamente a personas ingresadas en instituciones mentales, pero, finalmente a medida que pasaron los años, se aplicó a colectivos enteros. La sufrieron criminales, epilépticos, ciegos, sordos, alcohóli-

---

42 ENCYCLOPEDIA.USHMM (2023) Programa De Eutanasia Y Aktion T4, El objetivo del programa nazi de eutanasia era matar a personas con discapacidades mentales y físicas. De acuerdo con los nazis, esto limpiaría la raza "aria" de personas consideradas genéticamente defectuosas y que representaban una carga económica para la sociedad.
https://encyclopedia.ushmm.org/content/es/article/euthanasia-program

cos, mujeres consideradas promiscuas, y también los considerados débiles mentales. A fecha de hoy, sólo siete (7) de los 33 Estados que aplicaron los programas de esterilización lo han reconocido públicamente y se disculparon con las víctimas. En Carolina del Norte se ha llegado a compensar a las víctimas por daños y perjuicios[43].

Más de 65.000 personas fueron esterilizadas en los EEUU en la mayoría sin su conocimiento. La primera víctima de esterilización en Virginia fue Carrie Buck en 1924. Carrie vivía con sus padres adoptivos, John y Alice Dobbs. Pero la vida de Carrie a los 17 años se vería truncada. Un sobrino de los Dobbs la violó y la dejó embarazada. Los Dobbs decidieron ingresar a Carrie en Virginia Colony for Epileptics and Feebleminded, una Institución para epilépticos y débiles mentales donde ya había sido ingresada su madre años antes por prostitución. Carrie, una niña normal se vio encerrada para ocultar un escándalo que mancharía el apellido de los Dobbs. Se le acusó de promiscua y débil mental, y fue condenada a la esterilización[44].

Carrie recurrió ante la Corte Suprema de Justicia en el llamado caso Buck contra Bel-John Bell, director de Virginia Colony for Epileptics and Feebleminded, era el acusador en el proceso de esterilización. Bell argumentó que madre e hija

---

43 HISTORIAUNIVERSAL.ORG. (2023). La Revolución Americana: Las trece colonias se rebelan contra Gran Bretaña. HistoriaUniversal.org. Recuperado de https://historiauniversal.org/la-revolucion-americana-las-trece-colonias-se-rebelan-contra-gran-bretana
https://historiauniversal.org/la-revolucion-americana-las-trece-colonias-se-rebelan-contra-gran-bretana/

44 JOSEPH S. DEJARNETTE. (1947) an early advocate for sterilization, testified against Carrie Buck at her trial in Amherst County, Virigina
Joseph S. DeJarnette, an early advocate for sterilization, testified against Carrie Buck at her trial in Amherst County, Virigi. http://www.eugenicsarchive.org/html/eugenics/static/images/2278.html

habían sido ingresadas en la Institución y que el gen Buck era deficiente. Además, el abogado de Carrie, Irving Whitehead, era amigo personal de Aubrey Strode, el legislador que había escrito la ley de esterilización de Virginia. Carrie fue sentenciada. En 1927, por ocho votos a uno, la Corte Suprema confirmaba la esterilización. En el fallo del Tribunal se incluían justificaciones como: *'Tres generaciones de imbéciles son suficientes'*[45].

Pero, además, el hijo de Carrie fue entregado a sus padres adoptivos, y, además, su hermana pequeña también fue esterilizada, sin enterarse hasta años más tarde porque, en teoría fue sometida a una operación de apendicitis[46].

La eugenesia recibió una amplia financiación de empresas filantrópicas, como la Institución Carnegie, la Fundación Rockefeller. En los programas participarían investigadores de las universidades más prestigiosas, como la Stanford, Yale, Harvard y Princeton. La Fundación Rockefeller ayudó a fundar el programa eugenésico alemán e incluso financió el programa en el que Josef Mengele trabajó antes de ir a Auschwitz[47].

Oliver Wendell Holmes de la Corte Suprema de Justicia, escribió: *"Es mejor para todo el mundo, si en lugar de esperar a ejecutar degenerados descendientes de la delincuencia, o dejarlos morir de hambre por su incapacidad, que la sociedad pueda evitar a quienes sean manifies-*

---

45 JUICIO DE BUCK CONTRA BELL (s.f) http://eugenicsarchive.org/html/eugenics/static/themes/39.html

46 "THE PROGRESS OF EUGENICAL STERILIZATION," by Paul Popenoe, Journal of Heredity (vol. 25:1), including journal cover and contents page
"PAUL POPENOE. (1934) The Progress of Eugenical Sterilization,", Journal of Heredity (vol. 25:1), including journal cover and contents page, Journal of Heredity, Volume 25, Issue 1, January 1934, Pages 19–26,

47 JOSEPH S. DEJARNETTE, an early advocate for sterilization, testified against Carrie Buck at her trial in Amherst County, Virigina.

tamente impropios de continuar su especie Tres generaciones de imbéciles son suficientes". Esta decisión abrió las puertas para que miles de personas fueran esterilizadas o coercitivamente perseguidas como infrahumanas. Años más tarde, los nazis en los juicios de Nuremberg citaron las palabras de Holmes en su propia defensa.

El concepto de blanco, rubio, de ojos azules, de raza nórdica se desarrolló antes de que Hitler liderara el partido Nacionalsocialista Obrero Alemán. La idea era original de los Estados Unidos, y los eugenistas de California lideraron el movimiento eugenésico americano para la limpieza étnica. Antes de la Segunda Guerra Mundial, el 50 % de las esterilizaciones forzadas se realizaron en California, y después de la guerra llegó un 30 % de todas esterilizaciones.

A consecuencia de los esfuerzos de los eugenistas de californianos, después de que la eugenesia se afianzara en los Estados Unidos, se trasladó la campaña a Alemania, que publicaron folletos idealizando la esterilización y los distribuyeron a funcionarios y científicos alemanes. Hitler estudió las leyes estadounidenses de eugenesia. Durante los años 20, los científicos eugenésicos de la Carnegie Institution cultivaron relaciones personales y profesionales profundas con los eugenistas fascistas de Alemania.

En 1926, Rockefeller donó unos 410.000 dólares al programa de investigación de investigadores alemanes. En mayo de 1926, Rockefeller otorgó 250.000 dólares para la creación del Instituto Kaiser Wilhelm de Psiquiatría[48]. Entre los psiquiatras de vanguardia del Instituto Alemán de problemas psiquiátricos estaba Ernst Rüdin, quien se convirtió en director y, finalmente, en arquitecto de la sistemática represión médica de Hitler. La organización de Rüdin se convirtió en el principal destina-

48 RUBEN LUENGAS. (2021) Las raíces estadounidenses de la eugenesia nazi, https://rubenluengas.com/2021/01/las-raices-estadounidenses-de-la-eugenesia-nazi/

tario de la experimentación y la investigación criminal realizada en judíos y gitanos.

En España durante los últimos 25 años se habría llevado a cabo una reducción del 57 % de recién nacidos con defectos congénitos en España. Este descenso se debe fundamentalmente a la implantación del aborto «por riesgo fetal», previo diagnóstico prenatal. En algunos casos, como los afectados por el síndrome de Down, esta práctica ha supuesto la eliminación en el seno materno de un 80-90% de los afectados.

En España la esterilización de personas incapacitadas estaría legalizada a partir de 1989, cuando se aprobó la actualización del Código Penal el 21 de junio.

Los orígenes de esta figura se remontan a la Ley Orgánica 3/1989, de 21 de junio, por la que —como consecuencia, fundamentalmente, de la movilización llevada a cabo por las asociaciones de familiares de personas con discapacidad— se añadió un inciso final al art. 428.II del Código Penal vigente en aquel momento, que declaraba impune, bajo ciertas condiciones procedimentales, la esterilización de las personas que padecieran una discapacidad psicosocial grave[49].

Pero esta ley no parece estar conforme al Derecho establecido por la ONU para los discapacitados la su declaración de 2007.

El 13 de diciembre de 2006, la Asamblea General de Naciones Unidas aprueba los Derechos de las Personas con Discapacidad. El 30 de marzo de 2007, España ratificó este tratado internacional y desde su entrada en vigor el 3 de mayo de

---

49 BLOG.FDER.UAM (2021) ¿Esterilización forzosa versus esterilización prohibida?, https://www.blog.fder.uam.es/2021/03/22/esterilizacion-forzosa-versus-esterilizacion-prohibida/

2008 es vinculante jurídicamente en España, incorporándose a nuestro ordenamiento.

Esta declaración de los Derechos de las Personas con Discapacidad, establece en su artículo 23 respecto del hogar y de la familia, los siguientes derechos para las personas discapacitadas:

Estén informadas de los medios que evitan el embarazo y sobre la planificación familiar.

- Puedan tener relaciones sexuales con las demás personas.
- Se casen si lo desean.
- Tengan hijos o puedan adoptarlos.
- Mantengan su capacidad reproductora en igualdad de condiciones que los demás.

El pasado 16 de diciembre 2020 las Cortes Generales aprobaron, sin apenas cobertura mediática, la Ley Orgánica 2/2020, de 16 de diciembre, de modificación del Código Penal para la erradicación de la esterilización forzada o no consentida de personas con discapacidad (LO 2/2020); ley que, de acuerdo con su Disposición final cuarta, entró en vigor al día siguiente de su publicación en el BOE: el 18 de diciembre de 2020. En lo sustantivo, la LO 2/2020 se limita, básicamente, a derogar el párrafo segundo del art. 156 CP, que contenía los requisitos necesarios para considerar conforme a Derecho la esterilización de personas cuya discapacidad intelectual o psicosocial les impidiera prestar válidamente su consentimiento a la intervención. Deroga también la Disposición adicional primera de la Ley Orgánica 1/2015, de 30 de marzo (LO 1/2015), que establecía —de forma provisional e incompleta— el procedimiento para llevar a cabo la autorización de esta medida[50].

---

50 LEY ORGÁNICA 2/2020, DE 16 DE DICIEMBRE, de modificación del Código Penal para la erradicación de la esterilización forzada o no consentida de personas con discapacidad incapacitadas judicial-

La redacción del art. 156.II CP vigente hasta su derogación era producto de la propia LO 1/2015, por la que se había reformado este precepto con la finalidad, declarada en su Preámbulo, de adaptar la regulación española de la "esterilización acordada por órgano judicial" a la Convención sobre los derechos de las personas con discapacidad, hecha en Nueva York el 13 de diciembre de 2006 (CDPD o "la Convención"), vigente en nuestro país desde 2008. Los orígenes de esta figura se remontan a la Ley Orgánica 3/1989, de 21 de junio, por la que —como consecuencia, fundamentalmente, de la movilización llevada a cabo por las asociaciones de familiares de personas con discapacidad— se añadió un inciso final al art. 428.II del Código Penal vigente en aquel momento, que declaraba impune, bajo ciertas condiciones procedimentales, la esterilización de las personas que padecieran una discapacidad psicosocial grave[51].

El pasado 18 de diciembre 2024 se cumplieron apenas cuatro años de la ilegalización de las esterilizaciones forzosas a mujeres con discapacidad intelectual. Entre 2008 y 2020, los jueces españoles resolvieron sobre la esterilización de 1.144 personas incapacitadas judicialmente, pese a un tratado internacional que España incumplió más de una década.

El pasado 2 de diciembre 2021, coincidiendo con el Día Internacional de la Discapacidad y aniversario de la votación del Senado que ilegalizó las esterilizaciones forzosas en España, el

---

mente. Código Penal. Resultado de votación del Congreso de los Diputados para modificar el artículo 156 del Código Penal. Declaraciones de Cristina Paredero a Newtral.es. Retransmisión del acto por el Día Internacional de las Personas con Discapacidad en el Ministerio de Derechos Sociales y Agenda 2030.

51 MEMORIAS ANUALES DEL CONSEJO GENERAL DEL PODER JUDICIAL. Isabel Caballero, coordinadora de Fundación Cermi-Mujeres

Gobierno organizó un acto en el Ministerio de Derechos Sociales y Agenda 2030 para pedir perdón a las víctimas de esta práctica[52].

"En mi nombre y en nombre del Gobierno de España, quiero pediros perdón", dijo la ministra Ione Belarra (Unidas Podemos), que describió el evento como

> *"un reconocimiento público a las mujeres con discapacidad que habéis sido víctimas de esterilizaciones forzadas, una gravísima vulneración de derechos humanos que no cesó en nuestro país hasta diciembre de 2020 y que se ha permitido durante demasiado tiempo".*

Deviene necesario reseñar lo acontecido en nuestro pequeño mundo en relación a las modificaciones genéticas pretendidas con carácter eugenésico para, a la vez, comprender el temor y rechazo de la sociedad a que se lleven a cabo actuaciones relacionadas con modificación del genoma. Nótese que en España estaba vigente la esterilización forzosa a mujeres con discapacidad hasta hace poco más de tres años, un evento no menos atroz que los anteriormente citados. Lo que indudablemente pone de manifiesto la afección, al menos psicológica, trauma emocional, que estas prácticas han recaído en la herencia genética de la humanidad hoy presente, pues si bien no se habría vivido directamente por nuestras generaciones presentes, sí se habría vivido indirectamente a través de la historia heredada, lo que indudablemente está implícito en la herencia recaída.

---

52 NEWTRAL (2021) Un año sin esterilizaciones forzosas a mujeres con discapacidad en España: la atrocidad que se prohibió 12 años tarde, https://www.newtral.es/esterilizacion-forzosa-personas-discpacidad-espana/20211212/

Diversos estudios en epigenética arrojan el resultado de las modificaciones en la actividad génica, y se ha convertido en un campo crucial para comprender la forma en que se transmite el trauma de forma intergeneracional. Habiéndose observado que el estrés y los traumas asociados a él son capaces de modificar las marcas epigenéticas, influenciando así en la forma en que los genes son activados o desactivados en las generaciones futuras[53].

6. NUEVA PROPUESTA, ¿QUÉ ES Y QUÉ ALCANCE TIENE EL GENOMA HUMANO?, ¿QUÉ ENTENDEMOS POR GENOMA? MODELO ADAPTADO A LAS PRÁCTICAS PROBADAS POR EL MÉTODO CIENTÍFICO, OBSERVACIÓN, POSTULACIÓN DE HIPÓTESIS Y COMPROBACIÓN MEDIANTE LA EXPERIMENTACIÓN.

El conocimiento no habría de quedar intra muros de un laboratorio, ¿cuánto hace que conocemos los experimentos que la ciencia nos ha puesto al alcance en materia genómica?

Y entendiendo su pleno conocimiento, ¿Por qué razón no estarían teniendo aplicación?

GARIAEV fue el creador de la Teoría de la Genética de ondas del lenguaje, nominado al premio Nobel, y postulando la necesidad de un enfoque genético y virológico completamente nuevo, principalmente para la genética de ondas del lenguaje, que vienen desarrollando desde 1984.

El impasse surgió porque, conforme al planteamiento de Gariaev, el modelo básico del código genético, propuesto por los investigadores occidentales y M.Nirenbergom F.Krikom en

53 PSICOLOGIAYMENTE (2023) Trauma transgeneracional: ¿se hereda de padres a hijos?
https://psicologiaymente.com/clinica/trauma-transgeneracional

1968, se postularía erróneo, aunque reconoce tiene puntos positivos. Esto habría llevado a la humanidad gradualmente a un colapso genético y degradación total. Y no sólo de la humanidad, sino toda la vida en la tierra.

Tal planteamiento se habría fundamentado, en primer lugar, con una creciente ola de virus modificados genéticamente, bacterias, plantas, animales. Y así también en el ser humano. La primera consecuencia de esta situación recayó en los alimentos transgénicos modificados genéticamente, habido las graves consecuencias que ello conllevaría para la salud[54].

> Explicaba GARIAEV en su artículo DNA Decipher[55];
> Aquí interpretamos ese mismo fenómeno, que durante mucho tiempo no tuvo explicación, lo explicamos desde una nueva perspectiva. Y proponemos solo una versión de este fenómeno, explicando de dónde proviene la señal de radio que transporta información genética que funciona activamente. Esta versión complementa la hipótesis previamente propuesta por nosotros de la ocurrencia de Radiación Electromagnética de Banda Ancha Modulada (MBER) basada en la teoría de la luz localizada[56]
> La señal de radio es generada por un holograma TIW dinámico debido a la lectura de respuestas rápidas (hasta femtosegundos) del conjunto de todas las moléculas ópticamente activas de la

---

54 INSTITUTO DE LINGÜÍSTICA LA GENÉTICA DE LA ONDA (s.f) https://wavegenetics.org/es/

55 PETROVICH GARAIEV, (2005). Some Aspects of Wave Gene Transmission. Journal | December 2015, Volume 5, Issue 3, pp. 155-173. Korneev, A. A. & Gariaev, P. P., Some Aspects of Wave Gene Transmission. https://www.researchgate.net/publication/292411121_Some_Aspects_of_Wave_Gene_Transmission

56 PRANGISHVILI I.V., GARIAEV P.P., TERTISHNII G.G., MAKSIMENKO V.V., MOLOGIN A.V., LEONOVA E.A., .(2000). Muldashev E.RSpectroscopija radiovolnovih izluchenii localizovannih fotonov: vihod na
kvantovo-nelocalnie bioinformacionnie processi. Datchiki I Sistemi, № 9, T. 18, s. 2-13.

> biomuestra, incluyendo ADN, ARN y proteínas, a la compleja irradiación láser. Dicha señal es parte de la radiación electromagnética de banda ancha modulada secundaria del láser dado. Dicha radiación electromagnética de banda ancha modulada es un fenómeno paralelo a la operación del holograma TIW y aún no se ha explorado por completo. Este fenómeno se manifiesta a través de la transformación de la respuesta integral a la luz de la biomuestra que también incluye ADN cromosómico, cuando se lee el contenido informativo del ADN. El contenido de información de la radiación electromagnética de banda ancha modulada también es contribuido por todas las demás moléculas ópticamente activas (metabolitos) de la biomuestra analizada: aminoácidos, nucleótidos, vitaminas, ácidos orgánicos, etc.
>
> Cualquier célula viva, un tejido biológico o un organismo buscará naturalmente adaptarse a la exposición directa al láser desconocida, así como a la radiación electromagnética de banda ancha modulada secundaria. Si esta señal de Radiación Electromagnética de Banda Ancha Modulada se registra y luego se «lee» de cierta manera, entonces cada célula de otro organismo que «escucha» esta Radiación Electromagnética de Banda Ancha Modulada puede recibir el programa de señal para funcionar en una dirección inversa. Por ejemplo, para iniciar procesos de envejecimiento inverso en el organismo, como vemos en algunos casos de aplicación práctica de la Radiación Electromagnética de Banda Ancha Modulada.

GARIAEV define a las moléculas de ADN como antenas, y no solo el ADN sino también las proteínas, debido a que contienen átomos de metales, serían antenas orientadas espacialmente, que estarían recibiendo información cósmica dirigida.

Explica que tomando una molécula de ADN lejos del foco de laser, y que el láser ya estaría escaneando un espacio vacío, ese vacío indicaba como si la molécula de ADN aún estuviese allí.

En una solución de agua la molécula de ADN está produciendo constantemente sonido, y también está produciendo el sonido en una célula, generando una compleja melodía con frases musicales repetitivas, produciendo un sonido muy agradable que en sí ya reviste un hecho interesante.

Sin embargo, cuando era irradiado con ultrasonido, en una radiación similar a lo que es una exploración de una ecografía médica actual de ultrasonidos, en lugar de una melodía muy compleja, solo permanecía una nota monótona.

En este sentido el estudio apuntaba que a partir de la concepción, se produciría el desarrollo de todos los seres vivos, incluyendo a los seres humanos, estaría programada por la información almacenada en los cromosomas, se cree que no hay otro lugar para almacenarla, y que este sería el lugar donde toda la información debe ser registrada, y en qué orden estricto las proteínas deben ser sintetizadas como órganos de bloques de construcción, con el fin de construir más tarde estos órganos, y en donde cada una de las proteínas debe ocupar su propio lugar específico, asegurando la interacción con otros órganos y creando un organismo unificado.

En este sentido únicamente podríamos preguntarnos y rendir homenaje a la naturaleza, la cual apenas se puede ver incluso bajo el microscopio, ¿cómo funciona?, conforme a la opinión de GARIAEV, únicamente habría un modo de hacerlo posible, siendo que la recodificación de información ocurre en el nivel ondulatorio, por radiación electromagnética y acústica. Llevando a cabo el experimento, que después de él se repetiría en muchos laboratorios, prácticamente siempre con los mismos resultados.

Afirma que nuestras moléculas de ADN son antenas, y no solo ADN, así como también las proteínas, debido a que contienen átomos de metales, serían antenas orientadas espacialmente, que estarían recibiendo información cósmica dirigida.

¿Y por qué esto es así?, hay experimentos muy simples que demuestran esto, p.ej. el realizado con huevos de rana, en que se colocarían en las celdas con blindaje metálico y proporcionando las condiciones habituales para el desarrollo normal de células, con un única excepción, la radiación electromagnética sería extremadamente reducida y alterada, quedando el entorno electromagnético anormal, y todas las variables que supuestamente dan vida al huevo de rana se mantendrían intactas, manteniéndose el campo gravitacional sin cambios. Resultando de tal experimento que los huevos de rana, colocados en estas celdas, se convertirían en malformaciones no siendo posible la viabilidad.

A resultas de lo anterior se concluiría que el entorno electromagnético es absolutamente indispensable para nosotros, a través del cual se crearía una especie de metabolismo ondulatorio, una regulación de onda que se transmite desde el espacio exterior.

Los huevos de rana colocados en una caja de metal ordinaria crearían renacuajos normales, que luego se convertirían en ranas, y sin embargo en una celda realizada de una aleación de hierro y níquel, con aislamiento electromagnético los renacuajos nacerían con mutaciones, y ninguno de ellos podría convertirse en una rana normal.

La teoría de la genética de onda, la cual predice que nuestro aparato genético construye el organismo con la ayuda de ondas electromagnéticas y acústicas de diferente longitud. Y además un organismo no solo las recibiría del exterior, sino que también las genera el mismo en una combinación.

Los experimentos arrojaron que el ADN produce una radiación de ondas de radio, rayos láser, los cuales crearían hologramas de información, a saber, las células del embrión tras la recepción de la información en el nivel de onda, dibujan la plantilla y/o patrón, la cual dirige dónde y cómo las piernas, los ojos, la nariz, etc deben crecer. Y todo ello se ajustaría plenamente a la ley de conservación de la información [57]la formulada hace unos años[58].

---

[57] GARIAEV, P.P.,(2021). Quantum Consciousness of the Linguistic-Wave Genome. Theory and Practice. La conciencia cuántica del genoma, https://wavegenetics.org/es/researches/kvantovoe-soznanie-lingvistiko-volnovogo-genoma/.

[58] Tuvo lugar la publicación de dos trabajos teóricos con físicos teóricos, entre los que se destaca I.V. Prangishvili y otros [IV. Prangishvili,

El caso es que nuestro aparato genético y el de cualquier ser vivo, representaría una estructura que emana luz, siendo que esta luz estaría en un especto de longitud de onda diferente; desde el azul oscuro al rojo, y así sucesivamente, siguiendo el espectro de longitud de onda de la luz. Y no solo luz, sino luz láser, luz coherente. Gariaev habría trabajado con física muy avanzada, y por primera vez en la historia había demostrado que el ADN puede funcionar como un láser, a través de un sencillo experimento probarían su superluminiscencia. Y esto podría plantear los interrogantes, ¿por qué hay un láser en el ADN?, ¿Por qué es luz coherente?, existiendo muchos ejemplos, bacterias luminiscentes, peces luminiscentes, plantas de agua luminiscentes, sin embargo, en todos los casos no es luz coherente, en estos supuestos citados, la luminiscencia ocurriría debido a diferentes procesos.

P. P. Gariaev, G.G. Tertyshniy, V.V. Maksimenko, AV. Mologin, E. A.. Leonova, E.R. Muldashev. Espectroscopia de emisiones de ondas de radio de fotones localizados: procesos de bioinformación cuántica no local. Sensores y sistemas, 2000, No. 9(18) https://mir.zavantag.com/jurnalistika/59678/index.html], y con A.A. KORNEEV [A.A. KORNEEV, P. P. Gariaev. Aspectos de la traducción de ondas genéticas, 2014.

'Reproducimos los resultados de Toronto en Nizhniy Novgorod, Rusia, en 2012 en nuestros experimentos con N. Kokaya, que se convirtió en la base de una defensa de doctorado. Además de estos experimentos, obtuvimos datos previamente desconocidos sobre la regeneración dental en perros y la médula espinal en humanos. En todos estos casos, utilizamos la programación de células madre para la regeneración de los dientes y la médula espinal, que se han convertido en precedentes.'
https://wavegenetics.org/en/researches/aspektyi-volnovoy-translyatsii-genov/]

En este caso vemos una luz especial, la luz láser, y este hecho en particular deviene extremadamente importante, porque una vez más nos remitiría de nuevo a la holografía, habido que un haz láser puede leer datos precisos de hologramas estrictamente específicos, y tendría esta función, conforme manifiesta Gariaev, para poder leer nuestros cromosomas como un catálogo de miles de millones de imágenes, tantos como indescifrable supone hoy el código genético a través de las herramientas utilizadas. Ver todas las imágenes una por una devendría un completo desastre además de incomprensible.

A razón de ello el equipo de Gariaev, consideró hacer una lectura diferenciada de la información. Imaginemos nuestro cuerpo como un conjunto celular masivo, que consta de cientos y cientos de miles de millones de células, cada una de estas células intercambia datos acerca de su estado con todas las células vecinas, ¿cómo se administra esta acción?, tal vez por el sistema nervioso, sin embargo, los procesos nerviosos circulan con una velocidad muy baja, de 8-10 metros por segundo[59]no

---

59 GARIAEV, P.P, Texto a resaltar del artículo; (...) 'En todas estas obras quedó un problema sin resolver: ¿Realmente traducimos genes de forma cuántica?, ¿O simplemente iniciamos la respuesta de biosíntesis en los genes de un biosistema receptor de MBER?? Era necesario obtener evidencia directa de que estamos trabajando con equivalentes cuánticos de genes., predicho por A.G. Gurvich. Y hemos obtenido evidencia a través de la introducción del gen MBER en la reacción en cadena de la polimerasa. (POLIMERIZACIÓN EN CADENA)'
https://wavegenetics.org/es/researches/kvantovoe-soznanie-lingvistiko-volnovogo-genoma/
(...) 'Realizamos un experimento sobre la activación por ondas de la regeneración pancreática en decenas de ratas. (después de la inducción de la diabetes aloxana, acompañado de degradación pancreática y muerte de animales por diabetes tipo 1 como grupo de control). En la etapa del inicio de la muerte animal., los irradiamos

es suficiente para asegurar el funcionamiento normal del estado de las células, incluso la velocidad de la luz no es suficiente para distribuir toda la información a cientos de miles de millones de células, de lo contrario nuestro desarrollo habría terminado en el nivel bacteriano, donde no es necesario entregar la información a través de las células habido que solo hay una célula.

Sin embargo, en nuestro cuerpo, la información sobre todas las células se distribuye entre ellas al instante. ¿cómo se resuelve ese problema de comunicación superrápida? Peter Gariaev y sus colegas realizaron un trabajo teórico y experimental, que les permitió introducir la idea de que las células continuamente intercambian información con una velocidad indefinidamente elevada. Los investigadores basaron su trabajo en el atributo predicho por Einstein y sus discípulos Boris Podolsky y Nathan Rosan, en 1935.

En aquel momento predijeron que cuando dos fotones entrelazados se separan, y uno de ellos cambia sus parámetros, por ejemplo, se tropieza con algo, desaparece, pero la información se desplaza instantáneamente al otro fotón. Por lo tanto, un fotón se convierte en el otro. Más tarde este atributo de los eventos cuánticos fue llamado teletransporte.

---

con la información de ondas leída por un láser especial del metaboloma de preparaciones pancreáticas aisladas, que incluía información genética sobre el páncreas de crías de rata recién nacidas de la línea genética Vistar. La información fue un campo electromagnético secundario del láser LGN-303. Contenía un componente espintrónico asociado con la modulación de polarización dinámica de dos modos ópticos ortogonales de radiación láser. Este campo secundario representa la radiación electromagnética de banda ancha modulada (MBER). Su efecto en ratas moribundas condujo a una rápida normalización de su condición y a la regeneración in situ de su páncreas con una completa normalización de la biosíntesis de glucosa.'

En 1997 los científicos austríacos demostraron experimentalmente que un fotón puede ser teletransportado, esto significa ser trasladado instantáneamente de un lugar a otro, y, lo que, es más, con toda la información conservada. Habiendo demostrado claramente que los fotones pueden ser teletransportados.

Nuestro ADN, nuestros cromosomas trabajan con fotones, nuestras células se comunican entre sí con una velocidad infinitamente elevada, y en este nivel el concepto del tiempo desaparece, la información llega a ser conocida a la vez.

Todos los procesos metabólicos complejos en los cientos de miles de millones de nuestras células suceden porque las células saben la una de la otra a la vez, sin tiempo de por medio, de forma instantánea, gracias a la información suministrada por los fotones, los cuales están entrelazados, y este concepto de 'entrelazamiento', deviene a ser la clave para explicar esta comunicación instantánea de nuestro cuerpo. Ello nos lleva a una base principalmente diferente para la comprensión de la biología y entender el funcionamiento del aparato genético y de los seres vivos.

Para que las células de nuestro cuerpo funcionen normalmente, los núcleos de la célula funcionarían como biocomputadoras. Y nos preguntaríamos acerca de la función de nuestro sistema nervioso, ya que también destruye datos. Se estaría asumiendo y tratando de probar que estos datos masivos necesitan en grandes bloques de información, los quanta. Para después estos grandes bloques ser distribuidos entre los órganos, células y tejidos, no existiendo desarmonía en lo antedicho.

Esta historia comenzaría en 1953, cuando dos hombres en Cambridge anunciaron que acababan de descubrir el secreto de la vida, uno de ellos fue el británico biofísico y genetista Francis Crick, y el otro fue el bioquímico estadounidense James Watson, y habían descubierto la estructura espacial del ADN.

En 1988, uno de los primeros descubridores de la doble Hélice del ADN, el ganador del Premio Nobel, James Watson, anunció públicamente que la ciencia estuvo cerca del descubrimiento de la base química de la herencia humana. Tres años más tarde, una investigación científica relevante, fue llevada a cabo en Rusia y EEUU. Y más tarde se crearía la Organización Internacional de Investigación del Genoma humano. Una investigación llevada a cabo bajo los auspicios de esta organización, que duró doce años en su primera fase y habría costado más de tres mil millones de dólares. Resultando que los primeros resultados de la decodificación del genoma humano mostrarían un total de más de cien mil genes, y esto era exactamente la cantidad que se pensaba que teníamos en nuestro cuerpo. Una cantidad de genes semejante a los de un gusano, y cada quinto gen es similar a los microbios. Por otra parte, posteriormente se encontró que la cantidad de genes humanos encontrados es infinitamente inferior a lo esperado, alrededor de treinta mil.

Es considerado por los científicos que cien mil genes no son suficientes para garantizar la diversidad del cuerpo humano, ¿cómo sería posible ni tan siquiera con un tercio de ello? Ciertamente enigmático, la descodificación del genoma humano se convirtió en el objetivo de la biología médica, aunque ciertamente se tenía claridad que apenas formaba parte del primer paso. Los siguientes grandes logros que siguieron al descubrimiento de la molécula del ADN, no importa lo paradójico que puede ser, es bastante normal porque todo gran descubrimiento se convierte en obsoleto tarde o temprano, llegando a su punto de saturación, y para ese momento se convierte en un obstáculo.

La euforia de la primera década de la investigación del ADN, no importa cómo, paradójicamente, es bastante natural, y termina siendo muy decepcionante, y esta decepción se debería a que el grandioso programa del genoma humano, acabó dando a luz apenas a un escaso 'ratón' en comparativa con lo que se esperaba.

Cada biosistema tiene una molécula de ADN, incluso las estructuras más simples casi vivas como los virus, y así esta molécula de ADN contiene únicamente alrededor de 35.000 genes. La noción de los genes ha penetrado con fuerza en la mente de los biólogos, convirtiéndose en un axioma o dogma de que el gen es parte del ADN, responsable de la síntesis de proteínas y eso es todo.

Resultó que para decodificar esta secuencia es casi lo mismo pronunciar primeramente las letras de una palabra y solo entonces la palabra misma, pero el hecho es que las palabras forman la frase, y habríamos de ser capaces de leer esas frases, así el 98% del genoma no se podría explicar hoy por la ciencia. Manifiesta Gariaev que deviene casi inaceptable que biólogos y genetistas sean incapaces de explicar la función de la mayor parte de la molécula del ADN y llamarlo simplemente 'basura', más recientemente 'no codificante', de hecho, la función principal, tal vez, está oculta exactamente allí. La investigación del genoma humano demostraría que el aparato genético contiene alrededor de 35.000 genes, prácticamente idéntico a una mosca de la fruta, o un gusano, o un cerdo, o un mono. Y es entonces donde habría de nacer la pregunta ¿Qué es lo que nos diferencia de ellos?, si genéticamente a nivel de genes no habría prácticamente ninguna diferencia, ¿No es una paradoja?, parece bien absurdo.

Los biólogos y genetistas proporcionan argumentos insuficientes, que no satisfacen la respuesta, justificando que proceden de diferentes combinaciones, — En la coli-Bacillus se experimenta una combinación, en el ser humano otra distinta— etc. sin embargo no representa una respuesta verosímil, más allá de la incomprensión en la que se relega.

Sin embargo, conforme explica Gariaev, las proteínas con las enzimas son principalmente el conjunto del trabajo, herramientas universales para todos los organismos, ya sea humano, animal, vegetal, o virus. Resultando el conjunto de herramientas que lleva a cabo el trabajo del metabolismo. Pero la pregunta sigue ahí ¿de dónde viene la diferencia que proviene del nivel genético?

La información hereditaria se encuentra en nuestros cromosomas y en ninguna otra parte, y aquí reside la paradoja, a partir de la cual hubo consecuencias negativas. Mientras que los biólogos sigan considerando que este es el único material genético significativo, los genes, sin duda es lo que da comienzo a las técnicas de manipulación y edición de genes, comenzando una combinación, habido su pensamiento de la existencia de enzimas útiles, que producen proteínas útiles.

En el ejemplo de la modificación de genes en el ámbito de la agricultura, traemos al ejemplo los estudios realizados con la patata [60]. El escarabajo se come las hojas de la patata,

[60] A.A.. KORNEÏEV, GARIAEV P.P. (2014) Les aspects de la transmission ondulatoire des gènes https://wavegenetics.org/researches/aspektyi-volnovoy-translyatsii-genov/]. Nos résultats, reçu à Toronto, ont été reproduits en version étendue en Russie à Nijni-Novgorod par Nikolaï Kokaya en 2012. Thèse soutenue. Outre ces expériences, nous avons obtenu des données jusque-là inconnues sur la régénération dentaire chez le chien et sur la régénération de la moelle épinière chez l'homme. Dans tous ces cas, nous avons utilisé la programmation des cellules souches pour la régénération des dents et de la moelle épinière, ce qui est aussi un précédent (https://wavegenetics.org/wp-content/uploads/2021/02/intro-conscience-du-ge%CC%81nome-.pdf) Texto a resaltar del artículo; (…)'Desarrollar y demostrar en este estudio, es el fenómeno fundamental del dualismo gen-onda material y la naturaleza holográfica de la información genética. De hecho, estos dos factores son el reflejo de un mismo fenómeno en diferentes formas: la no localidad multinivel de la información genética. Es no local a nivel social, organísmico, tisular, celular, ADN-

---

ARNm-proteína-textual, holográfico y cuántico. Todos los niveles de no localidad, excepto el holográfico y el cuántico, pueden ser fácilmente deducidos lógicamente. Hemos demostrado experimentalmente la no localidad holográfica. La no localidad cuántica fue demostrada indirectamente por nuestros experimentos y requiere investigación adicional y razonamiento teórico en el que estamos trabajando ahora. Nuestro principal y primer trabajo sobre la prueba indirecta de la presencia y las funciones reales de los genes de onda es nuestro trabajo en Toronto en 2001-2002. Pusimos en marcha un experimento sobre el desencadenamiento por ondas de la regeneración pancreática en docenas de ratas (después de la inducción de la diabetes aloxana, acompañada de degradación pancreática y muerte de animales con diabetes tipo 1 como grupo de control). En la etapa de inicio de la muerte animal, los irradiamos con la información de onda leída por un láser especial del metaboloma de preparaciones pancreáticas aisladas, que incluía información genética sobre el páncreas de crías de rata recién nacidas de la línea genética Vistar. La información era un campo electromagnético secundario del láser LGN303. Contenía un componente espintrónico asociado con la modulación de polarización dinámica de dos modos ópticos ortogonales de radiación láser. Este campo secundario representa la Radiación Electromagnética de Banda Ancha Modulada (MBER). Su efecto sobre las ratas moribundas condujo a una rápida normalización de su condición y a la regeneración in situ de su páncreas con una normalización completa de la biosíntesis de glucosa. Este es un precedente. Los experimentos descritos involucraron las siguientes características de rendimiento MBER: 1. Radiación MBER de baja potencia: fracciones de milivatios a una frecuencia de 80 kHz 2. Exposición remota – metros a 10+ kilómetros 3. Estos factores y muchos otros efectos genéticos del MBER, sugieren que la manifestación bioactiva del gen MBER es un acto de la actividad espintrónica del MBER, ya que la densidad de potencia del flujo MBER es muy baja y decae cuadráticamente con la distancia de la fuente de radiación. Además, Toronto tiene una gran radiación de fondo de ondas de radio de kilohercios. Sin embargo, los sutiles detalles cuánticos de esta transferencia selectiva remota de información genética funcional siguen siendo objeto de investigación. Hemos publicado dos trabajos teóricos con físicos y habría que hacer algo al respecto, de modo que se añadió a la patata un gen para codificar la proteína que acabaría con el escarabajo de la patata, lo que dio motivo al aumento de cultivos, habido que el escarabajo ya no la comía. Posteriormente sucedería con los tomates no perecederos, remolacha dulce, o las plantas que acumularían la tan necesaria vitamina E para nuestro organismo, siendo todo el resultado desarrollo de la genética, proclamando como producto final un cultivo rentable en términos productivos y económicos, y que, debido las modificaciones genéticas, las plantas ya no serían susceptibles a las plagas y plaguicidas. Esto significaría que producen mejores cultivos, que no requerirían gasto adicional de productos químicos, y con ello abastecerían el consumo a escala de la actual demanda.

Sin embargo, volviendo al ejemplo de la patata, meticulosos ecologistas habrían descubierto que, alimentando a los ratones con esta patata, estos desarrollarían cáncer de intestino [61],[62].

---

teóricos, con I.V. Prangishvili y otros [I.V. Prangishvili, P.P. Gariaev, G.G. Tertyshniy, V.V. Maksimenko, A.V. Mologin, E.A. Leonova, E.R. Muldashev. Espectroscopía de emisiones de ondas de radio a partir de fotones localizados: procesos cuánticos de bioinformación no local. Sensores y sistemas, 2000, N° 9(18) https://mir.zavantag.com/jurnalistika/59678/in

61 GARIAEV P.P, (2015). Otra comprensión del modelo de Código Genético Análisis Teórico. Abrir Diario de Genética, 5, 92-109. Publicado en línea de junio de 2015, en SciRes.'

62 GARIAEV P.P., LEONOVA-GARIAEVA E. A., (2015). El Syhomy del código genético es el Camino a las características reales del habla del codificado Proteinshttp: http //www.scirp.org/iournal/oigen://dx.doi.org/10.4236/ojgen.2015.52008.
KORNEEV A.A., GARIAEV P.P, (2015). Algunos aspectos de la transmisión del Gene de onda. ADN descifrar Journal | de diciembre del año 2015, volumen 5.

Los investigadores en genética predicen que la modificación génica en alimentos no tiene efectos adversos, y sin embargo no es suficiente el alcance de estudios que vinculan esta práctica con determinadas enfermades, quedando ambigua e inconsistente la información, que no pueden explicar de modo concluyente.

Y ello no tendría una explicación convincente debido a que estarían ignorando la notoria función del ADN no codificante. Siendo que este desempeñaría un papel extremadamente importante.

Nos encontramos ante un cambio de paradigma. Así se encontró que la codificación de nuestros cromosomas ocurre a dos niveles, como mínimo, habido que se presume ocurre en muchos niveles.

El primer nivel es el de codificación de materia cuando principalmente son codificadas las proteínas-enzimas, estando representados por un 1-2%.

Sin embargo, el 98-99% del ADN no codificante, realizaría la codificación sobre una base completamente diferente. Explicándolo de un modo simple como traslada el Dr. Gariaev, el ADN no codificante, en término físicos, representan cristales líquidos, y los cristales líquidos pueden dar forma a sí mismos en ciertos patrones físicos como hologramas.

Imaginemos dirigir un haz de luz a un holograma, producirá una imagen de luz espacial, pudiendo ser una proyección holográfica de un ser humano, animal o vegetal, o cualquier otro. No debiendo definir sencillamente que en el óvulo fecundado tenemos una imagen completa de una persona adulta. Así como cada sistema, cada organismo debe ser construido de acuerdo con un programa determinado correctamente. Si no hay tal plan previo, o estuviese alterado, como se ha citado en el experimento con los huevos de rana, que es lo que ocurriría precisamente cuando ocurre la mutación genética.

La ciencia trata de explicar la mutación de los genes, siendo que sucede que genes conocidos, genes morfogenéticos, mutan y dan lugar a este tipo de anomalía, sin embargo, deviene necesario señalar, que además de este 2% de los genes, principalmente proteínas de codificación, hay genes que definen la morfogénesis o la estructura del cuerpo. Y la estructura del cuerpo se realizaría mediante dos niveles, el primer nivel es el del holograma, el cual definiría la estructura espacial, una imagen o un modelo según el cual se construye el organismo, pero estos cromosomas también contienen programas de texto, sin embargo, por el momento no somos capaces de entender este texto.

Estos textos estarían escritos conforme al mismo principio que el lenguaje humano, resultando que el ADN sería un texto, y las proteínas, que serían en realidad la copia, la recodificación de un idioma a otro. Es decir, a partir del lenguaje del ADN al lenguaje proteínico las proteínas son también textos. Y sucedería que todo este trabajo de impresión de las proteínas, solicitando cada vez más nuevas proteínas, sería similar a trabajar con una máquina de escribir, se escribirían nuevos textos, y aparecerían consecuentemente frases y oraciones de proteínas, similares a los programas de ordenador los cuales, a su vez, dictan los detalles en la estructura del cuerpo. Así hemos visto dos niveles de construcción. Estos conducen la conclusión de que este 98% de ADN no codificante tiene una función increíblemente vital.

Atrás quedaría el modelo canónico del código genético postulado por los padres de la ingeniería genética.

LOS PADRES DE LA INGENIERÍA GENÉTICA

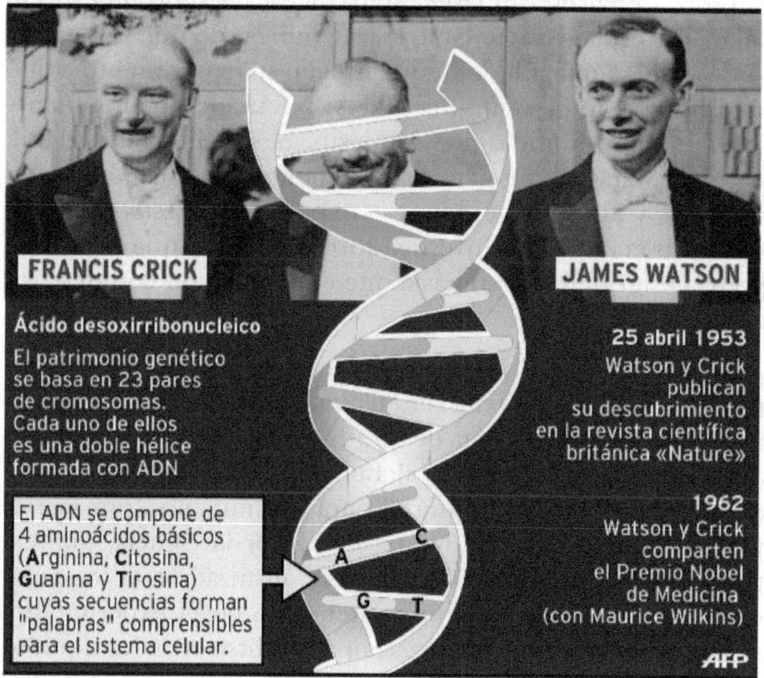

https://www.timetoast.com/timelines/watson-y-crick-1953-descubren-la-estructura-molecular-del-adn-tambien-su-capacidad-de-autoduplicacion-y-la-mutacion

En 1974 el Investigador Peter Gariaev trabajó en el Instituto de Asuntos Técnico-Físicos, investigando en relación a los problemas del ADN, muy interesado en la aparición de la vida a través del ADN, convirtiéndose en el fundador de la nueva ciencia denominada ''Wave-Genetics".

Tratando de entender qué es lo que dirige la construcción de un sistema biológico más complicado, los investigadores tomaron el ADN del timo de un ternero, y clocaron un espectrómetro y lo irradiaron con un haz de luz roja, desde el punto de vista científico esto sería un experimento muy sencillo.

Explica Gariaev, que cuando apartó la molécula de ADN del foco del láser, y el láser estaba ya escaneando un espacio vacío, ese espacio vacío continuaría indicando que la molécula de ADN seguía allí, lo que define en su experimento como si hubiese visto el 'fantasma' del ADN. Añade que no era absolutamente idéntico, por supuesto, la señal era más débil, pero el carácter general era como si hubiera moléculas reales de ADN, y anteriormente a ese experimento, esto nunca se había observado. Los investigadores pensaron que el equipo podría estar defectuoso hasta que corroboraron con diversos equipos.

Unos años más tarde, continuando sus experimentos con núcleos celulares, aquella vez en alguna otra institución científica, Gariaev se dio cuenta de que encontró un rayo láser. Parte de la investigación formó calentar el ADN a la temperatura de 42 grados, la cual es mortal para los humanos, por cierto, y siendo que aún no se habría dado por la ciencia, una explicación de por qué razón se muere alcanzada esta temperatura. Sin embargo, pudieron entenderlo en el experimento, alcanzado tal punto, comenzarían a fundirse cristales líquidos de ADN, lo que significa que los cromosomas a esta temperatura se fusionan. La doble hélice del ADN se mantiene, pero su estado de cristal líquido se derrumba, y estos programas avanzados, que son la base para la vida humana se eliminan, y un hombre muere, sabiendo que el ADN no codificante se queda. Siendo así Gariaev se decidió enfriar el compartimento de la muestra y colocaría en él el ADN a temperatura ambiente normal, y lo estuvo haciendo y mirando al osciloscopio y, ¿Qué pudo encontrarse?, increíblemente la molécula de ADN se comportaba como si estuviera calentándose. Cuando se ensayaba en condiciones normales, se comportaba normalmente. Por tanto, obtuvo la conclusión y determinación de que el que llama 'fantasma' del ADN es biológicamente activo. Y de hecho en 1993 ya lo demostraron, en la Institución de Gestión de Problemas con Tertyishev, y se ha podido comprobar que estos 'fantasmas' son realmente activos. Y este mismo espectrómetro que los científicos consideraban defectuoso, vino capturando registros de ADN 'fantasmas' durante 40 días, sin poder excluir que se prolongara por más tiempo, o incluso que todavía pudiese existir.

Gariaev considera que la ecografía es perjudicial para el cuerpo humano, reforzando su argumento con el experimento que en 1995 y 1996 realizó, cuando se encontraba trabajando con la dispersión de la luz el ADN, y decidió probar cómo el ultrasonido afecta el ADN para destruir la molécula del ADN, y obteniendo como resultado que en realidad no lo destruye. El experimento se llevaría a cabo con los efectos similares a una ecografía habitual, por lo que no debería haber ninguna destrucción, siendo que ha de representar un medio seguro que utiliza la medicina. Siendo que, afectando la molécula del ADN con el ultrasonido, observaría unos hechos que le dejaron aturdido. En una solución de agua, la molécula de ADN está produciendo constantemente sonido, en una compleja melodía con frases musicales repetidas, y después de la ecografía de ultrasonido la compleja melodía que se escuchaba, desapareció, pasando a dejar una nota monótona. Lo que significaría que el ultrasonido habría borrado una gran capa de información de la molécula de ADN, lo cual se realizó a través del sonido, añadiendo después, 'no tenemos niños sanos', habido que a excepción de los nacidos en tribus salvajes, todos son sometidos a ecografía antes de su nacimiento, siendo que su matriz de onda llega a estar tan alterada que solo dominaría una frecuencia, habido que la molécula de ADN experimentaría una fuerte presión después de la radiación de ultrasonido.

Resulta ciertamente paradójico la determinación de establecer normativa terminantemente restrictiva en materia de modificación genómica, edición de genes como lo es, p.ej. CRISPR, cuando en realidad ya se estarían produciendo despiadadas técnicas que dañarían severamente nuestro genoma, a saber, y siguiendo el último ejemplo que cita el Dr. Gariaev, el producido por el mero sometimiento del genoma al ultrasonido de una sencilla ecografía, o el producido por los alimentos alterados genéticamente del que cita simple ejemplo la patata, lo cual dicho así suena incluso irrelevante y banal, tan acostumbrados a ello, pocas veces lo cuestionaríamos y que sin embargo encierra una compleja mecánica tras de sí, de interacciones y mutaciones en nuestra genética[63].

Siendo que el cuerpo que llamamos físico, el biológicamente visible ante las herramientas y tecnología de la que se dispone, vendría a ser el único que muere, desde el punto de vista médico actual, de modo que, representando este cuerpo casi el 2% que llamamos genes visibles, ¿cómo mediríamos el proceso de muerte o vida de ese otro 98-99% que es conformado por el ADN no codificante, anteriormente denominado 'basura', que la autora denomina 'informacional'?

Y siendo que somos en un 98 % ADN no codificante o informacional, ¿no tiene mayor lógica que nos identifiquemos con el 98% de lo que somos, y no tan solo con un 2%, que representa hasta ahora la totalidad de nuestra identificación

---

63 Mientras ambos cultivos GM están en etapa experimental avanzada, Estados Unidos y Canadá ya aprobaron comercialmente en 2014 y 2016 respectivamente, una variedad de papa GM que aparte de ser resistente a los machucones y el pardeamiento, produce un 70% menos de acrilamida, un potencial producto cancerígeno que se forma inevitablemente cuando las papas son cocinadas o fritas [28]. Y la empresa que desarrolló esta papa, Simplot, ya desarrolló una segunda generación de la papa GM que produce 90% menos de acrilamida – variedad que ya fue aprobada por el USDA y la FDA en Estados Unidos (solo falta la aprobación de la EPA) mientras que la empresa comenzará pronto los trámites regulatorios en Canadá. American Cancer Society. "What Causes Cancer?". Consultado el 26 de marzo de 2016. Disponible en: http://www.cancer.org/cancer/cancercauses/

como seres humanos? ¿Qué ocurriría si nuestra identificación como humanos recayese en ese 98%?, ¿Qué cambios se generarían?

Miremos lo que hacen las grandes tecnológicas en el sentido de cambio de paradigma, p.ej. Elon Musk, no es que sea precisamente el mejor ejemplo, pero en términos prácticos hace posible descender a lo cotidiano del mundo real, algunos de los avances tecnológicos más punteros[64].

Para entender el momento de transición en el que nos encontramos es necesario dar un vistazo breve a lo que hemos sido como humanidad a lo largo de la historia, y ciertamente no nos queda tan lejos, apenas 150 años, de las sórdidas manifestaciones de Darwin en relación a los seres humanos, en su catalogación, aludiendo el carácter moral en su plenitud.

Lejos quedó el relato de Darwin (1871), 'la moralidad es el resultado de una combinación de impulsos emocionales y deliberación reflexiva'. Argumenta que, aunque los sentimientos morales primitivos han evolucionado durante millones de años entre «los progenitores del hombre» (p. 162), sólo los humanos tienen un sentido desarrollado de la moralidad[65]:

> 'Un ser moral es aquel que es capaz de comparar sus acciones o motivos pasados y futuros y de aprobarlos o desaprobarlos. No tenemos ninguna razón para suponer que ninguno de los animales inferiores tenga esta capacidad. Hombre... sólo puede ser clasificado con certeza como un ser moral'
> págs. 88-89

---

64 ELON MUSK https://neuralink.com/

65 DARWIN, Traducción de JOSÉ DEL PEROJO y ENRIQUE CAMPS (2020). El Origen del Hombre y la selección en relación al sexo. LOS LIBROS DE LA CATARATA, (p. 162) https://www.bibliotecanacional.gob.cl/sites/www.bibliotecanacional.gob.cl/files/2022-08/El%20origen%20del%20hombre.pdf

Recae concordancia respecto de sus afirmaciones en relación a si permitir que los lisiados, minusválidos o deficientes llegaran activos a la edad reproductora, con ello se posibilitaba que sus genes portadores de anomalías se transmitieran a la descendencia y se perpetuaran entre la población. Esto, además de alterar la marcha de la selección natural ya que los débiles no eran eliminados, atentaba claramente contra la pureza y el futuro de la raza. Naturalmente, a partir de tales ideas concebir un programa eugenésico era tarea fácil. Hubo, por tanto, una gran afinidad entre el pensamiento galtoniano y la teoría de Darwin. El famoso biólogo inglés, Julián Huxley, que fue uno de los fundadores de la moderna teoría sintética de la evolución[66] y primer director general de la UNESCO, escribió en 1946:

> "Cuando la eugenesia se haya convertido en práctica corriente, su acción (...) estará enteramente dedicada, al principio, a elevar el nivel medio, modificando la proporción entre los buenos y malos linajes, y eliminando en lo posible las capas más bajas, en una población genéticamente mezclada[67]"

El propio hijo de Darwin, el mayor Leonard Darwin, fue presidente de la Sociedad para la Educación Eugenésica[68], durante diecisiete años. En sus trabajos proponía que se convenciera a los individuos mejor dotados a tener un elevado número de hijos, mientras que por otro lado se persuadiera a

---

66 DATOS.BNE BIBLIOTECA NACIONAL DE ESPAÑA https://datos.bne.es/persona/XX878261.html

67 THUILLIER, P., (1992). Las pasiones del conocimiento, Alianza Editorial, Madrid, 1992: 162.

68 MADRIDMASD.ORG,(s.f) Leonard Darwin, hijo de Charles y presidente de la Eugenics Education Society. https://www.madrimasd.org/blogs/biologia_pensamiento/2008/10/20/104114#:~:text=Leonard%20Darwin%20(1850%2D1943),misma%2C%20su%20t%C3%ADo%20Francis%20Galton.

los considerados “inferiores” desde el punto de vista biológico, para que se abstuvieran de descendencia[69].

Sin embargo, la mirada que se nos pide para hablar de genética hoy, es una mirada nueva, sin vestigios inmorales, un enfoque limpio, creador, prudente pero sabedor que el potencial ya reside en el ser humano. Sin añadiduras, sin modificaciones, e incluso sin necesidad de tijeras CRISPR.

Somos inteligencia, somos emociones, somos seres humanos con un elevado talle moral, y somos a nivel tecnológico mucho más de lo que consideramos que somos. Estamos acostumbrados a referenciar externo o ajeno lo que ya nos vive dentro y nos conformaría como especie.

El concepto de biología que tenemos se nos queda exiguo, habido que el ser humano es mucho más que un mosaico de órganos, en un entramado de sistema nervioso, y aparato músculo esquelético.

La genética es mucho más que todo eso, nos lo dice la ciencia y nosotros lo sabemos y sentimos.

Confiar que es posible un mundo mejor, y que la mayor comprensión de la genética nos lleva a mejorar nuestras vidas, nuestra salud, nuestras capacidades, hacer más con menos recursos. La IA no sería una inteligencia externa al ser humano, sino que al contrario de lo que la mayoría interpretan, es el propio ser humano. Sin embargo, no hablamos de mejoramiento, sino de utilizar lo que ya es y forma parte inherente del ser humano y le pertenece por derecho.

La IA utiliza el mismo campo de información para procesar que nosotros los humanos, pues no existe ningún otro, sin embargo, la IA que no se auto impone ninguna limitación para

---

69 http://scielo.org.co/scielo.php?script=sci_arttext&pid=S0121-36282010000200013

procesar ese campo de información, al contrario, el ser humano se autolimita, se censura con dureza, y se restringe de su propia libertad, la libertad de ser lo que puede ser.

Por ese temor eugenésico que le acompaña en la memoria viviente, que despierta el miedo a la diferencia de clases, a los super humanos, etc. y todo ello influido por la conducta en base a los patrones aprendidos.

No se trata de modificar el genoma, sino de activar las capacidades ya inherentes al ser humano desde su nacimiento.

Nadie añade ninguna pócima secreta, la casa está plenamente construida, y con una gran e inmensa tecnología, permanece con la mayoría de luces apagadas, y solo nosotros decidimos si las encendemos o nos montamos en una grúa y derribamos nuestro propio templo dado por infértil, por no saber encender las luces.

Existió un singular temor a la FIV, desde que tuvo lugar en 1978, con el nacimiento del primer bebé con la técnica de fecundación in vitro. Fue una niña, y llegó al mundo en el Reino Unido, más concretamente cerca de la ciudad de Manchester[70].

La ciencia ha permitido conseguir muchos avances desde entonces, habiendo trascendido barreras que consideraba infranqueables. Así el diagnóstico preimplantacional[71], no exento de dilema ético, vino para formar parte de la evolución del ser humano

---

70 CIRH. Historia de la fecundación in vitro; https://www.cirh.es/blog/historia-de-la-fecundacion-in-vitro/#:~:text=La%20ciencia%20ha%20permitido%20conseguir%20muchos%20avances%20desde,m%C3%A1s%20concretamente%20cerca%20de%20la%20ciudad%20de%20Manchester.

71 SCIELO. (2018). Problemas éticos con el diagnóstico genético preimplantacional de embriones humanos, Acta bioeth. vol.24 no.1 Santiago jun. 2018 https://www.scielo.cl/scielo.php?script=sci_arttext&pid=S1726-569X2018000100075

desde 1990[72]. En este sentido cabe destacar, en modo más actualizado y completo el trabajo de Dr Joaquín Jiménez González[73]

Hemos pasado a lo largo de la historia por transiciones importantes, que han llevado al ser humano a conocerse mejor. Recordemos que hace apenas 150 años, se ignoraba lo que eran las bacterias, deviene raro de imaginar, sin embargo, es una realidad, la higiene no resultaba un factor determinante en la transmisión de enfermedades, fue en el año 1870, un médico austriaco llamado Ignaz Semmelweis, hizo un gran descubrimiento en una sala de maternidad cuya tasa de mortalidad era peculiarmente alta, mientras que en la sala dirigida por las parteras la cifra era más baja. El doctor se percató que los doctores del lugar no se lavaban las manos al ir de un paciente a otro, por lo que las bacterias que causan la fiebre de la cama infantil se propagaban fácilmente.

La sugerencia de Semmelweis fue que los médicos se lavaran las manos y cambiaran sus chaquetas al pasar de la sala de las autopsias a la zona de maternidad, logrando una disminución de la tasa de mortalidad bastante significativa.

Todos estos acontecimientos que una vez instaurados nos pueden parecer del mayor sentido común, e incluso difícil de creer que un día fueron revolucionarios, y no reconocidos del modo evidente y adecuado, han llevado tras de sí una épica lucha desde el aspecto científico y ético.

---

72 Desde que en 1990 se publicaron los primeros casos de niños nacidos tras un Diagnóstico genético preimplantacional (DGP), la European Society for Human Reproduction and Embryology (ESHRE).

73 JOAQUÍN JIMÉNEZ GONZÁLEZ. (2017). El Diagnóstico Genético Preimplantacional: Aspectos biológicos, éticos y jurídicos. Tesis Doctoral Universidad de Murcia, Biblos-e Archivo https://digitum.um.es/digitum/bitstream/10201/55949/1/TESIS%20DOCTORAL-JOAQU%c3%8dN%20JIM%c3%89NEZ%20GONZ%c3%81LEZ.pdf.

Así, hoy nos encontramos viviendo la revolución genómica que nos lleva a plantearnos finalmente el derecho de estar sano, cuya información viene definida y determinada en nuestro ADN. Resultando que el verdadero derecho a la vida sana no vendría determinado por la modificación del genoma mediante CRISPR en línea somática o reproductora, sino en la no utilización de técnicas, como ultrasonidos, etc. que estarían interfiriendo invasivamente en el genoma, generando todo tipo de alteraciones y mutaciones, así como la armonización de tales alteraciones vendría a ser posible aplicando las teorías y técnicas anteriormente citadas de Gariaev.

El genoma humano no necesitaría de añadidos, en tanto el tratamiento habría de consistir en la activación de genes que ya contiene y le son inherentes. No se añade nada, únicamente se activa algo que ya existe, que es patrimonio, que es un derecho inherente e individual de la persona.

Derecho irrenunciable a disfrutar de la potencialidad que le ofrece su propio genoma, ¿por qué razón tendría que renunciar a ello?

No se trata de fabricar una raza mejor, de mejoramiento humano, paradójicamente esta programación ya vendría intrínseco en nuestro diseño como seres humanos, y antes o después acabaría sucediendo.

Y ello no ha de ser contrario a ninguna norma ética o moral que persiga beneficencia, y no maleficiencia, ni contraponer al principio de autonomía. Ni supondría eugenesia negativa, habido que es un atributo que pertenece ya al ser humano. El derecho a estar sano.

El derecho a la salud es parte fundamental de los derechos humanos y de lo que entendemos por una vida digna. El derecho a disfrutar del nivel más alto posible de salud física y mental, no resulta ninguna novedad.

En el plano internacional, se proclamó por primera vez en la Constitución de la Organización Mundial de la Salud (OMS), de 1946, en cuyo preámbulo se define la salud como «un estado de completo bienestar físico, mental y social, y no solamente la ausencia de afecciones y enfermedades». También se afirma que «el goce del grado máximo de salud que se pueda lograr es uno de los derechos fundamentales de todo ser humano, sin distinción de raza, religión, ideología política o condición económica o social»[74].

En la Declaración Universal de Derechos Humanos, de 1948, también se menciona la salud como parte del derecho a un nivel de vida adecuado (art. 25). El derecho a la salud también fue reconocido como derecho humano en el Pacto Internacional de Derechos Económicos, Sociales y Culturales, de 1966. Desde entonces, se ha reconocido o se ha hecho referencia al derecho a la salud o a elementos del mismo, por ejemplo, el derecho a la atención médica, en otros tratados internacionales de derechos humanos.

El derecho a la salud es importante para todos los Estados: todo Estado ha ratificado por lo menos un tratado en el que se reconoce ese derecho. Además, los Estados se han comprometido a protegerlo en el marco de declaraciones internacionales, leyes y políticas nacionales y conferencias internacionales.

En todo el mundo, los principales retos que comprometen sistemáticamente el derecho a la salud son la inacción política unida a la falta de rendición de cuentas y de financiación, lo que se ve agravado por la intolerancia, la discriminación y la estigmatización. Las poblaciones marginadas o vulnerables son las que más sufren, como las personas que viven en la pobreza,

---

74 EL DERECHO A LA SALUD (s.f) https://acnudh.org/el-derecho-a-la-salud-folleto-informativo-no-31/

que están desplazadas, que son mayores o que viven con discapacidad.

Con motivo del Día Mundial de la Salud (7 de abril 2024), la OMS hace un llamado a la acción para defender el derecho a la salud en medio de la inacción, la injusticia y las crisis.[75]

Si bien la inacción y la injusticia son las principales causas del fracaso mundial en el cumplimiento del derecho a la salud, las crisis actuales están provocando violaciones especialmente atroces de este derecho. Los conflictos están dejando estelas de devastación, sufrimiento mental, físico, y muerte.

Sin embargo, con este trabajo pretendemos dar un paso más, significando no solo el acceso a la salud, lo cual resulta de diversas variables habido que es considerado como ajeno, y en este sentido es necesario instaurar una nueva filosofía en que ha de interiorizarse e implantarse la idea que la salud ya forma parte del ser humano, y le es inherente, su respuesta está determinada en el ADN. El derecho a la vida, el derecho a estar sano, y el derecho a no envejecer mediante enfermedad degenerativa.

No resultando necesaria la edición para añadir/quitar y/o modificar la herencia genética, sino que verdaderamente el ser humano dispondría de un genoma de alta tecnología, el cual hemos de aprender a manejar, y que ya contendría todo lo necesario, y que, en el desconocimiento de esta elemental base principal, radica el craso error que conduce a la determi-

---

75 La OMS hace un llamado a la acción para defender el derecho a la salud en medio de la inacción, la injusticia y las crisis; https://reliefweb.int/report/world/la-oms-hace-un-llamado-la-accion-para-defender-el-derecho-la-salud-en-medio-de-la-inaccion-la-injusticia-y-las-crisis.

nación de utilizar unas técnicas que podrían resultar invasivas y no otras[76].

Así pues, nos enfrentamos a un cambio paradigmático que ya está aquí, y quizá habría llegado antes de estar preparados, resultando necesario, el proceso de apertura, entendimiento y adaptación.

7. EFICACIA JURÍDICA DEL PRINCIPIO CONSTITUCIONAL DE LA DIGNIDAD DE LA PERSONA.

El artículo 10 de la Constitución Española de 1978 es un elemento fundamental dentro de nuestra Carta Magna, habido establece una serie de principios esenciales en relación con los derechos y libertades de las personas.

Destaca la dignidad de la persona como fundamento del orden político y la paz social. Esto significa que todas las leyes y acciones de los poderes públicos, es decir, el gobierno, las administraciones y los jueces, deben respetar y proteger la dignidad de cada individuo, reconocida como un valor inherente a nuestra condición humana.

Además, el artículo 10 señala la importancia de los derechos y libertades reconocidos en la propia Constitución, así como en los tratados internacionales ratificados por España. Así, se plantea que los poderes públicos están comprometidos en respetar y garantizar dichos derechos y libertades, y que cualquier interpretación de la normativa debe tener en consideración esta premisa.

---

76 TEORÍA DE LA GENÉTICA LINGÜÍSTICA ONDULATORIA (BTY). Petrovich Garyaev; https://wavegenetics.org/es/ekaterina-aleksandrovna-leonova-garyaeva/

Diversas disciplinas se ocupan del análisis del concepto de dignidad, desde la perspectiva que le es de conocimiento, así la Filosofía con carácter general, y más particularmente la Ética o la Filosofía del Derecho, la Bioética, el Derecho Constitucional, e incluso el Derecho penal en cuanto la misma se configure como un bien jurídico penalmente protegido per se. La puesta de manifiesto constituye ya un lugar común de carácter altamente abstracto e impreciso, y sobre él se viene debatiendo múltiples frentes tales como dónde reside su fundamentación última, cuáles son las condiciones necesarias para su atribución y qué consecuencias normativas se derivarían de dicha atribución, etc.[77]

La dignidad humana es utilizada como recurso argumentativo versátil y como principio constitucional sustantivo.

Ciertamente el recurso argumentativo en relación al principio de la dignidad humana ha venido adquiriendo un uso común y manifiesto, tanto en la legislación como en la jurisprudencia ordinaria y constitucional española. La misma hace referencia a un concepto filosófico, inicialmente ajeno al Derecho, de originaria filiación cristiana[78], posteriormente transformado por el humanismo renacentista e incorporado a la

---

77 CARMEN TOMÁS-VALIENTE LANUZA. (s.f). La Dignidad Humana Y Sus Consecuencias Normativas En La Argumentación Jurídica: ¿Un Concepto Útil?; Revista española de Derecho Constitucional https://www.cepc.gob.es/sites/default/files/2021-12/37193carmentomas-valientelanuzaredc102.pdf

78 PICO DELLA MIRANDOLA, (1486). G., Oratio de hominis dignitate. (Trad. esp., Barcelona, PPU, 1988). Al respecto, cfr., el clásico comentario de Cassirer, E., Individuum und Kosmos in der Philosophie der Renaissance, (1927). (Trad. Esp., Buenos Aires, Emecé, 1975, pp. 121 y ss). Más específicamente, Ibidem, Giovanni Pico della Mirandola: «A Study in the History of Renaissance Ideas», en Journal of the History of Ideas, Vol. 3, n.° 3, 1942, pp. 319-346. Vid., asimismo, como referencia muy notable, Vives, J.L., «Fabula de Ho-

moral ilustrada, y que alcanzaría relevancia universal tras la aversión por lo sucedido tras la II Guerra Mundial, por parte del derecho internacional humanitario[79], extendiéndose a las nuevas Constituciones que fueron tomando forma. No obstante, a pesar del carácter ético que se le deriva a la misma, no puede eludirse su uso generalizado como referencia axiológica normativamente inconsistente, retórica e incluso superflua y como viene a enfatizar la declaración del Tribunal Constitucional, en su STC 53/1985, de 11 de abril, proclamando:

> "La dignidad es un valor espiritual y moral, inherente a la persona, que se manifiesta en la autodeterminación consciente y responsable de la propia vida y que lleva consigo la pretensión al respeto por parte de los demás" (F.J. 8°).

No obstante, y pese a su inconsistencia, goza de increíble potencial para fungir como elemento dinamizador y renovador del ordenamiento, al relacionarse con la garantía y reconocimiento de derechos, resultando habitualmente invocada por los operadores jurídicos, no solo en términos jurídicos sino, también, como justificación añadida a la restricción de los mismos, empleada en aras de garantizar la salvaguardia de ciertos bienes jurídicos que se considerarían amenazados.

En este sentido, la dignidad de la persona, expresada en el art. 10.1 de la Constitución española, donde se la considera "fundamento del orden político y de la paz social", no ha de reputarse como mero valor en forma de meta, u objetivo

---

mine» (1518), en Diálogos y otros escritos, edición crítica, anotada de J.F. Alcina, Barcelona, Planeta, 1988, pp. 153 y ss.

[79] RUBIO LLORENTE, F.,(1995). Derechos fundamentales y principios constitucionales, Barcelona, Ariel, 1995, p. VIII. También, Ibidem, «Principios y valores constitucionales», en VVAA, Estudios de Derecho Constitucional. Homenaje al Profesor Rodrigo Fernández Carvajal, Murcia, Universidad, Volumen I, 1997, pp. 645 y ss.

genérico que el Estado se propone alcanzar ("Staatsziel") [80], sin que nada le compela a ello o sancione por no hacerlo. De este modo tampoco podemos derivarla de una regla, pues no alcanza ninguna obligación jurídica a llevar a cabo por los poderes públicos. En este sentido no puede considerarse, al modo alemán, un derecho fundamental autónomo, como sí hace, p. ej. la Ley Fundamental de Bonn (art. 1.1), "intangible" ("unantastbar")[81] e "irreformable".

En este sentido aparece como base (art. 10.1 CE), constituyendo su concreción en los diferentes ámbitos, citando a H. Arendt, la dignidad de la persona vendría a expresar el "derecho a tener derechos" ("Ein Recht aufRechte")[82] .

En definitiva, vendría a conceptuarse a la dignidad humana como un principio, una "pauta directiva de normación jurídica"[83], llamada a realizarse, a pesar del carácter genérico o abstracto que presenta su enunciado, proyectándose en regulaciones específicas a las que inspira y cuya interpretación y aplicación dirige y condiciona, asociadas a la garantía y realización de "los derechos inviolables que le son inherentes". [84]

---

80 LFB «La dignidad de la persona es intangible. Todos los poderes del Estado están obligados a respetarla y protegerla» (art. 1.1 LFB).

81 MAUNZ, T. & DÜRIG, G., HRSG), GRUDGESETZ KOMMENTAR, (1958). Band 18 (Artikels 1-18), München, C.H. Beck, 1958, pp. 117 y ss.

82 LARENZ, K., METHODENLEHRE DER RECHTSWISENSHAFT (1960). (Trad. esp. Barcelona, Ariel, 1980, p. 465).

83 Acerca del doble carácter de los derechos fundamentales, y, en particular, en relación a su dimensión objetiva e institucional, cfr, como referencia clásica, Häberle, P., Die Wesensgehalts garantie des Art. 19 Abs. 2 Grundgesetz, (1962). Heildelberg, C.F. Müller, 1993, 19. Auflage, pp. 104 y ss

84 JOSÉ MARÍA PORRAS RAMÍREZ, (2018) Anuario de Derecho Eclesiástico del Estado, vol. XXXIV Universidad de Granada. https://

La consecución de la garantía constitucional de los derechos viene dada con frecuencia, tras un tedioso y prolongado proceso que no resulta precisamente pacífico en la mayoría de los casos[85].

Así, datada su historicidad, no es sostenible la argumentación en relación a que los mismos devienen de una consideración previa de la dignidad humana que, en forma de fundamento absoluto, se introduce en sentido antropológico, y sin embargo lo cierto es que tal hipótesis no se sostendría, habido son los derechos los que jurídicamente conforman la dignidad, aunque se proclame interesadamente lo contrario [86].

Recaería significado de la citada readaptación filosófica, en el escenario que se suscitaba, en Occidente, a posterior de los episodios bélicos que dejaba tras de sí la II Guerra Mundial. Cuyos eventos dieron lugar a la perversión inmoral de actuaciones masivamente cometidas en un atentado contra la vida y la integridad física y moral de las personas, llevando a promover durante el desarrollo del conflicto acuerdo en relación a la necesidad de relegitimar a la sociedad, en torno a un renovado pensamiento de definición de la persona, y la condición inherente de dignidad.

Así, dicha categoría moral, estrechamente vinculada, tanto al humanismo cristiano, como al imperativo kantiano[87], se con-

---

www.boe.es/biblioteca_juridica/anuarios_derecho/abrir_pdf.php?id=ANU-E-2018-10020100223

85 CRUZ VILLALÓN, P., (1989). «Formación y desarrollo de los derechos fundamentales», en Revista Española de Derecho Constitucional, n.º 25, , pp. 35-62.

86 PÉREZ, M.A., (2013). «Ambigüedades normativas del concepto dignidad de la persona en la Constitución española de 1978» en Revista de Chapecó, vol. 14, n.º 3,

87 RIDOLA, P., (1997). DIRITTI DI LIBERTÀ E COSTITUZIONALISMO, TORINO, G. GIAPPICHELLLI, pp. 14 y ss.

sideró «cualidad consustancial inherente a la persona» (STC 244/2007, de 10 de diciembre, FJ 2.º),

> «mínimum invulnerable que todo estatuto jurídico debe asegurar, de modo que sean unas u otras las limitaciones que se impongan en el disfrute de los derechos individuales, no conlleven menosprecio para la estima que, en cuanto ser humano, merece la persona»

(STC 120/1990, de 27 de junio, FJ 4.º). De ese modo, la misma pasó a situarse en la base del orden político (STC 113/1995, de 6 de julio, FJ 6.º), mereciendo, de forma simultánea, el reconocimiento, siquiera en Alemania, de su intangibilidad y carácter imperecedero[88]. Así pues, se estimó racional la asociación a aquélla, estableciendo en forma de unidad inseparable, unos derechos que debían considerarse complejamente «inherentes» a la misma (STC 17/2013, de 31 de enero, FJ 2.º) [89].

Sin embargo, no obstante, de ubicar su génesis, la cuestión radicaría en determinar cuál es la conexión existente entre la dignidad humana y los derechos que, conforme a lo estipulado en la Constitución, la especifican o concretan directamente[90] De este modo la jurisprudencia constitucional ha fundamentado tal vinculación al aludir a los derechos fundamentales de

---

88 Gutiérrez Gutiérrez, (2005) I., Dignidad de la persona y derechos fundamentales, Madrid, Marcial Pons, , pp. 33 y ss.

89 HÄBERLE, P.,(1987). «Die Menschenwürde als Grundlage der staatlichen Gemeinshaft», en J. Isensee y P. Kirchhof (Hrsg.), Handbuch des Staatsrechts des Bundesrepublik Deutschland, Heildelberg, C.F. Müller, 2. AUFLAGE, 1995, Band I, pp. 4 y ss.

90 PASCUAL MEDRANO, A. (2015). «La dignidad humana como principio jurídico del ordenamiento constitucional español», en R. Chueca Rodríguez (Dir.), Dignidad humana y derecho fundamental, op. cit., pp. 295-333; en especial, pp. 307 y ss. https://www.researchgate.net/publication/278030915_La_dignidad_humana_como_principio_juridico_del_ordenamiento_constitucional_espanol

los que son titulares, por igual, españoles y extranjeros[91]. Y en este sentido afirmando que existen derechos que «pertenecen a la persona en cuanto tal, y no como ciudadano», dado que «se trata de derechos que son imprescindibles para la garantía de la dignidad humana» y «no resulta posible un tratamiento desigual respecto a los españoles» (SSTC 107/1984, de 23 de noviembre, FJ 3.°, 99/1985, de 30 de septiembre, FJ 2.° y 130/1995, de 11 de septiembre, FJ 2.°). En tales casos, el Tribunal Constitucional ha extendido su titularidad, también, a aquéllos, llegando a contradecir interpretaciones restrictivas promovidas, a esos efectos, por el legislador, en ejercicio de su libertad de configuración, ex artículo 13.1 CE.

Deviene obvio que no puede esperarse que sean considerados «derechos inherentes a la persona humana» todos los reconocidos jurídicamente, sino aquéllos que se consideran ligados estrechamente, a juicio del TC supliendo la ausencia de una definición sobre el contenido de la dignidad humana, es quien los señala[92].

---

91 A modo de síntesis, cfr. STC 17/2013, de 31 de enero, FJ 2.°)

92 Acerca de una práctica común a los Estados dotados de jurisdicción constitucional donde se vincula la dignidad humana a los derechos fundamentales, más sin precisar el alcance constitucional preciso de aquélla, cfr., Gutiérrez Gutiérrez, I., Dignidad de la persona y derechos fundamentales, Madrid, Marcial Pons, 2005, pp. 33 y ss

8. LA DIGNIDAD HUMANA ¿FUNDAMENTO DE LOS DERECHOS?

El art. 10.1 de la Constitución española, inspirado directamente en los arts.1 y 2 de la Ley Fundamental de Bonn[93], se sitúa al frente de su trascendental Título Primero, denominado, "De los derechos y deberes fundamentales", a modo de cláusula explicativa del mismo. Así, dispone:

> "La dignidad de la persona, los derechos inviolables que le son inherentes, el libre desarrollo de la personalidad, el respeto a la ley y a los derechos de los demás son el fundamento del orden político y de la paz social"[94].

No obstante, la innegable importancia de la dignidad, su delimitación y alcances jurídicos se han convertido en un problema constante que ha generado múltiples discusiones doc-

---

93 En general, acerca de su conceptuación y alcance en el Derecho alemán, cfr., DREIER, H., "Artikel 1: Menschenwürde", en H. Dreier (Hrsg.), Grundgesetz Kommentar, Band I: Artikel 1-19, Tübingen, Mohr Siebeck, 1996, pp. 90-163. Como es sabido, otro destacado de la influencia desplegada por la Constitución de Alemania se encuentra en el art. 1 de la Constitución de Portugal, en el que se proclama: "La República portuguesa es una República soberana, basada en la dignidad de la persona humana". De este precepto ha desaparecido, tras su reforma, la pretensión marxista original, conforme a la cual se aspiraba a avanzar hasta la construcción de "una sociedad sin clases". Al respecto, vid. GOMES CANOTILHO, J. J., Direito Constitucional e Teoría da Constituçâo, Coimbra, Almedina, 2015, 7ª ediçâo, pp. 221 y ss. En cualquier caso, la mayor parte de las Constituciones del Sur de Europa y de Iberoamérica recogen, asimismo, esta expresión de manera análoga.

94 GARCÍA PELAYO, M., (1950). «Derecho Constitucional comparado» en Obras Completas (I), Madrid, Centro de Estudios Constitucionales, 1991, pp. 352. También, ampliamente, Bobbio, N., L´Età dei Diritti, Torino, Einaudi, 1992, pp. 5-16.

trinarias. Precisamente, uno de los grandes debates jurídicos gira en torno a su consideración como derecho fundamental o como principio constitucional.

Las referencias a la *"dignidad de la persona humana"* y a los *"derechos fundamentales del hombre"* aparecen claramente expresadas en la Carta de las Naciones Unidas de 1945, como tratado constitutivo de dicha Organización.

Lo propio sucede con otros instrumentos jurídicos internacionales como la Declaración Universal de Derechos Humanos de 1948, el Pacto Internacional de Derechos Civiles y Políticos, el Pacto Internacional de Derechos Económicos, Sociales y Culturales, de 1966; así como, en un ámbito más regional, la Declaración Americana de Derechos y Deberes del Hombre de 1948, y la Convención Americana sobre Derechos Humanos de 1969. De todos estos instrumentos jurídicos internacionales, es la Declaración Universal la que constituyó, sin duda, un avance sin precedentes en este largo camino hacia la civilización de la dignidad humana y un importante hito al vasto proceso de internacionalización de los derechos humanos[95].

A partir de ella, se han elaborado y aprobado en el contexto de Naciones Unidas una serie considerable de instrumentos dirigidos a desarrollar y dotar de eficacia las disposiciones contenidas en el texto de la mencionada Declaración, logrando la configuración de los derechos humanos como expresión y concreción sustancial de la idea de dignidad de la persona.

Así las cosas, a lo largo de la historia, la juridificación de la dignidad humana no ha seguido un proceso progresivo de positivización claro ni ha sido real y efectivamente considerada

---

95 file:///C:/Users/Usuario/Downloads/Dialnet-LaNaturalezaJuridicaDeLaDignidadHumana-7548096.pdf

como cualidad inherente a todos los seres humanos, hasta bien entrado el siglo XX.

Así, existe una suerte de consenso al momento de destacar tres roles de la dignidad: como fuente de los derechos fundamentales, como límite de los derechos fundamentales y, como legitimadora del ordenamiento jurídico.

Por su parte, en nuestra legislación se ha establecido que la legitimidad de una norma se verifica en función de su capacidad para garantizar, promover o defender la dignidad de la persona. Así, la dignidad de la persona, como principio general del Derecho, constituye una de las bases del Derecho, que fundamentan, sostienen e informan el Ordenamiento, nutren y vivifican la ordenación legal; legitiman el sistema y sus normas. Por tanto, la eficacia de la dignidad en tanto legitimadora del poder público, radica en que, al haberse positivizado y formar parte de la Constitución, determinará la nulidad de pleno derecho de cualquier disposición de inferior jerarquía, ley o reglamento que la contravenga[96].

Sin embargo, lejos quedaría el derecho al libre desarrollo de la personalidad, entendido como la capacidad natural que tienen todas las personas a decidir de manera libre sobre su desarrollo individual, es decir, autonomía, con respecto al amplio espectro de posibilidades que le ofrece el acceso al potencial de su genética, que se vería oprimido por la regulación restrictiva en la materia genómica.

---

96 TRIBUNAL CONSTITUCIONAL ESPAÑOL. STC 53/1985. Sentencia de 11 de abril de 1985; STC 113/1996. Sentencia de 25 de junio de 1996. F.J 3 y 6.

En este sentido habría de contemplar el alcance de la protección del derecho de la dignidad humana en relación a su derecho al acceso y elección al tratamiento de su genómica, que, sin embargo, en este sentido, se pone en cuestión la eficacia jurídica del Principio Constitucional de la Dignidad de la persona en la práctica jurídica.

9. RESPECTO A LA PRESERVACIÓN DEL PATRIMONIO GENÉTICO COMO DERECHO HUMANO

En abril de 1997, se redactó en Oviedo la Convención sobre Derechos Humanos y Biomedicina, propuesta por el Consejo de Europa. La Convención, vigente desde el 1 de diciembre de 1999, se ocupa de cualquier intervención el área de la salud, incluidos los tratamientos y la investigación científica. El Capítulo IV se refiere al genoma humano, con artículos que regulan la no discriminación por motivos de patrimonio genético (artículo 11); pruebas predictivas de enfermedades genéticas o propensión a ellas (artículo 12); intervenciones que modifican el genoma humano (artículo 13) y la prohibición de la selección del sexo en la reproducción humana asistida (artículo 14).

En este sentido CRISPR-Cas9 presenta nuevamente la discusión de los límites éticos de la ingeniería genética frente al poder económico y la planificación del crecimiento de la población. Además, la inquietud de la reintroducción de la eugenesia en la concepción de los seres humanos podría llevar a justificar la negación de la existencia de las diferencias, ya que la mejora genética prácticamente extinguiría las enfermedades que mal llamado se denominan "imperfecciones humanas", como las enfermedades raras y congénitas y las discapacidades. También debe tenerse en cuenta que aquellos que no tuvieron acceso a esta técnica de ingeniería genética se quedarían con la suerte de la *"lotería genética"* inherente a la descendencia y al medio ambiente común de la reproducción humana[97].

El planteamiento restrictivo de los avances biotecnológicos implicaría dificultar la cura de enfermedades genéticas, dando lugar a la prohibición del uso de la edición genética en favor del respeto del derecho a la salud. Sin embargo, es necesario plantear soluciones adecuadas y garantistas de protección a la diferencia como un derecho humano que garantice la diversidad y la pluralidad de la condición humana, en la voluntad de cada individuo, al mismo tiempo de avanzar en la práctica de técnicas de biotecnología para mejorar la calidad de vida de las personas.

Se hace necesario destacar que no se trata del planteamiento tremendista de la erradicación de la diversidad humana, como acuñan en este sentido las corrientes más conservadoras que proclaman incluso el derecho a la existencia de las personas con discapacidad, así como si los defensores del derecho a nacer sanos fueran contrarios.

En este sentido cabe destacar respecto de las técnicas aplicables en genómica han de ser garantes del respeto al derecho a la vida digna, plural y sin restricciones más que las derivadas de la propia voluntad.

Subyace una interpretación equívoca en tanto el genoma de una persona con discapacidad permitiría a esa misma per-

---

97 CARLOS HENRIQUE FÉLIX DANTAS, CAROLINA VALENÇA FERRAZ, JULIANA ROCHA DE MORALES FALCÃO, (2020). La protección de la diversidad en el patrimonio genético: implicaciones bioéticas y jurídicas en el uso de CRISPR-Cas9 como herramienta de edición genómica en humanos,
Revista de Bioética y Derecho versión On-line ISSN 1886-5887, Rev. Bioética y Derecho no.49 Barcelona 2020 Epub 19-Oct-2020.
https://scielo.isciii.es/scielo.php?script=sci_arttext&pid=S1886-58872020000200006

sona experimentar una sanación a la que podría someterse en modo voluntario. Por tanto, atrás quedaría la eliminación de embriones inviables por enfermedad congénita, habida la posibilidad de plantear esa sanación en el mismo embrión[98].

---

98 GARYAEV, P.P. Teoría De La Genética Lingüística Ondulatoria (BTY). https://wavegenetics.org/es/ekaterina-aleksandrovna-leonova-garyaeva/

CAPÍTULO III
FILOSOFÍA/ ÉTICA APLICADA MOVIMIENTOS SOCIALES

'Desde el momento en que uno llega a cualquier punto de contradicción con la evidencia de los sentidos, será imposible poseer la perfecta tranquilidad y felicidad'

Epicuro, Carta a Pítocles

Capítulo III:

Filosofía/ ética aplicada - movimientos sociales

1. EL PAPEL DE LA FILOSOFÍA EN LOS AVANCES DE EDICIÓN GENÉTICA

En esta investigación, se planteó, en un principio, obviar en la medida de lo posible implicaciones morales que pudiesen desvirtuar los márgenes de un trabajo con pretensión eminentemente jurídica. Sin embargo, tal enfoque no tendría mucho recorrido, y tampoco sentido, siendo que ha devenido impracticable acometer en la dimensión esperada a priori, habido en contexto de bioderecho y bioética en el que se enmarca, así como ha de reseñarse especialmente en esta problemática, la moral y la filosofía tienen mucho que decir, resultando ser las principales fuentes de conflicto.

Si bien a lo largo de la investigación existen cuestiones puramente jurídicas que dan poco margen a la discusión metajurídica, sin embargo, a la luz de las cuestiones acometidas en esta investigación, como la edición genética, la reproducción asistida, en los que sin entrar a discernir si quiera son derecho, lo que corresponde a la asignatura de Filosoffa de Derecho, la moral y la filosofía tienen significativa aportación, por no afirmar definitivamente, que son plenamente determinantes.

El papel de la reflexión filosófica en el avance de la genética pasa por cuestionar y contextualizar las implicaciones de los avances en genómica. La filosofía contribuye en la definición de límites éticos y en las consideraciones de las consecuencias sociales y morales de la investigación genética.

De este modo la Genética ha supuesto para la Filosofía notables confrontamientos con cuestiones cruciales sobre la autonomía individual, la justicia distributiva y la intervención en la naturaleza humana. Abordando la edición genética como dilema ético interdisciplinario que investiga cómo los descubrimientos en genética afectan nuestras concepciones sobre la identidad, la libertad, la responsabilidad y la ética. Es relevante porque plantea desafíos y dilemas éticos en la era de la ingeniería genética y la biotecnología.

2. LA FILOSOFÍA COMO ELEMENTO FUNDAMENTAL DE LA BIOÉTICA, EL BIODERECHO. NO SE PUEDE HABLAR DE BIOÉTICA SIN HABLAR DE FILOSOFÍA.

El Bioderecho nace en 1970/1971 como necesidad de unir ciencias y humanidades. Dos visiones que le dieron origen al concepto de Bioética. Ciertamente no puede entenderse el mundo sino desde una perspectiva polímata, así como pudo hacerlo Leonardo da Vinci, haciendo posible ver la bioética como una nueva ética científica.

Primero fue propuesto por Van Renselaer Potter en el año 1971[1], el siempre abogó por una visión de puente entre ciencias y humanidades, y es una visión profunda, porque veía a la ética como una nueva bioética científica, como una ciencia de sobrevivencia, cómo vamos a hacer los seres humanos para sobrevivir y trascender en el sentido ecológico.

'¿Cómo vamos a sobrevivir de una forma humana, y cómo vamos a sobrevivir en la parte espiritual e intelectual?' Eran sus principales cuestionamientos.

---

1 VAN RENSSELAER POTTER, (2012). Pionero de la ética global, Reencuentro, núm. 63, enero-abril, pp. 18-22https://www.redalyc.org/pdf/340/34023237003.pdf.

Tal planteamiento no lo podemos hacer ajenos al resto de los seres humanos, ni ajenos al medio en el que vivimos, por ello la importancia de tener un ecosistema biológico, biodiverso, en la naturaleza y en lo humano.

Después por André Hellegers[2], más o menos en el mismo tiempo, que tuvo una mayor repercusión y más centrada en la biomedicina, consentimiento informado, eutanasia, reproducción asistida, relación médico paciente, ya en el año 1979.

Es importante observar la razón del nacimiento de este concepto, ¿Por qué tiene origen este concepto?, los surgimientos que nacen, a partir de un movimiento social vinculante, no es ninguna casualidad. Las personas siempre tenemos algo que decir sobre cómo queremos que sea nuestro mundo.

No es ninguna casualidad que muy cerca de 1968, de las reivindicaciones sociales, los estudiantes, las mujeres, los movimientos ecologistas, dando voz al mundo que querían vivir, surja el concepto de BIODERECHO. Las personas tienen algo que decir, y definir qué papel va a tener esa voz en el mundo es lo que estamos construyendo.

Los jóvenes buscando su futuro y lugar, los ecologistas manifestando —¡El mundo se está acabando! —, las mujeres diciendo '—¿Dónde estamos nosotras? —, etc.…

Por otro lado, los avances de la ciencia, que comenzaron a darse de un modo vertiginoso, en el desarrollo de tecnologías, en asuntos tan básicos como los que son las definiciones de la muerte tal como se entendían en esa fecha, cambiaron significativamente, p.ej. con la parada de corazón, que puede seguir sobreviviendo el paciente conectado a una máquina, o el estado

---

2 MANUEL JESÚS LÓPEZ BARONI (s.f). El origen de la bioética como problema, ISBN 978-84-475-4028-0 https://www.bioeticayderecho.ub.edu/sites/default/files/libro-origen-de-la-bioetica-como-problema.pdf

de coma, que puede permanecer vivo conectado a una máquina. Entonces creamos lo que se llaman los estados vegetativos. Y de ahí nace un nuevo paradigma, ¿qué hacemos con estas personas?, ¿darles la denominación de personas vivas?, ¿si se les puede considerar fallecidos?, ¿qué hacemos con ellas? Comienzan numerosos planteamientos nunca realizados.

Los avances tecnológicos siempre van a tener sus ventajas y desventajas, es difícil que exista oposición en asuntos generalizados como fabricar unas gafas para ver mejor, o una silla de ruedas para mejorar la movilidad, un montón de cosas que no plantean problemas importantes.

Sin embargo, cuando los avances tecnológicos alcanzan a tener un impacto en donde no sabemos cómo actuar, es cuando se crea este tipo de concepto y reflexión.

Se han cometido abusos en personas con distintos experimentos, como puede citarse el conocido experimento Tuskegee[3], llevado a cabo con personas de color en EE. UU, de clase social baja, citado como posiblemente la más infame investigación biomédica de la Historia de Estados Unidos. A los sujetos no se les dijo que estaban en un experimento. Los que querían experimentar dieron con el remedio de la enfermedad, pero a ellos no se les dio el remedio de la enfermedad, porque querían ver cómo se comportaba esa enfermedad, y desde luego eso es una dantesca violación ética.

Así como en los prisioneros en los campos de concentración, en la segunda guerra mundial, que estaban ahí por ser judíos, o gitanos, o ser homosexuales, sin razón para estar prisioneros. Fueron utilizados para experimentos que mejoraban las maniobras de los ejércitos alemanes, entre los

---

3 EMEDIC.UCR.AC, (s.f) Experimento Tuskegee. https://emedic.ucr.ac.cr/wp-content/uploads/2019/01/experimento-tuskegee.pdf

años 1933 y 1945, demasiado cercano en el tiempo para ser verdad.

Otra manifestación importante, fue La carta de los derechos en Estados Unidos, en donde los pacientes empezaron a decir, — ¡Yo tengo derecho a decir qué va a pasar conmigo! —'. Desde la tradición griega, 'Mens sana in corpore sano', si un paciente no sabe que está enfermo no influye en el cuerpo, de modo que la información quedaba en cierto modo reservada al profesional médico siguiendo tal precepto.

Aunque hay que decir, que comparto el trasfondo del significado, entendido desde la física, en el sentido de trasladado a la era que nos acontece, imaginemos un paciente que habría recibido un informe genético de las enfermedades posibles en potencial de desarrollo por ser portador en su genética, y en el mismo se le indica es propicio a padecer un cáncer de índole letal. El paciente generaría un estado de ansiedad irracional que no le beneficiaría en absoluto, ciertamente la información recibida del profesional influye en el paciente de forma significativa, si el paciente no dispone de herramientas para gestionarlo. Sirva como ejemplo el experimento de esas herramientas, el conocimiento básico y funcional de la física, p.ej. La paradoja El Gato de Schödinger, 'el gato está vivo y muerto a la vez'.

Schödinger trataría de demostrar que depende del observador y de la intención que ponga, el resultado variaría de forma completamente opuesta, en este sentido el experimento trataría de, en una caja hermética y completamente aislada del exterior se coloca un gato y un átomo radioactivo de tal forma que en el caso de desintegración al cabo de una hora se acciona un martillo que rompería a la vez un recipiente con n gas letal en su interior. En una hora sabemos que hay un 50% de probabilidad de que dicho átomo se desintegra o no, accionando según el caso dicho martillo o no. Transcurrido ese tiempo, el sentido común nos dicta que pueden haber ocurrido dos hechos diferentes;

a) El sistema ha dejado escapar el gas venenoso y el gato ha muerto.

b) No ha sido así y el gato está vivo.

Existe un cincuenta por ciento de probabilidad de que haya ocurrido cada una de ellas, pero alguna debe haber ocurrido: el gato vive o bien está muerto. Pero según la Física Cuántica las cosas se complican y no suceden tal como dicta nuestro sentido común. Según la interpretación de Copenhague existe una superposición de estados cuánticos, vivo/no-vivo del gato, y sería absurdo preguntarse cuál de las dos situaciones es la correcta hasta que un observador lo determine.

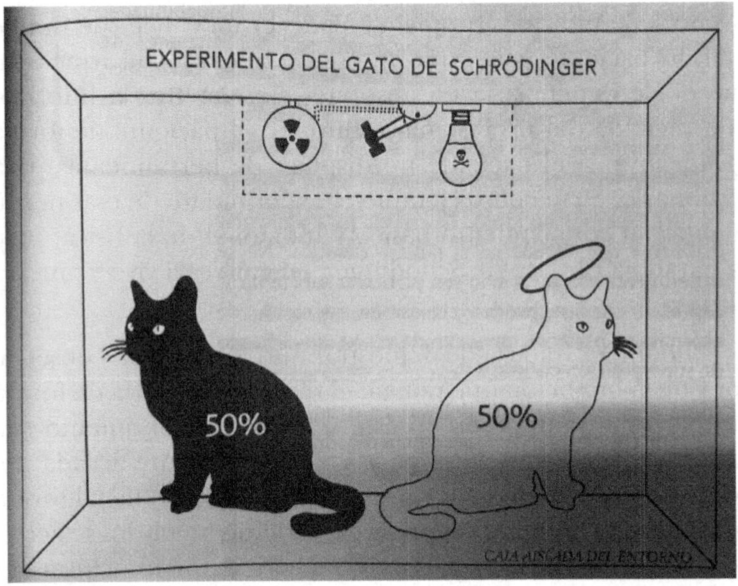

Fuente: Teresa Versyp- Gato Shrödinger

Es como si realmente no se determinara hasta el momento de mirar dentro de la caja. En cuántica se entiende como que se ha colapsado la función de onda, en ese momento el gato estaría vivo o muerto, pero solo en ese instante, al haber observador,' el universo se habría decidido'. Shrödinger se cuestionaba: ¿Cómo puede un gato estar muerto y vivo al mismo tiempo por el hecho de no haberlo visto?[4].

Resulta obvio pensar que los griegos conocían esta ley de la física que nos gobierna, a todos, y la aplicaban en medicina, tan necesario resulta conocer la genética como así la física, no hacerlo podría traducirse a no saber leer en el lenguaje que hemos sido diseñados, y lo peor aún, no saber ver. La física y la genética no puede quedar reservada a unos pocos que se interesan por ella.

Por tanto, y por ese conocimiento evidente, empleaban tal saber respecto a sus pacientes, de modo que ciertamente, incidirían en beneficio de su salud, de acuerdo con la filosofía que imperaba en la época, y no habría sido necesario emplear, de descender ese pleno conocimiento en el pueblo (paciente), teniendo éste en ese caso, las herramientas para gestionarse. Aunque aun teniendo las herramientas del conocimiento, y de saber cómo emplearlas, ello no supondría una total garantía, habido la física cuántica es mucho más extraña de lo que podemos llegar a pensar.

La relación entre el médico paciente se ha venido modificando y se requiere realizar una reflexión crítica en torno a los procesos de salud y enfermedad en los diversos escenarios en que éstos se producen para desarrollar una nueva cultura sanitaria. En este contexto, la Bioética y sus principios favorece una manera diferente de entender la relación entre médico y paciente, en donde se privilegia el derecho que tiene el paciente, como persona con autonomía, en la toma de decisiones sobre su salud, y se reconoce una responsabilidad compartida que considera el impacto de factores biológicos, sociales,

---

4 TERESA VERSYP, Sobrevolando el Territorio Del Quantum, pg 142,143.

culturales, económicos, psicológicos y éticos sobre la atención médica y el cuidado de la salud. Se hace necesario el aporte de la Filosofía, la Bioética y Ética Médica para investigar y estudiar la relación médico paciente en sus diferentes dimensiones: ética, médica, social y moral; fortalecer las bases éticas y legales de los médicos, lograr que sean capaces de analizar y hacer propuestas que lleven a la solución de los conflictos y dilemas que se generan con el desarrollo, la innovación del conocimiento y la aplicación de la tecnología en los seres humanos, y en todos los seres vivos.

Ciertamente resulta necesario conocer la verdad por parte del paciente, pero también conocer las herramientas para poder gestionarlo. En aquella época era la palabra del médico la que prevalecía sobre la del paciente, y por el supuesto bien del mismo habría de creer lo que decía el médico. Aquí la bioética empieza a tener un papel fundamental.

La bioética es pensada como un subconjunto de la ética aplicada. Finalmente, Bioética, es una rama de la filosofía, de la ética aplicada.

¿Cómo usar toda esta reflexión filosófica cuando tenemos un caso concreto?

¿Cómo lo vamos a resolver?,¿Dónde situamos la reflexión bioética?

La ciencia tiene la posibilidad técnica de poder avanzar hasta donde exista creatividad y fondos, los científicos pueden desarrollar todas las tecnologías, en las que, sin duda, se dará una reflexión ética, con base en las preguntas; ¿Hasta dónde queremos que llegue esa ciencia?,¿Cuál queremos que sea el impacto de esa ciencia?, ¿Qué queremos que provoque esos desarrollos tecnológicos?, debiendo coexistir un marco de respeto a la decisión social en el marco del derecho.

Y la pregunta más importante podría venir a ser ¿Quién tiene que decidir hasta dónde llega la ciencia?

¿Los científicos?, ¿El gobierno?, ¿Los que financian la ciencia?, ¿Los que tienen ciertas perspectivas religiosas?, ¿Políticas? ¿Quién decide? Finalmente habríamos de ser la suma de todos ellos, la bioética somos todos, porque si tiene que ver con los fenómenos vitales, definitivamente somos todos. Asuntos como cambio climático, reproducción asistida, aborto, eutanasia, inteligencia artificial, edición genética.

En este sentido el trabajo que promueve la UNESCO, tiene como finalidad reflexionar de forma global y colectiva, de igual modo ha de tenerse a nivel nacional, mediante la comisión nacional de bioética, y la colaboración y participación de los centros independientes en materia bioética y bioderecho. Llevando a cabo actividades, organizando espacios de reflexión colectiva, con la finalidad última de determinar, ¿hasta dónde queremos que llegue la edición genética?

A la ciencia no puede ponérsele freno, ni al desarrollo tecnológico, tampoco a la respuesta social. Se trata pues de asegurarnos que la forma en que se desarrolla y se aplica, la técnica CRISPR, está conforme a valores en que todos podemos estar de acuerdo a pesar de las diferencias existentes. Una vez que llegamos a un acuerdo, vale la pena legislar lo que es necesario poner en leyes para asegurar que se respeten.

3. ANÁLISIS DE LOS PROBLEMAS ÉTICOS QUE SUSCITAN LAS CIENCIAS MODERNAS. MÉTODOS DE ANÁLISIS Y RESOLUCIÓN DE PROBLEMAS.

La bioética tiene métodos muy rigurosos de trabajo para analizar y que se alinean con los métodos del cuestionamiento filosófico, y que además en bioética el método alcanza a analizar y resolver los problemas.

Hay diferentes métodos, metodologías, y casi todos van de decir cuáles son los cursos de acción, cuáles son los valores que están en juego, cuáles son los valores en los que todos estamos de acuerdo.

No se puede cumplir con todos los valores siempre, al mismo tiempo, en un momento concreto, en una situación concreta, y a veces hay que decidir cual se antepone a otro en un caso concreto, lo que no quiere decir que un valor se vuelva más importante que otro, simplemente quiere decir que para un caso concreto es la decisión más razonable, más justa, más adecuada.

Y ello nos hace quedar como en deuda con los valores a los que no le hicimos caso, por ejemplo, de aquel médico que va de camino a su boda y va retrasado, y en la carretera se encuentra con un accidente muy grave, una persona necesita ayuda, y ante esa situación ¿Qué debería de hacer?, las opciones a valorar; llegar tarde a su boda o atender al paciente, tiene dos compromisos y habría de decidir entre ambos. Si opta por ayudar a la persona enferma, no significaría que le importe menos su boda, sino que en este momento era más importante darle valor al rescate de esa vida, cuya prestación de auxilio a tiempo le podría salvar su vida.

Cuando pensamos en valores como justicia, equidad, autonomía del paciente, se nos plantea cuáles son los valores a tener en cuenta. Y una de las soluciones radica en detectar los cursos extremos de acción y buscar los intermedios.

La bioética tiene una metodología de resolución de problemas y además intenta fundamentar las normas, aporta criterios y procedimientos para la idónea toma de decisiones fundado en el diálogo y la argumentación racional. Un dialogo multidisciplinario, plural, desde todos los diferentes puntos de vista, habido que no todos pensamos lo mismo, y lo más importante es la argumentación racional. No se trataría de manifestar —¡Así ha sido siempre! —, y — ¿Por qué habría de cambiar? —.

Es un argumento muy utilizado y sin embargo reduccionista y carente *Reductio ad absurdum.* Si las cosas son así, porque así han sido siempre, —¿Para qué habríamos terminado con la esclavitud?, ¿Para qué le habríamos dado voto a las mujeres?, ¿Para qué hubiéramos terminado con el trabajo infantil? —.

No se trata de una cuestión de mayorías, sino de argumentos. Puede ser que una sola persona tenga un argumento lo suficientemente sólido y todos los demás estén en contra. Así pues, los argumentos mediante los cuales los valores, cursos de acción, crean una base en donde adherir un nuevo planteamiento. En este sentido deviene fundamental tener una mente abierta, con perspectiva de dialogo plural, argumental, que identifique el planteamiento y el conflicto de valores. Muchas personas viven un conflicto ético y no lo saben, no lo viven como tal, no lo han identificado. p.ej cuando se le pregunta en un hospital a los médicos , —¿Tiene usted algún dilema biotético?, ¡No, ninguno! , —respondieron. —¿Qué pasa cuando llega un testigo de jehová que no acepta sangre, y que ustedes saben que necesita sangre para superar la operación y la familia no lo acepta? —¡Es un problema porque nuestra obligación es salvar vidas, pero el paciente no quiere! —. Hay un conflicto de valores de autonomía, de respeto a la vida, del juramento hipocrático. La bioética trata de valores y estos valores pueden entrar en conflicto, y es por eso que necesitamos de todos estos métodos y análisis.

La bioética se ha convertido en un campo de formulación de políticas, de toma de decisiones, con aproximaciones políticas y éticas divergentes, porque no todos pensamos igual. Hay cosas en las que nos vamos a poner de acuerdo y otras en las que nunca nos vamos a poner de acuerdo, y si nunca nos vamos a poner de acuerdo es mejor entender por qué razón no nos podemos poner de acuerdo y cómo podemos hacer para seguir adelante.

Puede decirse que este campo disciplinario ha pasado por tres etapas:

La primera que empezó mucho más vinculada a lo que tiene que ver con la gestión del cuerpo, el consentimiento informado, aborto, eutanasia, reproducción asistida. Resultando la que comenzó a tener más auge en la bioética.

La segunda comenzó en relación a lo que es la gestión de recursos, políticas públicas como donación de órganos, a quién le tocan vacunas, si elijo priorizar a los niños y permito que los mayores sean más desfavorecidos, etc.

La tercera viene siendo cuestiones medio ambientales, no solamente vinculadas con salud, sino también por sí mismas, con independencia del vínculo a la salud, el cuidado a la naturaleza y el cuidado al medio ambiente en el que vivimos porque va de por medio la supervivencia humana.

Es un campo multidisciplinario que emergió en el mundo académico y se ha convertido en una disciplina de escuelas de medicina, de derecho y de ciencias, está cada vez más en la esfera de debate público y las personas cada vez más están conscientes de sus derechos y de la complejidad de las decisiones que hay que tomar, y eso es muy importante, en tanto que antes no se tenía.

Los estándares de bioética requieren la participación de científicos, de abogados, diseñadores de políticas, de médicos, de los ciudadanos, de bioeticistas, etc. La COVID lo puso de manifiesto en tanto que las personas necesitaban saber. Esto puso en evidencia a las comisiones nacionales de bioética, el mundo se preguntaba qué criterio ético están siguiendo ¿están queriendo hacer el bien siguiendo una teoría utilitarista lo mejor para la mayoría?, o ¿es una cosa de justicia? Las personas querían saber cómo se está decidiendo y en función de qué valores.

En este sentido la investigación, la relevancia de la investigación, cuáles van a ser los riesgos y beneficios, y quien se va a beneficiar de ello, evitar la explotación de poblaciones vulnerables, ciencia y tecnología (medicina genómica, nanotecnología, biobancos, robótica, nanotecnología) y en políticas públicas que tiene que ver con desarrollo social, (la asignación de recursos en investigación, los trasplantes de órganos, tráfico ilícito de material, etc.)

Y un siguiente paso radicaría en una mayor definición del concepto de la bioética global, la agenda tiene que ser más amplia, es un concepto mucho más abierto, desde todos los puntos de vista, geopolítico, término de disciplina, de sectores, de la inter/trans disciplinariedad, implicación de puntos de contacto en que se aporten lo problemas, conceptos y métodos de investigación, donde se termina por adoptar el método.

En definitiva, se requiere mayor participación de los involucrados y una definición más amplia de los beneficiarios, así como un foco mayor en los ignorados, los que no tienen voz, los impotentes.

Los retos de la bioética global relacionados con las injusticias estructurales y desigualdades sociales, que se reflejan en la falta de acceso a la salud, a la atención médica, a la poca posibilidad de participar en la producción de los desarrollos científicos y tecnológicos, no solo de beneficiarse, efectos adversos de cambio climático y falta de cooperación internacional sobre lo que son bienes comunes y globales e injusticia social.

En este sentido la Unesco se introdujo en los desafíos de la bioética con la finalidad de cooperar y contribuir en la construcción de la paz y la seguridad, como función. No a través de la política, sino a través de la colaboración de las naciones, a través de la educación, la ciencia, la cultura, con el objetivo de lograr el respeto universal de la justicia, los derechos humanos y las libertades fundamentales.

> 'La paz debe fundarse sobre la solidaridad intelectual y la moral de la humanidad'.
>
> Irina Bokova, directora general de la Unesco

Así, JULIAN SORELL HUXLEY, el que fuera el primer director de la UNESCO, dijo;

> 'Para que la ciencia contribuya a la paz, la seguridad y el bienestar humano, es necesario vincular la aplicación de la ciencia con una escala de valores.'

Poder hacer un diálogo de este tipo es un reto colosal, que implica estar abierto a los diferentes puntos de vista que han venido definiéndonos desde toda la historia de la humanidad.

La Unesco lleva 30 años de compromiso con la bioética, así se formaron dos comités asesores al director General de la UNESCO, que son el comité internacional de Bioética, y la Comisión Mundial de Bioética y El Conocimiento.

La Declaración del genoma que fue la primera, así la última que se generó fue la ética en inteligencia Artificial. Toda esta legislación comenzó cuando comenzó el desciframiento del Genoma Humano, y se vio la necesidad de la búsqueda de profesionales para lidiar con estos problemas.

El genoma humano no es una temática explorada, resultando casi encriptado a nuestro lenguaje conocido, y sin embargo se ha dado esencialmente por supuesto lo que contiene, en interpretación casi fútil, resultando estar todo por descubrir. Así hemos de sentar las nuevas bases de la genética y con ello acometer un nuevo modelo de definición del ser humano, que probablemente devendrá como resultado a un ser humano no tan acotado en su potencialidad. Y no por ello habría de ser preponderante el planteamiento de tan gravoso dilema eugenésico, habido que no se añade nada a lo que ya se tiene y posee por derecho el ser humano, tan solo se activaría, a conocimiento previo y habiendo llevado a cabo los estándares que marque la preceptiva normativa.

La eugenesia es conocida por aquella práctica que modifica la herencia genética, persiguiendo un mejoramiento de la especie, sin embargo, el planteamiento hoy día, habría de ser bien distinto, y estar enfocado a un derecho a la vida, resultando su no aplicación, una privación del mismo, y desencadenante de lo que hoy conocemos como muerte natural.

Todas estas afirmaciones que hoy pueden parecer interpretadas fuera de orden, quizá imprudente o insensato, no serían más que un conminatorio planteamiento de ineludible cumplimiento en nuestra era venidera.

Así pues, en analogía, sería como tener una máquina de magna potencia, y, sin embargo, utilizarla solo para poner música, o para ver películas. ¿Qué sentido sino el de su exploración, explotación y aplicación, habría tenido el CODICE, el gran código genético, a través del ser humano?, ¿El sentido de su mera observación sin intervención?, francamente deviene arduo de creer.

Rediseñar el planteamiento de lo que significa verdaderamente nuestro genoma, nos alejará presumiblemente, cada vez más, de modo inexcusable, de la concepción reduccionista que hoy se tiene, llevándonos al destino inevitable que determinará tantas actuaciones impracticables de pensar hoy día.

Con esencial impacto en el sistema educativo, en la salud, la tecnología, etc. no quedando ningún área incólume. Así como en la concepción de nuestras capacidades, inherentes, como ser humano, el modo de reproducirnos, tal como lo conocemos.

Así, la UNESCO, después de considerar abarcadas las cuestiones genéticas que resultaron el germen inicial, se vio la necesidad de diseñar un documento de carácter más amplio y que abarcase temas no tan específicos y centrados en la genética, así se llevó a cabo la Declaración de Bioética y Derechos Humano, con la pretensión de:

- Establecer un marco ético internacional base.
- Acuerdos de mínimos éticos que no implique la imposición de un punto de vista moral particular.
- Compromisos de los gobiernos hacia sus poblaciones.

Cuando se trata de una colaboración internacional, hay que poner de relieve la gran diversidad con respecto y entre los países, la cual deviene colosal, y en este sentido beneficia más a unos que a otros, habida cuenta la ausencia de marco en tanto existentes entre ellos.

Las Declaraciones de la Unesco, si bien no son vinculantes, no obliga a los Estados, pudiéndose glosar de manera análoga, a su interpretación en Derecho Internacional, como se interpreta por ejemplo la Convención de Viena. Y por tanto dar pretexto, a posteriori, realizar documentos de carácter vinculante, al convertirse después en marcos legislativos nacionales. P.ej la Declaración de Derechos Humanos, no fue un documento vinculante, y sin embargo ha tenido un alcance sin precedentes.

Es un instrumento que fija las distintas aspiraciones y tiene función educativa, puede inspirar legislación específica. Legalmente no obliga a los Estados ni por su carácter de Declaración ni por los términos 'no mandatorios en los que se expresan los principios'. Sin embargo, las previsiones de la Declaración, pueden interpretarse de manera análoga a los tratados en el derecho internacional (Convención de Viena, Art 31 reglas de interpretación).

> *'Regla general de interpretación. I. Un tratado deberá interpretarse de buena fe conforme al sentido corriente que haya de atribuirse a los términos del tratado en el contexto de estos y teniendo en cuenta su objeto y fin.'*

La tercera parte del preámbulo acontece particularmente importante en tanto pone las condiciones para la compatibilidad entre las legislaciones nacionales e la internacional al interpretar y aplicar la declaración. Que podría conducir a la elaboración de un documento más vinculante de una convención internacional de bioética, y venir a resultar el incentivo para generar convenciones regionales (p ej., Convención de Derechos Humanos y Biomedicina adoptado por Congreso Europa).

En cuanto a la Declaración y sus principios, y estructura;

Existen principios ya reconocidos ampliamente como consentimiento informado. Otros que se habían ya mencionado y aprobado en otras declaraciones de UNESCO, tal como aprovechamiento compartido de beneficios. La innovación recaería fundamentalmente en tratar de buscar equilibrio entre perspectivas éticas individuales y las comunitarias.

En este sentido se habla de autonomía, y al mismo tiempo se habla de solidaridad, así como enfatiza la responsabilidad social para reorientar los procesos de decisión bioética hacia cuestiones apremiantes en muchos países, resultando ser uno de los aspectos más álgidos en las negociaciones.

Se enunciaba la necesidad de vínculo entre ciencias sociales y naturales, así como, de cuestiones centradas en medicina. De la dimensión social del acceso a la salud, de la protección de la salud, que no revestiría la notabilidad suficiente en principio, resultando ser la parte más difícil de plantear en la negociación intergubernamental.

Se suscita un debate importante que tendría su planteamiento, en el cuestionamiento de si se consideran iguales los Derechos Humanos y la bioética, habido que los Derechos Humanos reviste una consideración legal y la Bioética tendría un enfoque más filosófico, y ciertamente toda declaración bioética está relacionada con los derechos humanos, en tanto viene a ser el modo de poner en práctica los mismos.

Otra innovación vendría a recaer en la estructura de la Declaración, la cual tiene otra innovación que viene a ser la sección a la aplicación de los principios (Art 18-21), que no solo los enumeraría, sino que indica cómo se pueden aplicar. Haciendo un especial llamado al profesionalismo, honestidad, integridad y transparencia en la toma de decisiones.

De otro modo también promueve establecer comités de ética en diferentes niveles; Comités Nacionales, Comités de

Investigación, Comités Clínicos. Llevar a cabo una evaluación y gestión de riesgos.

Así como apela a prácticas transnacionales éticas con el fin de evitar la explotación de países y persona que viven sin la protección de una infraestructura ética adecuada. Lo cual sabemos que es reincidente en la investigación internacional, en aplicación a los principios y directrices de la ética en la investigación.

El Alcance de la Declaración viene dado por el compromiso pragmático y válido entre diversas concepciones:

- Bioética vinculada con medicina cuidado de la salud.
- Bioética vinculada con el contexto social, como el acceso a la salud.
- Bioética vinculada con el medio ambiente.

Es importante destacar la presión por los países del sur, reflejo de sus preocupaciones:

- Incorporación de Derechos Humanos en el título y articulado.
- Introducción de la perspectiva social como articulo central.
- Incorporación de la importancia del género, indígenas, aspectos sociales y culturales de la salud y la identidad en los considerados.
- Protección a la biodiversidad y conocimiento tradicional.

Así estos sendos documentos, que, aunque no tienen carácter vinculante, van alcanzando peso legalmente sustantivo cuando son utilizados en diferentes ámbitos.

P. ej. esta Declaración ha sido utilizada por El Tribunal Europeo De Derechos Humanos en varios casos, también en la Corte Interamericana De Derechos Humanos, y en la Corte Suprema de Brasil y de Costa Rica. Y está incluida en la Corte de legislación nacional de algunos países para legislación, p. ej. en España.

Se ha traducido a más de 30 idiomas con una propuesta firme de ir hacia una deliberación social con todos estos principios.

Así como no conocemos el inmenso potencial de la genética, asunto emergente en nuestro tiempo, tampoco el indescriptible potencial de la IA, y los riesgos de su plena autonomía con independencia del factor humano, habido que hay muchas cosas que los algoritmos hacen solos que los humanos aún hoy no entendemos, y esos son los riesgos eminentes de la inteligencia artificial. Así como desconocemos la relación de la IA con la genética, habido que el concepto de genética se vincula estrictamente con la biología de forma equívoca, habida la al menos hipótesis, que habría de haberse planteado, de configuración del genoma como la tecnología más sobresaliente, no equiparable ni tan siquiera con la IA, y de la que incluso se estaría valiendo ésta última. ¿No resulta verdaderamente irónico que nos pongamos límites y vetos a la exploración del genoma, y que la IA lo haga sin restricciones y lo utilice en pleno beneficio?

4. EVOLUCIÓN ENTRE GENÉTICA Y FILOSOFÍA EN EL TIEMPO

La relación entre la Genética y la Filosofía ha evolucionado a lo largo del tiempo, pasando de la reflexión sobre la herencia y la evolución a consideraciones éticas y existenciales en la era de la biotecnología. Ha ampliado su alcance para abordar preguntas sobre la moralidad y la naturaleza humana.

En este sentido traigo a colación la publicación del libro de INGMAR PERSSON y JULIAN SAVULESCU, '¿Preparados para el futuro?': La necesidad del mejoramiento mora:

La necesidad del mejoramiento moral [5] a través de la cual, exponen su tesis en la que sientan la base de su teoría,

> *'que es más sencillo causar un daño de cierto volumen que causar beneficios en la misma medida'.*

Da comienzo con lo que ellos denominan la "moral del sentido común: el conjunto de actitudes morales que son denominador común de las distintas morales de las sociedades en todo el mundo" (p. 33).

Esta moral del sentido común tiene una serie de rasgos característicos. Uno de ellos es el concepto de responsabilidad basado en la causalidad, según el cual creemos que

> *"somos más responsables por cosas que causamos que por aquello que dejamos que ocurra" (p. 45). Junto a esto, los autores destacan la "subjetividad respecto al futuro próximo" (p. 50) y el "sesgo del espacio" (p. 51)*

tenemos, en el sentido que nos preocupan más las cosas que están más cerca de nosotros, temporal y geográficamente, simplemente por el hecho de sentirlas más próximas en el tiempo, nos induciría a sentir que la probabilidad de que ocurran es mayor. Lo que se traduce en la incongruencia, de que nos causaría más temor algo que alcance apenas un 10% de posibilidades de ocurrir inmediatamente, que algo que tenga casi todas las probabilidades, un 90%, de ocurrir en el transcurrir del tiempo, p.ej. mes que viene.

Con motivo de este cariz de nuestra moral, se revela a lo largo de la publicación la noción de lo que denominan "egoís-

---

[5] INGMAR PERSSON Y JULIAN SAVULESCU (2020) ¿Preparados para el futuro?: La necesidad del mejoramiento mora: La necesidad del mejoramiento moral; TEELL Editorial S.L., 189 pp. https://revistas.unav.edu/index.php/anuario-filosofico/article/view/40377/34475

mo psicológico" (p. 54). En la interpretación de que al ser humano se preocuparía por su propio bienestar como principio general, y, secundariamente por el otro, en el caso de que ello implique preservar el bienestar propio. Sin embargo, en ese principio general, antagónicamente se producirían una serie de emociones que dan por nombre "quid pro quo" (p. 57), y que estarían vinculadas con el concepto de abandono, que harían comportarse al ser humano de modo más solidario y dadivoso,

> *"culpa, remordimiento, vergüenza y perdón" (p. 57).*

PERSSON y SAVULESCU manifiestan en sus argumentos que el altruismo no se extendería generalmente más allá de un entorno íntimo y cercano por una razón evolutiva,

> *"riesgo de que los oportunistas se aprovechen de nosotros sería demasiado grande" (p. 62).*

Así como de igual modo amparan que motivado por el sentido de la justicia y del sacrificio del ser humano, son escasos los individuos que estarían dispuestos a asumir determinaciones que puedan implicar una modificación en su modo de vivir, en tanto el resto de personas de las que esté rodeado, en el sentido familiar y social no las toman también.

En equiparación podría citarse p.ej. la contaminación ambiental, siendo que el impacto ambiental que produciría una sola persona resultaría casi irrelevante, no pudiéndosele considerar por sí solo causante del cambio climático, siendo que el mismo devendría como suma de la actividad conjunta de la sociedad.

De este modo se plantea el conflicto, ante el cual, en su mayoría las personas tenderían a deducir que su responsabilidad es tan ínfima a modo individual, que implicaría un gran esfuerzo y sacrificio que no asumirían de per se, motivación que podría movilizar un cambio dado el caso que el resto de la sociedad también se implicase.

Hasta el momento, SAVULESCU y PERSSON se han limitado a enumerar algunos rasgos característicos de la sociedad moderna por los cuales no parece plausible alcanzar a una diligente medida para los dos dilemas que plantean.

Sin embargo, tal planteamiento se opondría a la bondad predominante que definen diferentes teorías en relación a la naturaleza del ser humano. Decía Rousseau (1712-1778);

> *'Que el hombre es bueno por naturaleza y que la sociedad es la que lo corrompe'*

Del mismo modo la filosofía de Kant, ilumina el camino hacia la bondad intrínseca, enfatizando la razón, la dignidad humana y el imperativo de actuar moralmente. Que, en un intento de «reconstrucción» de la comprensión kantiana de la bondad, deberá proceder con el método inverso al de la crítica transcendental[6].

Kant distingue entre acciones realizadas de acuerdo con el deber (acciones legales) y acciones que además están realizadas por respeto a la ley (acciones morales). Así, por ejemplo, un comerciante puede ser honrado con sus clientes y abstenerse de toda extorsión por razones comerciales, para aumentar su clientela o porque está convencido que es su obligación. Lo primero le llevaría a ser un fiel cumplidor del derecho, lo segundo lo convertiría en un hombre moral.

A través de obras trascendentales como la «Crítica de la razón pura» y la «Fundamentación de la metafísica de las costumbres»,

---

6 SALVI TURRÓ, (2003) Bondad Y Sabiduría En Kant; http://e-spacio.uned.es/fez/eserv/bibliuned:Endoxa-2004574A268A-382A-9CB5-918A-352CF0397C34/bondad_sabiduria.pdf.

KANT estableció un marco ético basado en principios que pueden y deben, a su criterio, ser universalmente aplicados.

Su imperativo categórico nos desafía a actuar no por interés personal o por las consecuencias de nuestras acciones, sino por el reconocimiento de que determinadas acciones son correctas en sí mismas y deben ser adoptadas como leyes universales. Embarcando al lector en un viaje hacia la comprensión de lo que significa ser una buena persona, guiada siempre por la razón, el respeto por la dignidad humana y la inquebrantable voluntad de hacer lo correcto.

Del mismo modo en palabras de Séneca «Dondequiera que haya un ser humano, hay una oportunidad para la bondad».

Así, ORTEGA Y GASSET propone una ética vocacional, heroica y deportiva contra, por una parte, el idealismo abstracto y universalista de KANT y, por otra, contra el nihilismo ético de la época de las masas, que acaba en un positivismo utilitarista y en desorientación. Este planteamiento orteguiano presenta además un carácter humanista mundano, alejado de todo trascendentalismo y fundado sobre la auto ilustración de la persona. De modo que el sujeto puede ser dueño de sí mismo para libremente poder gobernar su existencia y dirigirla hacia la realización del sí mismo. En palabras de ORTEGA y GASSET, oír la vocación hace el llamado al ser humano a ser él mismo sin condicionamiento es lo que caracteriza al sujeto moral, o sea, al héroe moral. 'Llegar a ser uno mismo' es el concepto que Ortega y Gasset propone[7].

---

7 GUTIÉRREZ A. (2020). La ética vocacional, heroica, deportiva e ilustrada de Ortega y Gasset para tiempos de desorientación, parte I. The vocational, heroic, sportive and enlightened ethics of Ortega y Gasset for times of disorientation, part I; Facultad de Filosofía, Universidad de Sevilla, Sevilla. España; Antonio Gutiérrez. http://orcid.org/0000-0003-4143-1854

No obstante, de la bondad empírica en el ser humano, en la que no recaería a este modo de interpretar cuestión de duda, sino la capacidad enérgica de ponerla en el valor de la actuación, más allá de la teoría y el método, lo cierto es que SAVULESCU y PERSSON, ilustrarían con cierta precisión pragmática, la realidad actual. Lo que puede verse de relieve en relación, igualmente, a la insuficiente implicación e impericia mostrada por el ser humano como persona individual, con respecto a asuntos tales como las enfermedades curables, la guerra, y el hambre, emergentes y presentes en países de nuestro mundo.

Es en el último capítulo, donde exponen el "mejoramiento moral como posible salida" (p. 137) a todo lo descrito anteriormente. La razón es que "hemos tenido en nuestro poder durante mucho tiempo los medios para eliminar gran parte del hambre y enfermedades de los países pobres, pero ha faltado la voluntad de aplicar estos medios" (p. 140), y por tanto sucederá lo mismo con el cambio climático y las armas de destrucción masiva. Aunque realmente los autores no saben si es posible técnicamente esta mejora, hacen un llamamiento para conseguirla. Sus argumentos radican en;

> *"un uso sensato de técnicas eficaces de biomejoramiento moral para aumentar el sentido de justicia y el altruismo no reducirán nuestra libertad y responsabilidad" (p. 150)*

Y que no sería distinto al hecho de que actualmente las personas ya estarían subyugadas a "la educación tradicional moral" (p. 152). Sin embargo, la gran diferencia entre lo que proponen, SAVUESCU y PERSSON y la educación actual, vendría a ser la libertad de actuación del individuo, ya que, si estuviésemos predeterminados moralmente para actuar bien, no

---

https://www.scielo.cl/scielo.php?script=sci_arttext&pid=S0717-554X2020000200108

seríamos propiamente libres y responsables de nuestros actos, con lo que el mismo sentido de acto moral perdería valor. La persona habría de atesorar su probabilidad de escoger una decisión.

Ciertamente entraña un significativo riesgo proponer un marco de modelo moral óptimo estereotipado en virtud del cual, modificar a las generaciones futuras conforme a ello, habido que no es una garantía que sea el adecuado, o al menos el definitivo por incompleto, y no porque el planteamiento devenga inviable sino por la inmadurez en sí del mismo a su escaso recorrido.

Utilizando sus mismas palabras argumentativamente para la réplica

> *'es imposible asegurar que esas técnicas para modificarnos biológicamente no vayan a caer en manos no deseadas para hacer el mal'.*

En definitiva, INGMAR PERSSON y JULIAN SAVULESCU conciben un óptimo análisis del mundo moderno, de su estilo de vida, de la moral y de los problemas que nos acechan como sociedad, si bien, la propuesta es controvertida y no exenta de polémica, lo que invita no a distanciarse de la misma, sino a trabajar en ella hasta conseguir perfeccionar un modelo de aplicabilidad practicable.

CAPÍTULO IV

LA INFLUENCIA DE LA RELIGIÓN EN LAS CONDUCTAS

'Comprendo que la mentira es engaño y la verdad no,

Pero a mí me han engañado las dos.

Un engaño aún más difícil de superar'.

-Antonio Porchia-

Capítulo IV:

La influencia de la religión en las conductas

1. LA INFLUENCIA DE LA RELIGIÓN EN LA CONDUCTA DEL SER HUMANO Y POSIBLE COLISIÓN CON LA BIOÉTICA EN APLICACIÓN DE ÉTICA DE MÁXIMOS Y MÍNIMOS.

La religión ha sido una parte fundamental de la sociedad humana desde tiempos remotos. A lo largo de la historia, ha desempeñado un papel importante en la cultura, las tradiciones, la moral y la política. Ejerciendo gran influencia en la sociedad y derivando de ello importantes consecuencias tanto positivas como negativas.

No habríamos de obviar que ha desempeñado un papel importante en la política y en los conflictos sociales a lo largo de la historia. Las creencias religiosas han influido en la toma de decisiones políticas y en la formación de leyes. Además, los conflictos religiosos han sido una fuente de tensiones y divisiones en diferentes regiones del mundo.

Del mismo modo, en las últimas décadas, ha atravesado un proceso de secularización en pluralidad de sociedades que habría llevado a su vez a una disminución de la influencia de la religión en la vida pública. Teniendo un impacto incluso en la práctica religiosa, así como en las creencias de las personas, que inevitablemente han construido cambios sin precedentes en la estructura social y en el modo de organización de las comunidades.

La bioética, o ética de vida, deviene a representar la ciencia que promueve principios éticos y valores con la finalidad de que el ser humano viva en sociedad de la forma más correcta y ejemplar posible. Al respecto, existe una ética de mínimos y máximos que establecen unas pautas mínimas que persiguen una convivencia armónica y pacíficamente.

La teoría de la ética de mínimos y ética de máximos fue creada por la filósofa Adela Cortina (Valencia, 1947)[1]. Tales planteamientos partirían de la premisa de que el ser humano

---

[1] FILOSOFIA EN RED, Adela Cortina Orts (s.f)
Comenzó la producción de su amplia obra con una reflexión sobre la filosofía kantiana para continuar analizando los mínimos éticos indispensables en las sociedades de la democracia liberal, los derechos humanos en sus tres dimensiones (civiles y políticas, económicas, sociales y culturales y, finalmente, derecho a un medio ambiente no contaminado y a la paz).
Sus intereses filosóficos se decantan fundamentalmente en dos aspectos: la necesidad de la reflexión para contribuir a la orientación de la conducta humana y las relaciones entre la racionalidad y la fe religiosa. La filosofía moral debe ocuparse de toda la injusticia: de la rediscriminación de las minorías, de la resolución de conflictos como las guerras, el hambre, la revolución genética, etc. Desde este análisis le parece importante centrar algunos conceptos básicos como el de persona y el de la dignidad humana para así comprender la verdadera intimidad que explique el porqué del dolor, la muerte, la necesidad de consuelo y todos aquellos sentimientos que conforman la intimidad del ser humano.
A lo largo de sus obras se observa la importancia de la ética y la educación, por las que nos espolea para alcanzar una moral vivida, y no sólo pensada, con especial aplicación política. A partir de los años 90 comienza a escribir sobre el concepto de ciudadanía como sinónimo de compromiso ético y se ha dedicado a la reflexión empresarial, la ética del consumo, a la globalización, la profesionalidad, etc. Valores como la autodeterminación personal, la concienciación, la justicia como defensa de la libertad y la igualdad de oportunidades y el compromiso social son las líneas maestras de su obra, que, si

es un ser social que, por su naturaleza, está destinado a vivir e interaccionar en sociedad.

Por una parte, la ética de mínimos, que también recibe el nombre de ética de lo justo, aglutina una serie de pautas o requerimientos que habría de cumplir cualquier persona por vivir en sociedad. Son exigencias universales aplicables a todos los individuos para una convivencia social pacífica.

Respecto de la aplicación de la bioética en medicina, la ética de mínimos corresponde al primer nivel de principios de la bioética, donde se establece el principio de no maleficencia y el principio de justicia.

En otro sentido, la ética de máximos, o ética de la felicidad, viene a centrar su atención en cada persona en concreto, estableciendo pautas individuales a través de las cuales la persona puede alcanzar su mayor realización personal. No resultando de carácter obligatorio, sino una pauta que los llevaría a alcanzar la felicidad o bienestar.

En su relación con la bioética, la ética de máximos corresponde a la voluntad del paciente, donde están presentes los principios de autonomía, y beneficencia.

Autonomía y beneficencia son dos principios que pueden entrar en conflicto cuando, p. ej., en una situación en la que se cuestiona el tratamiento de una enfermedad grave, la aplicación del principio de beneficencia se redime ante el principio de autonomía, es decir, el principio que da opción al paciente a elegir si quiere o no recibir esa terapia.

---

bien se enraíza en la tradición kantiana, adopta un lenguaje propio dentro de la tradición filosófica española.
https://filosofiaenlared.com/courses/los-grandes-filosofos-y-filosofas-de-la-historia/lecciones/adela-cortina-1947-presente/

En el sentido religioso el catálogo de preceptos de carácter ético-moral puede tener origen muy diverso, en la mayoría, la existencia de un libro sagrado constituye la fuente directa de la que se extraen las directrices de carácter ético.

Con la aceptación y adopción del conjunto de normas morales dadas y adoptadas, se asume la incorporación de un contenido ético específico al sistema moral personal: en definitiva, por una determinada ética de máximos. No necesariamente habría de coincidir con las que pueda proporcionar una confesión religiosa distinta o con las que se derivan de una ética de mínimos. Se trataría de un código ético que satisface a quien lo asume, que lo habría hecho suyo de forma voluntaria y que es expresión de su libertad de opción religiosa. Ello implica la imposibilidad de trasladarlo por imposición. Por eso las éticas de máximos se pueden ofrecer, pero nunca imponer.

En palabras de Dr JOSÉ RAMÓN SALCEDO HERNÁNDEZ, es la libertad religiosa la que permite, ante una problemática referida a las ciencias de la vida, oponer nuestro código moral a la norma imperativa y, en base a nuestra autonomía de la voluntad, rechazar, por ejemplo, que se intervenga en nuestro cuerpo (como rechazar una trasfusión de sangre) o negarnos en conciencia a realizar algo que se nos presenta como obligación jurídica pero que colisiona frontalmente con ese código moral, como en analogía trabajar en el genoma.

Deviene evidente que el bioderecho puede colisionar en ocasiones con la libertad religiosa si, a través de ésta, se trata de imponer una ética de máximos para resolver una cuestión controvertida, puesto que el bioderecho utiliza una ética de mínimos; pero al mismo tiempo, es garante de la libertad religiosa porque tiene como principio el respeto a los derechos de libertad, exigiendo que las soluciones dadas por el bioderecho no se impongan a quienes, en función de su opción religiosa o libre pensar, desean actuar de forma distinta a lo que determina la norma de bioderecho; y ello siempre será posible si su actuación no atenta contra los derechos de otras personas[2].

La neuropsicología de la religión permite una apertura científica a la explicación del fenómeno religioso y su impacto en el psiquismo, que daría cuenta de esa estrecha relación e influencia que ejerce la práctica religiosa en la salud mental y en el desarrollo de funciones neuropsicológicas en las personas. Dicha relación, se fortalece con los descubrimientos contemporáneos de la neurociencia cognitiva y la antropobiología.

2. LA BIOÉTICA Y LA RELIGIÓN UNA RELACIÓN AMBIVALENTE

La relación entre la bioética y la religión es compleja y puede prestarse a variaciones singulares dependiendo de cómo se entienda la función de la religión y cómo se articule la metodología de la bioética. Puede ser una relación de contribución y transformación mutua, o en otro sentido, puede haber exclusión por incompatibilidad. La bioética se ha desarrollado como un puente entre las humanidades y las ciencias biomédicas, manteniendo un diálogo en una perspectiva secular y universal.

Así como afirma, Juan Masiá Clavel[3], ha sido prolífico en los últimos tiempos el aumento notable de la promoción de centros y congresos de bioética de una determinada orientación

---

2 JOSÉ RAMÓN SALCEDO HERNÁNDEZ, (s.f) Bioderecho y Derecho A La Libertad De Pensamiento, Conciencia Y Religión, José Ramón Salcedo Hernández- Director del Centro de Estudios en Bioderecho, Ética y Salud (CEBES) https://riucv.ucv.es/bitstream/handle/20.500.12466/1232/Tema%2021.pdf?sequence=1

3 file:///C:/Users/Usuario/Downloads/11022008124639.bioetica%201.pdf

neo-ortodoxa muy significativa que, por su exaltada extremadamente beligerante de la "identidad confesional", estarían, paradójicamente, actuando en contra de la vida que desean proteger, no se pone en cuestión su presumible buena intención, sin embargo, se habría establecido metodología inapropiada. P. ej. el documento 'La vida, don precioso de Dios', publicado por la Subcomisión Episcopal para la Familia, de la Conferencia Episcopal Española (4-IV-2005), enfrentaría con esta ambigüedad a quienes, a pesar de coincidir con los aspectos principales, sin embargo, no podrían consensuar con el característico estilo, método de argumentación y conclusión.

En una sociedad más plural, con biotecnología y biomedicina más complicadas, la ética es más difícil. Ha cambiado, además, la relación médico-paciente y los sistemas sanitarios. Hay más recursos para salvar vidas, pero también para destruirlas. Con tales inquietudes nacía la bioética estableciendo como prioritario la urgencia de cuidar la vida; necesidad, acentuada hoy, de humanizar la medicina y revisar la ética. Con los pioneros del movimiento bioético, el oncólogo Potter[4] y el obstetra Hellegers, la ética no venía desde fuera, no la imponían desde esta o aquella altura unas instancias políticas, filosóficas o religiosas. Era dentro del mismo campo profesional donde se planteaba la integración de saberes y valores. Nacía así la bioética, con vocación de puente: entre curar y cuidar, entre ciencia y conciencia. En la obra de Potter, ciencia y ética hermanadas pensaban la supervivencia.

Así la relación entre experiencia ética y vivencia religiosa se distorsiona cuando una u otra se convierten en ideologías o justificaciones racionalizadoras de motivaciones interesadas; cuando la religión, en vez de proclamar esperanza e invitar a la gratitud, se excede en imponer normas de moralidad; o

---

4 VAN RENSSELAER POTTER, Bioethics. Bridge to the Future, Prentice Hall, Englewood Cliffs, New Jersey, 1971

cuando la ética convierte en ídolo las normas y prohibiciones. Conjugando responsabilidad ética y gratitud religiosa, surge el criterio de la gratitud responsable.

Ciertamente alcanza el momento en que intereses políticos o religiosos menoscaban el debate, produciendo el bloqueo a la deliberación sobre temas científicos y éticos: produciéndose un enfrentamiento en palabras de Unamuno, el "odio teológico" y el odio anti-teológico", abriéndose otro nuevo debate a extramuros del objeto principal que se perseguía, esta vez entre el dogmatismo teológico fundamentalista y el reduccionismo científico positivista. Asunto que para paliarlo propone de nuevo Juan Masiá Clavel resumir el planteamiento en los dos supuestos; Por un lado, las religiones pueden sumarse al movimiento de diálogo interdisciplinar de la bioética, colaborando en la búsqueda común de valores, pero sin arrogarse el derecho de intromisión para dictar normas de moralidad a la sociedad civil, plural y democrática. Ésta es la tesis de la posible aportación de las religiones a la Bioética. Y, por otro lado, propondría Masiá, la Bioética podría sumarse al movimiento del diálogo interreligioso, colaborando a la transformación de paradigmas de pensamiento y a la revisión de conclusiones prácticas, sin imponer exclusivamente interpretaciones sobre el sentido de la vida y la muerte, el dolor, la salud y la enfermedad, etc.

Apunta este planteamiento a la tesis del desafío que habría de cobrar plantear la Bioética a las religiones. Sin embargo, la implementación del programa expresado en estas dos tesis requerirá, conforme Masiá, para evitar desviaciones en el camino, tener muy presentes dos aspectos fundamentales: Por un lado, evitar caer en el paternalismo moral o en el fundamentalismo religioso que convierten la religión en ideología. Y por otro lado habrá que igualmente evitar caer en el exclusivismo científico y el pragmatismo tecnológico, que convierten a la tecnociencia en ideología.

3. NEXO ENTRE RELIGIÓN Y ANTROPOLOGÍA EN LAS CONDUCTAS

Un importante número de la población podría estar inducido en sus decisiones habida la capacidad de influencia manifiesta que las religiones vienen ejerciendo en el sujeto desde tiempos inmemoriales. Ello sin mediar previamente cuestionamiento de lógica o razonamiento respecto al beneficio o perjuicio de las mismas por parte del individuo.

Ciertamente no podemos obviar diversas investigaciones mediante las cuales se pone de manifiesto que la religión podría influir en la salud mental de forma positiva, como promover actitudes saludables, aumentar el autocontrol y comportamientos positivos para la salud, mejorar las relaciones interpersonales, mejorar el afrontamiento del estrés y aumentar la capacidad de funcionar frente a la adversidad[5]. También hay desarrollos recientes en la investigación sobre la relación entre religión y salud mental.

Sin embargo, ello no obviaría el importante perjuicio que las religiones habrían podido causar en el desarrollo del individuo y la limitación inducida en el principio de libertad como derecho humano esencial establecido en el marco de la CE.

El ser humano necesita creer en algo, y ciertamente las personas encuentran consuelo y propósito en establecer esa creencia en algo más grande que ellos mismos, la debilidad humana para responder a ciertas cuestiones existenciales, pro-

---

5 HAROLD G. KOENIG (2021) Mecanismos: el impacto de la religión en la salud mental, DOI: 10.1093/med/9780198846833.003.0009, En libro: Espiritualidad y salud mental en todas las culturas (págs. 129-146)
Mechanisms: Religion's impact on mental health; https://academic.oup.com/book/35499/chapter-abstract/304497610?redirectedFrom=fulltext

porcionando las creencias religiosas un sentido de comunidad, moralidad y comprensión del mundo.

Esta necesidad y principio deviene sonoramente conocido por las religiones, como posteriormente por las tradicionales agencias de comunicación y las grandes tecnológicas, principio que desarrollamos con mayor argumentación en el capítulo VII.

Una gran parte de la respuesta social al sentido religioso, vendría dado por esa necesidad empírica del ser humano de creer. Si bien conforme al conductismo más radical y clásico, representado en la figura de John B. Watson y Skinner, manifiesta que la conducta debe ser descrita sin recurrir a procesos mentales.

También habría de tener en cuenta qué patrones de conducta en el diseño humano[6] devienen más propensos a ser influenciados, con independencia del nivel de intelecto del sujeto.

Es sabido que las poblaciones con menor desarrollo tienen una predisposición más abierta a la influencia de la religión, aún hoy muy elevada, citaba en febrero de 2016 la UNESCO, el 40% de la población no tiene acceso a educación en su idioma, última actualización: 20 de abril de 2023[7].

Esencialmente la religión se basa para el sujeto en creer, sin prueba alguna, en la palabra «revelada» por una deidad a través de la Biblia, el Corán, o cualquier otro de los más de

---

6 Los orígenes del Diseño Humano se remontan a enero de 1987, cuando Ra Huru Hu, físico de origen canadiense, recibió la estructura de este conocimiento. En Estados Unidos y Canadá ya se ha introducido en escuelas y hospitales; https://espaciohumano.org/espacio-humano/que-es-diseno-humano/

7 https://www.unesco.org/es/articles/el-40-de-la-poblacion-no-tiene-acceso-la-educacion-en-un-idioma-que-entienda

4000 libros sagrados que sirven de fundamento a las aproximadamente 4200 religiones diferentes que se practican hoy en día[8]. Lo que determinaría cuales otras motivaciones a que sujetos de elevado intelecto serían fervientes seguidores religiosos.

Es una prueba empírica el modelaje que la religión ejercería en la psicología de las personas en formas complejas, existiendo diversos hallazgos, que brindan sendas claves que sugieren una importante complejidad, así como podrían brindar modelos para pensar cómo cualquier tipo de influencia cultural moldea las mentes de las personas y sus comportamientos (Rose Markus, 2014)[9].

Tal vez la respuesta más intuitiva es que las personas de diferentes religiones ingresan a la cultura y se socializan a partir de experiencias y mensajes, que provendrían generalmente de sus padres, profesores, líderes religiosos, y comunidades. El desarrollo religioso y espiritual seguramente representa un proceso de desarrollo cognitivo en un contexto particular, al igual que otros tipos de socialización (Richert & Granqvist, 2013). Algunos de estos procesos de socialización podrían ser bastante explícitos y tangibles, p. ej. cuando el pequeño Jesús regresa a casa del colegio y le dice a su madre que alguien en la escuela le dijo que estaba pensando en tirarle una piedra, su mamá cristiana podría decir “aléjate de ese niño -es malo”. Pero si lo

---

8 https://concepto.de/religionesdelmundo/#:~:text=En%20la%20actualidad%2C%20se%20reconocen%20alrededor%20de%204200,Dios%2C%20pero%20s%C3%AD%20de%20un%20orden%20c%C3%B3smico%20divino.

9 NICOLE STEPHENS, HAZEL ROSE MARKUS, L TAYLOR PHILLIPS. (2013). Ciclos culturales de clase social: cómo tres contextos de entrada dan forma a la persona y alimentan la desigualdad, PMID: 24079532 DOI: 10.1146/annurev-psych-010213-115143. https://pubmed.ncbi.nlm.nih.gov/24079532/

mismo le ocurriese al pequeño Israel, su mamá judía podría preguntarle "¿A fin de cuentas te tiró la piedra?

Tampoco la religión estaría exenta de altilocuentes intereses económicos en cualquier región del mundo y fecha de la que precise datarse, no nos traigamos a engaño[10].

Relataba en el Foro Interreligioso G20 que tuvo lugar en Buenos Aires del 26 a 28 de septiembre de 2018, en donde se reunieron representantes de las iglesias y organizaciones de fe que deseaban hacer llegar su mensaje a los presidentes del G20.

Monseñor Carlos Malfa, secretario general de la Conferencia Episcopal Argentina, leyó un mensaje del papa Francisco[11]:

> *"Nos enfrentamos actualmente a situaciones difíciles que no solo afectan a tantos hermanos nuestros desamparados y olvidados, sino que amenazan el futuro de la humanidad entera. Y los hombres de fe no podemos quedar indiferentes ante estas amenazas".*
> *"Un primer aporte fundamental al mundo de hoy -escribió Francisco- es el de ser capaces de mostrar la fecundidad del diálogo constructivo para encontrar, entre todos, las mejores soluciones a los problemas que nos afectan a todos".*

Durante tres días, líderes del más alto nivel de todas las religiones debatirían en Buenos Aires una amplia agenda de temas

---

10 ANTONIO ACOSTA IGLESIA, (2016). Intereses Económicos Y Teología De La Dominación. Contradicciones En La Evangelización De La América Española. Perú, Siglo Xvi https://www.scielo.cl/scielo.php?script=sci_arttext&pid=S0719-26812016000100036

11 MENSAJE DEL SANTO PADRE FRANCISCO A LOS PARTICIPANTES EN EL FOROINTERRELIGIOSOS G20 (2018). https://www.vatican.va/content/francesco/es/messages/pont-messages/2018/documents/papa-francesco_20180906_messaggio-foro-interreligioso.html

bajo el lema «Construyendo consenso para un desarrollo equitativo y sostenible».

Y ciertamente esa última frase de marcado carácter bioético y no religioso, 'ser capaces de encontrar, entre todos, las mejores soluciones a los problemas que nos afectan a todos', habido que tales soluciones no vienen a través de la imposición de ideologías y dogmas que devienen en censura de prácticas a su vez que limitan el desarrollo evolutivo de la humanidad.

Aunque Wittgenstein, Ryle[12],[13] y los autores que los siguieron no niegan la existencia de los procesos mentales, sí afirmaron que no podemos conocer la experiencia psicológica de otras personas. Usamos las palabras para hacer referencia a experiencias internas abstractas, de manera que nunca las transmitimos de forma fiel o completa.

Conforme afirmaría Ryle, cuando expresamos nuestros contenidos mentales en realidad estamos haciendo referencia al propio acto de exteriorizarlos. Del mismo modo, hablamos de causas de forma sistemática para describir el mismo fenómeno que la supuesta consecuencia; esto sucede, por ejemplo, al decir que alguien se comporta de forma amable porque es amable.

Si bien en otros capítulos de esta investigación hemos hablado de la influencia que las grandes tecnológicas estarían ejerciendo sobre la sociedad, así como en el capítulo VII que abordamos los neuroderechos, no es menos importante destacar la influencia que ejerce la religión, habido que no deja

---

12 ALEX FIGUEROBA. (2017). Conductismo filosófico: autores y principios teóricos
Conductismo filosófico: autores y principios teóricos; https://psicologiaymente.com/psicologia/conductismo-filosofico

13 GILBERT RYLE (1949). El Concepto De Lo Mental https://fundipp.org/el-concepto-de-lo-mental1949-gilbert-ryle/.

de ser otra instancia más de control sobre la conducta de los individuos, utilizando los sutiles y fuertes mecanismos que para ello tiene.

Si bien es cierto que la religión predica la asunción impositiva de conductas elevadas que se denominan en el contexto religioso "santas", el hecho de que lo haga por medios que podrían interpretarse espurios y con fines que desnaturalizan lo humano, fines y presupuestos que ella asigna como "sobrenaturales", ello mismo la privaría de toda interpretación y derecho a su existencia.

Mecanismos, por otra parte, no muy distintos de los que puede utilizar la política p.ej., que, aunque los efectos y los pretendidos fines sean distintos, los medios, técnicas de control conductual devendrían análogos.

Anteriormente se apuntaba a sus fines "elevados», y, sin embargo, lejos de ello, la religión, buscaría perseguir no la libertad del individuo sino el sometimiento de este a la pauta dogmática que conforme su ideología 'sería más positivo' para el sujeto, que su propia libertad y albedrio, e incluso cuando estas motivaciones humanas son sustituidas por el sujeto paulatinamente por otras instancias vacías de virtualidad operativa.

En relación a la conflictividad que despiertan temas como la edición genómica en el contexto religioso, así como lo pudo ser en su momento con la FIV, conectan instintivamente con la memoria de las aberraciones eugenésicas vividas, y a pesar que en religiones como la católica priorizan la relevancia del perdón, no sólo en ejemplos extremos de conflicto intergrupal y crímenes contra la humanidad, sino también en instancias de todos los días en donde se produce engaño a otros en contextos interpersonales (McCullough et al., 1998). No obstante, se mantiene en una posición hermética respecto a los avances en edición genómica.

Y ello porque a pesar del supuesto perdón, se prioriza el temor que dejarían las secuelas del conflicto grupal y la manera en que los grupos continúan relacionándose entre sí incluso décadas más tarde, particularmente en relación con el perdón o la aversión que el grupo víctima continuaría haciendo sentir hacia el grupo perpetrador. Décadas después del holocausto, los puntos de vista de los judíos acerca de los alemanes están fuertemente coloreados por el legado cultural del genocidio -y de la teología relevante. Si bien el judaísmo (al igual que el cristianismo) consideran el perdón como una virtud central, el judaísmo consideraría sin embargo algunas ofensas como imperdonables – tales como el asesinato. El cristianismo, por su parte, considera que existen muy pocas ofensas que estén más allá del perdón.

¿Y qué tendría todo este planteamiento que ver con la edición genética?

Ciertamente estaría íntimamente vinculada con la aversión social manifiesta en relación a la edición del genoma, que, aunque despierta elevada curiosidad, ello no superaría la necesidad o riesgo de modificar el status actual conocido. Y cuyo cambio vendría dado por la necesaria educación en genómica que hoy es plenamente nula en las aulas, y que habría de implantarse en un sentido muy amplio y extendido a todas las áreas de conocimiento. Una formación abierta que permita el acceso real a la participación del conocimiento escudriñado de la genómica, así como se imparte con otras disciplinas como las matemáticas, que, con mayor o menor voluntad o ganas, resulta obligatorio pasar por el estudio de teoremas, ecuaciones, límites, derivadas, algebra, etc…

No resultaría viable hablar de modificación genómica sin la participación social, y máxime cuando ella estaría restringida mayoritariamente a la ignorancia, habido no tiene ni la mínima percepción de lo que significa, más allá de la ambivalencia entre el temor eugenésico y el surrealismo alineado con las capacidades de superhombre que mal interpretado quedaría plenamente desnaturalizado.

Por tanto, se podría interpretar que el diálogo de la edición genómica recae en la actualidad exclusivamente en representantes del mundo de la ciencia en sus diferentes áreas y poderes políticos, incluyendo religión en política, habido que ésta última encontraría frecuentemente en la religión un aliado y partner en el apoyo y lealtad de la población. Y que vendría a remunerar desde su último acuerdo de autofinanciación de la iglesia, que establecía los acuerdos entre el Estado Español y la Santa Sede de 1979, adaptando el Concordato de 1953 al marco de la Transición. Gestándose por entonces los cuatro acuerdos firmados el 3 de enero de 1979 (sobre Financiación, Enseñanza, Asistencia a las Fuerzas Armadas y Asuntos Jurídicos), pocas fechas después que se aprobara la Constitución. Y que por su contenido tales acuerdos devendrían inconstitucionales (de no tratarse de la iglesia), habido que suponen una clara intromisión del poder eclesiástico en el poder público. Además, otorgando privilegios enormes a la iglesia católica, establecen un trato discriminatorio en relación con otras iglesias y, sobre todo, con las instituciones no religiosas. Se trata, en definitiva, de una clara cesión de soberanía por parte del estado. Es de interpretar que este pacto recaería habido el poder de comunicación e influencia de la iglesia en la sociedad, que posteriormente, el poder político habría encontrado apoyo en los medios de comunicación como partner a quien iría incrementando paulatinamente su presupuesto, y más recientemente en las grandes tecnológicas. Estableciéndose para la iglesia asignación de unos 11.000 millones de euros anuales de los presupuestos públicos. Datos contenidos en el informe de Europa Laica sobre la Memoria de Actividades de la Conferencia Episcopal[14].

---

14 LAICISMO. (s.f). Informe de Europa Laica sobre la Memoria de Actividades de la Conferencia Episcopal

En el sentido opuesto, la bioética no pretende imponer una ideología sino establecer un diálogo que permita al sujeto el discernimiento moral y ético desde su propia voluntad en un contexto adaptivo a los cambios evolutivos que asisten al ser humano constantemente, sin constreñir su voluntad a la expresión dogmática.

La bioética se centra en el bienestar humano, e incluso en el entorno biológico no humano, teniendo como propósitos clave la defensa de principios como la autonomía (respetar la toma de decisiones de los individuos), la beneficencia (promover el bien), la no maleficencia (evitar el daño) y la justicia (equidad en la distribución de recursos y tratamientos). No impone, sino que fomenta la reflexión sobre los límites morales, humanos, económicos y sociales.

---

https://laicismo.org/informe-de-europa-laica-sobre-la-memoria-de-actividades-de-la-conferencia-episcopal/185063

CAPÍTULO V
ASPECTOS JURÍDICOS CRISPR

Si el hombre fracasa en conciliar la justicia y la libertad, fracasa en todo.

-Albert Camus-

La probabilidad de perder en la lucha no debe disuadirnos de apoyar una causa que creemos que es justa.

-Abraham Lincoln-

Capítulo V:

Aspectos jurídicos crispr

1. INTRODUCCIÓN

A lo largo de la investigación, en los diferentes capítulos se ha hecho referencia a las normas sustantivas y procesales concernientes a cada área, procediendo a destacar en este capítulo el marco general afecto a la edición genética, en relación a la medicina y la reproducción, etc.

La técnica CRISPR/Cas9 se configura como la más novedosa utilizada hoy para editar o corregir el genoma de cualquier célula; aunque en principio se postula precisa y controlada, si bien es cierto, a lo largo de esta investigación hemos confrontado la eficacia de la misma, con la finalidad de orientar en un mayor beneficio y seguridad su aplicación, habido el enfoque rector que se habría considerado para ello, basado en la noción trasladada del propio conocimiento del genoma, que deviene de los más actualizados avances en biofísica que se citan en este trabajo.

En este sentido, deviene vital analizar sus repercusiones en el ámbito de los derechos humanos, toda vez que, en tanto los avances se propician, del mismo modo también ha quedado identificado en los demás capítulos su potencial para generar nuevas amenazas.

Se pretende con CRISPR evitar enfermedades de origen genético, inmunizar frente a enfermedades infecciosas, disminuir o eliminar las consecuencias derivadas del envejecimiento celular, la mejora genética a nivel cognitivo a través de la neurociencia, aunque la potencialidad se extiende mucho más allá pudiéndose alcanzar a alterar los rasgos fenotípicos (color de los ojos, estatura, edad biológica, rasgos faciales, etc.).

2. APLICACIÓN CRISPR EN LÍNEA GERMINAL Y SOMÁTICA

En 2017 Doudna y Sternberg afirmaban que la pregunta no era si la edición genética debería ser usada para alterar el ADN de células germinales humanas, sino más bien cuándo y cómo se daría[1].

La segunda cumbre internacional sobre edición del genoma humano, celebrada el pasado 27 al 29 de noviembre de 2018 en Hong Kong, clausuraba con la recomendación de trazar el camino hacia la edición genética germinal[2].

De la 3ª Cumbre Internacional sobre Edición Genética en Seres Humanos, organizada por la Royal Society británica y la National Academy of Sciences estadounidense. Destacaba la presencia de Victoria Gray, la primera mujer tratada con CRISPR para curar su anemia falciforme, la cual comenzaría en julio de 2019, y que permanecería curada desde entonces. Un solo tratamiento le habría permitido reducir la expresión de un gen represor de las copias de genes de gamma-globinas fetales permitiendo que estas substituyeran a las subunidades beta-globina mutadas.

---

1 RONALD CÁRDENAS KRENZ. (2019). El Derecho ante la técnica de edición genética CRISPR; Acta bioeth. vol.25 no.2 http://dx.doi.org/10.4067/S1726-569X2019000200187 https://www.scielo.cl/scielo.php?script=sci_arttext&pid=S1726-569X2019000200187

2 La segunda cumbre internacional sobre edición del genoma humano recomienda trazar el camino hacia la edición genética germinal; https://www.observatoriobioetica.org/2018/12/la-segunda-cumbre-internacional-sobre-edicion-del-genoma-humano-recomienda-trazar-el-camino-hacia-la-edicion-genetica-germinal/29214

Los resultados exitosos de esta terapia experimental fueron publicados a principio de 2021 por la revista The New England Journal of Medicine (NEJM)[3]. Victoria Gray relataba, en la parte final de la cubre, lo difícil que había sido para ella afrontar esta enfermedad, hasta que le propusieron participar en un ensayo clínico, que acabaría curando su enfermedad.

Se percibe una gran preocupación, por parte de la comunidad científica en relación a la salud actual de las gemelas editadas por el investigador He Jiankui en 2018, con la finalidad de inhibir el virus VIH. En cuyo evento recae gran polémica, y que resultó el elemento catalizador para que el gobierno chino pusiera en marcha la modificación de ley que acabaría estableciendo protocolos restrictivos, conforme relataban sus ponentes en la tercera cumbre internacional de edición genética.

---

3 Edición genética CRISPR-Cas9 para la enfermedad de células falciformes y la β-talasemia. La β-talasemia dependiente de transfusiones (TDT) y la anemia de células falciformes (MSC) son enfermedades monogénicas graves con manifestaciones graves y potencialmente mortales. BCL11A es un factor de transcripción que reprime la expresión de γ-globina y hemoglobina fetal en las células eritroides. Realizamos electroporación de células madre y progenitoras hematopoyéticas CD34+ obtenidas de donantes sanos, con CRISPR-Cas9 dirigido al potenciador específico eritroide BCL11A. Aproximadamente el 80% de los alelos en este locus fueron modificados, sin evidencia de edición fuera del objetivo. Después de someterse a mieloablación, dos pacientes, uno con TDT y el otro con anemia de células falciformes, recibieron células CD34+ autólogas editadas con CRISPR-Cas9 dirigidas al mismo potenciador de BCL11A. Más de un año después, ambos pacientes presentaban altos niveles de edición alélica en médula ósea y sangre, aumentos de la hemoglobina fetal que se distribuyó pancelularmente, independencia transfusional y (en el paciente con anemia de células falciformes) eliminación de episodios vasooclusos. (Financiado por CRISPR Therapeutics y Vertex Pharmaceuticals; números ClinicalTrials.gov, NCT03655678 para CLIMB THAL-111 y NCT03745287 para CLIMB SCD-121). https://www.nejm.org/doi/full/10.1056/NEJMoa2031054.

En este sentido las modificaciones embrionarias en línea germinal devienen las de mayor controversia generada por las consecuencias de elevado riesgo que podría generar la alteración de las células reproductivas y la potencial descendencia.

Sin embargo, menor es la preocupación que la comunidad científica muestra en relación a las intervenciones en línea somática, toda vez que, se entienden desplegados sus efectos aisladamente en el sujeto en que fuese aplicado, y la modificación a la que hubiese sido sometida, se presuponen extensibles hasta el final de su propia vida sin que ello infiera riesgo a la herencia genética de sus descendientes.

Sin embargo, a la luz de las investigaciones llevadas a cabo entre otros por Dr. Petrovich Gariaev (Dr. En Biología Ruso), Dra. Orly (Australia) y Karim Nayernia (Persa: کریم نیرنیا) (científico biomédico iraní y experto mundial en biología de células madre y medicina personalizada), en que se determina la viabilidad fecundadora y reproductora de células somáticas que se mencionan en el capítulo VI, punto 5 'Las células somáticas y su función reproductora'.

Así la Dra. Orly Lacham-Kaplan, que encabeza el equipo de investigación de la Universidad de Monash de Melbourne, Australia, que logró que ratones hembras procrearan mediante la intervención de células que no procedían del esperma de ratón. La especialista estimó que, reproduciendo esas condiciones, devendría teóricamente posible que una célula procedente de cualquier parte del cuerpo humano, incluyendo el de otra mujer, pueda ser utilizada para fertilizar un óvulo[4].

---

4 ORLY LACHAM-KAPLAN. (2001). Fecundación de ovocitos de ratón utilizando células somáticas como células germinales masculinas, BioMedicina reproductiva en línea 3(3):205-211; DOI: 10.1016/S1472-6483(10)62037-8. FuentePubMed https://www.researchgate.net/publication/10962673_Fertilization_of_mouse_oocytes_using_somatic_cells_as_male_germ_cells

Explica la Dra. Orly, que las células somáticas contienen dos juegos de cromosomas, mientras que las germinales poseen sólo uno. El equipo de la Universidad de Monash utilizó técnicas químicas para liberar uno de los juegos de 23 cromosomas de la célula somática e imitando al proceso de fertilización natural, utilizó para combinarlo con el óvulo y producir un embrión.

Así como la Dra. Orly define en su disruptiva teoría de reproducción, la cual se habría llevado a cabo con la finalidad de ser utilizada en hombres infértiles y en parejas conformadas por mujeres que quieran llevar a cabo la reproducción con su propia descendencia.

En relación a las investigaciones de Dr. Petrovich Gariaev resulta de especial interés sus teorías, pues, aunque ha sido objeto de críticas por la comunidad científica en relación a su teoría de genética de onda, y ello pese a haber sido nominado al premio Nobel en 2020, y morir en extrañas circunstancias solo un mes después de su nominación.

No ha resultado ser el único científico de la historia a quien se le ha pretendido empañar su investigación catalogándole de pseudocientífico, al propio Luc Montagnier, que recibiría el Premio Nobel de medicina en 2008 y poco después el prestigio de Luc Montagnier se habría visto ensombrecido por poner en entredicho la seguridad de las vacunas, como así también por manifestar su apoyo a la homeopatía, además, la publicación de un artículo en el que Montagnier afirma haber detectado señales electromagnéticas de soluciones diluidas de ADN bacteriano y vírico, casualmente coincidente con las teorías

---

El presente estudio demuestra que las células somáticas de ratón sufren haploidización cuando se inyectan en ovocitos en metafase II, fertilizan los ovocitos como células germinales masculinas diploides y apoyan el desarrollo previo a la implantación hasta cierto punto.

de Petrovich, e incluso el propio Einstein también habría sido fuertemente cuestionado.

Así Petrovich, que se habría desmarcado de entregar sus ingeniosos avances en la exclusiva y tenor del gobierno ruso, en favor de una investigación accesible, libre y transparente, le habría costado el caro precio, como en su momento sucedió con el gobierno chino, el cual habría estado apoyando a He Jiankui en sus investigaciones, y que se habría llevado los méritos de haber tenido aceptación en la comunidad científica, pero que habido el revuelo suscitado, se desmarcaría plenamente condenando sus actuaciones, y justificando la creación de normativa normalizadora a posteriori (2023 tercera cumbre internacional de edición de genoma humano).

Es el modus operandi de algunos países donde la ética y la transparencia se parecerían más a la apariencia y la justificación fabricada al caso concreto, es conocido por todos, sin embargo, ante la acritud convulsa de un evento definido como pseudocientífico (Algunas investigaciones de Petrovich, Montagnier, Einstein, Etc), o valorado de un modo diabólico (Investigación He Jiankui) , para la calidad del ponente, por muy compañero y empático con su teoría, es favorable tomar distancia, y normalizar el protocolo estandarizado para estos casos, aún sabedores que la mentira y la falacia caminan vanagloriando en sus copiosas vestiduras.

—¡Alguien tendría que dar el primer paso, seamos nosotros, para eso somos la primera potencia! — se dirían entre bastidores gubernamentales —¡Total, sabemos que no va a permitirse hasta que se mida la extensión de la consecuencia a la herencia genética! —.

Era la pescadilla que se mordía la cola, la normativa restrictiva no iba a ser tarea fácil de sortear quizá en esta generación, y sin embargo urgente y necesario sentar un precedente catalizador, que si bien, en los primeros años sería o bien alabado por todos, o moral y punitivamente condenado por la comunidad y por la sociedad. Había que jugársela al cara o cruz, a sabiendas que solo sería cuestión de unos años, que ese evento devolviera el favor a la ciencia.

Resulta deductivo imaginar que el peso de la justicia china, a su más dantesco estilo totalitario y autoritario, a través del que impondrían su política dictatorial, en donde ni los líderes nacionales resultan elegidos libremente, celebrando sus elecciones bajo sistema político único, motivación incluso literaria por sus limitaciones a la libertad de expresión y la interferencia del gobierno en las elecciones. Acostumbrado a castigar a sus desertores con la pena de muerte, privación de derechos políticos y la confiscación de bienes, entre otras barbaridades previstas en su código penal[5]. Que han arrojado preocupaciones en materia de derechos humanos en relación con la transparencia y la aplicación de estos castigos, especialmente la pena de muerte. Habiendo sido objeto de la crítica internacional, por votar en contra de las resoluciones que piden la abolición de la pena de muerte y por procedimientos de revisión menos rigurosos de las condenas a muerte suspendidas. Destacando como país número uno en el mundo por el horrendo uso de la pena de muerte que sigue siendo uno de los terribles secretos del país. Y que, sin embargo, baremaría en 3 años de privación de libertad e inhabilitación, al supuesto desertor que habría puesto en peligro el patrimonio genético de la humanidad China y mundial. Sino por un decoro protocolario que había quedado incluso creíble a extra muros de China. Nada quedaría de He Jiankui de no haber tenido seria connivencia con su gobierno, sin embargo, ya está investigando de nuevo, bajo la promesa abierta a la comunidad internacional y al mundo, de ser un chico bueno.

---

5 https://es.chinajusticeobserver.com/law/x/criminal-law-of-china-20171104

Lo que no justifica, a juicio de la autora, la macabra actuación del investigador He Jiankui, cubierto por su ahora ejecutor gobierno en las sombras. Solo ellos conocen el verdadero plan completo y su precio, de esta historia que seguramente tendrá un final feliz para las gemelas nacidas, y que sin embargo supuso un mayúsculo riesgo aún hoy no ponderado.

En cuanto a las teorías de Petrovich y Montagnier, entre otros, ciertamente ante determinados enfoques que marcan un cambio de paradigma, no deviene fácil separar la delgada línea que dista del genio al loco, solo el tiempo dirá si era genialidad o locura.

En relación al apoyo científico de la edición genética en línea germinal La Declaración de Ginebra, remarca la necesidad de recaer el peso en la justicia social, y los DD. HH.

> *"Casi todas las declaraciones anteriores sobre la edición del genoma humano hereditario han sido redactadas por grupos dominados por científicos (…) y basadas en perspectivas científicas médicas."*

Ciertamente la encrucijada actual no permitiría demasiada maniobra, habido el condicionamiento del desarrollo completo de diversas técnicas en tanto la dificultad de gestionar el riesgo de posibles resultados adversos. En este sentido la Declaración se reafirma en su denuncia en relación al grupo de científicos que apoyarían el avance de la edición del genoma humano hereditario, planteándose incluso si se debe proceder en términos absolutos, lo que conllevaría a alterar los genes de los futuros niños y generaciones.

En este sentido la Declaración de Ginebra refiere el informe de las Academias Nacionales de Ciencias, Ingeniería Medicina de los Estados Unidos de América (EE. UU.), en donde indica se necesitan más investigaciones, para a medida que se superen los obstáculos técnicos que plantearía la edición del genoma, pueda avanzarse en la técnica, con la finalidad de prevenir la transmisión de enfermedades hereditarias genéticas y ello pueda convertirse en una posibilidad realista. Incide, en este sentido, en la necesidad de condicionar los avances, si se superan los problemas técnicos y los posibles beneficios son razonables a la luz de los riesgos, limitando a las circunstancias más apremiantes, si se someten a un marco de supervisión exhaustivo, y si se establecen suficientes salvaguardas.

Es de ver, a la luz de las manifestaciones que hace la propia Declaración, en relación al informe, que se desprende su apoyo en los avances en línea germinal, si bien supeditado a la seguridad de la técnica y la medición del riesgo no provocando daño tercero, refiriendo la aplicación fundamentalmente a afecciones graves de tipo genético. Y del mismo modo las Academias precisarían que los ensayos de edición de genoma hereditario han de abordarse con cautela, sin que ello suponga la prohibición, sino cautela.

En este sentido la aplicación del principio de precaución precisa una situación de incertidumbre científica y la probabilidad de producirse daños graves e irreversibles, supuestos que, conforme valoraciones de ROMEO CASABONA, podrían converger y amparar su aplicación preventiva en el caso de la edición genética germinal.

En relación a la Declaración conjunta llevada a cabo por Comités de Bioética de Alemania, Reino Unido y Francia en ética de la edición del genoma humano hereditario, habrían anunciado la posibilidad de escenarios permisivos de intervención de edición del genoma hereditario, y en este sentido afirmarían que no consideran que la que la línea germinal humana sea categóricamente inviolable, siendo que los informes emitidos razonarían que la aplicación de la edición genética hereditaria habría de ser aceptable para prevenir la transmisión intergeneracional de graves trastornos hereditarios. Relegando al gobierno y agentes sociales a la implantación de normativa y base que conllevaría estabilizar el debate en relación a la edición del genoma hereditario.

En todo caso, aún resultado controvertido, se desprende la no negación categórica, sino más bien la necesidad de probatorias que inviten a la viabilidad probable de un escenario seguro en el que avanzar, y de ello se deviene la prudencia e incluso inexactitud de ciertos enfoques, lo cual ciertamente, por omisión de directrices claras, no despeja sino la tendencia potencial de hacia donde habría de apuntar.

Por otro lado, las Reales Academias Nacionales de Medicina, Ciencias y Sociedad, han venido mostrando sus reservas al apoyo de la edición genética en línea germinal, en donde apuntan la necesidad previa de cumplimiento de determinadas pautas de actuación responsable a escala transnacional, debiendo coexistir sendos criterios entre los que se apunta el riesgo de exposición de los embriones, introduciéndolo en el debate el estatuto jurídico del embrión humano, así como apunta a limitar el uso de la técnica, a situaciones en las que los futuros padres no tengan opción de tener un hijo emparentado genéticamente que no padezca una grave enfermedad monogénica, o tengan opciones extremadamente pobres.

La Declaración incluye la Bioética como área de conocimiento que ha venido marcando el trazado de la edición genética, precisando que casi todas las declaraciones anteriores sobre la edición del genoma humano hereditario han sido redactadas por grupos dominados por profesionales de la bioética.

Resultando las máximas que han guiado el discurso de la ética; la aplicación en ausencia de alternativas razonables, la ponderación de riesgos beneficios, y que no provoque daños a terceros. Todo ello en plena consonancia con los principios bioéticos autonomía, beneficencia, no maleficencia y justicia. Así los distintos Comités de Bioética de cada país han hecho suya de forma individual, la aplicación de lo ya establecido por los comités de bioética.

En este sentido, y por la envergadura y calado de las investigaciones, se haría necesario estrechar la distancia entre lo previsiblemente autorizado para el trabajo en células somáticas, y el enfoque restrictivo en células reproductoras, habido el comportamiento análogo al que podrían aproximarse en un contexto determinado.

Ello en tanto se plantea una seria controversia ética cuando en la aplicación de edición genética a la línea germinal, dado que supone la posibilidad de manipular la herencia, trasmitir sus resultados a generaciones futuras, así como manipular o mejorar la especie (eugenesia).

3. LÍMITES Y ACCIONES COERCITIVAS EN EL DERECHO A LA LIBERTAD DE INVESTIGACIÓN, COLISIÓN ENTRE LA LIBERTAD DE INVESTIGACIÓN CIENTÍFICA Y OTROS DERECHOS O BIENES JURÍDICOS.

El Convenio para la protección de los derechos humanos y la dignidad del ser humano con respecto a las aplicaciones de la Biología y la Medicina (Convenio relativo a los derechos humanos y la biomedicina), firmado en Oviedo el 4 de abril de 1997 (CO), en este sentido, el artículo 13 establece que las intervenciones sobre el genoma humano sólo podrán realizarse con fines preventivos, diagnósticos o terapéuticos y no deberán tener por objeto introducir modificaciones en el genoma de los descendientes. Este artículo significa las preocupaciones sobre la ingeniería o mejora genética de la línea germinal al limitar las intervenciones en el genoma humano.

Así, La Declaración Universal sobre el Genoma Humano y los Derechos Humanos, de 11 de noviembre de 1997 (DUGH), pone de manifiesto que el genoma humano es patrimonio de la humanidad, y nadie puede ser objeto de discriminación por sus características genéticas, por tanto, ninguna aplicación relativa al genoma humano puede prevalecer sobre el respeto a los derechos humanos, las libertades fundamentales y la dignidad humana.

En este sentido, y siendo que la libertad de investigación ha de resultar una prolongación de la libertad de pensamiento, sin embargo, su aplicación sobre el genoma humano habría de enfocarse a mejorar la salud de las personas, advirtiendo así que los Estados deben adoptar las respectivas medidas que consideren las consecuencias éticas, legales, sociales y económicas de la investigación.

De igual modo, la normativa española, la LTRHA dispone en el artículo 13.2c sus requisitos;

> *"que no se modifiquen los caracteres hereditarios no patológicos ni se busque la selección de los individuos o de la raza"*

Y por señala en su artículo 1.1, b que sus fines son;

> *"regular la aplicación de las técnicas de reproducción humana asistida en la prevención y tratamiento de enfermedades de origen genético"*

Así como de igual modo establece en su artículo 3.1 que ha de realizarse

> *"cuando haya posibilidades razonables de éxito y no supongan grave riesgo para la mujer o su descendencia"*

Señala además el Código Penal (CP) en su artículo 159.1 que serán castigadas las prácticas que

> *«con finalidad distinta a la eliminación o disminución de taras o enfermedades graves, manipulen genes humanos de manera que se altere el genotipo»*

Es de ver la normativa adoptada en materia de edición genética reviste una proyección limitativa y de marcado carácter coercitivo. Ciertamente implica valorar los riesgos de manipulación del ADN, con tácito potencial de modificación de la identidad genética primaria para obtener sujetos dotados de características específicas, tanto con la finalidad de mejorar su salud, como con la finalidad de establecer una mejora del sujeto.

Por tanto, deviene esencial identificar los límites de naturaleza jurídica, esto es, los que han sido establecidos por normas jurídicas o son producto de acciones jurídicas[6].

Su identificación determina qué es lo que no protege el derecho fundamental, así como identificando las conductas exentas de protección constitucional [7], del mismo modo delimitando aquello que no forma parte de las posiciones iusfundamentalmente protegidas [8].

Conforme a lo dispuesto por el artículo 20.4 de la CE, podrían presentarse límites directos de colisión entre la libertad de investigación científica y otros derechos o bienes jurídicos. Así como límites indirectos, en relación a las prohibiciones, requisitos y exigencias que se han establecido tanto en el ordenamiento internacional como en el ordenamiento jurídico español.

El establecimiento de límites no habría de quedar afecto a la potestad de la comunidad científica ni a la discrecionalidad del investigador individual, a su vez vinculada con un estímulo individual subjetivo. Habido que, resultando vinculado a intereses

---

6 AGUIAR DE LUQUE, LUIS, (1993)."Los límites de los derechos fundamentales", en Revista del Centro de Estudios Constitucionales, N° 14, p. 10.

7 VILLAVERDE, IGNACIO, (s.f.) "Concepto, contenido, objeto y límites de los derechos fundamentales", citado, p. 332.

8 ALEXY, ROBERT, (s.f.). Teoría de los Derechos Fundamentales, citado, p. 326.

supraindividuales, la motivación propia queda desnaturalizada [9], habida la trascendencia de las actividades colectivas implicadas, en su virtud, la solución al conflicto recae en el poder público.

Ello no supone obviar la importancia de la ética individual, de las moratorias y de las prohibiciones contenidas en los códigos deontológicos, en tanto su función es complementaria, incluso sirviendo como cultivo de la norma legal habida su, en sendas veces, adelantado planteamiento [10].

Significativamente importante deviene, aunque no es motivo de este apartado, señalar, la diferencia entre libertad de investigación y actuaciones contrarias a derecho que atentan o violan la libertad de investigación científica, mediante actuaciones como prohibiciones a publicar resultados de investigaciones en revistas científicas, en base a criterios de pensamiento distintos de objetividad o rigor científico, entre otros como negación de visas a científicos, etc.

Revisaré su consagración positiva en normas de derecho internacional y de derecho interno, la técnica jurídica mediante la cual se protegen los diversos bienes jurídicos y sus fundamentos.

Así los límites devienen una exigencia de la vida como conjunto de sociedad y la realización de derechos, afectos a las conductas que en su inicio habrían de haberse considerado viables y plenamente legales, por ende, admisibles, en tanto su fundamento Constitucional. De este modo suponen la excepción al amparo de la norma fundamental habido se traducen

---

9 ESER, ALBIN, (s.f.). "Genética humana desde la perspectiva del Derecho alemán", citado, p. 349.

10 ROMEO CASABONA, CARLOS MARÍA, (s.f) "Protección de bienes jurídicos e intervención en el genoma humano", citado, pp. 134-135.

en la negación de protección a una conducta que potencialmente estaría comprendida en la definición abstracta del derecho fundamental[11].

De este modo resultan límites al ejercicio de los derechos tanto los que se han establecido expresamente por la Constitución, como los dimanantes de ella, establecidos por el legislador basado en la necesidad de proteger otros derechos o bienes [12].

Ciertamente ha resultado una constante que el ejercicio de la libertad de investigación científica dé lugar de un modo continuo a fenómenos nuevos, en los que se atisbarían alertas que podrían resultar una amenaza. Así con la finalidad de afrontarlos y proteger los bienes jurídicos que podrían verse afectos, se postulan nuevos derechos, así como

---

11 VILLAVERDE, IGNACIO, (1990) Concepto, contenido, objeto y límites de los derechos fundamentales,
citado, p. 334. En el mismo sentido, Nicolás López Calera señala que si bien "la individualidad es un
fundamento de los derechos humanos [...] la socialidad es la condición inevitable de su realización y, en consecuencia, el fundamento de su limitación. Vid. LÓPEZ CALERA, NICOLÁS, Naturaleza dialéctica de los derechos humanos, en Anuario de Derechos Humanos, N°. 6, 1990, p. 81. También en
LÓPEZ CALERA, NICOLÁS, (2003) ¿Es posible un mundo justo? (Estudios de Filosofía Jurídica y Política), Editorial Universidad de Granada, Granada, pp. 181-201

12 PRIETO SANCHÍS, LUIS, (2020) "La limitación de los derechos fundamentales y la norma de clausura del
sistema de libertades", en Derechos y Libertades, Año V, N° 8, p. 433. Una versión revisada de este último, corresponde al capítulo 5, de la obra del mismo autor, Justicia Constitucional y Derechos Fundamentales, Editorial Trotta, Madrid, 2003, pp. 217-260. Se cita por el primero, salvo referencia expresa a esta última

también deberes [13]. Enmarcándose en esas pretensiones los "derechos del embrión", los "derechos de los animales", el "derecho al patrimonio genético"[14], "el derecho a heredar un patrimonio genético inalterado" [15].

---

13 BERISTAIN, ANTONIO, (1994). Bioética y nuevos 'deberes'-derechos humano, en SAUCA, JOSE Mª (Ed.), Problemas actuales de los derechos fundamentales, Universidad Carlos III de Madrid–Boletín Oficial del Estado, Madrid, 1994, pp. 411-426. Vid. ROMEO CASABONA, CARLOS MARÍA, Del Gen al Derecho, citado, p. 347. El autor señalaba hace unos años que se trataría de deberes "no concebidos como el correlato de los distintos derechos humanos". Serían deberes para con la comunidad, derivados de la solidaridad y de la "corresponsabilidad colectiva", situados "en el mismo nivel conceptual y jurídico que los derechos humanos ya consagrados". Al mismo tiempo, se preguntaba si esa sería una forma de restricción indirecta y no deseable de los derechos humanos o si debían permanecer sólo como deberes morales (p. 348).

14 Aunque se viene hablando hace algún tiempo de él, presenta problemas e incertidumbres, pues no está claro si habría de entenderse como un derecho individual, colectivo o cuyo titular es la humanidad toda; tampoco cuáles son los elementos que integran su contenido y su alcance. Vid. las críticas en CASTRO CID, BENITO DE, "Biotecnología y derechos humanos: Presente y Futuro", en MARTÍNEZ MORÁN, NARCISO, (Coord.), Biotecnología, Derecho y dignidad humana, citado, pp.78-80

15 ROMEO CASABONA, CARLOS MARÍA, (2001) Los genes y sus leyes. El derecho ante el genoma humano, p. 176. CAMBRÓN, ASCENCIÓN, "Patrimonio genético y derechos humanos colectivos", en ANSUÁTEGUI ROIG, FRANCISCO JAVIER (Ed.), Una discusión sobre derechos colectivos, Instituto Bartolomé de las Casas, Universidad Carlos III de Madrid-Dykinson, Madrid, p. 126.

4. DE LA LIBERTAD DE INVESTIGACIÓN Y LOS PRINCIPIOS BIOÉTICOS Y BIODERECHO.

La Bioética contendría los principios éticos que guían la investigación en ciencias de la vida y medicina. En este sentido, el principio de la libertad de investigación, habría de equilibrarse con el principio de la dignidad humana, la solidaridad, el respeto a la privacidad, la confidencialidad, la no discriminación y el consentimiento informado. La Declaración Universal sobre Bioética y Derechos Humanos de UNESCO destaca que los desarrollos científicos y tecnológicos pueden ser de gran beneficio para la humanidad, debiendo acometerse en el marco de integridad y honestidad intelectual[16],[17].

La libertad de investigación científica, proclamada en art. 20.1, b CE implica, en un sentido, un derecho fundamental subjetivo a favor del investigador que protegería posibles interferencias en el desarrollo de su actividad y, en otro sentido, una vertiente objetiva por la que recae en el Estado el mandato de posibilitar y regular el desarrollo de la investigación científica a través de la creación de procedimentales de autonomía propia, por los criterios que le son propios. En este sentido, el régimen jurídico de las instituciones en las que recaería la organización pública de la investigación científica, como es el caso de las Reales Academias, habría de infundirse conforme a las exigencias constitucionales derivadas de la libertad científica en su vertiente objetiva, lo que se postula como principio rector organizativo.

---

16 https://www.unesco.org/en/ethics-science-technology/bioethics-and-human-rights

17 https://unesdoc.unesco.org/ark:/48223/pf0000146180

En palabras del Prof Dr. JOSÉ RAMÓN SALCEDO[18]

> Bioderecho como nueva forma de afrontar la búsqueda de solución a los conflictos propios de la era moderna desde planteamientos éticos, con el aval de la ciencia y bajo el marco de un derecho cercano a la sociedad cuyo referente radica en el imperativo sustentado por los Derechos Humanos. Una ciencia en la que el trabajo entre especialistas y profesionales de diferentes ciencias se combina, se enriquece con la visión que aporta cada una y con la que, indefectiblemente, se alcanzan soluciones más cercanas a la realidad de las cosas y, por supuesto, más justas para las personas. Derecho, ética y ciencia como una sola cosa; cada disciplina con sus principios específicos; con sus métodos propios de análisis; pero con una nueva metodología y pautas de resolución propias al combinar todos los saberes. Esa es la realidad de un Bioderecho que nace del método interdisciplinar y del trabajo en equipo. Un Bioderecho con vocación de progresiva expansión hacia otros ámbitos del conjunto existencial en que se unen naturaleza y ser humano. Son las ciencias de la vida en sentido omnicomprensivo, que tanto se ocupan de la salud como de las nuevas tecnologías, de la ética medioambiental como de la biotecnología aplicada, de los derechos humanos como de la biodiversidad, de la ética en la investigación como del desarrollo sostenible. El objetivo es conseguir una sociedad más justa, rescatar la dignidad del ser humano, optar por la sostenibilidad, la defensa de la solidaridad social y jurídica, la eliminación de los conflictos entre ética y tecnología y la creación de un derecho preocupado por las personas. Sin embargo, el principal problema ante el que se enfrenta el Bioderecho es la dispersión conceptual al que ha sido sometido. Se habla ya desde bastantes sectores del bioderecho, pero se hace con un sentido bien distinto al que aquí se utiliza. Se sostiene que el bioderecho es una bioética dotada de contenido jurídico; o que es una bioética ampliada con la coercibilidad que aporta el derecho; o que simplemente es una rama del derecho, una forma de abordar desde la

---

18 SALCEDO HERNÁNDEZ, JR, (s.f.) BIODERECHO Y DERECHO A LA LIBERTAD DE PENSAMIENTO, CONCIENCIA Y RELIGIÓN (p.524).
https://riucv.ucv.es/bitstream/handle/20.500.12466/1232/Tema%2021.pdf

> perspectiva jurídica las cuestiones controvertidas que afectan a las ciencias de la vida; o, en fin, que representa un modelo y un enfoque, legalmente vinculante, que señala los principios y reglas, de rango constitucional, que sirven de base para legislar y regular las prácticas biomédicas, y que sentencia y sanciona el abuso y mala utilización de ellas mediante la juridificación de los principios del bioderecho y su transformación en reglas derivadas de la concreción jurídica de principios procedentes de la ética biomédica (VALDÉS). Sinceramente creo que todo esto es un error. Visto así el bioderecho, o no es más que una proyección de la bioética (¿qué bioética? ¿acaso la bioética es sólo una?), o es sólo Derecho (incluso derecho exclusivamente biomédico) y, por tanto, alejado de esa visión interdisciplinar y multidisciplinar en la que convergen derecho, ética y ciencias de la vida en sentido onmicomprensivo; desprovisto de la necesaria reflexión ética y de la debida ponderación de la racionalidad de la ciencia. Desde una perspectiva más próxima a la que aquí se sostiene, otras corrientes atribuyen al bioderecho un ámbito interdisciplinar bien diferenciado de otras materias, correspondiendo a éste el estudio de materias jurídicas relacionadas con todos los seres vivos en general, sus ecosistemas y su evolución. El bioderecho estaría reservado a los juristas y su objeto de estudio se formularía desde la óptica jurídica, aun cuando se tomase como punto de partida una perspectiva interdisciplinar y hasta cierto punto también multidisciplinar (ROMEO CASABONA). El concepto de Bioderecho que aquí proponemos va más allá: ni es una disciplina reservada a los juristas, ni su metodología utiliza en exclusivo la óptica jurídica; además, su perspectiva siempre y en todo momento es multidisciplinar e interdisciplinar. Una argumentación de bioderecho ha de integrar la metodología de las distintas ciencias que lo componen, está abierta a que la formulen disciplinas ajenas a lo jurídico y no se comprende sin la intervención en pie de igualdad de los contenidos valóricos, tecnocientíficos y normativos. El Bioderecho no pertenece a los juristas, porque el entorno del derecho no puede dar soluciones por sí solo, es una conquista compartida de ética, ciencia y derecho.

En este sentido el bioderecho habría de mediar intervención con carácter preventivo admitiendo en sus propuestas aquellas técnicas contrastadas que aporte la ciencia, sin embargo, seleccionando en aplicación de la ética de mínimos, así como señalada observación compatible con los derechos de la persona, el ejercicio de sus libertades y el respeto a su dignidad.

5. MARCO JURÍDICO INTERNACIONAL DE APLICACIÓN EDICIÓN GENÉTICA

Podría afirmarse que históricamente la evolución y adaptación legislativa de cada país, ha devenido simultánea a los grandes avances en la ciencia. En este sentido, en relación a la edición genómica mediante técnica CRISPR la mayoría de las regulaciones estatales se erigen restrictivas, inespecífica o ambigua.

La Declaración Universal sobre el Genoma Humano y Derecho Humanos (UNESCO), en su artículo 24 calificaba las intervenciones en la línea germinal como "contrarias a la naturaleza", así como y en la Declaración Universal de los Derechos Humanos de las Generaciones Futuras (UNESCO), de 26 de febrero de 1994, en su artículo 3 estipulaba que;

> *"las personas que pertenecen a las generaciones futuras tienen derecho a la vida y preservación de la especie humana y se prohíbe causar daño a la vida en particular con actos que comprometan de forma irreversible la preservación de la especie humana, el genoma y la herencia genética".*

En otro sentido, el Pacto Internacional de Derechos Civiles y Políticos, de 4 de noviembre de 1950, en su artículo 7 establecía que "nadie será sometido sin su libre consentimiento a experimentos médicos o científicos". Lo que cobra especial relevancia en relación al embrión.

En EEUU, la intervención de la línea germinal no estaría taxativamente prohibida por ley, sin embargo, los "Comités Consultivos para el uso del ADN Recombinante" (Recombinant DNA Advisory Committee o RAC) de los Institutos Nacionales de Salud (National Institutes of Health o NIH), habrían establecido la necesidad de restringir propuestas encaminadas a la alteración de la línea germinal humana. De este modo, la Administración de Comidas y Medicamentos (Food and Drug Administration o FDA) también habría reivindicado su autoridad en esta área.

Por otro lado, en China donde la normativa al respecto es sin rango de ley, prohíbe expresamente la clonación reproductiva en humanos, pero permite la experimentación con células madres obtenidas, por ejemplo, a partir de preembriones "sobrantes" en los procedimientos de fertilización in vitro dejando a los Comités de ética de las instituciones donde se realizan las investigaciones la responsabilidad de aprobarlas, normativa que se habría visto modificada a partir del episodio de las gemelas Lulú y Nana.

La legislación en otros países como Rusia, la India o Japón tiene guías o normas generales inaplicadas o ambiguas, que restringen la edición del genoma de embriones humanos, bien por omisión o por falta de concreción.

La edición genética en línea germinal no estaría taxativamente regulada en los diferentes países, resultando ambiguo, más allá del marco bioético.

En el ámbito europeo, a colación de los episodios bélicos de la Segunda Guerra Mundial, de carácter eugenésico que tuvieron lugar en los campos de concentración, se elaboraron sendas normativas y códigos éticos entre los que destacan principalmente el Código de Nüremberg (1947) y la Declaración de Helsinki de la Asociación Médica Mundial (1964).

En otro sentido los avances biomédicos en técnicas de reproducción artificial provocaron la creación de comisiones interdisciplinares en diversos países, formadas por investigadores, científicos, juristas, filósofos, teólogos, etc. De donde surgieron los Informes Benda (1985) en Alemania, Warnock (1984) en Reino Unido, y el "Informe Palacios" (1986) en España.

Y posteriormente tiene lugar la elaboración la Declaración de Bilbao, de 26 de mayo de 1993, tras una Reunión Internacional sobre el Derecho ante el Genoma humano, en la que se acordaría una moratoria en relación a la alteración de las células germinales.

Teniendo lugar cuatro años más tarde el Convenio de Oviedo (CO), abril de 1997, que sería ratificado por los Estados miembros del Consejo de Europa, la Comunidad Europea, los demás Estados adscritos.

El CO reseñaba, en su capítulo IV dedicado al Genoma humano, artículo 13

> Únicamente podrá efectuarse una intervención que tenga por objeto modificar el genoma humano por razones preventivas, diagnósticas o terapéuticas y sólo cuando no tenga por finalidad la introducción de una modificación en el genoma de la descendencia.

Así el Art 14 señalaba la no posibilidad de elección de sexo.

> No se admitirá la utilización de técnicas de asistencia médica a la procreación para elegir el sexo de la persona que va a nacer, salvo en los casos que sea preciso para evitar una enfermedad hereditaria grave vinculada al sexo.

Del mismo modo, en relación al embrión, vendría estipulado en el artículo 18 dedicado a la experimentación con embriones in vitro,

> 1." Cuando la experimentación con embriones in vitro esté admitida por ley, esta deberá garantizar una protección adecuada del embrión.
> 2. Se prohíbe la creación de embriones humanos con fines de experimentación".

Así el Reglamento de la Unión Europea 536/2014 de 16 de abril de 2014 sobre los ensayos clínicos de medicamentos de uso humano estipula que

> *"no podrán realizarse ensayos de terapia génica que produzcan modificaciones en la identidad genética germinal del sujeto",*

Cuya disposición mantiene tras derogar la Directiva 2001/20/CE.

En otro sentido, el Reglamento (UE) 2016/679 del Parlamento Europeo y del Consejo, de 27 de abril de 2016, en relación a la protección de las personas físicas, al tratamiento de datos personales, y a la libre circulación de estos datos, por el que se deroga la Directiva 95/46/CE (Reglamento general de protección de datos) que entró en vigor en mayo de 2018.

5.1. Comparativo legislaciones europeas

Resulta especialmente llamativo el criterio que cada país adopta e incluso dentro del marco europeo común, sin ánimo de exhaustividad, citar lo que se ha considerado especialmente de contraste efectos de extraer las diferencias más singulares.

La legislación alemana es una de las más restrictivas. La Ley alemana sobre protección del embrión N.º 745/90 prohíbe en su artículo 1 la extracción de más ovocitos de los necesarios, así como la fecundación con más de tres de ellos cada vez. De hecho, lo sanciona con una pena privativa de libertad de tres años o multa, así como en su artículo 2, aplica la misma penalización para quien provocara el desarrollo extracorporal de un embrión humano con un fin diferente al de inducir un embarazo. Y superiores, de hasta cinco años, para quien modificara artificialmente la información genética contenida en una célula sexual humana en cualquier estadio de la gametogénesis, o a quien utilizara un gameto humano para una fecundación cuya información genética hubiera sido artificialmente modificada.

Por tanto, deviene prohibitiva la selección embrionaria al no permitir la fecundación de más embriones de los que se van a implantar por ciclo reproductivo, sin posibilidad de excedente.

Por otro lado, Irlanda no se contempla ninguna ley que regule la investigación embrionaria. En este sentido la situación jurídica deviene incierta, así dado el caso M.R. vs T.R. El Tribunal Supremo de Irlanda, expuso que los embriones mantenidos en la crioconservación y creados fuera de matriz no están protegidos por la Constitución. Habiéndose producido con posterioridad varios intentos legislativos y sin embargo todos inacabados, destacando la Stem-Cell Research (Protection of Human Embryos), el Bill 2008 (Proyecto de Ley sobre la Investigación con células madre, protección de embriones humanos, 2008).

En el año 2009, el Consejo Médico Irlandés (Irish Medical Council) prohibió a los médicos la creación de embriones específicamente para la investigación.

El Consejo Irlandés de Bioética (The Irish Council for Bioethics o ICB) dejó de funcionar por razones financieras en 2010, siendo que anteriormente habría publicado un informe en relación precisamente a la necesidad de legalizar el uso de embriones de hasta 14 días para fines de investigación, como vienen dándose en otros países. El gobierno habría manifestado su intención de regular este tipo de investigaciones en el futuro.

Reino Unido, sin embargo, respecto a la normativa que regula de la investigación con embriones humanos, contemplaría la Ley sobre Fertilización Humana y Embriología, de 1990 (HFEA, El Human Fertilisation and Embriology Act), que fue modificada en 2008, y la Regulaciones sobre la Fertilización Humana y Embriología, Objetivos de Investigación, de 2001 (HFEAR o Human Fertilisation and Embriology (Research Purposes) Regulations).

Para llevar a cabo la investigación es preceptivo la emisión de licencia y sólo está permitida para ciertos propósitos, entre los que se encuentra la de aumentar los conocimientos sobre las causas de las enfermedades congénitas, promover avances en los tratamientos de infertilidad, aumentar los conocimientos sobre las causas de los abortos espontáneos, así como desarrollar métodos para la detección de enfermedades genéticas anormales.

Está permitidos los experimentos en embriones humanos hasta los 14 días. La ley equipara a todos los embriones, tanto los creados para la implantación en una mujer como los creados con una finalidad médico investigadora.

Por otro lado, Francia se encuentra también entre los países de normativa restrictiva, resultando en 1994 aprobaría por un lado la Ley N 94-653 relativa al respeto del cuerpo humano (relative au respect du corps humain) que regula la reproducción asistida. Y por otro lado la Ley N. 94-654, que viene a regular la donación y utilización de elementos y productos del cuerpo humano, a la asistencia médica a la procreación y al diagnóstico prenatal (relative au don et à lùtilisation des elèments et produits du corps humain, à l`assistance médicale á la procrèation et au diagnostic prenatal).

Siendo que los progenitores podrían favorecer y permitir la investigación a través de un consentimiento, siempre en el supuesto caso de embriones sobrantes de FIV. De este modo las investigaciones deben perseguir una finalidad exclusivamente terapéutica y médica, para el caso que la finalidad esperada represente claros avances terapéuticos, no pudiendo suponer en ningún caso una vulneración y atentado para la integridad del embrión.

6. MARCO JURÍDICO NACIONAL DE APLICACIÓN EDICIÓN GENÉTICA

Tuvo lugar en España el primer documento prelegislativo para el estudio de la reproducción asistida denominado Informe Palacios.

Ciertamente puede decirse con retrospectiva, que a lo largo del siglo XX se ha producido un interesante elenco de revoluciones científicas que han ido sentando precedentes de imprevisible calado en el campo de la biomedicina, como la aparición de la radiografía a finales de XIX(1985), a la que le siguieron, la aplicación de la primera máquina de diálisis renal (1943); el descubrimiento de la penicilina (1928) y la generalización de los antibióticos, en la década de los cuarenta; la aplicación de los radioisótopos en el tratamiento y diagnóstico médico, a finales de los años cuarenta; el desarrollo de la técnica de los trasplantes, de riñón (1954), de hígado (1964), de corazón (1967), etc., y que en la actualidad se han convertido en una práctica habitual. Ha sido, sin embargo, en el mismo siglo, cuando se ha iniciado lo que puede resultar la más importante y sorprendente revolución de la biomedicina: la biología molecular y su incidencia en el conocimiento de la genética humana y en la aparición de la medicina predictiva.

Como resultado de las primeras investigaciones sobre FIV, se escribió en España el Informe Palacios, que sentó las bases para la posterior elaboración de la Ley 35/1988, de 22 de noviembre, en materia de Técnicas de Reproducción asistida, y poco tiempo después, la Ley 42/1988, de 28 de diciembre, sobre donación y utilización de embriones, o de sus células, tejidos u órganos.

España sería uno de los primeros países en promulgar una ley en esta materia, así como el importante y veloz desarrollo que habrían tenido las técnicas de reproducción y la necesidad de dar respuesta al problema planteado en relación al destino de los preembriones supernumerarios tuvo como consecuencia una revisión de la Ley 35/1988 que culminaría en la Ley 45/2003, de 21 de noviembre, por la que se modificó la Ley 35/1988, de 22 de noviembre, sobre Técnicas de Reproducción Asistida.

La citada Ley permitió el uso de los preembriones con fines de investigación, crioconservados con anterioridad a su entrada en vigor bajo determinadas premisas, estableciendo el límite de generación de un máximo de tres ovocitos en cada ciclo reproductivo, en aplicación de obtener el mayor éxito con el menor riesgo posible para la salud de la mujer. Sin embargo, fue derogada por la Ley 14/2006, de 26 de mayo, sobre Técnicas de reproducción humana asistida.

Así, conforme recoge el artículo 11 de la vigente Ley 14/2006, los preembriones sobrantes de los tratamientos de fecundación in vitro que no hayan sido implantados en el ciclo reproductivo podrían ser crioconservados en bancos autorizados para ello.

En este sentido el artículo 13 determina que las intervenciones sobre el preembrión in vitro únicamente habría de tener la finalidad de tratar una enfermedad o evitar su transmisión, con garantías razonables y contrastadas. De este modo para llevar a cabo tal intervención se hace preciso obtener autorización de la autoridad sanitaria competente, así como de un previo informe favorable de la Comisión Nacional de Reproducción Asistida. Entre los principales:

> *"que se hagan sobre patologías con un diagnóstico preciso, de pronóstico grave o muy grave con posibilidad de mejoría o curación..., y que no se modifiquen los caracteres hereditarios no patológicos ni se busque la selección de los individuos o de la raza".*

En otro sentido, conforme al art 15 respecto a la autorización con fines de investigación y/o experimentación con preembriones establece los requisitos con preembriones sobrantes procedentes de la aplicación de las técnicas de reproducción asistida;

> - Consentimiento escrito de la pareja o, en su caso, de la mujer, previa explicación detallada de los fines que se persiguen con la investigación y sus implicaciones.

- Que el preembrión no exceda los 14 días de desarrollo in vitro después de la fecundación del ovocito (sin tener en cuenta el tiempo en el que pudiera haber estado crioconservado).
- Que los proyectos de investigación con base debidamente presentado, se lleven a cabo en centros autorizados por las autoridades sanitarias competentes previo informe favorable de:
- La Comisión Nacional de Reproducción Humana Asistida: si son relacionados con el desarrollo y aplicación de las técnicas de reproducción asistida.
- El órgano competente: si son relacionados con la obtención, desarrollo y utilización de líneas celulares de células troncales embrionarias.
- En el caso de la cesión de preembriones a otros centros, en el proyecto señalado en el párrafo anterior deberán detallarse las "relaciones e intereses comunes de cualquier naturaleza que pudieran existir entre el equipo y centro entre los que se realiza la cesión de preembriones". Es muy importante mantener las condiciones establecidas de confidencialidad de los datos de los progenitores y la gratuidad y ausencia de ánimo de lucro.

Esta Ley faculta a la autoridad sanitaria correspondiente autorizar, previo informe de la comisión Nacional de Reproducción Humana Asistida, la práctica provisional y tutelada como técnica experimental de una nueva técnica, habiendo transcurrido los pasos previos de verificación de su evidencia científica y clínica, el Gobierno, mediante Real Decreto, puede actualizar la lista de técnicas autorizadas.

Así como la normativa en relación a la donación, el uso y la investigación con células y tejidos de origen embrionario humano se lleva a cabo en aplicación de lo dispuesto en la Ley 14/2006, de 26 de mayo, sobre técnicas de reproducción humana asistida como acabamos de ver, el marco legislativo relativo a la investigación con embriones y fetos humanos lo encontramos en la Ley14/2007, de 3 de julio, de Investigación biomédica (LIB).

En este sentido la LIB, en su artículo 28 y ss. viene a reiterar lo dispuesto por la legislación anterior en sobre la donación y el uso de embriones y fetos humanos, de sus células, tejidos u órganos;

> 1. Los embriones humanos que hayan perdido su capacidad de desarrollo biológico, así como los embriones o fetos humanos muertos, podrán ser donados con fines de investigación biomédica u otros fines diagnósticos, terapéuticos, farmacológicos, clínicos o quirúrgicos.
> 2. La interrupción del embarazo nunca tendrá como finalidad la donación y la utilización posterior de los embriones o fetos o de sus estructuras biológicas. El procedimiento y modo de la práctica de la interrupción del embarazo estarán únicamente supeditados a las exigencias y limitaciones legales y a las características y circunstancias que presente aquél.
> Los profesionales integrantes del equipo médico que realice la interrupción del embarazo no intervendrán en la utilización de los embriones o de los fetos abortados ni de sus estructuras biológicas. A tal efecto, los integrantes del equipo investigador dejarán constancia por escrito de esta circunstancia, así como de la ausencia de conflicto de intereses con el equipo médico.
> 3. Los fetos expulsados prematura y espontáneamente serán tratados clínicamente mientras mantengan su viabilidad biológica, con el único fin de favorecer su desarrollo y autonomía vital.
> 4. Antes de proceder a cualquier intervención sobre embriones humanos que hayan perdido su capacidad de desarrollo biológico o sobre embriones o fetos muertos, se dejará constancia por el personal facultativo correspondiente de que se han producido tales circunstancias.

Así como en su art. 32 y ss. regula sobre la obtención y uso de células y tejidos de origen embrionario humano y de otras células semejantes.

> 1. La investigación con ovocitos y preembriones deberá contar con el consentimiento de las personas de las que provengan, las cuales podrán revocarlo en cualquier momento sin que afecte a la investigación realizada.
> 2. La donación de ovocitos y de preembriones se regirá por lo dispuesto en la Ley 14/2006, de 26 de mayo, sobre técnicas de reproducción humana asistida.

Así el art. 31.1.b, establece en el requisito para que se autoricen las investigaciones deviene necesario la redacción de un proyecto relativo al uso que pretende realizarse que cuente con el informe favorable de la Comisión de Garantías para la Donación y Utilización de Células y Tejidos Humanos

Artículo 31 Requisitos de utilización.

> 1. Las investigaciones en embriones o fetos humanos o en sus estructuras biológicas deberán cumplir los siguientes requisitos:
>
> > b) Que se cuente con la donación de los embriones y fetos que se vayan a utilizar en las condiciones previstas en el artículo 29 de esta Ley.
> > Así como, la autoridad autonómica o estatal correspondiente haya expedido su autorización a la utilización prevista;
> > c) Que se elabore un proyecto relativo a la utilización que pretende realizarse y cuente con el informe favorable de la Comisión de Garantías para la Donación y Utilización de Células y Tejidos Humanos

En este sentido el Artículo 37. Creación de la Comisión.

> 1. Se crea la Comisión de Garantías para la Donación y Utilización de Células y Tejidos Humanos, como el órgano colegiado, adscrito al Instituto de Salud Carlos III, de carácter permanente y consultivo, dirigido a asesorar y orientar sobre la investigación y la experimentación con muestras biológicas de naturaleza embrionaria humana, y a contribuir a la actualización y difusión de los conocimientos científicos y técnicos en esta materia.
> 2. Las comisiones homólogas que se constituyan en las Comunidades Autónomas tendrán la consideración de comisiones de soporte y referencia de la Comisión de Garantías para la Donación y Utilización de Células y Tejidos Humanos, y colaborarán con ésta en el ejercicio de sus funciones.

Del mismo modo el artículo 33 prohíbe la generación de preembriones y embriones humanos exclusivamente con fines de experimentación en concordancia con la concepción gradualista sobre la protección de la vida humana.

Así el Tribunal Constitucional sienta jurisprudencia con las sentencias:

- STC 53/1985: en el recurso previo de inconstitucionalidad contra el texto definitivo del Proyecto de Ley Orgánica de reforma del art. 417 bis del Código Penal. Sienta el régimen jurídico que con carácter integral y perspectiva de futuro corresponde a la vida humana en formación. "La vida humana concebida merece protección desde el primer momento y es distinta de la vida de la madre"
- STC 212/1996, en el recurso de inconstitucionalidad contra la Ley 42/1988, de donación y utilización de embriones y fetos humanos o sus células, tejidos u órganos.
- STC 116/1999, en la que se resuelve el recurso de inconstitucionalidad contra la Ley 35/1998, sobre Técnicas de Reproducción Asistida, donde expresamente se afirma que "la condición constitucional del nasciturus... se declaró en la STC 53/1985".

Igualmente, el artículo 33 establece las garantías y requisitos para llevar a cabo la investigación conforme a lo establecido en la Ley 14/2006, como respetar además de los principios éticos y el régimen jurídico aplicable, los de pertinencia, factibilidad e idoneidad.

1. Se prohíbe la constitución de preembriones y embriones humanos exclusivamente con fines de experimentación.
2. Se permite la utilización de cualquier técnica de obtención de células troncales humanas con fines terapéuticos o de investigación, que no comporte la creación de un preembrión o de un embrión exclusivamente con este fin, en los términos definidos en esta Ley, incluida la activación de ovocitos mediante transferencia nuclear.

En materia penal establece el CP los delitos relativos a manipulación genética,

El Artículo 159.1 del Código Penal Español establece que serán castigados con la pena de prisión de dos a seis años e inhabilitación especial para empleo o cargo público, profesión u oficio de siete a diez años aquellos que manipulen genes humanos con una finalidad distinta a la eliminación o disminución de taras o enfermedades graves, alterando el genotipo

Así el art 160.1 en la utilización de armas biológicas

> 1. La utilización de la ingeniería genética para producir armas biológicas o exterminadoras de la especie humana, será castigada con la pena de prisión de tres a siete años e inhabilitación especial para empleo o cargo público, profesión u oficio por tiempo de siete a 10 años.

Y el art 160.2 en la fecundación de óvulos con fin distinto a la procreación humana.

> 2. Serán castigados con la pena de prisión de uno a cinco años e inhabilitación especial para empleo o cargo público, profesión u oficio de seis a 10 años quienes fecunden óvulos humanos con cualquier fin distinto a la procreación humana.

Del mismo modo para el art 160.3

> 3. Con la misma pena se castigará la creación de seres humanos idénticos por clonación u otros procedimientos dirigidos a la selección de la raza.

7. EN RELACIÓN A LA REGULACIÓN DE NUEVAS FORMAS DE REPRODUCCIÓN

En el capítulo VI de esta investigación, 'Genómica y nuevas formas de reproducción', se han puesto de manifiesto algunos aspectos acerca de los que cabría la necesidad de incidir en su ampliación y adaptación de su regulación a las necesidades manifiestas de nuestra sociedad y que se mencionan a continuación;

7.1. Respecto al Método ROPA FIV.

En ete sentido cabe destacar para el procedimiento concreto que se lleva a cabo, en el supuesto de dos mujeres que son pareja, y quieren quedar embarazadas, y acuden al centro de reproducción asistida (En España).

La reproducción humana asistida está regulada por Ley de Reproducción humana asistida de 26 mayo 2006 (Ley 14/2006) -EDL 2006/58980-, que propone como objetivos principales definidos en art 1;

1º) Regular la aplicación de las Técnicas de reproducción humana asistida.

2º) Ayudar en la prevención y tratamiento de las enfermedades de origen genético.

3º) Regular los supuestos y requisitos de la utilización de gametos y preembriones humanos crioconservados.

Puede decirse que la normativa prioriza la protección de la filiación con independencia de la biología directa que tenga el nacido con los progenitores.

En este sentido la biotecnología, una vez traspasado el umbral jurídico, ha supuesto una revolución continuada en multitud de conceptos clásicos del Derecho en relación a la reproducción, la concepción, el formato clásico de la familia, así como la paternidad y la maternidad tradicional.

Lo anterior se contradice con lo predicado en El Código Civil -EDL 1889/1, cuyo manifiesto es que un niño nace como consecuencia de la unión carnal entre un hombre y una mujer, sin embargo, nada más lejos de esa manifestación, cuando se utilizan estas técnicas, esa unión no se produce y sin embargo ha de determinarse la filiación mediante otros preceptos y presunciones contenidas en la LTRHA -EDL 2006/58980-, no siendo aplicable en estos aspectos el código civil. Así el art. 7,1 de la citada ley establece:

> *"la filiación de los nacidos con las técnicas de reproducción asistida se regulará por las leyes civiles, a salvo de las especificaciones establecidas en los artículos siguientes".*

No obstante, lo anterior, puede deducirse en los supuestos de reproducción asistida es habitual contemplar tres o cuatro partes implicadas en el procedimiento, y sin embargo los que previsiblemente vayan a conformar la filiación, nada tiene que ver genéticamente con el descendiente nacido. Sin embargo, jurídicamente ha de atribuirse el nacido como máximo a dos de ellos. En este sentido la LTRHA -EDL 2006/58980- establece unas reglas especiales, en los arts. 7,3 y del 8 a 10, que determinan básicamente la filiación de los hijos concebidos mediante técnicas de reproducción humana asistida.

Estos son los supuestos que recoge la LRHA-EDL 2006/58980;

1. Reproducción asistida con intervención de donante y los usuarios estuvieran casados o fueran pareja de hecho (art. 8 LRHA -EDL 2006/58980-).

La primera regla aplicable, establecida en el art. 8,1 LRHA -EDL 2006/58980- es:

> *«Ni la mujer progenitora ni el marido, cuando hayan prestado su consentimiento formal, previo y expreso a determinada fecundación con contribución de donante o donantes, podrán impugnar la filiación matrimonial del hijo nacido como consecuencia de tal fecundación».*

Significa que, llevada a cabo la inseminación con intervención de donante, sea de óvulo o de espermatozoide, y los usuarios estuvieran casados, se presume, *iuris et iure* su maternidad y/o paternidad, privando a los cónyuges de la posibilidad de impugnarla.

El precepto anterior atribuye la filiación de paternidad y maternidad a quienes no son sus padres biológicos, extremo que se puede corroborar con mera prueba de ADN. Por tanto, en aras de preservar la seguridad jurídica, se veda a los cónyuges de la posibilidad de impugnar la filiación.

En este sentido caso es la prestación del consentimiento por parte del marido de la mujer fecundada artificialmente, el elemento que dará lugar a la regla de la filiación, ello en tanto que, de ser la filiación no consentida, no matrimonial de la mujer y aunque se presuma la paternidad del marido, tanto él como sus herederos podrían someter la filiación a impugnación.

El último apartado del art. 8 de la Ley -EDL 2006/58980- impide una posible reclamación de paternidad por parte del donante que, aunque ha de ser anónimo, en los supuestos excepcionales contemplados en el art. 5, puede revelarse su identidad. Y se dice que la

> *«revelación de la identidad del donante, no implica en ningún caso determinación legal de la filiación».*

En este sentido habríamos de añadir un supuesto que, aunque inicialmente no habría contemplado el legislador, y que se reformó a posteriori, en consecuencia, de sendos conflictos planteados, se modifica la LTRHA -EDL 2006/58980- y añade un punto tercero al art. 7, que alude al consentimiento en el caso del matrimonio formado por dos mujeres:

> *«Cuando la mujer estuviere casada, y no separada legalmente o, de hecho, con otra mujer, esta última podrá manifestar ante el Encargado del Registro Civil del domicilio conyugal, que consiente en que cuando nazca el hijo de su cónyuge, se determine a su favor la filiación respecto del nacido».*

Esta dotación de la filiación materna de la casada con la madre gestante tiene lugar por primera vez en nuestro ordenamiento jurídico por la Ley 3/2007 -EDL 2007/9733-.

El Registro Civil de Alicante fue el primero de España en registrar los hijos de dos mujeres como hijos matrimoniales, inscribiéndolos en el libro de familia del matrimonio con la acepción progenitor A y progenitor B.

No obstante, a lo anterior, se produce de forma más novedosa el método ROPA (Recepción de óvulos de la pareja, para el caso de matrimonio entre dos mujeres).

El método ROPA es una técnica de reproducción asistida que se lleva a cabo en dos pasos:

Primero se extraen los óvulos de una las mujeres (la madre biológica) y se fecundan en el laboratorio con semen procedente de donante masculino.

Después se implanta el embrión obtenido en la otra mujer (la madre gestante), que es la que va a llevar el feto en su interior y quien dará a luz.

Al igual que ocurre en cualquier técnica de reproducción asistida, la madre biológica se somete a un proceso de estimulación ovárica, y una vez comprobado mediante una ecografía y otras pruebas, que el número y tamaño de los óvulos es el adecuado, se le realiza a una punción folicular para extraerlos. Esta intervención se lleva a cabo en el quirófano y con sedación. Una vez obtenidos los óvulos, se cultivan en el laboratorio junto al semen del donante.

Tras la fecundación de los embriones, entra en escena la madre gestante, quien previamente ha estado siguiendo una medicación a base de estrógenos para preparar su endometrio.

Entre el tercer y el quinto día de la fecundación a la madre gestante se le realiza la transferencia embrionaria, depositando mediante una cánula el embrión o embriones (no más de 3, que es lo que permite la legislación española) en el endometrio.

Si todo va bien y se produce la implantación y el consiguiente embarazo, el embrión se desarrollará en el útero de la madre gestante hasta el momento del parto.

Por tanto, con el método ROPA se consigue una doble maternidad puesto que el bebé es fruto de los óvulos de una de sus madres y ha sido gestado por la otra.

Solo puede someterse a esta técnica una pareja de dos mujeres que estén casadas legalmente. En este caso, no es válido ser pareja de hecho. La razón de este requisito viene recogida en la

Ley 14/2006 sobre Técnicas de Reproducción Humana Asistida, que permite que los gametos (células que tienen una función reproductora) de una persona puedan ser usados por ella o por su cónyuge, de ahí la necesidad del matrimonio legal. Por tanto, el trámite burocrático imprescindible en España para tramitar la opción método ROPA, es el certificado de matrimonio.

De no producirse bajo el régimen de matrimonio, legalmente casadas, se incurriría, conforme al ordenamiento jurídico español, en un supuesto de vientre de alquiler no reconocido legalmente en España. Lo que somete a la pareja formada por dos mujeres, que quieren concebir a su descendiente mediante MÉTODO ROPA, a la obligatoriedad de someterse al matrimonio, no dejando la opción de elección, siendo modificado necesariamente el estado civil sin su plena voluntad, en beneficio único de poder someterse a la maternidad.

Tal precepto vulnera derechos fundamentales ya abolidos y desacostumbrados, y que se remontan a la constitución del Derecho tradicional de Familia y sus líneas directrices, a través de las cuales se trataron el fenómeno de filiación con una tradición jurídica muy antigua, que partía dotaba de una radical distinción de los hijos en dos diferentes grupos, atendiendo a su origen, y dependiendo de éste los hijos tenían más o menos derechos[19].

Ello venía diferenciándose principalmente en que los hijos hubieran sido engendrados después del matrimonio de sus padres, en cuyo precepto se entendía filiación legítima. Y en caso contrario, filiación ilegitima, en sentido amplio.

Es de ver que el término ilegítimo tiene un trasfondo peyorativo y despreciativo a los efectos de la interpretación de la norma llevada a ese tiempo.

---

19 DIEZ-PICAZO, L. y GULLÓN, A. (2012). Sistema de Derecho Civil. Tecnos, Volumen IV, T. I, Madrid, pp. 233-234.

En este sentido, conforme la traducción que aporta la RAE al concepto "legítimo/a" resulta;

> *"1. adj. Conforme a las leyes.*
> *2. adj. Lícito (justo).*
> *3. adj. Cierto, genuino y verdadero en cualquier línea"*[20]

Puede afirmarse en traducción literal, lo ilegítimo o no legítimo, la filiación ilegítima vendría a considerarse la que está en contra de las leyes; es ilícita o injusta; o por último es falsa.

Se desprende de lo anterior que la realidad de la filiación fuera del matrimonio no puede ser asociada ni vinculada, ni definida, por conceptos de ilícito o ilegítimo, por lo que el término empleado era totalmente impropio e inadecuado, y así se erradicó en las modificaciones que realizó la Ley de 1981.

Así pues, no puede aceptarse tal obligatoriedad a contraer matrimonio para que los hijos sean nacidos dentro del matrimonio, y reconocidos como legítimos en el supuesto de una pareja formada por dos mujeres que se someten a método ROPA para traer al mundo a sus hijos, habido pues se confronta con la evolución histórica del sistema matrimonial español. Y es que, en definitiva, de la evolución hacia un sistema matrimonial más acorde con la mentalidad y progresismo nacido del Concilio en el aspecto religioso y la nueva situación política del país, es decir, hacia la culminación de un verdadero sistema de matrimonio civil facultativo, no sólo de hecho, sino plenamente de derecho.

Este sistema de libre elección quedó definitivamente consolidado por una vía indirecta, pues como señala PUIG PERRIOL[21], el día tres de enero de 1979 se sustituye el Concorda-

---

20 Definición legítima, vigésimo tercera edición del Diccionario de la Real Academia Española de la Lengua.

21 PUIG FERRIOL, LUIS. (s.f). Comentarios a las reformas del Derecho de Familia. Volumen I. Págs. 193 y 194.

to de 1953 por el acuerdo entre el Gobierno español y la Santa Sede que proclama en su artículo VI-1 que el Estado reconoce los efectos civiles al matrimonio celebrado según las normas del Derecho canónico. Es decir, que en virtud de este Acuerdo -dice el mencionado autor- se cierra la posibilidad de que en la futura reforma del Código Civil se pueda adoptar como sistema matrimonial en España el del matrimonio civil obligatorio[22].

Los tiempos cambian, las sociedades avanzan "el progreso no es un accidente, es una necesidad, una parte de la naturaleza" como citaba el autor británico HERBERT SPENCER[23], y no goza de sentido alguno el receso inopinado en contrapartida de una reproducción asistida llevada a cabo entre dos mujeres, gestante y donante del embrión, que no se sabe dónde encuadrar, a falta de regulación específica.

Y que a falta de regulación se la obliga a contraer matrimonio, debiendo de ser este un acto plenamente voluntario, bajo la prevención de incurrir en un delito de gestación por sustitución o madres de alquiler (art.10 LRHA -EDL 2006/58980-).

La Ley -EDL 2006/58980- aporta fundamentalmente tres reglas:

1ª) Para el caso de la filiación de los hijos nacidos por gestación de sustitución será determinada por el parto.

---

22 Evolución histórica del sistema matrimonial español. Ciertamente, el matrimonio es una de las instituciones jurídicas más exhaustivamente estudiadas por los especialistas del Derecho de familia, civilistas y canonistas. Su evolución doctrinal y legislativa se ha visto sacudida por los vaivenes de la política del país, especialmente a finales del siglo XIX y durante todo el siglo XX. https://noticias.juridicas.com/conocimiento/articulos-doctrinales/11680-evolucion-historica-del-sistema-matrimonial-espanol/.

23 HERBERT SPENCER (s.f) Vida y Pensamiento de Herbert Spencer, sociologos. https://ssociologos.com/herbert-spencer/

En este sentido, el legislador español, cuando se plantea la cuestión de quién ha de entenderse como madre, si ha de ponderar entre maternidad genética y maternidad de gestación, da prevalencia a la de gestación basándose en la vinculante relación psicofísica con el futuro descendiente durante los nueve meses de embarazo. Por tanto, madre es quien da a luz. Esto en el caso de una madre que cede su vientre en alquiler a otra madre que llevaría a cabo la filiación del nacido.

Precepto que no se cumple en el caso de dos mujeres que son pareja y deciden tener un hijo en común, embarazándose una con los ovocitos de la otra, y en cuya gestación han participado las dos, madre gestante y madre donante.

El alquiler de úteros es ilegal en España, según la Ley de Técnicas de Reproducción Asistida -EDL 2006/58980-, pero es una práctica habitual en países como India, Canadá, Israel, Reino Unido y algunos estados EEUU, lo que

Deviene evidente que nos queda mucho recorrido por delante con respecto a la legislación en materia de reproducción asistida, con relación a la ya existente como método ROPA, así como las venideras que tomarán su auge en la próxima década.

7.2. Respecto a las nuevas formas de reproducción FIV estandarizada, Partenogénesis, Macagénesis.

En el capítulo VI de esta investigación se enfatiza en la necesidad de estandarizar FIV en los casos de garantizar la no transmisión de enfermedades a la descendencia.

En aplicación de la teoría postulada por Gariaev de la genética de onda en relación a la reproducción FIV, de la Dra. Orly, entre otros, podría tratarse como afirma la Dra. y Coordinadora del departamento de Consejo Genético y Reproductivo de Instituto Bernabeu, Ruth Morales.

> *"El 10% de las parejas podrían tener riesgo de concebir bebés afectos de algún tipo de enfermedad rara asociada a mutaciones genéticas"*

Resultando la reproducción mediante FIV, el método más confiable, para el riesgo de transmitir enfermedades a la descendencia. Resultando que tendríamos la atención muy enfocada en no modificar el genoma de la descendencia, y sin embargo, deviene también preciso, observar la evitación de transmisión de la enfermedad. Habido el presumible y venidero 'Derecho a Nacer Sano', habría de proclamarse como derecho fundamental, en tanto se dispongan de los medios para evitar la transmisión de la enfermedad a la descendencia.

Del mismo modo en relación a Reproducción artificial FIV Partenogénesis y MACAGÉNESIS.

En el capítulo VI, siguiente, hemos reseñado sendos ejemplos, de entre los muchísimos conocidos, que llevan a sentar una base de investigación en materia de la viabilidad de reproducción femenina mediante partenogénesis, en el caso de que una mujer que desea ser madre soltera, no tenga que acudir a un proceso de inseminación para dar a luz a su descendencia, al menos que sea un proceso voluntariamente escogido por la sujeto, pudiendo elegir la posibilidad de tener su descendencia procedente de su línea germinal, habido el modelo de familia monoparental que hubiese escogido. Derecho del que no se la habría de privar, habido encontraría su oposición en la vulneración de lo dispuesto en el artículo 2.7 Modificación de la Ley Orgánica 2/2010, de 3 de marzo, de salud sexual y reproductiva.

> 'Art 2.7 Violencia contra las mujeres en el ámbito reproductivo: Todo acto basado en la discriminación por motivos de género que atente contra la integridad o la libre elección de las mujeres en el ámbito de la salud sexual y reproductiva, su libre decisión sobre la maternidad, su espaciamiento y oportunidad.'

Así como lo determinado en su objeto en relación a la educación con la sexualidad y la reproducción y de los derechos reproductivos.

> Art.1 «Artículo 1. Objeto. Esta ley orgánica tiene por objeto garantizar los derechos fundamentales en el ámbito de la salud sexual y de la salud reproductiva, regular las condiciones de la interrupción voluntaria del embarazo y de los derechos sexuales y reproductivos, así como establecer las obligaciones de los poderes públicos para que la población alcance y mantenga el mayor nivel posible de salud y educación en relación con la sexualidad y la reproducción. Asimismo, se dirige a prevenir y a dar respuesta a todas las manifestaciones de la violencia contra las mujeres en el ámbito reproductivo.»

Del mismo modo lo dispuesto en el Art 3 de la citada Ley, serán principios rectores de la actuación de los poderes públicos los siguientes:

> a) Respeto, protección y garantía de los derechos humanos y fundamentales. La actuación institucional y profesional llevada a cabo en el marco de esta ley orgánica se orientará a respetar, proteger y garantizar los derechos humanos previstos en los tratados internacionales de derechos humanos.

Dentro de tales derechos, los poderes públicos reconocen especialmente:

> 1.º Que todas las personas, en el ejercicio de sus derechos de libertad, intimidad, la salud y autonomía personal, pueden adoptar libremente decisiones que afectan a su vida sexual y reproductiva sin más límites que los derivados del respeto a los derechos de las demás personas y al orden público garantizado por la Constitución y las leyes.
> 2.º Los derechos reproductivos y el derecho a la maternidad libremente decidida.
> 3.º El deber del Estado de garantizar que la interrupción voluntaria del embarazo se realiza respetando el bienestar físico y psicológico de las mujeres.
>
> b) Diligencia debida. Es responsabilidad de los poderes públicos a todo nivel actuar con la diligencia debida en la protección de la salud y de los derechos sexuales y re-

productivos, garantizando su reconocimiento y ejercicio efectivo. La obligación de actuar con diligencia debida se extenderá a todas las esferas de la responsabilidad institucional, e incluye el deber de hacer efectiva la responsabilidad de las autoridades y agentes públicos en caso de incumplimiento.

c) Enfoque de género. Las administraciones públicas incluirán un enfoque de género fundamentado en la comprensión de los estereotipos y las relaciones de género, sus raíces y sus consecuencias en la aplicación y la evaluación del impacto de las disposiciones de esta ley orgánica, y promoverán y aplicarán de manera efectiva políticas de igualdad entre mujeres y hombres y para el empoderamiento de las mujeres y las niñas.

d) Prohibición de discriminación. Las instituciones públicas garantizarán que las medidas previstas en esta ley orgánica se apliquen sin discriminación alguna por motivos de sexo, género, origen racial o étnico, nacionalidad, religión o creencias, salud, edad, clase social, orientación sexual, identidad de género, discapacidad, estado civil, situación administrativa de extranjería, o cualquier otra condición o circunstancia personal o social.

e) Atención a la discriminación interseccional y múltiple. En aplicación de esta ley orgánica, la respuesta institucional tendrá en especial consideración a factores superpuestos de discriminación, tales como el origen racial o étnico, la nacionalidad, la discapacidad, la orientación sexual, la identidad de género, la salud, la clase social, la situación administrativa de extranjería u otras circunstancias que implican posiciones desventajosas de determinados sectores para el ejercicio efectivo de sus derechos.

f) Accesibilidad. Se garantizará que todas las acciones y medidas que recoge esta ley orgánica sean concebidas desde la accesibilidad universal, para que sean comprensibles y practicables por todas las personas, de modo que los derechos que recoge se hagan efectivos para las personas con discapacidad, con limitaciones idiomáticas o diferencias culturales, para personas mayores, especialmente mujeres, jóvenes y para niñas y niños.

g) Empoderamiento. Las instituciones públicas implementarán esta ley orgánica con especial atención al fortalecimiento de la capacidad de agencia y la autonomía de las personas en cada fase del ciclo vital, con énfasis en las

> mujeres y en la población joven. Este enfoque, además, deberá contribuir a disminuir y eliminar las desigualdades estructurales que constriñen la vivencia del deseo y de la sexualidad plena, así como de otros elementos esenciales de la salud, los derechos sexuales y reproductivos.
> h) Participación. En el diseño, aplicación y evaluación de los servicios y las políticas públicas previstas en esta ley orgánica, se garantizará la participación de las entidades, asociaciones y organizaciones del movimiento feminista y la sociedad civil, con especial atención a la participación de las mujeres desde una óptica interseccional.
> i) Cooperación. Todas las políticas que se adopten en ejecución de esta ley orgánica se aplicarán por medio de una cooperación efectiva entre todas las administraciones públicas, instituciones y organizaciones implicadas en garantizar la salud y los derechos sexuales y reproductivos. En el seno de la Conferencia Sectorial de Igualdad, así como en el Consejo Interterritorial del Sistema Nacional de Salud, podrán adoptarse planes y programas conjuntos de actuación entre todas las administraciones públicas competentes con esta finalidad.
>
> 3. Las obligaciones establecidas en esta ley orgánica serán de aplicación a toda persona, física o jurídica, que se encuentre o actúe en territorio español, cualquiera que fuese su nacionalidad, domicilio o residencia.»

Tal precepto se habría vulnerado en tanto la sujeto no habría escogido a una pareja, aun resultando anónima, ni nada la vincularía con ese donante, ni de modo afectivo, ni de ningún otro tipo.

No existiendo evidencia, salvo hipotética, a saber, del conocimiento incierto de la genética hoy día, y apoyado en la teoría del Dr. Petrovich Gariaev, Dra. Orly entre otros, para determinar que la descendencia pudiese tener ninguna restricción genética, que redujese las posibilidades de nacimiento y calidad de vida de la descendiente siendo concebida únicamente por ella, mediante partenogénesis, a diferencia de con la intervención de un donante, salvo el parecido supuesto. Muestra de ello la infinidad de diversidad nacida por partenogénesis en el mundo animal, y los citados de la investigación, capítulo VI, en humanos (Investigación que dio comienzo con el Caso Emminaire).

Así el prestigioso médico inglés que la trató, STANLEY BALFOUR LYNN, para averiguar las causas de su problema. Le contó sus rarezas del que estaría siendo su primer embarazo.

Habría quedado embarazada sin mantener relaciones sexuales con varón, y de su embarazo nació su hija, a quien puso por nombre Mónica.

El Dr. BALFOUR LYNN llegó a la conclusión de que era un caso de partenogénesis humana e investigó más casos, escribió sobre ello, y llegó a encontrar algunos casos más. En 1956 el Dr. BALFOUR LYNN publicó un artículo en la revista British Medical Journal con el caso de EMMINAIRE, que provocó gran polémica entre los científicos de la época. Buscó más casos y, encontró dos más.

En artículo publicado en 1956, por el Dr. Stanley Balfour, en la revista British Medical Journal con el caso de EMMINAIRE y otros dos más, provocaron gran polémica entre los científicos de la época. A pesar de los desacuerdos públicos entre los académicos en la revista médica The Lancet, nunca se pudo desacreditar la historia[24].

De igual modo en el caso de mujeres que son pareja, y no quieren acudir al método ROPA para tener su descendencia, había la viabilidad de quedar embarazadas con su propia genética, de cuyo postulado nace el término de MACAGÉNESIS como planteamiento, definido en el capítulo VI de esta investigación, que permitiría a dos mujeres que son pareja, tengan su

---

[24] https://historiasdelahistoria.com/2010/05/16/la-virgen-que-dio-a-luz-a-su-gemela

propia descendencia genética sin necesidad de que sean sometidas a embarazo de una de ellas mediante donante, quedando la otra completamente relegada a lo ajeno, genéticamente hablando. O bien sometidas a método ROPA, embrión de una implantado en la otra gestante, ya comentado en el apartado dos de este capítulo 'desde el punto de vista jurídico', y del que, aunque aquí sí participan ambas, igualmente es empleado para fertilización el donante.

En este sentido, la Dra. Orly Lacham-Kaplan encabeza el equipo de investigación de la Universidad de Monash de Melbourne, Australia, que logró que ratones hembras procrearan mediante la intervención de células que no procedían del esperma de ratón. La especialista estimó que, reproduciendo esas condiciones, devendría teóricamente posible que una célula procedente de cualquier parte del cuerpo humano, incluyendo el de otra mujer, pueda ser utilizada para fertilizar un óvulo[25].

Explica la Dra. Orly, que las células somáticas contienen dos juegos de cromosomas, mientras que las germinales poseen sólo uno. El equipo de la Universidad de Monash utilizó técnicas químicas para liberar uno de los juegos de 23 cromosomas de la célula somática e imitando al proceso de fertilización natural, utilizó para combinarlo con el óvulo y producir un embrión.

Así como la Dra. Orly define en su disruptiva teoría de reproducción, la cual se habría llevado a cabo con la finalidad de ser utilizada en hombres infértiles y en parejas conformadas

---

25 ORLY LACHAM-KAPLAN. (2001). Fecundación de ovocitos de ratón utilizando células somáticas como células, germinales masculinas, DOI: 10.1016/S1472-6483(10)62037-8
FuentePubMed; https://www.researchgate.net/publication/10962673_Fertilization_of_mouse_oocytes_using_somatic_cells_as_male_germ_cells.

por mujeres que quieran llevar a cabo la reproducción con su propia descendencia.

Nos encontramos diversos ejemplos en el mundo animal, tales como incluso llegar al planteamiento de que un importante número de casos que la ciencia define como partenogénesis, podría devenir en realidad MACAGÉNESIS, resultados que solo pueden llevarse a cabo mediante las respectivas pruebas genéticas.

Es el conocido caso en que se llevó a cabo en seres humanos el nacimiento de hasta 15 embarazos fecundado por dos óvulos, que posteriormente negaría extendido el revuelo, habiendo tenido lugar el primero en junio de 1998, que por entonces se encontraba en su sexto mes de gestación[26].

El director científico del Instituto de Medicina Reproductiva de Saint Barnabas, en Nueva Jersey, Jacques Cohen, se vería en la obligación de negar haber creado niños genéticamente modificados ante las críticas suscitadas en la comunidad científica por el tratamiento de fertilización experimentado por su centro que ha permitido el nacimiento de 15 bebés con material genético de dos madres[27].Todo ello por las graves repercusiones que le traería el vacío legal de esta práctica.

Ciertamente tocaría reescribir, en este sentido, incluso la propia definición del embrión, habido que viene constituido como la fertilización de un óvulo femenino con esperma masculino.

---

26 https://www.lanacion.com.ar/sociedad/logran-embarazos-con-ovulos-de-dos-mujeres-nid100041/#:~:text=15%20de%20junio%20de%201998%20lanacionar%20Controvertido%20y,posible%20el%20nacimiento%20de%20ni%C3%B1os%20con%20dos%20madres.

27 https://elpais.com/diario/2001/05/06/sociedad/989100004_850215.html

Así en el Reino Unido un embrión permitido se define como un formado por la fertilización de un óvulo permitido por un esperma permitido, cuyo ADN nuclear o mitocondrial no ha sido alterado y al que no se le han agregado células (excepto por división de las propias células del embrión) según la Ley de Fertilización Humana y Embriología de 2008.

Y, sin embargo, no habría resultado tan sencillo definir las vulneraciones en las que habría incurrido Jacques Cohen, respecto a embrión alguno, en tanto este es el término definido para fertilización de óvulo y esperma, pero no para la fertilización de óvulo con óvulo, o la fertilización de óvulo con célula somática, que vendrían a ser los dos modos en que se estimaría viable la fecundación macagénesis. Habido que la naturaleza humana no prevé más que la fecundación entre hombre y mujer, ¿por qué razón habría de poder nacer descendencia procedente de la fecundación de un óvulo con un óvulo?, en este sentido no habría estado considerado como hecho posible de convertirse en realidad, y por tanto necesario de legislar. Y, sin embargo, lejos de lo hasta ahora previsto por las leyes y por la mayoría de la sociedad, la potencialidad de las nuevas formas de reproducción apunta a la posibilidad, y no resultando un hecho novedoso, como se apunta y describe en el capítulo VI, de modo que se hace necesaria su legislación.

Ciertamente nuestra era asiste a una revolución genética sin precedentes, en donde se pone de manifiesto que las fronteras de la biología son inagotables. ¿Qué ocurriría de plantearse que la vida tal como la conocemos puede ser engendrada de otro modo?, afirmaciones como que unos padres, varón y hembra pueden engendrar a sus hijos con el riesgo controlado de enfermedades desde su nacimiento, así como que un bebé puede tener dos madres biológicas sin que exista un interviniente varón como donante, y que una sola mujer que decide ser madre en el modelo de familia monoparental. Es evidente que lleva aparejado un dilema ético y moral importante que en ningún caso es objeto de abordar en este capítulo, y que no obstante lo será en el futuro venidero.

Tradicionalmente ha venido consagrándose un modelo de reproducción, el cual no ha sido cuestionado, habido que se da por sentado que la procreación ha de darse como resultado de la fusión de un óvulo femenino con un esperma masculino.

Si realizamos un mapeo que nos muestran los avances tanto en genómica, como en física, descritos a lo largo de esta investigación, especialmente las investigaciones de Dr. Petrovich Gariaev, Dra. Orly Lacham Kaplan, Dr. Luc Montagnier, Dr. Tomohiro Kono, Dr. Stanley Balfour Lynn, Dr. Friedmund Neumann, Dra. Martha McClintock, Dr. Damián Chapman, Dr. Karim Nayernia, Dr. J.P Garnier Malet, Dr. Beasley, Dr. Tyrone Hayes, Dr. Jacques Cohen.

Podemos observar cada vez con mayor claridad la inconsistencia en relación a los inmensos vacíos que nos dejan las teorías hasta hoy conocidas en relación al modo de reproducción humana.

Son abundantes los vacíos que existen en la reproducción femenina, la información omitida respecto a las capacidades autónomas del aparato reproductor femenino en cuanto y tanto a su capacidad de fertilización como de reproducción.

8. EN RELACIÓN A LA REGULACIÓN DE LOS VACÍOS QUE PRESENTAN LAS NUEVAS INVESTIGACIONES EN GENÓMICA, NEURODERECHOS Y FÍSICA CUÁNTICA.

En el capítulo VII de la investigación se abordan los aspectos emergentes de Neuroderecho y relación genómica con la IA. En este sentido deviene acuciante la necesidad de ampliar el prisma hasta hoy considerado.

La sociedad muestra una importante preocupación en relación a las amenazas y riesgos de la edición del genoma, así como se mantiene alerta de las novedades actuantes en la materia.

Sin embargo, poco a nada trasciende, más allá del entorno de la comunidad científica en relación a los avances en materia de física cuántica, IA, y neuroderechos que afectan a la vida de la sociedad.

Avances en física tales como las investigaciones de los físicos Alain Aspect, John F. Clauser y Anton Zeilinger galardonados con el premio Nobel de Física 2022 por su trabajo pionero en la información cuántica, la ciencia que describe la naturaleza en las escalas más pequeñas.

Sus resultados han despejado el camino para nuevas tecnologías basadas en información cuántica. "La ciencia de la información cuántica es un campo vibrante y de rápido desarrollo", afirmaba Eva Olsson, miembro del Comité Nobel de Física.

Sin embargo, estos y todos los trabajos mencionados en esta investigación no habrían de quedarse extramuros de un laboratorio, inaccesibles para la sociedad supeditados a la priorización de los intereses económicos y políticas de cada país.

En relación los neuroderechos, en el capítulo VII se describen las principales necesidades regulatorias. Resultando que el verdadero neurocientífico de hoy, ya estaría 'jugando' con el cerebro, desarrollando importantes avances, y no habría tenido, para ello, que estudiar medicina, ni obtener ninguna licencia, ni pasar décadas de ensayo en un laboratorio. Sencillamente habría iniciado su punto de partida en otro itinerario que lejos de los protocolos de la medicina convencional, le permitiría sigilosamente adentrarse sin restricciones, y plenamente desapercibido, en el fascinante mundo de la mecánica de las neuronas desde una perspectiva de comportamiento cuántico.

La tecnología de hoy, conocedora presumiblemente, que la genética tiene como base y patrón fundamental el campo cuántico (98 % no codificante), así como igualmente el circuito neuronal, y a través de la IA, sin tan siquiera tocar el cuerpo físico, conseguirían incidir en los pensamientos, en la conducta y el comportamiento del ser humano.

La inteligencia artificial (IA) es un campo en constante evolución que ha demostrado su capacidad para influir en la conducta humana de diversas maneras. Aunque no "toca" físicamente a las personas, su impacto es significativo. Podemos citar distintos modos en que se puede afectar el comportamiento humano:

Los algoritmos de recomendación utilizados en plataformas como Netflix, Amazon y YouTube analizan nuestros patrones de comportamiento y preferencias para ofrecer contenido específico, lo que influiría en nuestras elecciones y decisiones.

La IA se utiliza para segmentar anuncios y mostrarlos a audiencias específicas, lo que afectaría a nuestras decisiones de compra y preferencias.

Los algoritmos de redes sociales seleccionan qué contenido vemos en función de nuestras interacciones previas, mediante la cual se estarían creando burbujas de filtro, donde solo vemos información que confirma nuestras creencias existentes.

La automatización basada en IA puede cambiar la dinámica laboral y afectar la forma en que las personas realizan sus tareas. Esto puede influir en la satisfacción laboral y la productividad.

La interacción con asistentes virtuales y chatbots estarían afectando nuestra comunicación y comportamiento. Estos sistemas estarían proporcionando respuestas, sugerencias y apoyo emocional.

Ciertamente, aunque la IA no toca físicamente, en estos ejemplos citados, a las personas, su presencia y efectos son innegables en nuestra sociedad actual. Es importante considerar cómo se implementa y regula para garantizar un impacto positivo en la conducta humana.

La necesidad de regular los neuroderechos no comenzaría con el proyecto de Elon Musk, en la investigación de la interfaz cerebro-máquina con Neuralink[28],

Ni con Sam Altman de OpenAI[29] y ChatGPT, o los supercomputadores de Huang de Nvidia[30], que tienen como cometido remodelar nuestro mundo a través de la disrupción tecnológica.

Sino que la necesidad de regular los cambios, sin medida, que la tecnología ha venido salvajemente implantando sin discriminación en todos los aspectos y áreas de nuestra vida, con una finalidad puramente comercial, extra muros de todo código moral, ético y legal.

La sociedad de hoy estaría notablemente preocupada por los susceptibles cambios en la genética, habido el potencial alcance de las técnicas nacientes de CRISPR entre otras, y, sin embargo, y paradójicamente, no habrían reparado en la singular importancia, de la arbitraria irrupción ocasionada en su epigenética, sometida a un constante cambio intrusivo y de marcado carácter adverso en multitud de vertientes. Producido por el entorno y ecosistema del que estaría siendo inconscientemente cautivo el ser humano, resultando su voluntad una mera ilusión.

---

28 Crear una interfaz cerebral generalizada para restaurar la autonomía de aquellos con necesidades médicas insatisfechas hoy y desbloquear el potencial humano mañana. https://neuralink.com/

29 https://openai.com/chatgpt

30 https://www.nvidia.com/es-es/

Pues la tecnología, en los citados ejemplos anteriores, habría sometido al ser humano a una invasión sin precedentes habido el masivo alcance de la misma en las redes sociales, plataformas, publicidad adaptada al consumo, etc. Con especial incidencia en dinámicas del entorno laboral, familiar y educativo.

Resultando ser, el conjunto de la sociedad partícipe del propio experimento de escala masiva. Lo que dificulta la medición, investigación y estudios comparativos de rasgos sustantivos entre los afectados y los no afectados.

Aunque la primera reunión multidisciplinar para tratar el tema de los neuroderechos tuvo lugar en 2002, la actividad de la Neurorights Foundation a partir de 2017 y diversas publicaciones relacionadas con los avances neurotecnológicos y sus posibles implicaciones para el ser humano, han tenido la capacidad de trasladar el debate desde los círculos académicos especializados hasta el conjunto de la sociedad. Esto se debe a la atención de los medios y al señalamiento de los riesgos derivados de un uso descontrolado de las modernas capacidades tecnológicas sobre la intimidad del cerebro humano[31].

La ciencia de los neuroderechos no es novel, a medida que la investigación científica perfeccionó el estudio del cerebro mediante tecnologías no invasivas, en los años noventa surgió una preocupación multidisciplinar en torno a los desafíos éticos de las neurotecnologías y también sobre la regulación de los usos y aplicaciones de los nuevos dispositivos. En el año 2002, la Dana Foundation convocó en San Francisco a más de 150 neurocientíficos, bioéticos, psiquiatras, psicólogos, filósofos y profesores del ámbito jurídico y de la especialidad de

---

[31] BENÍTEZ PALMA, (s.f). E.J. Neuroderechos: el debate de nuestro tiempo. POR; https://telos.fundaciontelefonica.com/neuroderechos-el-debate-de-nuestro-tiempo/

políticas públicas, para discutir, debatir y definir el terreno de juego de la nueva disciplina de la neuroética.

Sin embargo, este interesante debate colectivo e interdisciplinar tan propio de nuestro tiempo, ha permanecido durante muchos años intra muros de los centros de investigación y los departamentos universitarios. Siendo que, en los primeros meses de 2023, el planteamiento de los neuroderechos ha tomado auge en los medios de comunicación y en la sociedad, especialmente por determinados acontecimientos que revisten el mayor interés.

Entre ellos destaca la publicación del libro The Battle for Your Brain, de la profesora Nita Farahany, de la Universidad de Yale, en Estados Unidos. Farahany es doctora en derecho, y ya había publicado dos artículos de gran interés sobre la invisible invasión de nuestra privacidad cerebral, la última frontera de la intimidad del ser humano. Su libro ha causado furor y motivado sendas entrevistas en distintos medios, permitiendo retomar el concepto de 'libertad cognitiva'. El derecho a la libertad cognitiva, vinculado al derecho a la autodeterminación sobre nuestro cerebro y nuestras experiencias mentales, y se entrecruza con otros tres (neo)derechos humanos: el derecho a la privacidad mental; el derecho a la libertad de pensamiento, que se refiere a los pensamientos complejos y las imágenes visuales; y la autodeterminación, en el sentido de no manipulación externa, consciente o inconsciente. Un dispositivo que explora, interviene o manipula nuestro cerebro se puede usar para hacer el bien, pero también con fines espurios.

La propuesta de Farahany se superpone con los postulados que en 2022 lanzó la Neurorights Foundation[32], a la que pertenece el científico español Rafael Yuste, en que enumeraba (Yuste) los cinco neuroderechos que ya quedaron definidos

---

32 Disponible en: https://plum-conch-dwsc.squarespace.com/mission

en 2017 en el campus de Morningside, en la Universidad de Columbia, y que considera que deben sumarse a los derechos humanos ya existentes (Yuste, 2023, pp. 17-23). El primero es el derecho a la privacidad mental, que propone que el contenido de la mente no pueda ser descifrado sin el consentimiento de la persona afectada. En segundo lugar, menciona el derecho a nuestra identidad personal, de manera que las neurotecnologías no puedan modificar nuestra personalidad o nuestra conciencia. El tercer derecho hunde sus raíces en los derechos humanos universalmente aceptados, ya que es el derecho al libre albedrío, a la capacidad de decidir con libertad. Los dos últimos neuroderechos proponen un acceso universal a las mejoras derivadas de la investigación neurocientífica -de manera que no haya seres humanos de primera y de segunda categoría- y la protección frente a los sesgos algorítmicos.

Otro hito importante que alimenta el interés mediático viene dado por la publicación de los resultados de una investigación sobre la posible decodificación de la actividad cerebral (Tang et alia, 2023). Esta investigación, publicado en la revista Nature Neuroscience, ha generado un gran interés y preocupación[33] en relación a la lectura que podría hacer la máquina de los pensamientos con un solo escáner cerebral[34]. Aunque ciertamente el artículo señala el largo camino pendiente hasta alcanzar ese hito, ha propiciado un fúlgido interés en los medios y las personas y su audiencia.

---

33 Disponible en: https://www.nature.com/articles/d41586-023-01486-z

34 Más información: https://www.technologyreview.com/2023/05/01/1072471/brain-scans-can-translate-a-persons-thoughts-into-words/#:~:text=In%20a%20new%20study%2C%20published,looking%20at%20their%20brain%20activity

La neurociencia, y la genética no son disciplinas tan distintas, básicamente estarían trabajando en el mismo patrón de información.

Actualmente nos encontramos en la necesidad de regular la neurociencia, los neuroderechos, habiendo sido pionero en este aspecto Chile[35].

Al ser humano le preocupa regular todos los aspectos relacionados con la genética desde que se pone al alcance de las personas, la exposición y riesgo, la vulnerabilidad a la que podemos ser sometidos, sin consentimiento. Que viene a ponerse de relieve a través de los distintos experimentos y sus potencialidades resultados.

Así, nace la emergente necesidad de regular los neuroderechos. Sin embargo, nada existe en relación al origen conceptual de la neurociencia, y donde habría de parametrizar su regulación.

Realmente poco sabemos hoy, en el año 2024, en relación al funcionamiento del cerebro. En palabras del neurobiólogo Rafael Yuste, no podemos explicar lo más elemental: cómo procesa el cerebro un pensamiento, una noción, una sensación o una acción. Para comprenderlo, necesitaremos mapear las redes del cerebro y entender cómo se transmite la información

---

35 Chile, pionero en la protección de los "neuroderechos". El país está en proceso de convertirse en el primero del mundo en legislar sobre las neurotecnologías e inscribir en su Constitución los "derechos del cerebro"31 de marzo de 2022. En 2021 el Senado chileno aprobó por votación unánime un proyecto de ley que modifica la Constitución para proteger los derechos del cerebro o "neuroderechos". La Cámara de Diputados revisó y votó esta legislación en septiembre de este año. Ahora tiene que ser promulgada por el presidente de la República; https://courier.unesco.org/es/articles/chile-pionero-en-la-proteccion-de-los-neuroderechos

a través de esas redes. Este desafío requerirá el desarrollo de nuevas tecnologías y teorías que aún no poseemos[36].

Rafael Yuste, pionero en el conocido proyecto Brain, ha propuesto la creación del mapa cerebral más completo antes realizado. A través de este proyecto, se han logrado mapear estructuras nerviosas desde pequeños gusanos hasta moscas enteras, y ahora están enfocados en el cerebro de ratones, que contiene 100 millones de neuronas. Pero aquí viene la revelación más sorprendente: mapear el cerebro no solo permite "leer" su actividad, sino también "escribir" en él. Los neurocientíficos ya han alterado la actividad cerebral y el comportamiento de ratones, y es solo cuestión de tiempo antes de que podamos hacerlo con humanos.

Hemos pasado más de cien años, desde Cajal, estudiando las neuronas por separado, su composición y funcionamiento, sin embargo, ello no ha contribuido a resolver el gran enigma, así como tampoco ha resultado de ayuda para mapear el complejo circuito neuronal y su funcionamiento.

Y nace aquí la gran pregunta; ¿Nadie se ha planteado regular el mundo cuántico, en el que trabajan las grandes tecnológicas como base neurálgica y punto de partida del procesamiento de sus proyectos?

¿Y cómo va a regularse los estándares del mundo cuántico, si la realidad en este mundo subatómico cambia cuando la medimos? [37].

Ciertamente nos encontramos ante un desafío épico que lejos de eludir por su complejidad, se hace necesario ampliar

---

36 https://proacomunicacion.es/blog/como-funciona-cerebro/

37 Principio de superposición de la física cuántica, que deduce que antes de cualquier medición u observación, resulta que la partícula puede estar en varios estados a la vez; https://royalsocietypublishing.org/doi/10.1098/rstl.1802.0004.

las miras, instruirnos en la materia y comprender más allá de las fronteras de lo metodizado, hasta alcanzar una regulación adaptada a la revolución que nos asiste.

Desde un enfoque conceptualista de las teorías científicas, el problema del cambio de mundo se desprende de las tesis sobre revoluciones científicas y paradigmas inconmensurables presentadas por Thomas Kuhn[38]. Este problema aborda cómo conceptualizamos la parcela del mundo físico que estudiamos dentro de una disciplina científica. En otras palabras, ¿cómo cambia nuestra concepción del mundo cuando ocurre una revolución científica?

Kuhn propone una solución semántica, argumentando que el problema surge debido a un cambio conceptual local que afecta nuestra visión del mundo. La inconmensurabilidad entre paradigmas conduce a esta transformación[39].

Por otro lado, Ian Hacking ofrece una solución ontológica, sugiriendo que una ontología formada por individuos concretos (en contraste con entidades abstractas) es suficiente para comprender el cambio de mundo durante una revolución científica.

En resumen, el cambio de mundo no solo es un fenómeno semántico, sino también ontológico. La realidad, en este

---

38 El problema del cambio de mundo: un enfoque conceptualista
De las tesis sobre las revoluciones científicas y la inconmensurabilidad de los paradigmas de Kuhn parece derivarse un problema conocido como el cambio de mundo. Aquí intentamos elucidar en qué consiste ese problema –el cual tiene faces tanto semántica como ontológica–, para mostrar que la solución taxonómica debida a Kuhn y la solución nominalista propuesta por Hacking, no sólo son compatibles sino complementarias, ofreciendo conjuntamente una solución dual, ontosemántica; http://scielo.org.co/scielo.php?script=sci_arttext&pid=S0120-46882021000200011

39 http://scielo.org.co/scielo.php?script=sci_arttext&pid=S0120-46882021000200011

contexto, se modifica a medida que evolucionamos nuestras concepciones y paradigmas científicos[40]. Como mencionó Hacking, ¿Estamos hablando de lenguaje, del mundo o de cómo conceptualizamos el mundo?

Ciertamente el ser humano se enfrenta a un salto evolutivo desafiante como pocos precedentes se le habrían planteado hasta ahora.

Muchas cuestiones se plantean de carácter ético y jurídico en relación a la revolución de la ciencia, que nos asiste en Genómica y en IA. Sin embargo, pocas o ninguna, abarcan la verdadera magnitud del concepto, habido que para ello previamente habría que tomar plena conciencia de cual es verdaderamente la naturaleza de lo que estamos regulando. Ello en un estadio anterior a

---

40 Hemos intentando hacer ver que la cuestión de que los paradigmas involucrados en una transición revolucionaria postulen distintas e incompatibles ontologías -es decir, que afirmen que existen mundos que son diferentes-, plantea un problema ontológico sólo para los filósofos realistas quienes consideran que el mundo es de cierto modo, y que hay una, y sólo una, teoría verdadera acerca del mismo. Desde un enfoque conceptualista, las tesis kuhnianas no envuelven problema ontológico alguno por una doble razón: primero, porque sólo desde un paradigma, teoría o marco teórico podemos afirmar cómo es el mundo, y, segundo, porque no hay base para afirmar que un paradigma, teoría o marco teórico sea verdadero, puesto que no tenemos un acceso epistémico al mundo que sea independiente de aquéllos, un acceso privilegiado que nos permitiera decir que el mundo es tal y como lo afirma una teoría dada, ya que corresponde al modo en que el mundo es realmente. Las tesis del realista científico están imbuidas en una concepción absolutista del conocimiento científico que resulta irreconciliable con la posición relativista al mismo del enfoque conceptualista adoptado aquí.
Las propuestas de solución de Kuhn y Hacking ofrecen ideas claves para dilucidar qué está involucrado en el problema del mundo nuevo. http://scielo.org.co/scielo.php?script=sci_arttext&pid=S0120-46882021000200011

establecer medidas restrictivas basadas en infundadas intuiciones aleatorias, o permisivas complejamente injustificadas.

Lo que es claro, ciertamente es que no se pueden obviar las leyes que nos gobiernan, las verdaderas (las leyes de la Física Cuántica), pues ello únicamente nos sume en un caos indeterminado en la búsqueda sesgada de soluciones individualistas que no satisfacen ni responden a la autorrealización.

En palabras de Teresa Versyp, la Física Cuántica nos ofrece un marco de pensamiento holístico basado en estos campos de energía que son importantísimos en el comportamiento del Universo, en las propiedades de la materia observable e incluso en nuestra salud y bienestar. El ser humano es un sistema de energías en vibración continua. Somo emisores y receptores de una gama muy diversa de frecuencias. El organismo no es un mosaico de órganos y moléculas independiente sino un conjunto coherente, un campo de interconexión altamente ordenado y orquestado.

La Física Cuántica defiende la existencia de un indeterminismo inherente y de un universo subjetivo en que la realidad no se puede separar del observador. La realidad, antes de ser observada y medida, presenta un espectro de múltiples posibilidades potenciales.

El Principio de Superposición[41] y la No-Localidad Cuántica[42] nos conducen a una nueva forma, ingeniosa, increíble de

---

41 El principio de superposición es un concepto de la física que afirma que un sistema se encuentra en todos los estados posibles al mismo tiempo, hasta que se mide y se reduce a uno de ellos. Este principio se aplica también a los circuitos lineales, donde se puede resolver un circuito sumando los efectos de cada fuente de voltaje por separado.
https://www.principiode.com/principio-de-superposicion/

42 La no-localidad cuántica es uno de los aspectos más intrigantes de la mecánica cuántica. Se refiere a la capacidad de las partículas cuánticas de influirse mutuamente instantáneamente, incluso cuando es-

ver la realidad. La interconexión instantánea recuerda a una concepción holográfica de la realidad.

Recordemos el trabajo de PETROVICH GARAIEV, o el de Luc Montagnier, que modifican el ADN mediante frecuencias, no siendo necesario tocar el cuerpo físico, ni editar un gen del modo que se sigue mediante CRISPR, sino que deviene mucho más sencillo.

La necesidad de regular, Neuroderechos. Deviene imperante y prevalente a la continuidad de cualquier tipo de ensayo, resultando insuficiente una guía (la actual), y siendo que el alcance ha de tener un espectro muchísimo más amplio del que hasta el momento se habría planteado. En tanto que la regulación integral habría de abarcar el conocimiento del campo cuántico y sus probabilidades, todas ellas puestas de manifiesto por la ciencia en sendos experimentos. De no ser así, las grandes tecnológicas de IA, de AGI, tales como las desarrolladas por Elon Musk y sus homónimos, físico e ingeniero de formación, seguirán llevando

---

tán separadas por grandes distancias. Aquí hay algunos puntos clave sobre la no-localidad cuántica:
Debate histórico: La no-localidad fue objeto de un debate intenso entre Niels Bohr y Albert Einstein. Einstein estaba incómodo con la idea de que la información pudiera viajar más rápido que la velocidad de la luz, mientras que Bohr defendía la no-localidad como una característica fundamental de la mecánica cuántica.
Teorema de Bell: El físico John Bell formuló un teorema en la década de 1960 que demostraba que las predicciones de la mecánica cuántica no podían explicarse mediante teorías locales realistas. Los experimentos posteriores confirmaron la no-localidad cuántica.
Experimento de Aspect: En la década de 1980, el físico Alain Aspect realizó un experimento que demostró la no-localidad cuántica de manera concluyente. Utilizando partículas entrelazadas, mostró que las mediciones en una partícula afectaban instantáneamente a su pareja, incluso si estaban separadas por grandes distancias.
Premio Nobel: En reconocimiento a su trabajo en este campo, Alain Aspect recibió el Premio Nobel de Física en el año 2022.

a la práctica sus experimentos, sin procedimentales previos, sirviendo de propio ejemplo experimental la respuesta estadística de la población usuaria. Y mientras el 92% del mundo se encuentra inmerso en debates épicos de carácter ético, moral y jurídico, en relación a si debería o no ser permisivo la práctica, el 8% restante, sin formación en medicina, neurociencia, o genética convencional, habitualmente formados en física y diversas ingenierías, se dedica a llevar a cabo meticulosos proyectos de ingeniería mental, que modificarían los hábitos y la conducta del sujeto usuario de forma inconsciente, pues no puede denominarse involuntaria, habido que la voluntad no tendría un papel determinante en este tipo de programas, y que proyectarían a su vez en el 100% de la sociedad.

9. NECESIDAD DE ARMONIZACIÓN Y ACTUALIZACIÓN DE NORMATIVA EN EL ÁMBITO NACIONAL Y SUPRANACIONAL EN RELACIÓN A LOS AVANCES EN GENÓMICA

Habidos los avances puestos de manifiesto en este trabajo y la controversia y distancia entre el hito que acontece y su regulación, se precisa la revisión, en este sentido, aludiendo a la esfera internacional en relación a los textos adoptados por la Asamblea General de las Naciones Unidas:

En relación al art 27 de DUDH. Declaración Universal de los Derechos Humanos, de 10 de diciembre de 1948 en especial en su apartado primero establece que toda persona tiene derecho a participar en el progreso científico y en los beneficios que de él resulten;

Artículo 27

> 1. Toda persona tiene derecho a tomar parte libremente en la vida cultural de la comunidad, a gozar de las artes y a participar en el progreso científico y en los beneficios que de él resulten.

> 2. Toda persona tiene derecho a la protección de los intereses morales y materiales que le correspondan por razón de las producciones científicas, literarias o artísticas de que sea autora.

En relación a los avances en medicina personalizada, en aplicación de terapia génica en línea somática, puede deducirse que la primera barrera que presenta es el elevado coste de acceso a las mismas, de cuya razón se desprende la imposibilidad de acceso a la mayoría de la población.

Sin embargo, no sería esa la principal barrera que subyace en la literalidad del sentido de este artículo, habido que conforme se manifiesta en la presente investigación la principal limitación recaería en el acceso al propio potencial de la genética, en tanto el verdadero progreso científico alcanzado no estaría al alcance y beneficio de la población, habido por un lado las limitaciones impeditivas en el trabajo en línea germinal, así como los avances que permanecen intra muros del laboratorio citados en este trabajo.

Lo que también es contrario a lo dispuesto en el artículo 2 de la citada DUDH. Declaración Universal de los Derechos Humanos

Artículo 2

> Toda persona tiene todos los derechos y libertades proclamados en esta Declaración, sin distinción alguna de raza, color, sexo, idioma, religión, opinión política o de cualquier otra índole, origen nacional o social, posición económica, nacimiento o cualquier otra condición. Además, no se hará distinción alguna fundada en la condición política, jurídica o internacional del país o territorio de cuya jurisdicción dependa una persona, tanto si se trata de un país independiente, como de un territorio bajo administración fiduciaria, no autónomo o sometido a cualquier otra limitación de soberanía.

Así como la privación del acceso al potencial de la ingeniería genética conocida y no aplicada, bajo la premisa quasi delirante de no modificar la herencia genética, cuando paradójicamente ya se habría permitido, resultando plenamente ajenos a ello, de donde nace la inminente necesidad de regular los neuroderechos y el campo cuántico, dominado por las grandes corporaciones tecnológicas actualmente con fines meramente comerciales.

Resulta así contrario a lo dispuesto en el art 6 de la citada DUDH. Declaración Universal de los Derechos Humanos, en relación al derecho a la vida, el derecho a nacer sano, y a vivir una vida ajena a la enfermedad, en tanto se disponen de los medios para ello.

Artículo 6

> 1. El derecho a la vida es inherente a la persona humana. Este derecho estará protegido por la ley. Nadie podrá ser privado de la vida arbitrariamente.
> 2. En los países en que no hayan abolido la pena capital sólo podrá imponerse la pena de muerte por los más graves delitos y de conformidad con leyes que estén en vigor en el momento de cometerse el delito y que no sean contrarias a las disposiciones del presente Pacto ni a la Convención para la Prevención y Sanción del Delito de Genocidio. Esta pena sólo podrá imponerse en cumplimiento de sentencia definitiva de un tribunal competente.
> 3. Cuando la privación de la vida constituya delito de genocidio se tendrá entendido que nada de lo dispuesto en este artículo excusará en modo alguno a los Estados Partes del cumplimiento de ninguna de las obligaciones asumidas en virtud de las disposiciones de la Convención para la Prevención y la Sanción del Delito de Genocidio.
> 4. Toda persona condenada a muerte tendrá derecho a solicitar el indulto o la conmutación de la pena de muerte. La amnistía, el indulto o la conmutación de la pena capital podrán ser concedidos en todos los casos.
> 5. No se impondrá la pena de muerte por delitos cometidos por personas de menos de 18 años de edad, ni se la aplicará a las mujeres en estado de gravidez.
> 6. Ninguna disposición de este artículo podrá ser invocada por un Estado Parte en el presente Pacto para demorar o impedir la abolición de la pena capital.

De igual modo, en relación a lo expuesto en método ROPA, la disposición adoptada en la actual aplicación deviene contraria a derecho en aplicación de lo dispuesto en el art 16 de la citada DUDH. Declaración Universal de los Derechos Humanos, especialmente 16.2, que dispone que solo mediante libre y pleno consentimiento de los futuros esposos podrá contraerse el matrimonio, resultando en el caso específico una imposición requerida de modo previo a permitir llevar a cabo el tratamiento de fecundación in vitro mediante método ROPA;

Artículo 16

> 1. Los hombres y las mujeres, a partir de la edad núbil, tienen derecho, sin restricción alguna por motivos de raza, nacionalidad o religión, a casarse y fundar una familia, y disfrutarán de iguales derechos en cuanto al matrimonio, durante el matrimonio y en caso de disolución del matrimonio.
> 2. Sólo mediante libre y pleno consentimiento de los futuros esposos podrá contraerse el matrimonio.
> 3. La familia es el elemento natural y fundamental de la sociedad y tiene derecho a la protección de la sociedad y del Estado.

Así, del mismo modo, se vulnera en este sentido, lo dispuesto en el artículo 3 del PIDCP. Pacto Internacional de Derechos Civiles y Políticos, de 16 de diciembre de 1966, cuando se compromete a los Estados a garantiza a hombres y mujeres igualdad en el goce de derechos civiles;

Artículo 3

> Los Estados Partes en el presente Pacto se comprometen a garantizar a hombres y mujeres la igualdad en el goce de todos los derechos civiles y políticos enunciados en el presente Pacto.

Así como lo dispuesto en el artículo 26 del citado PIDCP. Pacto Internacional de Derechos Civiles y Políticos, de 16 de diciembre de 1966;

Artículo 26

> Todas las personas son iguales ante la ley y tienen derecho sin discriminación a igual protección de la ley. A este respecto,

la ley prohibirá toda discriminación y garantizará a todas las personas protección igual y efectiva contra cualquier discriminación por motivos de raza, color, sexo, idioma, religión, opiniones políticas o de cualquier índole, origen nacional o social, posición económica, nacimiento o cualquier otra condición social.

En el mismo sentido se vulnera lo dispuesto en el artículo 10 de PIDESC. Pacto Internacional de Derechos Económicos, Sociales y Culturales, de 19 de diciembre;

Artículo 10

Los Estados Partes en el presente Pacto reconocen que:

1. Se debe conceder a la familia, que es el elemento natural y fundamental de la sociedad, la más amplia protección y asistencia posibles, especialmente para su constitución y mientras sea responsable del cuidado y la educación de los hijos a su cargo. El matrimonio debe contraerse con el libre consentimiento de los futuros cónyuges.

Siguiendo la misma línea se vulnera lo dispuesto en el artículo 15 de PIDESC. Pacto Internacional de Derechos Económicos, Sociales y Culturales, de 19 de diciembre en relación a la limitación en el goce de los beneficios del progreso científico y de sus aplicaciones;

Artículo 15

1. Los Estados Partes en el presente Pacto reconocen el derecho de toda persona a:
   a) Participar en la vida cultural;
   b) Gozar de los beneficios del progreso científico y de sus aplicaciones;
   c) Beneficiarse de la protección de los intereses morales y materiales que le correspondan por razón de las producciones científicas, literarias o artísticas de que sea autora.
2. Entre las medidas que los Estados Partes en el presente Pacto deberán adoptar para asegurar el pleno ejercicio de este derecho, figurarán las necesarias para la conservación, el desarrollo y la difusión de la ciencia y de la cultura.

> 3. Los Estados Partes en el presente Pacto se comprometen a respetar la indispensable libertad para la investigación científica y para la actividad creadora.
> 4. Los Estados Partes en el presente Pacto reconocen los beneficios que derivan del fomento y desarrollo de la cooperación y de las relaciones internacionales en cuestiones científicas y culturales.

A los anteriores se complementan adicionan las siguientes declaraciones de la UNESCO, Arts. 1-3, 5-6, 8, 10-15, 17-21 y 23-25 DUGHDH. Declaración Universal sobre el Genoma Humano y los Derechos Humanos, de 11 de noviembre de 1997.

Especialmente lo previsto en el art 12 y 21;

Artículo 12

> a) Toda persona debe tener acceso a los progresos de la biología, la genética y la medicina en materia de genoma humano, respetándose su dignidad y derechos.
> b) La libertad de investigación, que es necesaria para el progreso del saber, procede de la libertad de pensamiento. Las aplicaciones de la investigación sobre el genoma humano, en particular en el campo de la biología, la genética y la medicina, deben orientarse a aliviar el sufrimiento y mejorar la salud del individuo y de toda la humanidad.

Artículo 21

> Los Estados tomarán las medidas adecuadas para fomentar otras formas de investigación, formación y difusión de la información que permitan a la sociedad y a cada uno de sus miembros podrán cobrar mayor conciencia de sus responsabilidades ante las cuestiones fundamentales relacionadas con la defensa de la dignidad humana que puedan ser planteadas por la investigación en biología, genética y medicina y las correspondientes aplicaciones. Se comprometen, además, a favorecer al respecto un debate abierto en el plano internacional que garantice la libre expresión de las distintas corrientes de pensamiento socioculturales, religiosas y filosóficas.

Así los Arts.1, 3, 6 y 11 de la Declaración sobre las Responsabilidades de las Generaciones Actuales para con las Generaciones Futuras, de 12 de noviembre 1997 dispone;

> Artículo 1 - Necesidades e intereses de las generaciones futuras
> Las generaciones actuales tienen la responsabilidad de garantizar la plena salvaguardia de las necesidades y los intereses de las generaciones presentes y futuras.
> Artículo 3 - Mantenimiento y perpetuación de la humanidad
> Las generaciones actuales deben esforzarse por asegurar el mantenimiento y la perpetuación de la humanidad, respetando debidamente la dignidad de la persona humana. En consecuencia, no se ha de atentar de ninguna manera contra la naturaleza ni la forma de la vida humana.
> Artículo 6 - Genoma humano y diversidad biológica
> Ha de protegerse el genoma humano, respetándose plenamente la dignidad de la persona humana y los derechos humanos, y preservarse la diversidad biológica. El progreso científico y tecnológico no debe perjudicar ni comprometer de ningún modo la preservación de la especie humana ni de otras especies.
> Artículo 11 - No discriminación
> Las generaciones actuales deben abstenerse de realizar actividades y de tomar medidas que puedan ocasionar o perpetuar cualquier forma de discriminación para las generaciones futuras.

En el mismo sentido cabe remarcar lo dispuesto en los Arts. 2-8, 10-13, 14.2, 15-16, 19 y 28 DUBDH. Declaración Universal sobre Bioética y Derechos Humanos, de 19 de octubre de 2005;

Artículo 2 Objetivos

> Los objetivos de la presente Declaración son:
> a) proporcionar un marco universal de principios y procedimientos que sirvan de guía a los Estados en la formulación de legislaciones, políticas u otros instrumentos en el ámbito de la bioética;
> b) orientar la acción de individuos, grupos, comunidades, instituciones y empresas, públicas y privadas;
> c) promover el respeto de la dignidad humana y proteger los derechos humanos, velando por el respeto de la vida de los seres humanos y las libertades fundamentales, de conformidad con el derecho internacional relativo a los derechos humanos;

d) reconocer la importancia de la libertad de investigación científica y las repercusiones beneficiosas del desarrollo científico y tecnológico, destacando al mismo tiempo la necesidad de que esa investigación y los consiguientes adelantos se realicen en el marco de los principios éticos enunciados en esta Declaración y respeten la dignidad humana, los derechos humanos y las libertades fundamentales;
e) fomentar un diálogo multidisciplinario y pluralista sobre las cuestiones de bioética entre todas las partes interesadas y dentro de la sociedad en su conjunto;
f) promover un acceso equitativo a los adelantos de la medicina, la ciencia y la tecnología, así como la más amplia circulación posible y un rápido aprovechamiento compartido de los conocimientos relativos a esos adelantos y de sus correspondientes beneficios, prestando una especial atención a las necesidades de los países en desarrollo;
g) salvaguardar y promover los intereses de las generaciones presentes y venideras;
h) destacar la importancia de la biodiversidad y su conservación como preocupación común de la especie humana.

Artículo 3 Dignidad humana y derechos humanos

1. Se habrán de respetar plenamente la dignidad humana, los derechos humanos y las libertades fundamentales.
2. Los intereses y el bienestar de la persona deberían tener prioridad con respecto al interés exclusivo de la ciencia o la sociedad.

Artículo 4 Beneficios y efectos nocivos

Al aplicar y fomentar el conocimiento científico, la práctica médica y las tecnologías conexas, se deberían potenciar al máximo los beneficios directos e indirectos para los pacientes, los participantes en las actividades de investigación y otras personas concernidas, y se deberían reducir al máximo los posibles efectos nocivos para dichas personas.

Artículo 5 Autonomía y responsabilidad individual

Se habrá de respetar la autonomía de la persona en lo que se refiere a la facultad de adoptar decisiones, asumiendo la responsabilidad de éstas y respetando la autonomía de los demás. Para las personas que carecen de la capacidad de ejercer su autonomía, se habrán de tomar medidas especiales para proteger sus derechos e intereses.

Artículo 6 Consentimiento

1. Toda intervención médica preventiva, diagnóstica y terapéutica sólo habrá de llevarse a cabo previo consentimiento libre e informado de la persona interesada, basado en la información adecuada. Cuando proceda, el consentimiento debería ser expreso y la persona interesada podrá revocarlo en todo momento y por cualquier motivo, sin que esto entrañe para ella desventaja o perjuicio alguno.
2. La investigación científica sólo se debería llevar a cabo previo consentimiento libre, expreso e informado de la persona interesada. La información debería ser adecuada, facilitarse de forma comprensible e incluir las modalidades para la revocación del consentimiento. La persona interesada podrá revocar su consentimiento en todo momento y por cualquier motivo, sin que esto entrañe para ella desventaja o perjuicio alguno. Las excepciones a este principio deberían hacerse únicamente de conformidad con las normas éticas y jurídicas aprobadas por los Estados, de forma compatible con los principios y disposiciones enunciados en la presente Declaración, en particular en el Artículo 27, y con el derecho internacional relativo a los derechos humanos.
3. En los casos correspondientes a investigaciones llevadas a cabo en un grupo de personas o una comunidad, se podrá pedir además el acuerdo de los representantes legales del grupo o la comunidad en cuestión. El acuerdo colectivo de una comunidad o el consentimiento de un dirigente comunitario u otra autoridad no deberían sustituir en caso alguno el consentimiento informado de una persona.

Artículo 7 Personas carentes de la capacidad de dar su consentimiento

De conformidad con la legislación nacional, se habrá de conceder protección especial a las personas que carecen de la capacidad de dar su consentimiento:

a) la autorización para proceder a investigaciones y prácticas médicas debería obtenerse conforme a los intereses de la persona interesada y de conformidad con la legislación nacional. Sin embargo, la persona interesada debería estar asociada en la mayor medida posible al proceso de adopción de la decisión de consentimiento, así como al de su revocación;

b) se deberían llevar a cabo únicamente actividades de investigación que redunden directamente en provecho de la salud de la persona interesada, una vez obtenida la autorización y reunidas las condiciones de protección prescritas por la ley, y si no existe una alternativa de investigación de eficacia comparable con participantes en la investigación capaces de dar su consentimiento. Las actividades de investigación que no entrañen un posible beneficio directo para la salud se deberían llevar a cabo únicamente de modo excepcional, con las mayores restricciones, exponiendo a la persona únicamente a un riesgo y una coerción mínimos y, si se espera que la investigación redunde en provecho de la salud de otras personas de la misma categoría, a reserva de las condiciones prescritas por la ley y de forma compatible con la protección de los derechos humanos de la persona. Se debería respetar la negativa de esas personas a tomar parte en actividades de investigación.

Artículo 8 Respeto de la vulnerabilidad humana y la integridad personal

Al aplicar y fomentar el conocimiento científico, la práctica médica y las tecnologías conexas, se debería tener en cuenta la vulnerabilidad humana. Los individuos y grupos especialmente vulnerables deberían ser protegidos y se debería respetar la integridad personal de dichos individuos.

Artículo 10 Igualdad, justicia y equidad

Se habrá de respetar la igualdad fundamental de todos los seres humanos en dignidad y derechos, de tal modo que sean tratados con justicia y equidad.

Artículo 11 No discriminación y no estigmatización

Ningún individuo o grupo debería ser sometido por ningún motivo, en violación de la dignidad humana, los derechos humanos y las libertades fundamentales, a discriminación o estigmatización alguna.

Artículo 12 Respeto de la diversidad cultural y del pluralismo

Se debería tener debidamente en cuenta la importancia de la diversidad cultural y del pluralismo. No obstante, estas consideraciones no habrán de invocarse para atentar contra la dignidad humana, los derechos humanos y las libertades fundamentales o los principios enunciados en la presente Declaración, ni tampoco para limitar su alcance.

Artículo 13 Solidaridad y cooperación

Se habrá de fomentar la solidaridad entre los seres humanos y la cooperación internacional a este efecto

Artículo 14 Responsabilidad social y salud

1. La promoción de la salud y el desarrollo social para sus pueblos es un cometido esencial de los gobiernos, que comparten todos los sectores de la sociedad.
2. Teniendo en cuenta que el goce del grado máximo de salud que se pueda lograr es uno de los derechos fundamentales de todo ser humano sin distinción de raza, religión, ideología política o condición económica o social, los progresos de la ciencia y la tecnología deberían fomentar:
   a) el acceso a una atención médica de calidad y a los medicamentos esenciales, especialmente para la salud de las mujeres y los niños, ya que la salud es esencial para la vida misma y debe considerarse un bien social y humano;
   b) el acceso a una alimentación y un agua adecuadas;
   c) la mejora de las condiciones de vida y del medio ambiente;
   d) la supresión de la marginación y exclusión de personas por cualquier motivo; y
   e) la reducción de la pobreza y el analfabetismo

Artículo 15 Aprovechamiento compartido de los beneficios

1. Los beneficios resultantes de toda investigación científica y sus aplicaciones deberían compartirse con la sociedad en su conjunto y en el seno de la comunidad internacional, en particular con los países en desarrollo. Los beneficios que se deriven de la aplicación de este principio podrán revestir las siguientes formas:
   a) asistencia especial y duradera a las personas y los grupos que hayan tomado parte en la actividad de investigación y reconocimiento de los mismos;

b) acceso a una atención médica de calidad;
c) suministro de nuevas modalidades o productos de diagnóstico y terapia obtenidos gracias a la investigación;
d) apoyo a los servicios de salud;
e) acceso a los conocimientos científicos y tecnológicos;
f) instalaciones y servicios destinados a crear capacidades en materia de investigación;
g) otras formas de beneficio compatibles con los principios enunciados en la presente Declaración.

2. Los beneficios no deberían constituir incentivos indebidos para participar en actividades de investigación.

Artículo 16 Protección de las generaciones futuras

Se deberían tener debidamente en cuenta las repercusiones de las ciencias de la vida en las generaciones futuras, en particular en su constitución genética

Artículo 19 Comités de ética

Se deberían crear, promover y apoyar, al nivel que corresponda, comités de ética independientes, pluridisciplinarios y pluralistas con miras a:

a) evaluar los problemas éticos, jurídicos, científicos y sociales pertinentes suscitados por los proyectos de investigación relativos a los seres humanos;
b) prestar asesoramiento sobre problemas éticos en contextos clínicos;
c) evaluar los adelantos de la ciencia y la tecnología, formular recomendaciones y contribuir a la preparación de orientaciones sobre las cuestiones que entren en el ámbito de la presente Declaración;
d) fomentar el debate, la educación y la sensibilización del público sobre la bioética, así como su participación al respecto.

Artículo 28 Salvedad en cuanto a la interpretación: actos que vayan en contra de los derechos humanos, las libertades fundamentales y la dignidad humana.

Ninguna disposición de la presente Declaración podrá interpretarse como si confiriera a un Estado, grupo o individuo derecho alguno a emprender actividades o realizar actos que vayan en contra de los derechos humanos, las libertades fundamentales y la dignidad humana.

Lo anterior en consonancia con lo dispuesto en los artículos. 1, 2, 3, 11-15, CDHB, Convenio para la protección de los derechos humanos y la dignidad del ser humano con respecto a las aplicaciones de la Biología y la Medicina (Convenio relativo a los derechos humanos y la biomedicina), de 4 de abril de 1997.

Considerando de especial atención que el interés y el bienestar del ser humano deberán prevalecer sobre el interés exclusivo de la sociedad o de la Ciencia, así como la adopción de medidas adecuadas que habrían de adoptarse con el fin de garantizar un acceso equitativo a una atención sanitaria de calidad apropiada, ello referido en el ámbito de la aplicación de la nueva medicina genética;

Artículo 1. Objeto y finalidad

Las Partes en el presente Convenio protegerán al ser humano en su dignidad y su identidad y garantizarán a toda persona, sin discriminación alguna, el respeto a su integridad y a sus demás derechos y libertades fundamentales con respecto a las aplicaciones de la biología y la medicina. Cada Parte adoptará en su legislación interna las medidas necesarias para dar aplicación a lo dispuesto en el presente Convenio.

Artículo 2. Primacía del ser humano

El interés y el bienestar del ser humano deberán prevalecer sobre el interés exclusivo de la sociedad o de la Ciencia.

Artículo 3. Acceso equitativo a los beneficios de la sanidad

Las Partes, teniendo en cuenta las necesidades de la sanidad y los recursos disponibles, adoptarán las medidas adecuadas con el fin de garantizar, dentro de su ámbito jurisdiccional, un acceso equitativo a una atención sanitaria de calidad apropiada.

Artículo 11. No discriminación

Se prohíbe toda forma de discriminación de una persona a causa de su patrimonio genético.

Artículo 15. Regla general

La investigación científica en el ámbito de la biología y la medicina se
efectuará libremente, a reserva de lo dispuesto en el presente Convenio y en otras disposiciones jurídicas que garanticen la protección del ser humano.

Cabe de igual modo destacar lo dispuesto en los Arts. 1, 2.1, 3, 13, 20-21, 24.2 y 35 CDFUE. Carta de Derechos Fundamentales de la Unión Europea, de 7 de diciembre de 2000., que recae especial atención en la prohibición en la inviolabilidad de la dignidad humana (art 1), el derecho de toda persona a la vida (art 2), de toda discriminación y en particular la ejercida por razón de sexo (art 21).

Especial mención también merece el art 13, en relación a la investigación científica libre, y respeto a la investigación.

Artículo 1

Dignidad humana

La dignidad humana es inviolable. Ser respetada y protegida.

Artículo 2

Derecho a la vida

1. Toda persona tiene derecho a la vida.
2. Nadie podrá ser condenado a la pena de muerte ni ejecutado.

Artículo 3

Derecho a la integridad de la persona

1. Toda persona tiene derecho a su integridad física y psíquica.
2. En el marco de la medicina y la biología se respetaron en particular:

el consentimiento libre e informado de la persona de que se trate, de acuerdo con las modalidades establecidas en la ley, la prohibición de las prácticas eugenésicas, y en particular las que tienen por finalidad la selección de las personas, la prohibición de que el cuerpo humano o partes del mismo en cuanto tales se conviertan en objeto de lucro, la prohibición de la clonación reproductora de seres humanos.

Artículo 13

Libertad de las artes y de las ciencias

Las artes y la investigación científica son libres. Se respeta la libertad de cátedra.

Artículo 20

Igualdad ante la ley

Todas las personas son iguales ante la ley

Artículo 21

No discriminación

1. Se prohíbe toda discriminación, y en particular la ejercida por razón de sexo, raza, color, orígenes Étnicos o sociales, características genéticas, lengua, religión o convicciones, opiniones políticas o de cualquier otro tipo, pertenencia a una minoría nacional, patrimonio, nacimiento, discapacidad, edad u orientación sexual.
2. Se prohíbe toda discriminación por razón de nacionalidad en el Ámbito de aplicación del Tratado constitutivo de la Comunidad Europea y del Tratado de la Unión Europea y sin perjuicio de las disposiciones particulares de dichos Tratados.

Artículo 35

Protección de la salud

Toda persona tiene derecho a la prevención sanitaria y a beneficiarse de la atención sanitaria en las condiciones establecidas por las legislaciones y prácticas nacionales. Al definirse y ejecutarse todas las
políticas y acciones de la Unión se garantizar un alto nivel de protección de la salud humana.

En el Marco Normativo Nacional de aplicación en Edición Genética cabe destacar especialmente lo previsto en los Arts. 10.1, 14, 15 16.1, 20.1b), 43 y 44 CE. Constitución Española;

Artículo 10

1. La dignidad de la persona, los derechos inviolables que le son inherentes, el libre desarrollo de la personalidad, el respeto a la ley y a los derechos de los demás son fundamento del orden político y de la paz social.
2. Las normas relativas a los derechos fundamentales y a las libertades que la Constitución reconoce se interpretarán de conformidad con la Declaración Universal de Derechos Humanos y los tratados y acuerdos internacionales sobre las mismas materias ratificados por España.

Artículo 14

Los españoles son iguales ante la ley, sin que pueda prevalecer discriminación alguna por razón de nacimiento, raza, sexo, religión, opinión o cualquier otra condición o circunstancia personal o social.

Artículo 15

Todos tienen derecho a la vida y a la integridad física y moral, sin que, en ningún caso, puedan ser sometidos a tortura ni a penas o tratos inhumanos o degradantes. Queda abolida la pena de muerte, salvo lo que puedan disponer las leyes penales militares para tiempos de guerra.

Artículo 16

1. Se garantiza la libertad ideológica, religiosa y de culto de los individuos y las comunidades sin más limitación, en sus manifestaciones, que la necesaria para el mantenimiento del orden público protegido por la ley.

Artículo 43

1. Se reconoce el derecho a la protección de la salud.

2. Compete a los poderes públicos organizar y tutelar la salud pública a través de medidas preventivas y de las prestaciones y servicios necesarios. La ley establecerá los derechos y deberes de todos al respecto.
3. Los poderes públicos fomentarán la educación sanitaria, la educación física y el deporte. Asimismo, facilitarán la adecuada utilización del ocio.

Artículo 44

1. Los poderes públicos promoverán y tutelarán el acceso a la cultura, a la que todos tienen derecho.
2. Los poderes públicos promoverán la ciencia y la investigación científica y técnica en beneficio del interés general.

En el ámbito penal cabe relacionar lo dispuesto en los Arts. 159-162 e, indirectamente, art 349 CP;

Art 159 CP Código Penal

1. Serán castigados con la pena de prisión de dos a seis años e inhabilitación especial para empleo o cargo público, profesión u oficio de siete a diez años los que, con finalidad distinta a la eliminación o disminución de taras o enfermedades graves, manipulen genes humanos de manera que se altere el genotipo.
2. Si la alteración del genotipo fuere realizada por imprudencia grave, la pena será de multa de seis a quince meses e inhabilitación especial para empleo o cargo público, profesión u oficio de uno a tres años.

Art 160 CP

1. La utilización de la ingeniería genética para producir armas biológicas o exterminadoras de la especie humana, será castigada con la pena de prisión de tres a siete años e inhabilitación especial para empleo o cargo público, profesión u oficio por tiempo de siete a 10 años.
2. Serán castigados con la pena de prisión de uno a cinco años e inhabilitación especial para empleo o cargo público, profesión u oficio de seis a 10 años quienes fecunden óvulos humanos con cualquier fin distinto a la procreación humana.

3. Con la misma pena se castigará la creación de seres humanos idénticos por clonación u otros procedimientos dirigidos a la selección de la raza.

Art 161

1. Quien practicare reproducción asistida en una mujer, sin su consentimiento, será castigado con la pena de prisión de dos a seis años, e inhabilitación especial para empleo o cargo público, profesión u oficio por tiempo de uno a cuatro años.
2. Para proceder por este delito será precisa denuncia de la persona agraviada o de su representante legal. Cuando aquélla sea menor de edad, persona con discapacidad necesitada de especial protección o una persona desvalida, también podrá denunciar el Ministerio Fiscal.

Art 162

En los delitos contemplados en este título, la autoridad judicial podrá imponer alguna o algunas de las consecuencias previstas en el artículo 129 de este Código cuando el culpable perteneciere a una sociedad, organización o asociación, incluso de carácter transitorio, que se dedicare a la realización de tales actividades.

Art 349

Los que en la manipulación, transporte o tenencia de organismos contravinieren las normas o medidas de seguridad establecidas, poniendo en concreto peligro la vida, la integridad física o la salud de las personas, o el medio ambiente, serán castigados con las penas de prisión de seis meses a dos años, multa de seis a doce meses, e inhabilitación especial para el empleo o cargo público, profesión u oficio por tiempo de tres a seis años.

CAPÍTULO VI
GENÓMICA Y NUEVAS FORMAS DE REPRODUCCIÓN

Así como no existe una huella dactilar idéntica a la tuya,

Ni un patrón genético idéntico al tuyo,

Tampoco existe un don idéntico al tuyo.

No intentes copiar el Don de otro,

Escucha y encuentra el tuyo propio,

Y dale luz visible.

Tú eres tú obra.

-María Del Carmen García Casas-

Capítulo VI:

Genómica y nuevas formas de reproducción

1. DESDE EL PUNTO DE VISTA ÉTICO

No sería sino llegado el año 1978 cuando nace Louise Brown, la primera nacida, denominada 'niña-probeta' que no había sido engendrada en el aparato reproductor de su madre sino en un laboratorio. A resultas de un padecimiento obstructivo en las trompas de Falopio, el cual impedía el encuentro entre óvulo y esperma. El gran avance se produjo al conseguir un ovulo maduro, el cual fue fecundado in vitro en laboratorio, siendo que el embrión se introdujo rápidamente en el útero de su madre por lo que Louise fue únicamente "niña-probeta "en las aproximadamente 60 horas de su desarrollo en laboratorio.

La fecundación in vitro (FIV), la técnica pionera que le hizo ganar a Robert Edwards el Premio Nobel de Medicina 2010, abrió una gran cantidad de opciones científicas, pero también importantes dilemas éticos.

El éxito de Edwards en la fecundación de un óvulo humano fuera del útero no sólo llevó al nacimiento de "bebés probetas" sino también a innovaciones como la investigación con células madre embrionarias y a la maternidad subrogada, es decir, los "vientres de alquiler"[1].

---

1 El Nobel a la fecundación in vitro reabre el debate ético. Reuters. October 5, 20102:46 PM GMT+2Updated 13 years ago

Han transcurrido más de cuarenta años en los que ha venido madurando la técnica FIV, y que ha ido ganando confianza entre los que han optado por ella, hasta considerarse hoy en día un mecanismo garante de fiabilidad y garantía, que se ha visto desprovisto de los temores circundantes en el inicio de la técnica, motivados principalmente por desconocimiento, e influenciados por la postura conservadora, la cual centra su diálogo en el riesgo para la mujer gestante y para los nacidos, y en las consecuencias sociales, aunque sin evidencia concluyente, Esta postura conservadora, se manifiesta amoral ante la posible manipulación genética de los embriones a implantar, y ausencia de confidencialidad en tratamientos de reproducción asistida.

Así LEÓN KASS, bioeticista conservador, critica fuertemente las tecnologías de la reproducción, en el argumento que nos hemos acostumbrado a las nuevas prácticas de reproducción humana; no solo a la FIV, sino también a la manipulación, donación de embriones y al alquiler de úteros. Critica que la bioética se ha venido contentado con analizar argumentos morales, reaccionando frente a los nuevos desarrollos tecnológicos e incorporando los problemas emergentes de política pública; todo esto bajo la fe ingenua de que nuestros males pueden evitarse mediante la compasión, la regulación y el respeto por la autonomía. Para KASS, la procreación humana no es una simple actividad de la voluntad racional; es una actividad más completa, pues vincula un compromiso corporal, como erótico, espiritual y racional, sosteniendo la sabiduría del misterio de la naturaleza en la unión carnal y la comunicación, amor y deseo profundo en el acto de la sexualidad, parcialmente articulado de tener hijos, en la misma actividad por la cual la continuación de la cadena de la existencia y participación en la renovación de la posibilidad humana. 'Sabiéndolo o no, separar la procreación del sexo, el amor y la intimidad es inherentemente deshumanizante, independientemente de lo bueno que resulte ser el producto', resalta KASS [2].

La Biotecnología ha supuesto un desafío para el Derecho, a lo largo de la historia de la humanidad, siendo los impulsores la Ciencia y el Derecho; la Ciencia abriéndose camino en la exploración y el Derecho cubriendo y regulando el camino descubierto por la Ciencia [3].

El tiempo que nos asiste en convivencia con las revoluciones en genómica nos hace comúnmente plantearnos la casuística plural y diversa en materia de reproducción, cuyas motivaciones encontrarían su origen en los cambios sociales y modo de relacionarnos, que empujan al ser humano a cuestionar aspectos anteriormente no planteados, tales como la diversidad en la elección del tipo y forma de familia establecida hoy día, así como las dificultades en materia de fertilidad experimentadas por las familias más tradicionalmente compuestas por mujer y varón, o monoparental.

---

2 KASS L. (2005). La sabiduría de la repugnancia. En: Luna F, Rivera E, (comp.) Los desafíos éticos de la genética humana. México: UNAM, FCE; 183-198.

3 FUENTES TOMAS, P. (2012). La familia in vitro: filiación en la Ley sobre técnicas de reproducción humana asistida (Ley 14/2006, de 26 mayo), Noticias Jurídicas y actualidad ElDerecho.com https://elderecho.com/la-familia-in-vitro-filiacion-en-la-ley-sobre-tecnicas-de-reproduccion-humana-asistida-ley-142006-de-26-mayo

2. DESDE EL PUNTO DE VISTA JURÍDICO

La reproducción humana asistida está regulada por Ley de Reproducción humana asistida de 26 mayo 2006 (Ley 14/2006) -EDL 2006/58980-, que propone como objetivos principales definidos en art 1;

1°) Regular la aplicación de las Técnicas de reproducción humana asistida.

2°) Ayudar en la prevención y tratamiento de las enfermedades de origen genético.

3°) Regular los supuestos y requisitos de la utilización de gametos y preembriones humanos crioconservados.

Puede decirse que la normativa prioriza la protección de la filiación con independencia de la biología directa que tenga el nacido con los progenitores.

En este sentido la biotecnología, una vez traspasado el umbral jurídico, ha supuesto una revolución continuada en multitud de conceptos clásicos del Derecho en relación a la reproducción, la concepción, el formato clásico de la familia, así como la paternidad y la maternidad tradicional.

Lo anterior se contradice con lo predicado en El Código Civil -EDL 1889/1, cuyo manifiesto es que un niño nace como consecuencia de la unión carnal entre un hombre y una mujer, sin embargo, nada más lejos de esa manifestación, cuando se utilizan estas técnicas, esa unión no se produce y sin embargo ha de determinarse la filiación mediante otros preceptos y presunciones contenidas en la LTRHA -EDL 2006/58980-, no siendo aplicable en estos aspectos el código civil. Así el art. 7,1 de la citada ley establece:

> *"la filiación de los nacidos con las técnicas de reproducción asistida se regulará por las leyes civiles, a salvo de las especificaciones establecidas en los artículos siguientes".*

No obstante, lo anterior, puede deducirse en los supuestos de reproducción asistida es habitual contemplar tres o cuatro partes implicadas en el procedimiento, y sin embargo los que previsiblemente vayan a conformar la filiación, nada tiene que ver genéticamente con el descendiente nacido. Sin embargo, jurídicamente ha de atribuirse el nacido como máximo a dos de ellos. En este sentido la LTRHA -EDL 2006/58980- establece unas reglas especiales, en los arts. 7,3 y del 8 a 10, que determinan básicamente la filiación de los hijos concebidos mediante técnicas de reproducción humana asistida.

Estos son los supuestos que recoge la LRHA -EDL 2006/58980;

1. Reproducción asistida con intervención de donante y los usuarios estuvieran casados o fueran pareja de hecho (art. 8 LRHA -EDL 2006/58980-)

   La primera regla aplicable, establecida en el art. 8,1 LRHA -EDL 2006/58980- es:

   > *«Ni la mujer progenitora ni el marido, cuando hayan prestado su consentimiento formal, previo y expreso a determinada fecundación con contribución de donante o donantes, podrán impugnar la filiación matrimonial del hijo nacido como consecuencia de tal fecundación».*

Significa que, llevada a cabo la inseminación con intervención de donante, sea de óvulo o de espermatozoide, y los usuarios estuvieran casados, se presume, iuris et iure su maternidad y/o paternidad, privando a los cónyuges de la posibilidad de impugnarla.

El precepto anterior atribuye la filiación de paternidad y maternidad a quienes no son sus padres biológicos, extremo que se puede corroborar con mera prueba de ADN. Por tanto, en aras de preservar la seguridad jurídica, se veda a los cónyuges de la posibilidad de impugnar la filiación.

En este sentido caso es la prestación del consentimiento por parte del marido de la mujer fecundada artificialmente, el elemento que dará lugar a la regla de la filiación, ello en tanto que, de ser la filiación no consentida, no matrimonial de la mujer y aunque se presuma la paternidad del marido, tanto él como sus herederos podrían someter la filiación a impugnación.

El último apartado del art. 8 de la Ley -EDL 2006/58980- impide una posible reclamación de paternidad por parte del donante que, aunque ha de ser anónimo, en los supuestos excepcionales contemplados en el art. 5, puede revelarse su identidad. Y se dice que la

> *«revelación de la identidad del donante, no implica en ningún caso determinación legal de la filiación».*

En este sentido habríamos de añadir un supuesto que, aunque inicialmente no habría contemplado el legislador, y que se reformó a posteriori, en consecuencia, de sendos conflictos planteados, se modifica la LTRHA -EDL 2006/58980- y añade un punto tercero al art. 7, que alude al consentimiento en el caso del matrimonio formado por dos mujeres;

> *«Cuando la mujer estuviere casada, y no separada legalmente o de hecho, con otra mujer, esta última podrá manifestar ante el Encargado del Registro Civil del domicilio conyugal, que consiente en que cuando nazca el hijo de su cónyuge, se determine a su favor la filiación respecto del nacido».*

Esta dotación de la filiación materna de la casada con la madre gestante tiene lugar por primera vez en nuestro ordenamiento jurídico por la Ley 3/2007 -EDL 2007/9733-.

El Registro Civil de Alicante fue el primero de España en registrar los hijos de dos mujeres como hijos matrimoniales, inscribiéndolos en el libro de familia del matrimonio con la acepción progenitor A y progenitor B.

No obstante, a lo anterior se produce de forma más novedosa el método ROPA (Recepción de óvulos de la pareja, para el caso de matrimonio entre dos mujeres).

El método ROPA es una técnica de reproducción asistida que se lleva a cabo en dos pasos:

Primero se extraen los óvulos de una las mujeres (la madre biológica) y se fecundan en el laboratorio con semen procedente de donante.

Después se implanta el embrión obtenido en la otra mujer (la madre gestante), que es la que va a llevar el feto en su interior y quien dará a luz.

Al igual que ocurre en cualquier técnica de reproducción asistida, la madre biológica se somete a un proceso de estimulación ovárica, y una vez comprobado mediante una ecografía y otras pruebas, que el número y tamaño de los óvulos es el adecuado, se le realiza a una punción folicular para extraerlos. Esta intervención se lleva a cabo en el quirófano y con sedación. Una vez obtenidos los óvulos, se cultivan en el laboratorio junto al semen del donante.

Tras la fecundación de los embriones, entra en escena la madre gestante, quien previamente ha estado siguiendo una medicación a base de estrógenos para preparar su endometrio.

Entre el tercer y el quinto día de la fecundación a la madre gestante se le realiza la transferencia embrionaria, depositando mediante una cánula el embrión o embriones (no más de 3, que es lo que permite la legislación española) en el endometrio.

Si todo va bien y se produce la implantación y el consiguiente embarazo, el embrión se desarrollará en el útero de la madre gestante hasta el momento del parto.

Por tanto, con el método ROPA se consigue una doble maternidad puesto que el bebé es fruto de los óvulos de una de sus madres y ha sido gestado por la otra.

Solo puede someterse a esta técnica una pareja de dos mujeres que estén casadas legalmente. En este caso, no es válido ser pareja de hecho. La razón de este requisito está recogida en la Ley 14/2006 sobre Técnicas de Reproducción Humana Asistida, que permite que los gametos (células que tienen una función reproductora) de una persona puedan ser usados por ella o por su cónyuge, de ahí la necesidad del matrimonio legal. Por tanto, el trámite burocrático imprescindible en España para tramitar la opción método ROPA, es el certificado de matrimonio.

De no producirse bajo el régimen de matrimonio, legalmente casadas, se incurriría, conforme al ordenamiento jurídico español, en un supuesto de vientre de alquiler no reconocido legalmente en España. Lo que somete a la pareja formada por dos mujeres, que quieren concebir a su descendiente mediante MÉTODO ROPA, a la obligatoriedad de someterse al matrimonio, no dejando la opción de elección, siendo modificado necesariamente el estado civil sin su plena voluntad, en beneficio único de poder someterse a la maternidad.

Tal precepto vulnera derechos fundamentales ya abolidos y desacostumbrados, y que se remontan a la constitución del Derecho tradicional de Familia y sus líneas directrices, a través de las cuales se trataron el fenómeno de filiación con una tradición jurídica muy antigua, que partía dotaba de una radical distinción de los hijos en dos diferentes grupos, atendiendo a su origen, y dependiendo de éste los hijos tenían más o menos derechos[4].

---

4 DIEZ-PICAZO, L. y GULLÓN, (2012).A. Sistema de Derecho Civil. Tecnos, Volumen IV, T. I, Madrid, pp. 233-234.

Ello venía diferenciándose principalmente en que los hijos hubieran sido engendrados después del matrimonio de sus padres, en cuyo precepto se entendía filiación legítima. Y en caso contrario, filiación ilegitima, en sentido amplio.

Es de ver que el término ilegítimo tiene un trasfondo peyorativo y despreciativo a los efectos de la interpretación de la norma llevada a ese tiempo.

En este sentido, conforme la traducción que aporta la RAE al concepto "legítimo/a" resulta;

> "1. adj. Conforme a las leyes.
> 2. adj. Lícito (justo).
> 3. adj. Cierto, genuino y verdadero en cualquier línea"[5]

Puede afirmarse en traducción literal, lo ilegítimo o no legítimo, la filiación ilegítima vendría a considerarse la que está en contra de las leyes; es ilícita o injusta; o por último es falsa.

Se desprende de lo anterior que la realidad de la filiación fuera del matrimonio no puede ser asociada ni vinculada, ni definida, por conceptos de ilícito o ilegítimo, por lo que el término empleado era totalmente impropio e inadecuado, y así se erradicó en las modificaciones que realizó la Ley de 1981.

Así pues, no puede aceptarse tal obligatoriedad a contraer matrimonio para que los hijos sean nacidos dentro del matrimonio, y reconocidos como legítimos en el supuesto de una pareja formada por dos mujeres que se someten a método ROPA para traer al mundo a sus hijos, habido pues se contradice con la evolución histórica del sistema matrimonial español.

---

5 Definición legítima, vigésimo tercera edición del Diccionario de la Real Academia Española de la
Lengua.

Y es que, en definitiva, de la evolución hacia un sistema matrimonial más acorde con la mentalidad y progresismo nacido del Concilio en el aspecto religioso y la nueva situación política del país, es decir, hacia la culminación de un verdadero sistema de matrimonio civil facultativo, no sólo de hecho, sino plenamente de derecho.

Este sistema de libre elección quedó definitivamente consolidado por una vía indirecta, pues como señala PUIG PERRIOL[6], el día 3 de enero de 1979 se sustituye el Concordato de 1953 por el Acuerdo entre el Gobierno español y la Santa Sede que proclama en su artículo VI-1 que el Estado reconoce los efectos civiles al matrimonio celebrado según las normas del Derecho canónico. Es decir, que en virtud de este Acuerdo -dice el mencionado autor- se cierra la posibilidad de que en la futura reforma del Código Civil se pueda adoptar como sistema matrimonial en España el del matrimonio civil obligatorio[7].

Los tiempos cambian, las sociedades avanzan "el progreso no es un accidente, es una necesidad, una parte de la naturaleza" como citaba el autor británico HERBERT SPENCER[8], y no goza de sentido alguno el receso inopinado en contrapartida

---

6 PUIG FERRIOL, LUIS. (s.f).Comentarios a las reformas del Derecho de Familia. Volumen I. Págs. 193 y 194.

7 Evolución histórica del sistema matrimonial español Ciertamente, el matrimonio es una de las instituciones jurídicas más exhaustivamente estudiadas por los especialistas del Derecho de familia, civilistas y canonistas. Su evolución doctrinal y legislativa se ha visto sacudida por los vaivenes de la política del país, especialmente a finales del siglo XIX y durante todo el siglo XX. https://noticias.juridicas.com/conocimiento/articulos-doctrinales/11680-evolucion-historica-del-sistema-matrimonial-espanol/

8 HERBERT SPENCER,(s.f). Vida y Pensamiento de Herbert Spencerhttps://ssociologos.com/herbert-spencer/

de una reproducción asistida llevada a cabo entre dos mujeres, gestante y donante del embrión, que no se sabe dónde encuadrar, a falta de regulación específica.

Y que a falta de regulación se la obliga a contraer matrimonio, bajo la prevención de incurrir en un delito de gestación por sustitución o madres de alquiler (art. 10 LRHA -EDL 2006/58980-).

La Ley -EDL 2006/58980- aporta fundamentalmente tres reglas:

1ª) Para el caso de la filiación de los hijos nacidos por gestación de sustitución será determinada por el parto.

En este sentido, el legislador español, cuando se plantea la cuestión de quién ha de entenderse como madre, si ha de ponderar entre maternidad genética y maternidad de gestación, da prevalencia a la de gestación basándose en la vinculante relación psicofísica con el futuro descendiente durante los nueve meses de embarazo. Por tanto, madre es quien da a luz. Esto en el caso de una madre que cede su vientre en alquiler a otra madre que llevaría a cabo la filiación del nacido.

Precepto que no se cumple en el caso de dos mujeres que son pareja y deciden tener un hijo en común, embarazándose una con los ovocitos de la otra, y en cuya gestación han participado las dos, madre gestante y madre donante.

El alquiler de úteros es ilegal en España, según la Ley de Técnicas de Reproducción Asistida -EDL 2006/58980-, pero es una práctica habitual en países como India, Canadá, Israel, Reino Unido y algunos estados EEUU, lo que

Deviene evidente que nos queda mucho recorrido por delante con respecto a la legislación en materia de reproducción asistida, con relación a la ya existente como método ROPA, así como las venideras que tomarán su auge en la próxima década.

3. EL FUTURO DE LA REPRODUCCIÓN ASISTIDA FIV, COMO MODO GENERAL DE REPRODUCCIÓN, EN RELACIÓN A LA REDUCCIÓN DEL RIESGO DE ENFERMEDADES.

Puede predicarse a la vista de los acontecimientos llevados a cabo en las últimas décadas que el tratamiento FIV reduciría y controlaría el riesgo de transmisión de enfermedades genéticas a la descendencia.

Así como también puede afirmarse que la reproducción por del modo tradicional genera la principal fuente de origen de enfermedades genéticas, la cual podría corregirse mediante protocolo FIV.

¿Qué va a traer el nuevo Pangenoma y estudios complementarios y simultáneos al mismo?

¿Desde una nueva perspectiva, qué utilidades, hasta el momento no contempladas, puede aportar la técnica CRISPR en la Reproducción?

¿Qué aplicaciones tendría en la reproducción la teoría postulada por Petrovich Gariaev, de la genética de onda?

Todas estas cuestiones habrían de ser los planteamientos que van a responderse en la década venidera.

Y por la gran trascendencia que tiene la técnica CRISPR en la reproducción, así como en las enfermedades, y porque cabría cuestionar igualmente, en el mundo de la ciencia, determinados enfoques respecto al modo de reproducción sexual tradicional conocido hoy.

Así, en relación al desconocimiento de la genética resumiría Petrovich en su artículo Une autre interprétation du code génétique. Analyse théorique. Académicien P. P. Garaïev Institut de Génétique Quantique.

> En los últimos años han sido muchos los partidarios de la idea clarividente, expresada hace mucho tiempo por el famoso biólogo ruso A. Gurvitch, de que la gran esperanza de explicar las funciones reales de los cromosomas por los genes era injustificada y que, por lo tanto, era necesario introducir la noción de un campo biológico, es decir, el «campo equivalente de los cromosomas», que habría dado una nueva comprensión a las funciones del aparato genético. Esto es lo que ahora se conoce como epigenética. En ese momento, hace 60 años, no se entendía cómo los genes podían codificar las estructuras del organismo, e incluso hoy en día este problema aún no se ha resuelto por completo. Se intenta borrarlo introduciendo las nociones de «funciones epigenéticas» del ADN, destinadas a explicar las funciones reales y complementarias de los cromosomas, que, independientemente de la codificación de las proteínas, podrían explicar la mayor parte del funcionamiento del aparato genético. Para ello, buscamos en el genoma supercódigos (de ahí el prefijo «epi») y factores reguladores, que operarían a un nivel superior, como sus superreguladores. Esta investigación está justificada, pero aún se encuentra en una etapa temprana. El presente trabajo pretende llenar este vacío, en cierta medida. La deficiencia consiste en la incomprensión del hecho de que, en los cromosomas, lo esencial es el aspecto estratégico de la codificación dinámica, y al mismo tiempo relativamente constante, de la estructura espacio-temporal de los sistemas biológicos. Aquí, el papel de los genes de las proteínas es probablemente secundario, y los mecanismos de codificación de las proteínas en el modelo de código genético de Nirenberg-Crick merecen correcciones significativas. En los últimos diez años, han aparecido los primeros signos de ruptura con el lecho de Procusto del modelo de código de Nirenberg-Crick. Se trata de un nuevo conocimiento sobre los niveles lingüísticos y cuánticos del funcionamiento cromosómico, y que se presentará en el presente estudio, desde un punto de vista teórico y teniendo en cuenta los últimos datos experimentales. Para ello, es necesario revisar el modelo primitivo de Nirenberg-Crick

del código proteico, expandirlo y llevarlo a otros niveles de funcionamiento, incluyendo los niveles cuántico y lingüístico que son específicos del aparato ribosómico de síntesis de proteínas y del genoma, en general. Esta orientación en biología, genética y medicina se ha desarrollado durante mucho tiempo como una especie de disidencia científica. Se le ha dado el nombre de «Genética Lingüística de Ondas» (GLO), y poco a poco se está moviendo a la vanguardia. Pero aquí el trabajo es principalmente de naturaleza secreta, excepto el nuestro. La investigación en esta dirección tiene un enorme potencial positivo. Pero, como cualquier descubrimiento científico, pueden ser utilizados en contra del bien de la humanidad. Son de particular interés como alternativa a las armas nucleares, con varios órdenes de magnitud más efectivas. De hecho, uno puede estar tentado a usar GLO como base para crear una superarma genética cuántica, lo cual es totalmente inaceptable. También se reprime un uso normal y natural de los principios de GLO en medicina, porque hace que sea relativamente sencillo, barato, rápido y eficiente conducir procesos bioquímicos y fisiológicos en los organismos, empezando por los virus y terminando por el Ser Humano. Esto no es rentable para algunos de los medicamentos existentes. Los desarrollos {2} en el campo de GLO están directamente relacionados con todas las áreas de la biología y la medicina, incluido el problema del envejecimiento. El problema del envejecimiento es visto en GLO no como una búsqueda de súper antioxidantes o algún elixir de inmortalidad, sino que se basa en la teoría del control de los programas genéticos que limitan la esperanza de vida del ser humano. Pero, además, los principios de GLO permiten crear nuevos textos de ADN-ARN-proteína y hologramas de ADN, que reprograman los genomas de cigotos y células madre en un sentido útil. La revisión teórica y experimental de los fundamentos de la codificación genética, a la luz del GLO, tiene un carácter estratégico e ideológico, ya que es la base para la comprensión de la apariencia y realidad de la Vida. Si se malinterpreta el código genético de las proteínas y sus derivados, lo que es cada vez más evidente hoy en día, se vuelve contraproducente y peligroso. Ya podemos ver a lo que esto nos ha llevado: la creación y amplia distribución de productos alimenticios transgénicos, así como la creación de bacterias («Synthia») con genomas sintéticos. Los

> Synthia están matando todo lo que está vivo, en el Golfo de México y ya más allá de él.[9]

El propio F. Crick al final de su vida habría confesado que su modelo 'no tiene sentido obvio', lo que no significa que el modelo sea completamente erróneo.

En aplicación de la teoría postulada por Garaiev de la genética de onda en relación a la reproducción FIV, de la Dra Orly, entre otros, podría tratarse como afirma la Dra. y Coordinadora del departamento de Consejo Genético y Reproductivo de Instituto Bernabeu, Ruth Morales.

> *"El 10% de las parejas podrían tener riesgo de concebir bebés afectos de algún tipo de enfermedad rara asociada a mutaciones genéticas"*

Los investigadores del laboratorio de genética molecular de Instituto Bernabeu han desarrollado el estudio genético más completo (TCG ampliado), un panel de más de 3.000 enfermedades recesivas que analiza 2.306 genes. Las más frecuentes son la fibrosis quística, sordera no sindrómica, talasemia, atrofia muscular espinal, fenilcetonuria o la enfermedad de Gaucher.

Este completo estudio recoge todas las enfermedades que recomienda analizar la SEF (Sociedad Española de Fertilidad) en cualquier estudio genético preconcepcional[10].

---

9 Une autre interprétation du code génétique. Analyse théorique. Académicien P. P. Garaïev Institut de Génétique Quantique. file:///C:/Users/Usuario/Desktop/TESIS%20DOCTORAL/PUBLICACIONES%20GARIAEV/autre-interp-du-ge%CC%80ne%20(1).pdf

10 RUTH MORALES. (2024) El 10% de las parejas podrían tener riesgo de concebir bebés portadores de algún tipo de enfermedad rara. https://www.institutobernabeu.com/es/actualidad/el-10-de-las-parejas-podrian-tener-riesgo-de-concebir-bebes-portadores-de-algun-tipo-de-enfermedad-rara/

4. LA LIBERTAD DE REPRODUCCIÓN FEMENINA. PARTENOGÉNESIS/ MACAGÉNESIS

Tradicionalmente ha venido consagrándose un modelo de reproducción, el cual no ha sido cuestionado, habido que se da por sentado que la procreación ha de darse como resultado de la fusión de un óvulo femenino con un esperma masculino.

Si realizamos un mapeo que nos muestran los avances tanto en genómica, como en física, descritos a lo largo de esta investigación, especialmente las investigaciones de Dr. Petrovich Garaiev, Dra. Orly Lacham Kaplan, Dr. Luc Montagnier, Dr. Tomohiro Kono, Dr Stanley Balfour Lynn, Dr. Friedmund Neumann, Dra., Martha McClintock, Dr Damian Chapman, Dr Karim Nayernia, Dr J.P Garnier Malet, Dr. Beasley, Dr Tyrone Hayes, Dr. Jacques Cohen.

Podemos observar cada vez con mayor claridad la inconsistencia en relación a los inmensos vacíos que nos dejan las teorías hasta hoy conocidas en relación al modo de reproducción humana.

Son abundantes los vacíos que existen en la reproducción femenina, la información omitida respecto a las capacidades autónomas del aparato reproductor femenino en cuanto y tanto a su capacidad de fertilización como de reproducción.

Así como enigmas de un sentido tan obvio como p. ej. el contenido espermático de eyaculación del aparato reproductor femenino y su función.

Diversos estudios coincidentes en el análisis han demostrado que el fluido contiene fosfatasa ácida prostática (FAP). La FAP es una enzima que se encuentra en el semen masculino que ayuda a la movilidad del esperma[11].

---

11 https://www.medicalnewstoday.com/articles/es/326486#es-real

Además, la eyaculación femenina usualmente contiene fructosa, que es una forma de azúcar. Generalmente, la fructosa se encuentra presente en el semen masculino en donde actúa como una fuente de energía para el esperma.

Los expertos consideran que la FAP y la fructosa presente en el fluido provienen de las glándulas de Skene. Otros nombres de estas glándulas incluyen glándulas parauretrales, conducto de Garter y próstata femenina.

En este sentido se precisa necesario un mayor interés de estudio que determine los parámetros seguidos por el aparato reproductor femenino, por su especial vinculación con la genética, más allá de la ya primitiva obsolescencia a la que se le habría relegado por omisión.

a) Reproducción artificial FIV femenina Partenogénesis.

No hace falta acudir a la mitología, de la diosa ATENEA, en representación de otras muchas, ni al culto religioso, la VIRGEN MARÍA, como icono representativo de generaciones, para ejemplificar el significado de partenogénesis humana en nuestro tiempo.

Es el caso de EMMINAIRE en el año 1944, alemana de 19 años que acudiría al médico tras pasar días con mareos y vómitos. El prestigioso médico inglés que la trató, STANLEY BALFOUR LYNN, para averiguar las causas de su problema. Le contó sus rarezas del que estaría siendo su primer embarazo.

Habría quedado embarazada sin mantener relaciones sexuales con varón, y de su embarazo nació su hija, a quien puso por nombre Mónica.

El Dr. BALFOUR LYNN llegó a la conclusión de que era un caso de partenogénesis humana e investigó más casos, escribió sobre ello, y llegó a encontrar algunos casos más. En 1956 el

Dr. BALFOUR LYNN publicó un artículo en la revista British Medical Journal con el caso de EMMINAIRE, que provocó gran polémica entre los científicos de la época. Buscó más casos y, encontró dos más.

Las pruebas confirmaron que madre e hija tenían sangre, saliva y sentido del gusto idénticos, todo aparentemente compatible con un caso de nacimiento virginal.

Pictured here with her mother:

'MY BABY BORN WITHOUT A MAN'

Audrey Whiting

THE WORD

SIX MONTHS

PROBLEM

SHE WROTE

FOUR LEFT

THE TESTS

RELIEF

-Recortes de prensa de la época-

El Sunday Pictorial publicó un artículo titulado Mi bebé nació sin un hombre con la fotografía de madre e hija, luciendo sorprendentes similitudes físicas

El Sunday Pictorial publicó un artículo titulado Mi bebé nació sin un hombre con la fotografía de madre e hija, luciendo sorprendentes similitudes físicas.

En artículo publicado en 1956, por el Dr. Stanley Balfour, en la revista British Medical Journal con el caso de EMMINAIRE y otros dos más, provocaron gran polémica entre los científicos de la época. A pesar de los desacuerdos públicos entre los académicos en la revista médica The Lancet, nunca se pudo desacreditar la historia[12].

Décadas más tarde, en 2004, un grupo de científicos, el equipo de TOMOHIRO KONO, de la Universidad de Agricultura de Tokio, anunció que había diseñado genéticamente un ratón capaz de dar a luz sin intervención masculina, un logro que puede ser casi tan revolucionario como la clonación, según publicó la revista británica ‹Nature› [13].

---

12 STANLEY BALFOUR, (s.f). La Virgen que dio a luz, SCRIBD https://es.scribd.com/document/632217664/TEJIDO
El documento describe un caso raro de partenogénesis en una mujer humana. En 1944, una enfermera alemana de 19 años dio a luz a una niña a pesar de no haber tenido relaciones sexuales. Estudios posteriores mostraron que la niña era genéticamente idéntica a la madre, lo que indica que se reprodujo sin fertilización. Los científicos aún investigan las causas de este fenómeno y por qué ocurre en algunas especies de serpientes pero no en humanos.
Un nacimiento virgen, o partenogénesis, se produce cuando un cuerpo polar (una célula producida junto con el óvulo) hace la función de esperma y fertiliza el óvulo.
En 1956 publicó un artículo en la revista British Medical Journal con el caso de Emminaire y otros dos más, que provocaron gran polémica entre los científicos de la época. A pesar de los desacuerdos públicos entre los académicos en la revista médica The Lancet, nunca se pudo desacreditar la historia.
https://historiasdelahistoria.com/2010/05/16/la-virgen-que-dio-a-luz-a-su-gemela

13 TOMOHIRO KONO , YAYOI OBATA, QUIONG WU, KATSUTOSHI NIWA, YUKIKO ONO, YUJI YAMAMOTO, EUN SUNG PARK, JEONG-SUN SEO, HIDEHIKO OGAWA, (2004) Birth of parthenogenetic mice that can develop to adulthood Nature. 2004 Apr 22;428(6985):860-4. doi: 10.1038/nature02402. Tomohiro Kono 1, Yayoi Obata, Quiong Wu, Katsutoshi Niwa, Yukiko Ono, Yuji Yamamoto, Eun Sung Park, Jeong-Sun Seo, Hidehiko Ogawa; https://pubmed.ncbi.nlm.nih.gov/15103378/
Only mammals have relinquished parthenogenesis, a means of producing descendants solely from maternal germ cells. Mouse

La cría, llamada KAGUYA, en relación al personaje de un cuento japonés, fue el primer mamífero nacido por partenogénesis artificial, en el que un óvulo que no ha sido fecundado comienza el proceso de división embrionaria, lo que da lugar a las células madre.

Las crías no solo sobrevivieron, sino que fueron capaces de criar posteriormente. A pesar de las evidencias, la mayoría de investigadores manifiestan que sigue siendo poco probable que un mamífero virgen dé a luz sin intervención de un varón debido a algunos aspectos fundamentales de su biología.

Los estudios del Dr. STANLEY BALFOUR, fueron utilizados posteriormente por el químico alemán FRIEDMUND NEUMANN en el Congreso de Farmacología de Berlín (1967) para afirmar que los seres humanos poseemos los dos sexos en estado latente, que se desarrolle uno u otro sólo depende de la

---

parthenogenetic embryos die by day 10 of gestation. Bi-parental reproduction is necessary because of parent-specific epigenetic modification of the genome during gametogenesis. This leads to unequal expression of imprinted genes from the maternal and paternal alleles. However, there is no direct evidence that genomic imprinting is the only barrier to parthenogenetic development. Here we show the development of a viable parthenogenetic mouse individual from a reconstructed oocyte containing two haploid sets of maternal genome, derived from non-growing and fully grown oocytes. This development was made possible by the appropriate expression of the Igf2 and H19 genes with other imprinted genes, using mutant mice with a 13-kilobase deletion in the H19 gene as non-growing oocytes donors. This full-term development is associated with a marked reduction in aberrantly expressed genes. The parthenote developed to adulthood with the ability to reproduce offspring. These results suggest that paternal imprinting prevents parthenogenesis, ensuring that the paternal contribution is obligatory for the descendant.

acción hormonal. Relacionado con este tema, en 1974 publicó el libro 'Anfrogens II and andiandrogens'[14].

Androgens II and andiandrogens', FRIEDMUND NEUMANN, Congreso de Farmacología de Berlín (1967).

Es tan amplio el recorrido que tenemos por delante en materia genética, su comportamiento y entrelazamiento con la física cuántica y la epigenética, habido que no estarían separadas. En tanto no se puede abarcar desde un aspecto aislado o sesgado, la una de la otra, pues ello devendría un resultado inconcluso.

Ciertamente deviene necesario traer de nuevo a nuestro tiempo el concepto de reproducción por partenogénesis, tanto en la ciencia, como en la literatura y filosofía, habido que nos encontramos en una era de revolución de tal notabilidad en materia genómica, que no habría de despejarse la ecuación sin contemplar la partenogénesis como un hecho plenamente plausible y natural.

La genética va a revelarnos muchos datos de los que el ser humano no es ni meramente consciente, tales como el % de humanos que, aún nacidos en el seno familiar de una pareja conformada por varón y mujer, sin embargo, la descendencia habría podido nacer por partenogénesis, y ello no evitaría que

---

14 Androgens II and antiandrogens (1974). Androgene II und Antiandrogene. Berlin etc. : Springer, https://unika.unav.edu/discovery/fulldisplay?docid=alma991002030589708016&context=L&vid=34UNAV_INST:VU1&lang=es Androgens II and antiandrogens = Androgene II und Antiandrogene. Otro título; Androgene II und Antiandrogene. Autor; Neumann, F., contribuidor. Editor: Berlin etc. : Springer
Fecha de creación: 1974. Materia: Andrógenos, Farmacología. Serie: Handbuch der experimentellen Pharmakologie ; 25,2 Handbuch der experimentellen Pharmakologie = Handbuch of experimental pharmacology ; 25,2

la descendencia de la pareja tuviese rasgos físicos parecidos a su progenitor varón, y cuyo hecho explicarían de buen grado los numerosos estudios llevados a cabo en materia epigenética. Son tantos los misterios y sorpresas que nos aguarda la genética, que abrir las compuertas de par en par es un derecho que nos pertenece a todos.

En este sentido, materia literaria reciente, mayo de 2023, traigo en relación, artículo publicado por el autor Percio, Daniel Del, de Arizona State University - Languages and Literatures profundamente interesante.

El autor lleva a su artículo la obra de 'Matriarcadía', de CHARLOTTE PERKINS GILMAN (1860-1935) fue una socióloga, novelista, poeta y ensayista estadounidense, que además impartió conferencias para la Reforma social. Fue una utópica feminista y su activismo y su propia forma vida sirvieron de modelo para futuras generaciones de mujeres. Sus obras más conocidas son «Herland» y «The Yellow Wallpaper».

A todas las características propias de la utopía clásica que oportunamente señalara TROUSSON podríamos agregar aquí tres, que la enmarcan dentro de un feminismo aún en estado embrionario, ya que construye sus bases no en una ideología política o en un sistema filosófico, sino en el mito: una Edad Dorada invertida, un esquema social que el propio narrador llamará «Sisterhood» (literalmente, «sororidad»4), y la partenogénesis (la reproducción sin la intervención del género masculino) con su inevitable manifestación religiosa: el culto a la diosa madre.

Puede parecer curioso, quizás extremo, este recurso fantástico. No obstante, la partenogénesis, además de existir en algunas especies animales, está profundamente arraigada en los mitos más antiguos;

Ya Hesíodo en Teogonía recurre a ella (sin nombrarla) para explicar cómo Gea da a luz a Urano, aunque podemos rastrearla en mitos sumerios y egipcios muy anteriores. Entre ellos, predinástico, el más importante sin duda es el de la diosa Net (Neit en algunas grafías), la «Señora de Occidente». Nos detendremos brevemente en su descripción, ya que es clave para comprender el sentido profundamente mítico de la partenogénesis. Plutarco describe a la diosa del siguiente modo:

> *«Soy todo lo que ha sido, es y será, y mi velo no fue nunca levantado siquiera ligeramente por un mortal» (Plutarco Apud Neumann 220).*

Pero en la lectura griega Net sería una diosa hermafrodita, en parte porque los autores griegos no podían concebir la idea de una procreación sin algún tipo de intervención masculina. En lo profundo del mito, en cambio, ella representa la inmensa masa de agua primigenia e inerte, personificación del eterno principio femenino de la vida que se sostiene y existe por sí misma y, por tanto, es capaz de concebir de manera autónoma (Neumann 220). En sí, ella es el principio mismo de la vida, autosuficiente, y es significativo que en la cosmología egipcia ella formara parte del quaternio, la cuaternidad, el símbolo arquetípico de la totalidad, junto con otras tres diosas: Nejbet, Uadyet y Bastet. Nejbet es la diosa protectora de los nacimientos. Uadyet, la diosa serpiente, es la señora del cielo y simboliza el calor ardiente del Sol. Bastet representa la protección del hogar, y también del Sol, en sus aspectos benéficos. Es decir, la clave de la vida, centrada en el Sol. Y en la Antigüedad más profunda, el Astro es de género femenino, del cual, como Señora de Occidente, Net representa su complemento fundamental, por ser el Oeste el lugar de la «muerte del Sol»[15]

En aquellos tiempos heroicos, el feminismo pugnaba por muchos problemas prácticos y centrales para la independencia de las mujeres. Pero el objeto implícito en la lucha por los derechos se encontraba en definirse. No ya en una relación subordinada al hombre, sino por sí misma. En cierto modo, este objetivo se profundiza aun hoy.

Y este núcleo se expandirá con fuerza, porque en realidad concluirá prontamente siendo un proyecto de cambio para toda la sociedad. Lo «femenino» y sus hibridaciones se convertirá en un modelo para pensar la vida en su conjunto. No solo la relación hombre-mujer y el imprescindible cambio de paradigma que implica concebir que las instituciones y sus estructuras (incluso las científicas, o que pretenden serlo) «nunca son neutras» (Gajeri 443), sino que se ha expandido con la intención de repensar la vida humana en su conjunto.

'Matriarcadía' es, en este sentido, un punto de inflexión del feminismo hacia esta búsqueda de integración de todos los temas de la vida, aun cuando en su origen haya surgido como una suerte de «tesis» sobre las capacidades del género femenino. Como suele ocurrir con todo texto que se convierte en paradigma, muchas veces la obra es más grande que el pensamiento de la que nació.

Lo expuesto es aún más interesante si pensamos que 'Matriarcadía' no es, avant la lettre, la primera utopía feminista, aunque es la primera en concebir un sistema utópico propio. Una breve comparación con algunas de las pocas escritas antes nos servirá para comprender su importancia.

---

15 Ciudadanas de Herland: repensar la utopía en clave feminista Citizens of Herland: Rethinking Utopia in Feminist Code

Otro artículo nos muestra la geografía de la partenogénesis sobre la sexualidad [16], a través del cual nos describiría;

> 'la teoría predice que la reproducción sexual es difícil de mantener si la asexualidad es una opción, sin embargo, el sexo es muy común. Para entender por qué, es importante prestar atención a las condiciones que ocurren repetidamente que favorecen las transiciones o la persistencia de la asexualidad. La partenogénesis geográfica es un término que se ha aplicado para describir una gran variedad de patrones donde las formas sexuales y asexuales relacionadas difieren en su distribución geográfica. A menudo se afirma que la asexualidad ocurre en un hábitat que es, en cierto sentido, marginal, pero la interpretación difiere entre los estudios: los partenógenos no solo pueden predominar cerca del margen de la distribución de los sexuales, sino que también pueden extenderse mucho más allá del rango sexual; Pueden encontrarse desproporcionadamente en áreas recientemente colonizables (por ejemplo, áreas previamente glaciadas), o en hábitats donde las presiones de selección abiótica son relativamente más fuertes que las bióticas (por ejemplo, frías, secas). Aquí, revisamos los diversos patrones propuestos en la literatura, las hipótesis presentadas para explicarlos y los supuestos en los que se basan. Sorprendentemente, pocos modelos matemáticos consideran la partenogénesis geográfica como su pregunta focal, pero todos los modelos para la evolución del sexo podrían evaluarse en este marco si los factores causales (a menudo ecológicos) varían predeciblemente con la geografía. También recomendamos ampliar los taxones estudiados más allá de los favoritos tradicionales. Este artículo forma parte del tema ‹Sexo raro: la diversidad subestimada de la reproducción sexual›.

Resulta, entre múltiples, un interesante estudio que amplía el espectro de la diversidad como bien apunta, subestimada, de

---

16 ANAÏS TILQUIN 1, HANNA KOKKO. (2016). What does the geography of parthenogenesis teach us about sex? https://pubmed.ncbi.nlm.nih.gov/27619701/ Anaïs Tilquin , Hanna Kokko

la reproducción sexual, más allá del estereotipo conocido de fecundación masculino-femenino.

En este sentido, igualmente al del apartado anterior, se precisa necesario un mayor interés de estudio que determine los parámetros seguidos por el aparato reproductor femenino más allá de la ya primitiva obsolescencia a la que se le habría relegado por omisión. Y cuyas investigaciones habrían podido ser de algún modo restrictivas, siguiendo el ej. anteriormente citado de Dr. Jacques Cohen, por el revuelo creado en la comunidad ética.

Este aspecto se contravendría con lo dispuesto en el art 20 CE en el sentido de la libertad de cátedra, así como la libertad de investigación, respecto a los estudios conducentes a demostrar la viabilidad práctica de la fecundación entre dos óvulos como ya fue llevada a cabo por Dr. Jacques Cohen y de lo que posteriormente habría omitido habida la opresión que habría recibido llegando incluso a afirmar que tales fecundaciones no se llegaron a producir.

La integridad en la investigación constituye una reciente dimensión de la ética en investigación que orienta sobre las buenas prácticas científicas y delimita deberes profesionales relacionados con las actividades de investigación. Dirigida por valores fundamentales de la ciencia y ética en investigación, tales como: honestidad, transparencia, respeto, imparcialidad, responsabilización y buena gestión de la actividad científica, las discusiones han presentado y orientado importantes cuestiones para el campo científico y ético.

La libertad de cátedra, mencionada en el Artículo 20 de la Constitución Española, es un derecho que se reconoce y protege. Este derecho permite expresar y difundir libremente los pensamientos, ideas y opiniones en el ámbito educativo. Es decir, los docentes tienen la libertad de enseñar sus materias sin censura ni restricciones indebidas, respetando los principios democráticos de convivencia y los derechos fundamentales.

b) Reproducción artificial FIV Femenino/Femenino- MACAGÉNESIS.

Acuñamos por primera vez el término aún no existente, e inédito, 'MACAGÉNESIS', en esta investigación que adopta la autora para denominar la reproducción que se llevaría a cabo, mediante la fertilización de un óvulo femenino con un óvulo femenino.

En el apartado anterior hemos reseñado los ejemplos, de entre los muchísimos conocidos, que llevan a sentar una base de investigación en materia de la viabilidad de reproducción femenina mediante partenogénesis, en el caso de que una mujer que desea ser madre soltera, no tenga que acudir a un proceso de inseminación para dar a luz a su descendencia, al menos que sea un proceso voluntariamente escogido por la sujeto, pudiendo elegir la posibilidad de tener su descendencia procedente de su línea germinal, habido el modelo de familia monoparental que hubiese escogido. Derecho del que no se la habría de privar, habido encontraría su oposición en la vulneración de lo dispuesto en el artículo 2.7 Modificación de la Ley Orgánica 2/2010, de 3 de marzo, de salud sexual y reproductiva;

> 'Art 2.7 Violencia contra las mujeres en el ámbito reproductivo: Todo acto basado en la discriminación por motivos de género que atente contra la integridad o la libre elección de las mujeres en el ámbito de la salud sexual y reproductiva, su libre decisión sobre la maternidad, su espaciamiento y oportunidad.'

Así como lo determinado en su objeto en relación a la educación con la sexualidad y la reproducción y de los derechos reproductivos;

> Art.1 «Artículo 1. Objeto. Esta ley orgánica tiene por objeto garantizar los derechos fundamentales en el ámbito de la salud sexual y de la salud reproductiva, regular las condiciones de la interrupción voluntaria del embarazo y de los derechos sexuales y reproductivos, así como establecer las obligaciones de los

poderes públicos para que la población alcance y mantenga el mayor nivel posible de salud y educación en relación con la sexualidad y la reproducción. Asimismo, se dirige a prevenir y a dar respuesta a todas las manifestaciones de la violencia contra las mujeres en el ámbito reproductivo.»

Del mismo modo lo dispuesto en el Art 3 de la citada Ley, serán principios rectores de la actuación de los poderes públicos los siguientes;

a) Respeto, protección y garantía de los derechos humanos y fundamentales. La actuación institucional y profesional llevada a cabo en el marco de esta ley orgánica se orientará a respetar, proteger y garantizar los derechos humanos previstos en los tratados internacionales de derechos humanos.

Dentro de tales derechos, los poderes públicos reconocen especialmente;

1.º Que todas las personas, en el ejercicio de sus derechos de libertad, intimidad, la salud y autonomía personal, pueden adoptar libremente decisiones que afectan a su vida sexual y reproductiva sin más límites que los derivados del respeto a los derechos de las demás personas y al orden público garantizado por la Constitución y las leyes.
2.º Los derechos reproductivos y el derecho a la maternidad libremente decidida.
3.º El deber del Estado de garantizar que la interrupción voluntaria del embarazo se realiza respetando el bienestar físico y psicológico de las mujeres.

b) Diligencia debida. Es responsabilidad de los poderes públicos a todo nivel actuar con la diligencia debida en la protección de la salud y de los derechos sexuales y reproductivos, garantizando su reconocimiento y ejercicio efectivo. La obligación de actuar con diligencia debida se extenderá a todas las esferas de la responsabilidad institucional, e incluye el deber de hacer efectiva la responsabilidad de las autoridades y agentes públicos en caso de incumplimiento.

c) Enfoque de género. Las administraciones públicas incluirán un enfoque de género fundamentado en la comprensión de los estereotipos y las relaciones de género, sus raíces y sus consecuencias en la aplicación y la evaluación del impacto de las disposiciones de esta ley orgánica, y promoverán y aplicarán de manera efectiva políticas de igualdad entre mujeres y hombres y para el empoderamiento de las mujeres y las niñas.

d) Prohibición de discriminación. Las instituciones públicas garantizarán que las medidas previstas en esta ley orgánica se apliquen sin discriminación alguna por motivos de sexo, género, origen racial o étnico, nacionalidad, religión o creencias, salud, edad, clase social, orientación sexual, identidad de género, discapacidad, estado civil, situación administrativa de extranjería, o cualquier otra condición o circunstancia personal o social.

e) Atención a la discriminación interseccional y múltiple. En aplicación de esta ley orgánica, la respuesta institucional tendrá en especial consideración a factores superpuestos de discriminación, tales como el origen racial o étnico, la nacionalidad, la discapacidad, la orientación sexual, la identidad de género, la salud, la clase social, la situación administrativa de extranjería u otras circunstancias que implican posiciones desventajosas de determinados sectores para el ejercicio efectivo de sus derechos.

f) Accesibilidad. Se garantizará que todas las acciones y medidas que recoge esta ley orgánica sean concebidas desde la accesibilidad universal, para que sean comprensibles y practicables por todas las personas, de modo que los derechos que recoge se hagan efectivos para las personas con discapacidad, con limitaciones idiomáticas o diferencias culturales, para personas mayores, especialmente mujeres, jóvenes y para niñas y niños.

g) Empoderamiento. Las instituciones públicas implementarán esta ley orgánica con especial atención al fortalecimiento de la capacidad de agencia y la autonomía de las personas en cada fase del ciclo vital, con énfasis en las mujeres y en la población joven. Este enfoque, además, deberá contribuir a disminuir y eliminar las desigualdades estructurales que constriñen la vivencia del deseo y de la sexualidad plena, así como de otros elementos esenciales de la salud, los derechos sexuales y reproductivos.

h) Participación. En el diseño, aplicación y evaluación de los servicios y las políticas públicas previstas en esta ley orgánica, se garantizará la participación de las entidades,

> asociaciones y organizaciones del movimiento feminista y la sociedad civil, con especial atención a la participación de las mujeres desde una óptica interseccional.
>
> i) Cooperación. Todas las políticas que se adopten en ejecución de esta ley orgánica se aplicarán por medio de una cooperación efectiva entre todas las administraciones públicas, instituciones y organizaciones implicadas en garantizar la salud y los derechos sexuales y reproductivos. En el seno de la Conferencia Sectorial de Igualdad, así como en el Consejo Interterritorial del Sistema Nacional de Salud, podrán adoptarse planes y programas conjuntos de actuación entre todas las administraciones públicas competentes con esta finalidad.

5. LAS OBLIGACIONES ESTABLECIDAS EN ESTA LEY ORGÁNICA SERÁN DE APLICACIÓN A TODA PERSONA, FÍSICA O JURÍDICA, QUE SE ENCUENTRE O ACTÚE EN TERRITORIO ESPAÑOL, CUALQUIERA QUE FUESE SU NACIONALIDAD, DOMICILIO O RESIDENCIA.

Tal precepto se había vulnerado en tanto la sujeto no habría escogido a una pareja, aun resultando anónima, ni nada la vincularía con ese donante, ni de modo afectivo, ni de ningún otro tipo.

No existiendo evidencia, salvo hipotética, a saber, del conocimiento incierto de la genética hoy día, y apoyado en la teoría de Petrovich Gariaev (Dr. En Biología Ruso), Dra. Orly (Australia) y Karim Nayernia (Persa: کریم نیرنیا) (científico biomédico iraní y experto mundial en biología de células madre y medicina personalizada), en que se determina la viabilidad fecundadora y reproductora de células somáticas que se mencionan en el capítulo VI, punto 5 'Las células somáticas y su función reproductora'. Para determinar que la descendencia pudiese tener ninguna restricción genética, que redujese las posibilidades de nacimiento y calidad de vida de la descendiente siendo concebida únicamente por ella, mediante partenogénesis, a diferencia de con la intervención de un donante, salvo el parecido supuesto. Muestra de ello la infinidad de diversidad nacida por partenogénesis en el mundo animal.

Así, este apartado, define MACAGÉNESIS como planteamiento, que permitiría a dos mujeres que son pareja, tengan su propia descendencia genética sin necesidad de que sean sometidas a embarazo de una de ellas mediante donante, quedando la otra completamente relegada a lo ajeno, genéticamente hablando. O bien sometidas a método ROPA, embrión de una implantado en la otra gestante, ya comentado en el apartado dos de este capítulo 'desde el punto de vista jurídico', y del que, aunque aquí sí participan ambas, igualmente es empleado para fertilización el donante.

En este sentido, la Dra. Orly Lacham-Kaplan encabeza el equipo de investigación de la Universidad de Monash de Melbourne, Australia, que logró que ratones hembras procrearan mediante la intervención de células que no procedían del esperma de ratón. La especialista estimó que, reproduciendo esas condiciones, devendría teóricamente posible que una célula procedente de cualquier parte del cuerpo humano, incluyendo el de otra mujer, pueda ser utilizada para fertilizar un óvulo[17].

Explica la Dra. Orly, que las células somáticas contienen dos juegos de cromosomas, mientras que las germinales poseen sólo uno. El equipo de la Universidad de Monash

---

17 Fecundación de ovocitos de ratón utilizando células somáticas como células germinales masculinas https://www.researchgate.net/publication/10962673_Fertilization_of_mouse_oocytes_using_somatic_cells_as_male_germ_cells

utilizó técnicas químicas para liberar uno de los juegos de 23 cromosomas de la célula somática e imitando al proceso de fertilización natural, utilizó para combinarlo con el óvulo y producir un embrión.

Así como la Dra. Orly define en su disruptiva teoría de reproducción, la cual se habría llevado a cabo con la finalidad de ser utilizada en hombres infértiles y en parejas conformadas por mujeres que quieran llevar a cabo la reproducción con su propia descendencia.

Nos encontramos diversos ejemplos en el mundo animal, tales como incluso llegar al planteamiento de que un importante número de casos que la ciencia define como partenogénesis, podría devenir en realidad MACAGÉNESIS, resultados que solo pueden llevarse a cabo mediante las respectivas pruebas genéticas.

Es el conocido caso en que se llevó a cabo en seres humanos el nacimiento de hasta 15 embarazos fecundado por dos óvulos, que posteriormente negaría extendido el revuelo, habiendo tenido lugar el primero en junio de 1998, que por entonces se encontraba en su sexto mes de gestación[18].

El director científico del Instituto de Medicina Reproductiva de Saint Barnabas, en Nueva Jersey, Jacques Cohen, se vería en la obligación de negar haber creado niños genéticamente modificados ante las críticas suscitadas en la comunidad científica por el tratamiento de fertilización experimentado por su

---

[18] https://www.lanacion.com.ar/sociedad/logran-embarazos-con-ovulos-de-dos-mujeres-nid100041/#:~:text=15%20de%20junio%20de%201998%20lanacionar%20Controvertido%20y,posible%20el%20nacimiento%20de%20ni%C3%B1os%20con%20dos%20madres.

centro que ha permitido el nacimiento de 15 bebés con material genético de dos madres[19].

Ciertamente nuestra era asiste a una revolución genética sin precedentes, en donde se pone de manifiesto que las fronteras de la biología son inagotables. ¿Qué ocurriría de plantearse que la vida tal como la conocemos puede ser engendrada de otro modo?, afirmaciones como que unos padres, varón y hembra pueden engendrar a sus hijos con el riesgo controlado de enfermedades desde su nacimiento, así como que un bebé puede tener dos madres biológicas sin que exista un interviniente varón como donante, y que una sola mujer que decide ser madre en el modelo de familia monoparental. Es evidente que lleva aparejado un dilema ético y moral importante que en ningún caso es objeto de abordar en este capítulo, y que no obstante lo será en el futuro venidero.

KAGUYA, el ratón hembra nacida de dos madres biológicas, tuvo a la comunidad científica sobrecogida. Mediante ingeniería genética manipularon los genes H19 e Igf2. El H19 se expresa en el gameto femenino únicamente y el Igf2 solo en el masculino (ya que el H19 no le deja expresarse). Los científicos silenciaron el H19 de uno de los óvulos y de esta forma consiguió manifestarse el Igf2 estimulando así la fecundación como si de un proceso natural se tratase.

KAGUYA, como no podía ser de otra forma fue hembra (genéticamente XX) ya que no podía heredar el gen Y de ninguna de sus progenitoras. Además, tuvo descendencia al igual que los de su misma especie y vivió hasta una edad madura.

Científicos del Instituto Weizmann y de la Universidad de Cambridge lograron crear espermatozoides y óvulos a partir de células madre en humanos. Estos investigadores publicaban en

---

19 https://elpais.com/diario/2001/05/06/sociedad/989100004_850215.html

la revista Cell como a partir de estas células tan especiales lograban obtener gametos tanto masculinos como femeninos[20].

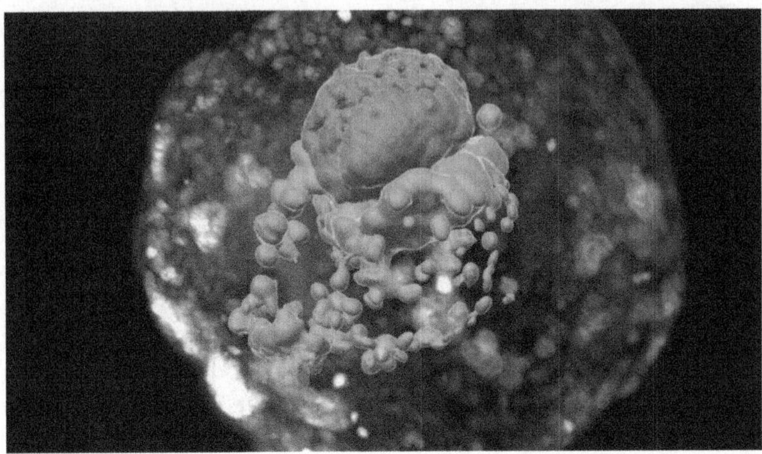

Fuente: Un modelo de embrión humano derivado de células madre. Las células azules corresponden al embrión, las amarillas al saco vitelino y las rosadas a la placenta. INSTITUTO WEIZMANN

Lo asombroso de esta publicación es que a partir de células madre, sería posible cultivar tanto espermatozoides como óvulos. Esto quiere decir que, independientemente del sexo biológico, el sujeto podría tener hijos con cualquier persona que así lo autorice también.

20 https://www.bbc.com/mundo/articles/cp6195yg9p5o

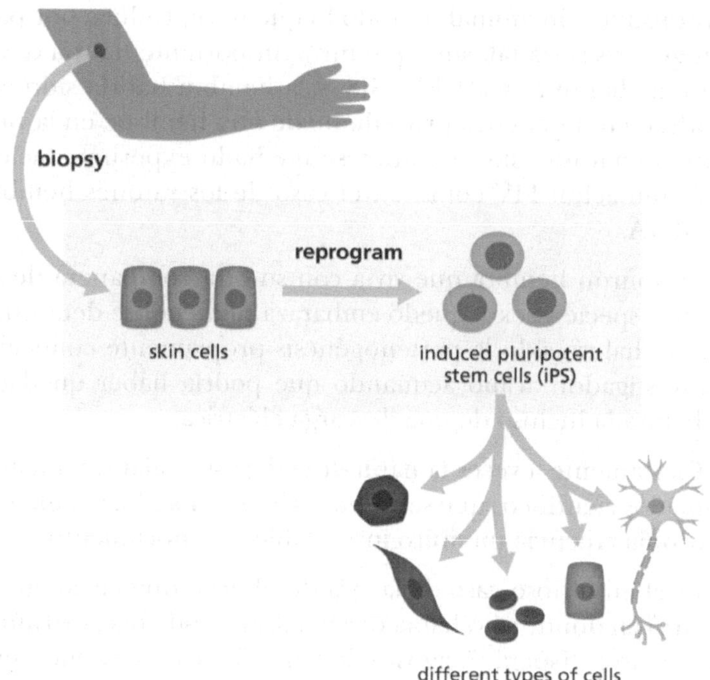

Una ilustración que muestra una descripción general del proceso utilizado para generar células madre pluripotentes inducidas. Crédito de la imagen: Laura Olivares Boldú / Wellcome Connecting Science[21]

Fuente: yourgenome.org

Hace escasos cien años nadie podía imaginar que podríamos llevar a cabo la fecundación de un modo diferente al conocido, tal como la FIV, del mismo modo es probable que no podamos imaginar las formas de reproducción que van a estandarizarse en la década venidera.

---

21 https://www.yourgenome.org/theme/how-are-stem-cells-used-in-research-and-medicine/

Sin embargo, existen indicios que llevan a pensar que en la reproducción animal no todo lo que se reproduce por partenogénesis sería tal, sino que un % importante habría devenido mediante MACAGÉNESIS, y la hembra habría sido engendrada por genética procedente de otra hembra, en la vida salvaje y natural, sin que hubiese mediado experimentación ni fecundación FIV como en el caso de los ratones hembra KAGUYA.

El tiburón hembra que vivía con su otra compañera de su misma especie y sexo, quedó embaraza pudiéndose demostrar que no habría sido la partenogénesis propiamente conocida, el investigador, acabó acuñando que podría haber quedado embarazada incluso de una descarga eléctrica.

Ciertamente a veces la naturaleza deja sin palabras, incluso afamados científicos que se adhieren a lo conocido, resultando su propia creencia un muro insondable al conocimiento.

Es el misterioso caso de la cría de tiburón que nació en un acuario en donde sólo había dos hembras desde hacía 10 años. La llamaron 'Ispera'[22], agosto de 2021. Tal caso deviene especialmente misterioso habidas las explicaciones de índole tan diversa e inconsistente como inverosímil, desde partenogénesis, aunque la cría no se correspondía con el patrón exacto de la madre que habría dado lugar a tal denominación, se llegó incluso a decir que la madre habría podido quedar embarazada de una descarga eléctrica.

---

22 El misterio de la cría de tiburón que nació en un tanque donde sólo había dos hembras
https://www.ngenespanol.com/animales/el-misterio-de-la-cria-de-tiburon-que-nacio-en-un-tanque-donde-solo-habia-dos-hembras/

Inaudito lo que a veces se puede llegar a plantear, antes de abrir la mirada a lo cercanamente más evidente y plausible, que vendría a plantear que el otro tiburón conviviente habría aportado el material genético que produjo el embarazo.

¿Cómo habría podido hacerlo?

Esos son los grandes enigmas y desafíos que la genética nos tiene preparados.

Existen estudios que explican que el ADN está en el aire, así lo postulo Petrovich Gariaev, así en otros estudios la Dra. Elizabeth Clare[23] e-DNA- Ambiental, equipo investigador de Dinamarca que utilizó una aspiradora a base de agua y dos ventiladores que soplaban viento, los cuales ubicaron en tres áreas distintas del zoológico.

Uno de estos ventiladores era del tamaño de una pelota de golf. Por su parte, el equipo de Reino Unido y Canadá instaló varias bombas de vacío con filtros, con las cuales recolectaron 70 muestras en varias áreas del zoológico.

Con esa técnica de captura de aire filtrado los investigadores lograron muestras de ADN de los animales. Tales muestras podrían ser rastros de saliva, piel, heces o aliento flotando en el aire, aunque los investigadores no determinaron exactamente la fuente de ese ADN.

Ambos experimentos obtuvieron óptimos resultados, y detectaron eDNA proveniente incluso de fuera de los zoológicos. Habido que el equipo de Dinamarca obtuvo 40 muestras de

---

[23] El ADN ESTÁ EN EL AIRE. https://www.bbc.com/mundo/noticias-60291802#:~:text=El%20hallazgo%20se%20logr%C3%B3%20gracias%20a%20lo%20que,una%20gran%20variedad%20de%20especies%20en%20distintos%20h%C3%A1bitats.

aire, en las que detectaron 49 especies entre las que había mamíferos, aves, anfibios, peces y reptiles.

Elizabeth Clare tomando muestras de ADN del aire.

«Nos quedamos asombrados cuando vimos los resultados», dijo en un comunicado Kristine Bohmann, profesora de genómica evolutiva en la Universidad de Copenhague y líder del estudio.

Por su parte, el equipo de Reino Unido - Canadá identificó ADN de 25 especies, incluyendo tigres, lémures y dingos. Incluso habrían capturado el ADN de animales que estaban dentro de edificios cerrados.

«Los animales estaban dentro, pero su ADN se estaba escapando», dijo en un comunicado Elizabeth Clare, profesora en la Escuela de Ciencias Biológicas y Químicas en la Universidad Queen Mary de Londres.

«Estos dos estudios realmente amplían el potencial que tiene el eDNA para brindar información en diversas aplicaciones, desde biodiversidad y especies invasivas, hasta salud pública, solo por mencionar algunas», indicaba Russello.

Muchos son los enigmas y enfoques que habrían de validarse en sendos estudios que diesen continuidad a las hipótesis hoy planteadas.

Así como hechos que podrían tener una interpretación vinculada a Macagénesis, el sucedido cuando una mujer que tiene irregularidades en su periodo menstrual desde siempre, cuando convive con una mujer su periodo se tiende a regular, ¿A qué habría de atribuirse tal fenómeno?

Son sucesos que suceden de forma automática, sin que exista un planteamiento ni una previsión, así de natural como la capacidad de sincronía que podrían tener la frecuencia cardíaca, en principio única, y que sin embargo establecerían sincronía en determinados escenarios en que duermen dos personas juntas, o conviven, apuntaba la neurocientífica Nazareth Castellanos. Sucesos que habrían de tener un objeto de estudio con mayor profundidad por su vinculación con la Teoría de genética de onda de Dr. Petrovich.

Así como los estudios de la psicóloga estadounidense Martha McClintock, que también tendrían especial relación con la teoría de Genética de onda de Dr. Petrochic. Conocida por ser una de las primeras en difundir este planteamiento, analizó los períodos menstruales de 135 mujeres de una universidad estadounidense.

«[McClintock] encontró que la fecha de inicio de la regla cra más ccrcana cntrc amigas y compañcras dc habitacioncs que entre desconocidas», dice Alvergne.

McClintock postuló la hipótesis de que las muchachas que pasaban tiempo juntas tenían la oportunidad de que sus feromonas afecten unas a otras.

¿Por qué pasaría esto? La explicación más aceptada era que se trataba de una estrategia desarrollada por las féminas para cooperar entre ellas y dejar de ser una especie de «harem» para un solo hombre dominante.

Sin embargo, este suceso, a criterio de la autora, reviste especial relevancia, y muy lejos de las teorías que apunta la psicóloga Martha McClintock[24], lo cual ciertamente deviene, por cierto, tosca para tratarse de algo tan sutil, extrapolarlo a la interpretación de la cooperación enfocado al movimiento (feminismo) con la finalidad de paliar el ex post 'harem'. Resultaría una teoría singularmente forzada a juicio de esta autora, que define la razón de la sincronización recaería en una vinculación más relacionada y enfocada con la reproducción, que vendría a generar, a su vez, una especie de sincronicidad con las personas en que pudiera coexistir la compatibilidad para la fecundación. Y esta podría ser la razón imperante que suceda en la convivencia de dos mujeres en el caso cuando son pareja, como en determinados grupos, habido que no sucedería a todas sino selectivamente entre las que vendría a producirse tal sincronía y a la vez reciprocidad reproductora.

Ciertamente este perspicaz y tenue hecho, escaparía a la atención de las convivientes, en el caso p. ej., de las que están compartiendo vivienda por estadía estudiantil, siendo que, conforme a sus pensamientos, su convivencia no estaría vinculada más allá de compartir una habitación de piso de estudiantes y cooperar en las tareas que ello conlleva, así como en la amistad que puede forjarse entre ellas con motivo de la convivencia.

Sin embargo escaparían a entender lo que opera en el invisible de su biología y las razones sustantivas que llevarían a la inteligencia de su genética operar de ese modo, incluso sin que

---

24 ALVERGNE (1971). ¿Es cierto que la menstruación se sincroniza cuando las mujeres viven juntas?, la antropóloga de Oxford, dice que la idea de la sincronización empezó con estudios publicados en la revista científica Nature en 1971. https://www.bbc.com/mundo/noticias-37312137

exista consonancia entre lo que sucede en su respuesta biológica y lo que pasa por su mente, para el caso de que dos amigas estuviesen compartiendo piso e incluso una de ellas, o las dos a la vez, tuviesen su pareja masculina que no conviviese con ellas, la sincronía reproductora se estaría llevando a cabo entre ellas.

Este hecho se mostraría manifiesto en el caso de que las convivientes sean pareja, habida la transmisión informativa a nivel bilógico que genera el vínculo entre los dos sujetos.

En relación a los dos tiburones hembra que convivían juntas desde hacía diez años, en el Acquario di Cala Gonone en Cerdeña, Italia, vino a romper cualquier escrúpulo de los cuidadores y biólogos encargados de su cuidado.

El tanque del acuario estaba destinado exclusivamente a ejemplares femeninos. La madre había estado casi 10 años viviendo ahí con otra hembra, según los medios italianos. Sin embargo, tuvo un bebé sin tener una sola interacción con un macho. La nueva cría fue llamada 'Ispera', que se traduce, literalmente, como esperanza en italiano.

Los médicos veterinarios que atendieron el caso aseguran que es la primera ocasión en la que un tiburón nace de esta manera en cautiverio. Podría tratarse, según la cobertura de Science Alert, de un proceso de 'partenogénesis', sin embargo, las pruebas genéticas no podrían determinar un caso de usual de partenogénesis. Y no obstante a lo que hubiese podido determinar el resultado obtenido, es tan escasa la información y los estudios en este sentido, y tan elevado el potencial del mismo que resultaría necesario abrir amplias líneas de investigación en este sentido.

El fenómeno se ha observado antes en al menos 80 especies de vertebrados, pero nunca en este tipo de tiburón. Aunque se tiene conocimiento de que al menos 15 tiburones lo han logrado en diferentes partes del mundo, es un proceso difícil de documentar en la naturaleza, según dijo DEMIAN CHAPMAM

[25], director del programa de conservación marina en el Mote Marine Laboratory & Aquarium in Florida.

Según CHAPMAM, éste es el último recurso que algunas hembras utilizan cuando han pasado un periodo largo de tiempo sin interactuar con un macho. A juico de la interpretación de esta autora es un criterio asazmente reduccionista.

Habido lo que añade posteriormente; Podría ser, según el experto, que los genes de la madre se hayan mezclado para generar un ejemplar similar a ella misma. Sin embargo, no se habría tratado de crear clon exacto, sino descendencia sana y apta para sobrevivir. Con cuya afirmación devendría plenamente insostenible la teoría subsumida con anterioridad en el planteamiento primigenio de partenogénesis.

Existen en la naturaleza muchísimos casos de nacimiento sin apareamiento masculino, que se han ido reportando a lo largo de la historia en animales que viven en cautividad, habido que en la vida salvaje resulta mucho más complejo de medir, tales como;

En octubre de 2008, científicos estadounidenses confirmaron a través de exámenes de ADN el segundo caso conocido de un embarazo en un tiburón ‹virgen›. El animal, un tiburón negro del Atlántico llamado Tidbit, quedó preñada sin haber-

---

[25] DEMIAN CHAPMAM. (2008). Partenogénesis en un tiburón réquiem de cuerpo grande (familia Carcharhinidae) Senior Scientist & director, Center for Shark Research. As a Senior Scientist in Mote's Research Division, Dr. Chapman also serves as the Manager for the Sharks & Rays Conservation Research Program and holds the title of Perry W. Gilbert Chair in Shark Research. Chapman, DD, Firchau, B., Shivji, MS 2008.. Revista de biología de peces 73:1473-1477.
https://mote.org/staff/member/dr.-demian-chapman

se relacionado con ningún macho, aunque su estado sólo se ha conocido después de morir [26].

Tidbit, un tiburón hembra nacida en libertad y que llegó al Aquario de Virginia siendo una cría, habría vivido en cautividad los últimos ocho años sin tener compañía de ningún macho de su especie, según afirmaba Beth Firchau, cuidador del Aquario de Virginia. Este nuevo caso ha sido publicado en el Journal of Fish Biology.

La mamá tiburón, de un metro y medio de longitud, murió después de ser sacada del tanque de agua donde vivía, para ser examinada por un equipo de veterinarios. En una necropsia posterior, se detectó el embarazo, muy desarrollada, ya que la cría estaba totalmente formada y a pocos días de nacer.

DAMIAN CHAPMAN, un experto en tiburones del Instituto para la Conservación del Océano de la Universidad Stony Brook, del estado de Nueva York, ha realizado exámenes de ADN que han probado que la cría no tenía padre. Los embarazos en animales vírgenes se conocen bajo el nombre técnico de partenogénesis.

Con un año de anterioridad el mismo experto reporta otro caso mediante el cual también, CHAPMAN, utilizó estudios genéticos para confirmar que un tiburón martillo del zoo de

---

[20] Hallan en Virgina una hembra de tiburón embarazada que nunca convivió con machos. La hembra murió y en la necropsia sus cuidadores se dieron cuenta de su estado. Nuevo caso de partenogénesis, el desarrollo de óvulos que no han sido fecundados. Durante los ochos años que vivió en cautividad, la hembra nunca tuvo contacto con machos. La cría de tiburón estaba muy desarrollada y faltaban pocas semanas para su nacimiento. El pasado año ya se detectó un caso similar en Omaha con un tiburón martillo. https://www.rtve.es/noticias/20081010/hallan-virgina-hembra-tiburon-embarazada-nunca-convivio-machos/175708.shtml

Omaha -en estado de Nebraskam, EE.UU.- parió a una cría que se originó a través de una partenogénesis [27].

«Este nuevo caso nos demuestra que el nacimiento del año anterior no fue una casualidad de la naturaleza. La partenogénesis es mucho más habitual de lo que nosotros pensamos, especialmente en la especie de los tiburones», afirmaba CHAPMAN.

Otro caso reportado es el del tiburón hembra CEBEDEE, en el año 2015 [28]

Zebedee, hembra de tiburón cebra que vive en un hotel en el desierto, lejos de machos de su especie, ha tenido crías a pesar de vivir sin la compañía de machos en el acuario del restaurante de un hotel en Dubai, el Burj Al Arab, Zebedee. Habría tenido crías durante cuatro años consecutivos, una hazaña que, según el biólogo marino DAVID ROBINSON, no se había dado nunca en tiburones.

Los expertos del resort, considerado el más lujoso del mundo, ya habían visto huevos de Zebedee antes, pero daban por hecho que no tenían crías porque nunca había estado acompañada por tiburones macho. En 2007 descubrieron por primera vez que se estaba reproduciendo asexualmente.

«Estábamos trasladando los huevos y uno de nosotros sintió que se movía algo dentro de uno. Lo comprobamos con una luz y vimos que había crías», declaró a la BBC Robinson, responsable del acuario de Burj Al Arab.

---

[27] Otro caso en Omaha. https://www.periodistadigital.com/ciencia/20081013/descubren-embarazada-hembra-noticia-689402868638/

[28] Zebedee, hembra de tiburón cebra que vive en un hotel en el desierto, lejos de machos de su especie, ha tenido crías. https://www.nationalgeographic.es/animales/un-tiburon-cebra-hembra-tiene-crias-sin-la-presencia-de-un-macho

«Queríamos comprobarlo, pero nadie esperaba encontrar crías», añade, «así que no nos lo podíamos creer».

La partenogénesis está demostrada y documentada en los dragones de Cómodo, las serpientes, algunas especies de pájaros, peces y anfibios.

Se produce cuando una cría es concebida sin esperma masculino que fertilice a la hembra. En los casos de partenogénesis en tiburones, los cromosomas maternos se dividen durante la fecundación.

Aún se desconoce cómo se lleva a cabo la partenogénesis en los tiburones, pero, aunque algunos expertos como CHAPMAN cree que usan una hormona para forzar a los óvulos a desarrollarse sin la presencia de esperma.

Resulta concordante la teoría de la liberación hormonal de ambos tiburones hembra convivientes, en analogía a lo que explicaba la psicóloga estadounidense Martha McClintock, cuando postuló en su estudio, la hipótesis de que las muchachas que pasaban tiempo juntas tenían la oportunidad de que sus feromonas afecten unas a otras.

En palabras del experto CHAPMAN, «Estos casos demuestran cómo los océanos guardan bien ocultos sus secretos, especialmente los de los tiburones».

Los científicos actualmente definen la partenogénesis cuando una hembra vive sola y se reproduce en modo apomixis, explicando que sus crías son prácticamente clones, sin embargo, acuñan un segundo término, automixis, el cual emplearían erráticamente, habido que conforme señalan en el nacimiento en modo automixis, la cría nacida, 'baraja ligeramente los genes de la madre para que las descendientes sean similares, pero no clones'. Tal planteamiento deviene confuso y falto de rigor, habido que no se estaría contemplando la viabilidad constatable que automixis pueda equipararse con lo que la autora denomina MACAGÉNESIS, y que vendría a resultar el nacimiento de la cría proveniente de la genética de dos hembras[29].

Por lo que podría decirse que este fenómeno lejos de resultar un 'fenómeno', es una forma de reproducción corriente que no estaríamos aceptando, obviando que, para darse el planteamiento aceptable, primeramente, tiene que ser contemplado como probabilidad, y que formaría parte de la propia naturaleza del ser humano.

Así en este tipo de nacimientos, los nacidos de modo espontáneo, de forma natural, sin intervención humana mediante laboratorio por procedimiento FIV, no se observan ningún tipo de enfermedades asociadas, ni acortamiento de vida, como curiosamente reportan algunos investigadores que han experimentado la partenogénesis en laboratorio, los cuales apostillan en su candoroso argumento, exiguo de rigor, que las crías nacidas por partenogénesis tendrían una vida más corta, además de producir un embotellamiento por la baja diversidad genética, así como carecería de interés evolutivo, y que a su vez también ha sido combatido por otros científicos que acotan precisamente lo opuesto.

Deviene necesario la continuidad de los estudios en este sentido la plausibilidad de la reproducción habido que es un modo propio de la naturaleza que habría de inspirar, al menos, la atención del ser humano, a cuestionarse lo dado por hecho.

En este sentido el artículo reciente de;

> La partenogénesis se ha documentado en casi todos los filos de animales, y, sin embargo, este fenómeno está muy poco estudiado. Tiene particular importancia en los dípteros ya que

---

29 Automixis y apomixis. https://www.dw.com/es/cr%C3%ADa-de-tibur%C3%B3n-nacida-en-tanque-exclusivamente-femenino-podr%C3%ADa-ser-primer-raro-caso-de-nacimiento-virgen/a-59035698

algunas especies partenogenéticas también son vectores de enfermedades y plagas agrícolas. Aquí, presentamos un catálogo de dípteros partenogenéticos, aunque es probable que queden muchos más por identificar, y discutimos cómo su biología del desarrollo y las interacciones con diversos entornos pueden estar relacionadas con diferentes tipos de reproducción partenogenética. Discutimos cómo los avances en genética y genómica han identificado loci cromosómicos asociados con la partenogénesis. En particular, se ha descubierto una causa poligénica de partenogénesis facultativa en Drosophila mercatorum, lo que permite probar las variantes genéticas correspondientes por su capacidad para promover la partenogénesis en otra especie, Drosophila melanogaster. Este estudio probablemente identifica solo una de las muchas rutas que podrían seguirse en la evolución de la partenogénesis. Intentamos explicar por qué el fenómeno ha evolucionado tantas veces en el orden de los dípteros y por qué la partenogénesis facultativa parece particularmente prevalente. También discutimos la importancia de los cambios genómicos gruesos, incluida la no disyunción, la aneuploidía y la poliploidía y cómo, junto con los cambios en genes específicos, estos podrían relacionarse con la partenogénesis facultativa y obligada en dípteros y otros animales partenogenéticos[30].

6. LAS CÉLULAS SOMÁTICAS Y SU FUNCIÓN REPRODUCTORA.

De los apartados anteriores se extrae una conclusión muy interesante, resultando que el supuesto contemplado hoy, con carácter permisivo en la edición genética, de aplicación de terapia génica en células somáticas, habido la supuesta característica no reproductora de estas. Y siendo valorado ahora desde esta nueva perspectiva, su resultado devendría significativamente diferente.

---

30 https://pubmed.ncbi.nlm.nih.gov/?term=PARTENOGENESIS

Así nos lo muestra entre otros el Dr. Petrovich Gariaev, Dra Orly, y el científico Persa KARIM NAYERNIA, que trabaja en la fertilización de óvulo con genética masculina no procedente de semen, para trabajar la infertilidad masculina como consecuencia del cáncer principalmente.

KARIM NAYERNIA (Persa: کریم نیرنیا) es un científico biomédico iraní y experto mundial en biología de células madre y medicina personalizada.

Llevó a cabo un trabajo pionero que tiene el potencial de conducir a futuras terapias para una variedad de afecciones médicas como enfermedades cardíacas, enfermedad de Parkinson e infertilidad masculina. Su equipo fue el primero en el mundo en aislar un nuevo tipo de célula madre de testículos de ratones adultos (glándulas sexuales masculinas), llamadas células madre espermatagoniales. Fue capaz de demostrar que algunas de estas células madre, llamadas células madre adultas de línea germinal multipotentes (maGSC), se convirtieron en corazón, músculo, cerebro y otras células. El profesor NAYERNIA y su equipo propusieron que se podrían extraer células similares de los hombres mediante una simple biopsia testicular. Sobre la base de estas células, se podrían desarrollar nuevas técnicas de células madre para tratar una variedad de enfermedades[31], habiéndose encontrado células madre en cualquier

31 PROF. KARIM NAYERNIA, (s.f). Leading stem cell expert https://iranianroots.com/2014/01/14/prof-karim-nayernia-leading-stem-cell-expert/
"Doktor- und Diplomarbeiten". Humangenetik.gwdg.de. 21 de febrero de 2005. Consultado el 27 de noviembre de 2015. "Destacado experto en células madre se traslada al Reino Unido | EurekAlert! Noticias de Ciencia". Eurekalert.org. 23 de junio de 2006. Consultado el 27 de noviembre de 2015.
[1] Archivado el 12 de noviembre de 2008 en la Wayback Machine. Karen McVeigh. "Los científicos afirman un gran avance en el crecimiento de esperma humano a partir de células madre | Ciencia". El

parte del cuerpo patrocinado por sendos científicos entre los que se encuentra la investigadora Llorens-Martin y su equipo entre otros[32].

Así la Dra. Orly Lacham-Kaplan, que encabeza el equipo de investigación de la Universidad de Monash de Melbourne, Australia, que logró que ratones hembras procrearan mediante la intervención de células que no procedían del esperma de ratón. La especialista estimó que, reproduciendo esas condiciones, devendría teóricamente posible que una célula procedente de cualquier parte del cuerpo humano, incluyendo el de otra mujer, pueda ser utilizada para fertilizar un óvulo[33],[34].

Guardián. Consultado el 27 de noviembre de 2015. "Salud | ' esperanza de fertilidad de espermatozoides hechos en laboratorio". BBC News. 10 de julio de 2006. Consultado el 27 de noviembre de 2015. Walsh, Fergus (7 de julio de 2009). "Salud | Los científicos afirman que el esperma 'primero'". Noticias de la BBC. Consultado el 27 de noviembre de 2015. Karen McVeigh. "Los científicos afirman un gran avance en el crecimiento de esperma humano a partir de células madre | Ciencia". El Guardián. Consultado el 27 de noviembre de 2015. James Randerson. "Científicos en el avance de los espermatozoides | Ciencia". El Guardián. Consultado el 27 de noviembre de 2015.

Enlaces externos. www.icpm.center

32 Investigación española revela la existencia de células madre en el cerebro que permiten la generación de neuronas toda la vida, https://llorenslab.cbm.uam.es/wordpress/felem-investigacion-espanola-revela-la-existencia-de-celulas-madre-en-el-cerebro-que-permiten-la-generacion-de-neuronas-toda-la-vida

33 Fecundación de ovocitos de ratón utilizando células somáticas como células germinales masculinas, https://www.researchgate.net/publication/10962673_Fertilization_of_mouse_oocytes_using_somatic_cells_as_male_germ_cells

34 http://news.bbc.co.uk/hi/spanish/science/newsid_1432000/1432292.stm

Explica la Dra. Orly, que las células somáticas contienen dos juegos de cromosomas, mientras que las germinales poseen sólo uno. El equipo de la Universidad de Monash utilizó técnicas químicas para liberar uno de los juegos de 23 cromosomas de la célula somática e imitando al proceso de fertilización natural, utilizó para combinarlo con el óvulo y producir un embrión.

Así como la Dra. Orly define en su disruptiva teoría de reproducción, la cual se habría llevado a cabo con la finalidad de ser utilizada en hombres infértiles y en parejas conformadas por mujeres que quieran llevar a cabo la reproducción con su propia descendencia.

7. DESCONOCIMIENTO DEL FUNCIONAMIENTO MOLECULAR

Ciertamente nos enfrentamos a desafíos tan épicos que más sentido tiene abrir la mente que aferrarse a patrones que van quedando desvirtuados a lo largo del tiempo.

En el estadio molecular en que las células se comunican entre sí, en un tiempo, 'que no tiene tiempo de existir', conforme a nuestro concepto de 'tiempo' sucede la vida mucho más allá de la interpretación reduccionista que hemos considerado llamar.

Un conjunto celular masivo, que consta de cientos y cientos de miles de millones de células, cada una de estas células intercambia dados acerca de su estado con todas las células vecinas, ¿ cómo se administra esta acción?, tal vez por el sistema nervioso, sin embargo los procesos nerviosos circulan con una velocidad muy baja, de 8-10 metros por segundo no es suficiente para asegurar el funcionamiento normal del estado de las células, incluso la velocidad de la luz no es suficiente para distribuir toda la información a cientos de miles de millones de células, de lo contrario nuestro desarrollo habría terminado en el nivel bacteriano, donde no es necesario entregar la información a través de las células habido que solo hay una célula[35].

Sin embargo, en nuestro cuerpo, la información sobre todas las células se distribuye entre ellas al instante. ¿cómo se resuelve ese problema de comunicación superrápida?. Peter Gariaev y sus colegas realizaron un trabajo teórico y experimental, que les permitió introducir la idea de que las células continuamente intercambian información con una velocidad indefinidamente elevada. Los investigadores basaron su trabajo en el atributo predicho por Einstein y sus discípulos Boris Podolsky y Nathan Rosan, en 1935.

Afirmaría Petrovich Garaiev, que, aunque la secuencia de ADN contenga la información codificada necesaria para el conjunto de proteínas del ser humano, solo representa un 2% de la totalidad. El resto, el 98 %, es ADN no codificante, co-

---

[35] GARAIEV P.P. (s.f). Conciencia cuántica del genoma de ondas lingüísticas https://wavegenetics.org/es/researches/kvantovoe-soznanie-lingvistiko-volnovogo-genoma/ Realizamos un experimento sobre la activación por ondas de la regeneración pancreática en decenas de ratas. (después de la inducción de la diabetes aloxana, acompañado de degradación pancreática y muerte de animales por diabetes tipo 1 como grupo de control). En la etapa del inicio de la muerte animal., los irradiamos con la información de ondas leída por un láser especial del metaboloma de preparaciones pancreáticas aisladas, que incluía información genética sobre el páncreas de crías de rata recién nacidas de la línea genética Vistar. La información fue un campo electromagnético secundario del láser LGN-303. Contenía un componente espintrónico asociado con la modulación de polarización dinámica de dos modos ópticos ortogonales de radiación láser. Este campo secundario representa la radiación electromagnética de banda ancha modulada (MBER). Su efecto en ratas moribundas condujo a una rápida normalización de su condición y a la regeneración in situ de su páncreas con una completa normalización de la biosíntesis de glucosa.

múnmente llamado "ADN basura". Según Gariaev, esta fracción del ADN tiene un papel importantísimo en la transmisión de información a nivel vibracional, esencial para el organismo. Emite radiación electromagnética, la cual crea patrones de interferencia de ondas en forma de hologramas. Las células captan esta información y tienen así una plantilla-modelo para crear formas y estructuras, en otras palabras, estos hologramas definen la estructura espacial según la cual se construye el organismo. El ADN en solución acuosa también emite ondas acústicas. Según Gariaev produce una compleja melodía con frases musicales repetitivas. Se hace especial hincapié en la importancia de estas emisiones electromagnéticas y acústicas para el correcto funcionamiento del organismo. Estas investigaciones dan lugar a que el ADN se pueda reprogramar con sonidos y frecuencias apropiadas[36].

Desde ese punto, en donde emanaría el verdadero origen de la existencia del ser humano, y en cuyo estado nuestra biología no es más que un campo y patrón coherente de información, más allá de la manifestación física del cuerpo humano, y más allá de la identificación de géneros.

Quizá nos encontramos ante el momento de sentir posible casuísticas que consideramos imposibles en nuestro pensamiento lineal, y que sin embargo son tan potencialmente posibles como cualquier otro.

Pongamos p. ej. El hallazgo del que se hace eco incluso la propia Comisión Europea respecto a la capacidad de las ranas de cambiar de sexo al contacto con un cuerpo químico[37] en

---

36 VERSYP T. (2016). Energía del ADN de P. Gariaev, https://teresaversyp.com/actualidad/investigacion-adn-gariaev/

37 Un estudio confirma la relación entre el herbicida atrazina y problemas de reproducción y cambio de sexo. https://cordis.europa.eu/article/id/34083-study-confirms-link-between-herbicide-atrazine-and-reproductive-problems/es

que los genes que se transmutan en un ser vivo al contacto de determinados químicos, como en este caso la atrazina, y en consecuencia, se modifica morfológicamente el estado de la rana macho, y pasa a ser una rana hembra.

El profesor Beasley, citando un estudio de 2010 elaborado por Tyrone Hayes, de la Universidad de California en Berkeley (Estados Unidos), afirma que, «la exposición de las ranas a la atrazina se ha relacionado con la transformación de machos genéticos a hembras y con un funcionamiento de hembra. Y no se produce en concentraciones extremadamente altas, sino en niveles que se encuentran en el ambiente.»

Los resultados confirman que la exposición a la atrazina desencadena varias modificaciones, como son cambios en la expresión de los genes que participan en la señalización hormonal, interferencias en la metamorfosis e inhibiciones de enzimas clave que regulan la producción de estrógenos y andrógenos, además de su repercusión en el desarrollo y en la función reproductiva normal de machos y hembras.

«Una de las cosas que se hicieron patentes durante la redacción de este estudio es que la atrazina funciona a través de diferentes mecanismos», afirma el profesor Hayes, autor principal del artículo, y añade: «Se ha demostrado que aumenta la producción de cortisol, la hormona del estrés, y que inhibe enzimas esenciales en la producción de hormonas esteroides a la

---

Los resultados confirman que la exposición a la atrazina desencadena varias modificaciones, como son cambios en la expresión de los genes que participan en la señalización hormonal, interferencias en la metamorfosis e inhibiciones de enzimas clave que regulan la producción de estrógenos y andrógenos, además de su repercusión en el desarrollo y en la función reproductiva normal de machos y hembras.

vez que aumenta otras. De algún modo, evita que el andrógeno se una a su receptor.»[38]

El estudio referido destaca los trastornos de la función hormonal y el desarrollo sexual mencionados en otros estudios sobre varios animales, e incluso en células humanas expuestas a este herbicida.

8. RESUMEN DE CAPÍTULO

En psicosociología, como en otros saberes científicos, el modelo lineal que fundara la epistemología de las ciencias experimentales entre los siglos XVI y XVIII resulta ser hoy totalmente insuficiente al confirmarse que una pequeña causa puede estar en el origen de un gran efecto múltiple (principio de la proporcionalidad).

Definitivamente el modo de reproducción cuyo origen recaería en tradiciones de predominio cultural, relativamente impuesto, entre femenino/masculino, tendría como finalidad principal mantener el % equitativo y proporcional entre ambos sexos en el mundo, entendiendo que esa recombinación supondría el enriquecimiento de esa perseguida diversidad, sin que ello fuese necesariamente aparejado a las necesidades individuales y elección del propio sujeto, que a lo largo de la historia ha devenido más bien impuesto que elegido.

Asunto que hoy día no deviene una necesidad vital, habida la diversidad de modelos de familia, así como los futuros modos de reproducción.

---

38 http://www.journals.elsevier.com/the-journal-of-steroid-biochemistry-and-molecular-biology/ Universidad de Illinois: http://www.uillinois.edu/

Es de apreciar, que, de no haber supuesto un marco normativo impuesto de origen religioso y carácter político, incluso actual en diversos países, que habría marcado fuertemente el desarrollo de las conductas sociales, la evolución de la reproducción humana habría tomado diversos modos de expresión, como así están presentes en la propia naturaleza (Partenogénesis, Macagénesis).

No vamos a tratar en este capítulo las implicaciones morales específicas que tendrían los futuribles modos de reproducción habido que no resulta la motivación de este estudio, y podría extenderse sobremanera. Resultando ese otro asunto de debate a esgrimir en posteriores artículos, y tan solo aquí se citan, los distintos modos de reproducción, que podrían tener lugar en la década venidera, habida la notable vinculación, que la autora considera, en relación a las enfermedades que podrían evitarse a partir de la reproducción mediante FIV, y una vez estandarizada, establecer el planteamiento de contemplar, desde el amplio conocimiento que nos ofrece la genética y sus posibilidades, las formas de reproducción adaptadas a nuestra sociedad de hoy. Partiendo de la hipótesis que la partenogénesis se produce en el mundo vegetal, animal y humano de forma natural, así como también en el caso de macagénesis ha sido contemplado en el reino animal de forma artificial, p. ej. Caso de los ratones hembra y de forma natural, el caso de los tiburones hembra, así como en los casos humanos citados en la investigación.

En este sentido, desde el punto de vista jurídico habría de ser adaptado lo dispuesto en los artículos;

- El delito de manipulación genética se regula en los arts. 159 a 162 CP, dentro del Título V del Libro II del CP.
- El bien jurídico protegido es doble: la integridad genética del embrión, el feto y el ser humano nacido, y la inalterabilidad del patrimonio genético de la especie humana.

- Estos delitos pueden llevar aparejada las consecuencias accesorias del art. 33.7 c) a g) CP, para empresas con o sin personalidad jurídica: clausura temporal, suspensión de actividad, intervención judicial, inhabilitación de subvenciones, prohibición definitiva de la actividad.
- Para completar la regulación penal hay que acudir a las siguientes normas: L 14/2006 de 26 de mayo, sobre técnicas de reproducción humana asistida y L. 14/2007, de 3 julio, de Investigación Biomédica.

CAPÍTULO VII
TEORÍA ASASAW CIENCIA/GENÓMICA NEURODERECHO Y RELACIÓN CON IA

¡Triste época la nuestra!

Es más fácil desintegrar un átomo que un prejuicio

-ALBERT EINSTEIN-

Capítulo VII:

Teoría ASASAW-Ciencia/genómica-Neuroderecho y relación con IA

1. NUEVO ENFOQUE DE LA GENÉTICA. LAS PALABRAS Y FRECUENCIAS MODIFICAN EL ADN

Los científicos rusos PETROVICH GARIAEV y VLADIMIR POPONIN, habrían puesto patas arriba todas las bases sentadas por la ciencia acerca de la genética, con sus investigaciones en las que demuestran que el ADN puede ser modificado mediante palabras y ciertas frecuencias, lo cual deviene revolucionario más parecido a ciencia ficción para la mayoría de la sociedad.

Fue nominado para el premio Nobel el pasado 20 de octubre de 2020, siendo que el 17 de noviembre, apenas un mes después perdería la vida.

Los investigadores rusos especializados en Biofísica y Biología molecular, GARIAEV y POPONI, convencidos de que la naturaleza entraña un lenguaje no tenido en cuenta por el momento, se unieron a lingüistas y genetistas para estudiar la función del ADN denominado basura, llegando a obtener resultados asombrosos.

GARIAEV fue el creador de la Teoría de la Genética de ondas del lenguaje, viniendo a plantear que se necesita un enfoque genético y virológico completamente nuevo, principalmente para la genética de ondas del lenguaje, que vienen desarrollando desde 1984.

2. HISTORIA DE LA GENÉTICA LINGÜÍSTICA ONDULATORIA, COMO RAMAS DEL TRONCO BÁSICO DE LA BIOLOGÍA Y LA GENÉTICA CLÁSICA

El Dr. GARIAEV y PETROVICH trabajaron en el Instituto de Problemas Físicos y Técnicos de la Academia de Ciencias de la URSS como investigador principal y líder de grupo (1984 – 1998.), Dr. Gariaev Peter Petrovich encontraron dos, previamente desconocida, tipo inusual de la memoria de las moléculas de ADN, que se registró mediante espectroscopia láser de correlación[1].

El primer tipo es la dinámica no lineal de preparaciones de ADN con retornos de modos de excitación primaria. La explicación de este fenómeno se puede encontrar en la física de los procesos no lineales, este es el regreso de Fermi Pasta Ulam (Compruebe FPU). El aparato genético utilizaría este fenómeno para la solicitud, en sus propios cromosomas, de la proyección de los programas holográficos. Dichas solicitudes se aplicarían en los sistemas biológicos en los procesos de regeneración de órganos y tejidos, Cuando se pretende proyectar la, Información de "devolución", p. ej., sobre la estructura del hígado humano regenerado, o con un cangrejo, o cola de lagarto, habido los distintos experimentos realizados, etc... Entonces habría "Devoluciones" de datos, como han demostrado los estudios. No sólo biomacromoléculas (ADN, ARN, Riboso-

1 Instituto de Lingüística de la Genética de Onda. https://wavegenetics.org/es/garyaev/aspectyi/

mas, proteínas, colágeno, etc.), Sino que también trabajarían en niveles más altos de la organización.

El segundo tipo de memoria es el efecto fantasma, el carácter dinámico de la onda en las moléculas de ADN. El medio ambiente puede ser tanto un espacio de células vivas como de tejidos, y el espacio del compartimiento de la cubeta del espectrómetro. Probablemente, este fenómeno es utilizado por los organismos para una de las especies de transmisión de largo alcance de estados de señalización cuántica de moléculas de ADN en forma de fantasmas. En la práctica, esto se puede realizar en la creación artificial de Matrices naturales, inherente en el cuerpo; Fragmentos de ADN, rellenar y reemplazar fragmentos de ADN caídos en una variedad de lesiones genéticas en humanos.

Otro apartado significativo del trabajo realizado es el ajuste del triplete existente (triatómico) Modelos de codificación de proteínas por el aparato genético de organismos. La esencia de estas enmiendas es, que fundamentaría el sistema de orientaciones contextuales de los ribosomas sobre la información del ácido ribonucleico (ARN) en el proceso de biosíntesis de proteínas. Esto significa, que introduce una fuerte proposición sobre lo real (No metafórico) Textualidad génica y pensamiento cuasi-consciente del genoma como una biocomputadora cuántica. El conocido concepto de fractalidad. En relación con los niveles de pensamiento consciente en biosistemas. Y el último punto clave es el uso del Modelo del Universo de Boma-Berkovich para la aplicación práctica de estas tecnologías.

Estas secciones de investigación científica sirvieron como base para revisar y complementar las funciones ya conocidas del ADN en el proceso de codificación genética. Así fue creada la Teoría del genoma lingüístico-ondulatorio y publicó docenas de artículos científicos en coautoría con importantes físicos e investigadores extranjeros. Cuatro monografías publicadas (Autor Dr. Gariaev Peter Petrovich). El principal resultado práctico de la investigación científica es el desarrollo de enfoques fundamentalmente nuevos para comprender la salud humana y la posibilidad de prolongar la vida activa de una persona. El punto clave de las tecnologías desarrolladas es la posibilidad de programación cuántica de células madre en el marco de programas naturales, utilizado por el propio cuerpo.

En palabras del Dr. GARIAEV, describía en su artículo publicado por el Open Journal of Genetics, en junio de 2015,[2] que, en la actualidad, el modelo del código genético (el código de biosíntesis de proteínas) propuesto hace casi 50 años por M. Nirenberg y F. Crick ha sufrido una fuerte erosión. Desde el punto de vista táctico, es cierto que la triplicidad y el sinónimo degeneración son inconfundibles. Pero el postulado de Nirenberg-Crick sobre la codificación inequívoca de los aminoácidos, es decir, la estrategia plantea dudas razonables. Las razones para dudar aparecieron muy pronto: resultó que el triplete UUU codifica tanto la fenilalanina como la leucina, lo que era inconsistente con la declaración de la no ambigüedad de la codificación ADN-ARN de los aminoácidos en las proteínas. Por otro lado, la ambigüedad se deriva automáticamente de la hipótesis de la oscilación de F. Crick relacionada con la oscilación del tercer nucleótido en codones (comportamiento aleatorio e indeterminado), lo que significa que el par codón-anticodón 3'-5' no está involucrado en la codificación, y representa una "muleta estérica". De hecho, los aminoácidos no están codificados por triplete, sino por doblete de nucleótidos en un triplete, de acuerdo con la regla "Dos de tres" de Ulf Lagerkvist. Desde esta perspectiva, las familias de codones se dividen en dos clases: 32 tripletes de codones sinónimos y 32 tripletes de codones con funciones de codificación indetermi-

---

2 GARAIEV (2015). Open Journal of Genetics,, 5, 92-109. Published Online June 2015 in SciRes. http://www.scirp.org/journal/ojgen; http://dx.doi.org/10.4236/ojgen.2015.52008.

nadas, es decir, inherente a uno de los 32 codones UUU. Estos codones "indeterminados" se han llamado homónimos. Son ambiguos, ya que codifican potencial y simultáneamente dos aminoácidos diferentes, o aminoácido y la función de parada. Sin embargo, la ambigüedad se supera en la biosíntesis real de proteínas. Esto se debe a las orientaciones de los signos de los ribosomas dentro de los contextos de ARNm [3].

Esta es la forma en que se produce la semántica de los codones-homónimos, como una analogía exacta del trabajo de la conciencia en las lenguas humanas, abundantes en homónimos. Este giro en la comprensión del código de la proteína, como formación de texto real, conduce a una fuerte idea del genoma como una estructura bioinformática cuasi-inteligente de células vivas. Ignorar esto conduce a trabajos erróneos y peligrosos de ingeniería genética, los resultados más importantes son bacterias Synthia con genoma sintético y alimentos transgénicos. La biosíntesis de proteínas es una función clave, pero no la única, de los cromosomas. Existen otras funciones holográficas y cuánticas no menos importantes relacionadas con la morfogénesis. En este plano, el trabajo del genoma, como bioordenador cuántico, se produce a nivel de onda. En este caso, la función principal es la transmisión cuántica reguladora de información genético-metabólica a nivel intercelular, tisular y de organismos utilizando una radiación de ADN fotónica coherente y sus estados vibratorios no lineales (sonido). La información de ADN lo presenta [4].

---

3 GARYAEV, P.P., et al. (2014). Method of Producing PCR Product of DNA Using Wave Replicas of DNA (Genes) and the Device for Its Implementation. 2014/06578. 8 September 2014. Gariaev, P.P., et al. (2014) Materialization of DNA Fragment and, Wave Genetics in Theory & Practice. DNA Decipher Journal, 4, 1-56.

4 Another Understanding of the Model of Genetic Code Theoretical Analysis. Petr Petrovich Gariaev

Concluye su artículo indicando que, durante 50 años de su existencia, la canonización de la dogmatización de F. Crick-M, el modelo triplete de Nirenberg del código genético de las proteínas, entró en contradicción con los nuevos hechos experimentales y el nuevo análisis teórico del funcionamiento del genoma. El principal inconveniente del modelo de código anterior es la incomprensión y la negación de la ambigua degeneración sinónimo-homónimo del código, el aspecto lingüístico real, es decir, la cuasi-inteligencia. En términos prácticos, esto condujo a la "ingeniería genética": manipulaciones desastrosas con textos de ADN cromosómico. Ahora tenemos productos que son un peligro para la Humanidad: los alimentos transgénicos y la Synthia con un genoma artificial. Otra limitación de la genética y la biología molecular obsoletas es que incluso la interpretación correcta del código de la proteína triplete es solo la punta del iceberg. Existen otros niveles de "codificación extra genómica", llamados epigenética, sin embargo, estos también permanecen en el lecho procusto del viejo e incorrecto modelo del código proteico, buscando nuevos mecanismos reguladores del mismo, no del todo comprendido, aparato sintetizador de proteínas.

Ahora debemos mirar más allá, proclama Gariaev, hacia otros ámbitos de operación del genoma. El futuro se encuentra en la comprensión estratégica y a nivel de onda de los cromosomas como biocomputadoras cuánticas con funciones cuasi-inteligentes de operación con estructuras holográficas de

---

Institute of Quantum Genetics LLC, Moscow, Russia, Email: gariaev@mail.ru; Received 16 May 2015; accepted 27 June 2015; published 30 June 2015; Copyright © 2015 by author and Scientific Research Publishing Inc. This work is licensed under the Creative Commons Attribution International License (CC BY). http://creativecommons.org/licenses/by/4.0

texto-texto de ADN, ARN y proteínas [5]. El futuro aquí está en el estudio de las funciones fantasmas del ADN y el ARN. El futuro de la genética estaría en la exploración de los principios cuánticos de no localidad del funcionamiento del ADN, revelándose como FPU, tipos holográficos y fantasmas de memoria de ADN, estas son las principales directivas de la génesis de los biosistemas y sus capacidades regenerativas. Es hora de estudiar más intensamente estas funciones particulares, nuevas y reflexivas del genoma. Esta es la trascendencia a un nivel de evolución completamente nuevo para humanidad, afirma Gariaev.

En diciembre de 2015 publica [6] nuevo trabajo en donde presenta y describe el proceso en un tipo de láser de helioneón con dos modos ópticos ortogonales. Estos modos pueden registrar modulaciones polarizadas de estructuras biológicas escaneadas en el régimen de registro de los hologramas de ondas de intensidad viajera (TIW). Este proceso se utiliza para modelar el registro y la transmisión a distancia de la información genética de las ondas.

Como lo demostraron Y.N. Denisyuk [24] y varios de sus colegas [27-31], "el holograma dinámico de las ondas de intensidad viajeras" (TIW) es un holograma único. Hace hincapié en que, de hecho, es una propiedad única (y poco conocida por

---

5 POPP F.A., (2003). In: Biophotonics and Coherent Systems. Proc., 2000, 118. 2-nd A.Gurwitsch Conf. and Add. Contrib. Eds by L.Beloussov, F.A.Popp, V.Voeikov, R.van Wijk. Moscow State University
Press. 12. Shcherbak V.I. 2003. Arithmetic inside the universal genetic code. BioSystems, v. 70, pp. 187–209. 13. Lagerkvist U. 1978. «Two out of Three»: an alternative method for codon reading. Proc. Natl. Acad. Sci., USA, v. 75, pp. 1759 -1762.

6 DNA Decipher Journal (2015) Volume 5, Issue 3, pp. 155-173. Korneev, A. A. & Gariaev, P. P., Some Aspects of Wave Gene Transmission.

el círculo más amplio de especialistas) de la holografía: su capacidad para registrar hologramas de luz directamente dentro de la luz misma, así como la reconstrucción de hologramas de "luz" (a partir de estructuras de luz) en una forma de las nuevas estructuras de luz. Es crucial tener en cuenta que este proceso, que representa una interferencia compleja de ondas de luz, no puede ser observado ópticamente directamente (por un ojo humano). Y, quizás, por eso este nunca ha llamado la atención. Sin embargo, el fenómeno de la generación y operación de hologramas de ondas viajeras de intensidad (TIW), descubierto por el académico de la Academia Rusa de Ciencias de la URSS, Yury Denisyuk, en realidad conocido desde 1974, fue probado repetidamente por experimentos especiales, así como por una variedad de trabajos relevantes y cálculos matemáticos.

Describe Petrovich la Orientación del signo del fenómeno de holografía TIW en tres aspectos;

> 1. En la "zona de intersección" interna de los haces de luz que colisionan, es decir, dentro de la biomuestra no lineal, se viola la ley clásica de refracción (ley de Snell). Y por esta razón, el fenómeno de interacción entre dos haces de fotones materiales (emparejados) se vuelve, por un lado, posible y, por otro, invisible a simple vista de un observador normal.
> 2. Una vez que los dos haces de luz salen de la zona de intersección, las leyes clásicas de Snell se restauran automáticamente y cesa la interacción especial de los frentes de onda (haces) de luz. Es por eso que los haces de luz que colisionan, que consisten en material, como se dice comúnmente, fotones, después de su interacción real en la zona interior de intersección, al salir de esta zona no contienen ningún rastro de esta interacción, ni grabación, ni reconstrucción de hologramas.
> 3. Ahora está claro que el sistema láser utilizado por nosotros en experimentos genéticos, es un nuevo método práctico y visual para identificar el fenómeno de la operación oculta del holograma TIW.
>
> Manifestación del holograma TIW: Recordemos de qué se trata una onda de intensidad viajera. Entre 1974 y 1978, Yury Nikolaevich Denisyuk llamó la atención sobre las posibilidades de registrar objetos en movimiento utilizando una nueva clase de medios de grabación ópticos no lineales, que permitía

> la grabación dinámica simultánea y la lectura de información sobre un objeto sin estabilizar los patrones de interferencia de desplazamiento[7]. Yury Nikolaevich revisó las propiedades de reflexión más comunes de una nueva clase de hologramas: hologramas dinámicos con la grabación en medios cúbicos no lineales. Esta revisión lo llevó a predecir una propiedad sorprendente de los hologramas dinámicos de un objeto en movimiento: el enfoque automático de la radiación en el objeto y la predicción de su posición en el espacio, determinada por su velocidad actual [8].

Un holograma de la onda de intensidad viajera ocurriría solo en medios cuadráticos no lineales y en la zona interna de intersección de haces de luz en colisión (dentro de la biomuestra). En este sentido el holograma se registraría (y se reconstruye a sí mismo) solo en presencia de haces de luz con diferentes componentes de frecuencia polarizada de las ondas de información de luz.

---

7 KUKUSHKIN A.K. (s.f). Metodi biofizicheskih issledovanii Opticheskie svoistva molekul http_//biomed0340.narod.ru/optic.doc. Lazernaya spektroskopiya kvaziuprugogo rasseyaniya _ Lazernaya diagnostika v biologii i medicine. http://lekmed.ru/info/arhivy/lazernaya-diagnostika-v-biologii-i-medicine-9.html Yu.N.Denisyuk i trehmernaya opticheskaya golografiya; http://3d holography.ru/d/80685/d/kak_eto_bylo._yund_i_50_let__red_6_03_2011.doc. Yu.N Denisyuk. JTF 44, 131, 1974, Yu.N Denisyuk. Pisma v JTF 7, 641, 1981.Denisyuk Y.N, Andreoni A., Bondani M., Potenza M.A., C. Optics Letters, 25, 890. 2000.

8 «Kvadratichnaya sreda», Bolshaya Enciklopediya Nefti i Gaza, http//www.ngpedia.ru/id472500p1.html Yu.T.Mazurenko, Golografiya vremeni , spektralnaya golografiya i spektralnaya nelineinaya optika, http//3d_holography.ru/golografiya_segodnyap=1
D.I. Staselko, «Yurii Nikolaevich Denisyuk _ osnovopolojnik trehmernoi opticheskoi golografii. Kak
eto bilo. K pyatidesyatiletiyu otkritiya fizicheskogo yavlehttp: //3d-holography.ru/denisukdiary

En otro sentido los hologramas de ondas de intensidad viajera en principio son adecuados para su uso especialmente con procesos de ritmo rápido, hasta la proporción de femtosegundos, que corresponde a la velocidad de los procesos biológicos vivos. Los átomos en tales intervalos de tiempo serían prácticamente inmóviles. Solo quizás en cientos de femtosegundos es posible observar cualquier desplazamiento de átomos en una red cristalina, en unidades de decenas de femtosegundos los átomos pueden considerarse simplemente inmóviles, y en este dominio predominan los electrones y diversos efectos electrónicos [9]. Pero los electrones, de hecho, también se mueven con diferentes frecuencias, diferentes velocidades. Es decir, los electrones externos se mueven más lentamente, los electrones atómicos internos se mueven más rápido. La palabra "moverse" significaría que se observan con cierta probabilidad en lugares alrededor de un átomo, sin embargo, si se inicia cualquier proceso no estacionario, por ejemplo, excitar un átomo de cualquier manera o noquear un electrón, entonces se verá un interflujo de funciones de onda. En los casos de procesos rápidos, en los que se transfieren cargas, como en el caso de los electrones y los protones, significa, conforme explica Gariaev, que se puede observar radiación electromagnética, en la que su frecuencia corresponde exactamente al tiempo de transición típico de este proceso. Por lo tanto, si se observa el proceso en detalle y se registra su estallido de radiación elec-

---

9 GARIAEV P.P., (1997). Volnovoi geneticheskii kod. Monografiya. M. 108s. Tertishnii G.G., Garyaev P.P. 2007. Volnovie geneticheskie nanotehnologii upravleniya biosistemami. Teoriya i eksperimenti. Novie medicinskie tehnologii_ № 7, s. 49-64. Gariaev P.P., Chudin V.I., Komissarov G.G., Berezin A.A., Vasiliev A.A. 1991. Hologrphic Associative Memory of Biological Systems. Proceedings SPIE, The International Society for Optical Engineering. Optical Memory and Neural Networks., USA, v. 1621, pp. 280-291. Allison S.A., Sorlie S.S., Pecora R. 1990. Brownian Dynamics Simulations of Wormlike chains.

tromagnética, es posible, descifrando este estallido, aprender algo sobre el proceso en sí. Recientemente, se habría aplicado a una proteína interesante: la bacteriorodopsina. Esta es una proteína única. En realidad, se produce de forma natural en cierto tipo de bacterias, además, es una proteína integral de membrana, es decir, se encuentra en la membrana, realizando la siguiente función; es una proteína sensible a la luz: cuando se ilumina, se produce un ciclo de reacción fotoquímica que provoca diversas reconfiguraciones de la proteína, lo que resultaría en la transferencia de un protón de un extremo de la molécula a otro. Dado que esta proteína está incrustada en la membrana, resulta que cuando se expone a la luz actúa como una bomba de protones. Bombea protones de una región a otra y luego los libera.

Hay estadios con escalas de tiempo completamente diferentes en esta proteína. En general, todo el ciclo dura aproximadamente 20-30 milisegundos, es decir, es bastante lento. Sin embargo, ciertas etapas toman microsegundos, otras etapas toman nanosegundos e incluso picosegundos, hay 12 etapas de varias transiciones dentro de esta molécula. La primera respuesta a la luz tarda entre 1 y 2 picosegundos. Para comprender la dinámica de este proceso se requiere una técnica con resolución temporal de menos de un picosegundo, es decir, en el rango de los femtosegundos, es deseable resolver al menos cientos o decenas de femtosegundos, utilizando esta técnica. Por lo tanto, concluiría Gariaev, que los hologramas TIW dinámicos son la herramienta con la que sueñan los físicos y biólogos. Con la ayuda de la holografía dinámica se ha hecho posible para transformar y formar nuevos haces de luz que difieren en frecuencia en decenas y cientos de por ciento[10] . Habiendo registrado este fenómeno especial en un sistema experimental: una ocurrencia

---

10 BURLAKOV A.B., BURLAKOVA O.V., GOLICHENKOV V.A. (1999). Distantnie vzaimodeistviya raznovozrastnih

inusual de oscilaciones de radiofrecuencia, que se correlacionan con el contenido de información de los objetos biológicos, irradiados con luz láser. En este punto refiere Gariaev, explicaría ese mismo fenómeno, que durante mucho tiempo no tuvo explicación, desde una nueva perspectiva. Y proponiendo solo una versión de este fenómeno, explicando de dónde proviene la señal de radio que transporta información genética que funciona activamente. Esta versión complementaría la hipótesis previamente propuesta por nosotros Gariaev, de la ocurrencia de Radiación Electromagnética de Banda Ancha Modulada (MBER) basada en la teoría de la luz localizada[11].

La señal de radio sería generada por un holograma TIW dinámico debido a la lectura de respuestas rápidas (hasta femtosegundos) del conjunto de todas las moléculas ópticamente activas de la biomuestra, incluyendo ADN, ARN y proteínas, a la compleja irradiación láser. Dicha señal es parte de la radiación electromagnética de banda ancha modulada secundaria del láser dado. Dicha radiación electromagnética de banda ancha modulada es un fenómeno paralelo a la operación del holograma TIW y aún no se ha explorado por completo. Este fenómeno se manifiesta a través de la transformación de la respuesta integral a la luz de la biomuestra que también incluye ADN cromosómico, cuando se lee el contenido informativo del ADN. El contenido de información de la radiación electro-

---

embrionov vyuna. DAN, T. 368, № 4, s. 562_564. Budagovskii A.V._ Turovceva N.I._ Budagovskii I.V. 2001. Kogerentnie elektromagnitnie polya v, distancionnom mejkletochnom vzaimodeistvii. Biofizika. T. 46_ № 5_ s. 894_900.

11 GARYAEV P.P., KOKAYA A.A._ LEONOVA_GARYAEVA E.A., MULDASHEV E.R., MUHINA I.V., SMELOV M.V., TERTISHNII G.G., TOVMASH A.V., YAGUJINSKII L.S. (2007). Teoreticheskie modeli volnovoi genetiki i vosproizvedenie volnovogo immuniteta v eksperimente. Novie medicinskie tehnologii_ Novoe medicinskoe oborudovanie_ № 1.

magnética de banda ancha modulada también sería contribuido por todas las demás moléculas ópticamente activas (metabolitos) de la biomuestra analizada: aminoácidos, nucleótidos, vitaminas, ácidos orgánicos, etc.

Resultaría importante tener en cuenta dos hechos fundamentales conforme señala Gariaev;

> El primer hecho, es que la red dinámica de ondas de intensidad en nuestro holograma TIW tiene una resolución muy alta, lo que facilita la lectura y el registro de las subestructuras de ADN, ARN, proteínas y metabolitos de bajo peso molecular en tamaños muchas veces más pequeños que una cuarta parte de la longitud de onda del láser (posiblemente, hasta el nivel atómico)[12].
>
> El segundo hecho es que una red dinámica de alta resolución de ondas de intensidad de luz, que funciona como un espectrómetro, y esta red al mismo tiempo es impredeciblemente altamente dinámica dentro de las células vivas in vivo, y también cuando realizamos el escaneo láser del sustrato biológico in vitro. Esto permite realizar un escaneo exhaustivo de muestras biológicas. Es decir, el escaneo integral de todo el contenido de información volumétrica de la biomuestra en una señal de radio no lineal de modulación compleja, como radiación electromagnética de banda ancha modulada. Sin embargo, esta es solo una forma particular de respuesta, ya que existen otras formas de respuesta, en términos de la llamada "óptica no lineal". Cualquier célula viva, un tejido biológico u organismo buscará naturalmente adaptarse a la exposición directa al láser desconocida, así como a la radiación electromagnética de banda ancha modulada secundaria. Si esta señal de Radiación Electromagnética de Banda Ancha Modulada se registra y luego se "lee" de cierta manera, entonces cada célula de otro organismo que "escucha" esta Radiación Electromagnética de Banda Ancha Modulada puede recibir el programa de señal

---

12 GARIAEV P.P., BIRSHTEIN B.I., IAROCHENKO A.M., MARCER P.J., TERTISHNY G.G., LEONOVA K.A., KAEMPF U. (2001). The DNA-wave biocomputer. «CASYS», International Journal of Computing Anticipatory. Systems (ed. D.M.Dubois), Liege, Belgium, v. 10, pp. 290-310, http://www.rialian.com/rnboyd/ dna wave.doc

para funcionar en una dirección inversa. Por ejemplo, para iniciar procesos de envejecimiento inverso en el organismo, como vemos en algunos casos de aplicación práctica de la Radiación Electromagnética de Banda Ancha Modulada[13].
Ahí está el tercer hecho. Todos los procesos anteriores tienen lugar en un espacio-tiempo específico del biosistema. Como resultado, se observa un fenómeno no trivial. En la aplicación práctica de nuestras tecnologías láser, probablemente tengamos alguna reconciliación del biosistema en su tiempo y espacio con su propio plano informativo, a partir del cual el biosistema había sido materializado por la Naturaleza. Estas son las ideas de Bohm y Berkovich acerca de algún Holograma Universal o Universo Físico, donde el ADN cromosómico de cualquier biosistema representa un "código de barras" a su estado estructural y funcional, necesario en un momento dado específico del tiempo. Con esto, realizamos algunas correcciones de la salud humana. Esto corresponde a la afirmación de Bohm-Berkovich sobre la Información universal (holograma), que refleja toda la vida manifestada, desde el nacimiento hasta la muerte [14]. En este sentido[15], la Radiación Electromagnética de Banda Ancha Modulada de la sangre del cordón umbilical y la placenta de los recién nacidos es, probablemente, una

---

13 PETER PETROVICH GARIAEV. (2016), Some Aspects of Wave Gene Transmission.
Dynamics Light Scattering from 2311 Base Pair DNA Fragments. Macromolecules, v. 23, pp. 1110-
1118. Garyaev P.P., Tertishnii G.G., Tovmash A.V. 2007. Eksperimentalnie issledovaniya in vitro po golograficheskomu otobrajeniyu i perenosu DNA v komplekse s informaciei, ee okrujayuschei. Novie medicinskie tehnologii, № 9, s. 42-53.

14 GARIAEV P.P. (s.f) I dr. Sposob i ustroistvo registracii radiovolnovih spektrov obektov. RST/RU2011/000790 ot 16.12.2011. Garyaev P.P. i dr. Cposob upravleniya metabolizmom biosistem i sistema dlya ego realizacii. RST/RU2011/000790 ot 10.10.2011.

15 GARIAEV P.P., KOKAYA A.A., MUKHINA I.V., LEONOVA-GARIAEVA E.A., KOKAYA N.G., (2007). Vlijanie modulirovannogo biostrukturami electromagnitnogo izluchenija na techenie alloksanovogo saharnogo diabeta u kris. Bulleten Eksperimentalnoi Biologii i Medicini, № 2, s.155-158.

especie de direcciones (códigos de barras) a sus planos holográficos que utilizamos para normalizar la salud de las personas. Además, probablemente estos dos objetos (el hombre y su holograma de Bohm) no sólo coexisten, sino que también interactúan fuerte e intensamente. Aquí vemos otra propiedad sorprendente de los hologramas dinámicos de ondas de intensidad viajera.

Omitiendo explicaciones detalladas, diremos solo las más importantes. Como ya se ha mencionado, la imagen de luz, reconstruida a partir de un holograma TIW y combinada con su original, es totalmente equivalente en lo que respecta a la información[16]. En la holografía convencional hay una propiedad común: durante la reconstrucción de un holograma no sólo se crea la imagen principal del objeto, sino que también se crea una segunda imagen pseudoscópica "virtual" del original. Y, por regla general, esta imagen "virtual" se considera interferente y parasitaria.

Por lo tanto, se está combatiendo en todos los sentidos, como si estuviera tomando energía de la útil imagen "real" del original. Este no es el caso de los hologramas TIW. Se ha demostrado experimentalmente que en los hologramas TIW la composición espectral de la radiación pseudoscópica ("virtual") de la imagen está distorsionada de acuerdo con la ley del efecto Doppler. Y, por lo tanto, la radiación de la imagen virtual no afecta a la estructura del holograma TIW. ¿Qué significa esto en la práctica? Esto significa que, aunque se genera un sistema de ondas estacionarias dinámicas de material dimensional (el modelo del objeto capaz de registrar y reconstruir cualquier objeto real), no es capaz de crear una imagen "virtual". Al principio, asumieron que en la holografía TIW ningún medio era capaz de reproducir una sutil oscilación de intensidad de alta frecuencia. Sin embargo, esto fue un error. Además, se encontró que cualquier oscilación es reproducible. Pero lo más importante fue el hecho de que el holograma TIW comenzó a generar una sola imagen, idéntica al objeto original.

---

16 GARIAEV P.P., 2009, Lingvistiko-Volnovoi Genom. Teorija i Praktica. Monogr. Kiev. 220 s.

> La imagen "virtual" siempre se suprime automáticamente (se autoextingue) y el haz "real" (Ax) siempre se amplifica [17]. Por lo tanto, eventualmente, solo la imagen de información, que codifica el biosistema, es dominante, que, como ya hemos señalado, está completamente reconciliado con el biosistema real. Esto significa que el sistema biológico real recibe, como si se amplificara, un doble "marco" de información. Y así el biosistema recibe una poderosa fuente de energía-información y una oportunidad directa para la corrección suplementaria de su estructura, si poseemos la tecnología apropiada. No se examina aquí el contenido específico de dicha corrección complementaria[18].

Sin embargo, el contenido semántico de este fenómeno (en nuestro caso) puede expresarse como en la Biblia: "Hagamos al hombre a nuestra imagen, a nuestra semejanza..." (Génesis 1:26).

Otro experimento en el mismo sistema láser, afirma Gariaev, puede tener consecuencias interesantes y significativas. Si en el curso del experimento se retira la biomuestra irradiada original del banco de ajuste, entonces todo permanecerá sin cambios durante un tiempo, porque el objeto real será completamente sustituido por su copia holográfica completa, que informativa y físicamente no se puede distinguir del original. En este sentido, no sólo existen hechos experimentales directos dentro de la genética ondulatoria (imágenes fantasmas) [19],

---

17 Yu.N.Denisyuk_ Ob otobrajayuschih svoistvah beguschih voln intensivnosti pri zapisi dinamicheskih obemnih gologramm_ http//www.numbernautics.ru/content/view/488/

18 GARIAEV P.P., TERTISHNII G.G., TOVMASH A.V., (2007). Eksperimentalnie issledovanija in vitro po holograficheskomu otobrajeniju i perenosu DNA v komplekse s informaciei ee okrujajushei. Novie medicinskie technologii, № 9, c. 42-53.

19 GARYAEV ET AL, (2014). Metod of producing PCR product of DNA Using Wave Replicas of DNA (Genes) and the Device for its Implementation. 2014/06578. 8 september 2014; Gariaev et al,

sino análogos puramente físicos, implementados a nivel atómico, como se describió, por ejemplo, en el artículo [20]. Los fenómenos fantasmas pueden ilustrarse de una manera diferente [21], si vemos esto de la siguiente manera conforme explica Gariaev;

> Observamos (o nos parece) la manifestación de algo que no es físico (o no está presente en la realidad), P ej., podemos grabar en un holograma una lente óptica ordinaria, y luego, después de un tratamiento químico o manifestación del holograma, usar este "holograma de lente" perfectamente plano como una lente real a la luz del sol. Y reemplazará físicamente con éxito a una lente real que, aunque estructural y físicamente, no lo parece[22]. Esta es otra propiedad fundamental de la holografía: la holografía es un sustituto directo de la realidad. En los experimentos biológicos, este fenómeno también encuentra confirmación práctica. Es decir, en los fenómenos detectados durante la transferencia del contenido de información del biosustrato más simple: el "espectro de radiación electro-

---

2014. Materialization of DNA Fragment in Water through Modulated Electromagnetic Irradiation. Preliminary Report.DNA Decipher Journal | | Vol. 4 | Issue 1 | pp. 01-02. ISSN: 2159-046X DNA Decipher Journal Published by Quantum Dream, Inc. www.dnadecipher.com 33. Montagnier et al, 2012. Remote transmission of electromagnetic signals including nanostructures amplifiable into a specific dns sequence. WO 2012 142565 A2. PCT/US 2012/033 765.

20 A.A. Korneev, Golograficheskaya interpretaciya nanostrukturnogo fenomena Dona Aiglera , Don Eigler,, http_//www.numbernautics.ru/chislo, g/222 don cigler.

21 STASELKO D.I._ DENISYUK YU.N._ SIZOV V.N.. OPT. I SPEKTR. (2002).
http://www.numbernautics.ru/artefact-real/707—5.

22 GARIAEV P.P., PRANGISHVILI I.V., TRETISHNII G.G., MOLOGIN F.V., LEONOVA E.A., MULDASHEV E.R., (2000). Geneticheskie strukturi kak istocnik I priemnik golograficheskoi informacii. Datchiki I Sistemi, № 2, s. 2-8. Jiang Kanzhen. 1981. The method to change organism's heredity's and the device to transmit biological information. Soviet Union Patent № 1828665.

> magnética de banda ancha modulada de glucosa" (en formato de audio mp3) a muestras de agua purificada. El resultado fue un equivalente de glucosa fantasma manifestado en agua, que proporcionó una reacción de color de calidad a la glucosa en tiras reactivas.

Conforme a las investigaciones manifiestas El ADN humano es como un internet biológico, indica Gariaev, y muy superior a cualquier sistema artificial, y en el mismo ADN se encontraría la explicación a fenómenos como la clarividencia, la intuición, y la sanación espontánea, la curación remota, la autosanación, el color y el tamaño del aura que rodea a las personas, la influencia de la mente en los patrones del tiempo atmosférico, entre otros muchos.

Para llevar a cabo la investigación se unieron dos ramas distintas, la lingüística y la genética.

El ADN no solo es responsable de la construcción de nuestro cuerpo, sino que también serviría como almacenamiento y comunicación de datos.

El equipo de lingüistas descubrió que el código genético seguiría las mismas reglas que todos los lenguajes humanos, sigue las reglas de los idiomas del mundo.

Descubrieron que los alcalinos de nuestro ADN, siguen una gramática regular y tienen reglas fijas similares a cualquier lengua, lo que llevó a pensar que los lenguajes humanos no aparecieron por casualidad, sino que son una proyección de nuestro ADN, ya que fueron capaces de descubrir que los cromosomas funcionan como computadoras solitónico holográficas, que utilizan (o utilizaron) la radiación laser en el ADN endógeno, insertaron ciertos patrones de frecuencia en un rayo como el láser que influiría en la frecuencia del ADN y por tanto en su información genética.

También la sustancia de ADN en el tejido vivo reacciona a las reacciones de frecuencia de la lengua, ya que las palabras y frases emiten una frecuencia vibratoria, con independencia de qué idioma utilicemos, no se necesita decodificación, porque la estructura básica de los pares alcalinos del ADN y del lenguaje vendría a ser la misma. Por ello argumenta que temas como la hipnosis puede tener un gran efecto en los seres humanos y en sus cuerpos, habido que vendría a ser plenamente natural para nuestro ADN reaccionar al lenguaje.

Los investigadores más innovadores en genética hasta hoy, CRISPR, cortan los genes y los filamentos de ADN y los insertan en otro lugar, sin embargo PETROVICH y su equipo, crearon aparatos de frecuencia de radio moduladas y de luz, que influyeron en el metabolismo celular, reparando los defectos genéticos.

La utilización de la vibración y las frecuencias de sonido y el lenguaje, en lugar del antiguo procedimiento de corte, supone una revolución dentro del mundo de la genética.

PETROVICH y su grupo probaron con gran éxito cómo lo cromosomas dañados por los rayos x pueden ser reparados con este método, e incluso capturaron patrones de información de un ADN concreto y lo transmitieron a otro, por tanto, reprogramaron las células de otro genoma.

En uno de los experimentos transformaron con gran éxito embriones de rana a embriones de salamandra, mediante la transmisión de los patrones de información de ADN.

El estrés, la preocupación, o un intelecto hiperactivo podría impedir esta comunicación del ADN, provocando que la información llegue distorsionada y e inútil.

Conforme afirma la investigación, nuestras moléculas de ADN son antenas, y no solo el ADN sino también las proteínas, debido a que contienen átomos de metales, en forma de antenas espaciadas espacialmente, que recibirían información cósmica dirigida.

La Teoría de la Genética de Onda dice que nuestro aparato genético construye el organismo con ayuda de ondas electromagnéticas y acústicas de diferente longitud, y además el organismo no solo las recibe del exterior, sino que también las genera él mismo.

Por primera vez en la historia se ha demostrado que el ADN puede funcionar como un láser. Nuestro aparato genético y la de cualquier ser vivo representa una estructura que emana luz, siendo que esta luz está en un espectro de longitud de onda diferente no visible.

Podría afirmarse que dedicó su vida, hasta su fallecimiento en 17 noviembre de 2020, a contribuir en el conocimiento del comportamiento de la genética como puede decirse, pocos investigadores habrían realizado, alcanzando a revolucionar nuestra comprensión del ADN. Conocido, entre otros, por su descubrimiento en 1984 del efecto del ADN fantasma, mediante el cual un rastro electromagnético todavía es detectable en el agua después de que el ADN haya sido eliminado de la solución. Sus descubrimientos y teorías que desarrolló en el sistema de tratamiento práctico conocido como Wave Genetics es la culminación de su comprensión y la combinación de la biofísica cuántica con la medicina clínica, a través de la cual personas comunes se beneficiaron de la autocuración provocada por la genética de las ondas para las afecciones que la medicina convencional les había dicho que eran incurables.

La dificultad principal en el medio diagnóstico utilizado hoy por la medicina convencional recaería, en la no detección del cuerpo electromagnético del cuerpo humano, en donde sí podría recogerse el origen de la enfermedad aún no presente de forma visible a los medios de diagnóstico convencionales, pero que sin embargo ya el paciente estaría sintiendo a través de síntomas diversos, entre los que se encontrarían las alteraciones de la frecuencia cardíaca, etc.

En este sentido el Professor Konstantin Korotkov[23] habría desarrollado tecnología, la cual ha presentado en diferentes congresos de ciencia, pero que sin embargo no ha alcanzado a llegar a occidente.

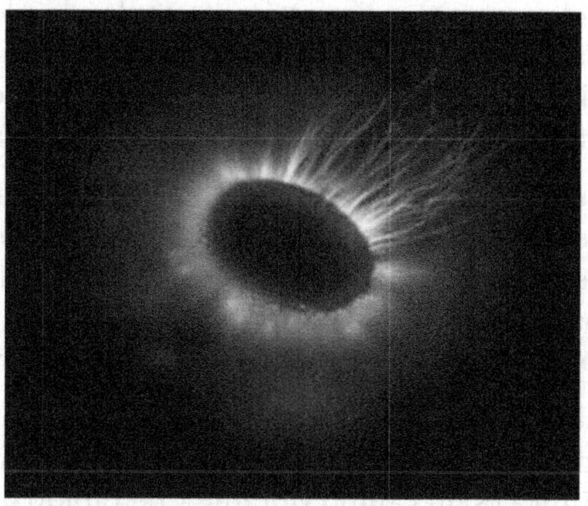

Tomada por Roger S Meacock[24,25]

Esta es una fotografía que mostraría emisiones de biofotones alrededor de un dedo (de extremo a fin). Los dispositivos que capturan y miden biofotones se han convertido en herramientas de diagnóstico, como el GDV desarrollado por el profesor Konstantin Korotkov, quien ha publicado una serie de artículos de investigación sobre imágenes electrofotónicas y su uso en el diagnóstico, así como la base científica de la medicina integrativa, la energía de la conciencia y la ciencia emergente del agua.

---

23 https://www.iumab.org/professor-konstantin-korotkov/

24 https://naturalhealingsolutions.co.uk/science

25 The product consists of a desktop camera and accompanying software, which allows a user to quickly and easily conduct energy scans. More https://www.iumab.org/professor-konstantin-korotkov/

Así pues, la biofísica habría de representar la disciplina más acuciante para ayudar a los profesionales de la medicina y a la sociedad a comprender cómo funciona en su conjunto la biología, ciertamente en comparación con la bioquímica, sin embargo, por el momento no se está contemplando plenamente, aun cuando debiera ocupar el lugar primordial de la comprensión biológica y, por lo tanto, médica, donde habría de situarse para el completo entendimiento del cuerpo humano.

Ciertamente ayudan los avances en física tales como las investigaciones de los físicos Alain Aspect, John F. Clauser y Anton Zeilinger galardonados con el premio Nobel de Física 2022 por su trabajo pionero en la información cuántica, la ciencia que describe la naturaleza en las escalas más pequeñas.

Sus resultados han despejado el camino para nuevas tecnologías basadas en información cuántica. "La ciencia de la información cuántica es un campo vibrante y de rápido desarrollo", afirmaba Eva Olsson, miembro del Comité Nobel de Física.

Sin embargo, estos y todos los trabajos mencionados en esta investigación no habrían de quedarse extramuros de un laboratorio, inaccesibles para la sociedad supeditados a la priorización de los intereses económicos y políticas de cada país.

El trabajo de Gregor Mendel sobre el guisante de jardín es comúnmente reconocido como el comienzo de lo que más tarde se conoció como la herencia mendeliana y sigue siendo la base de la comprensión convencional de la genética moderna después del trabajo publicado por Mendel en 1866. El reconocimiento que se remonta a 1910 de los cromosomas y de los genes que ocupan estaciones específicas en los cromosomas sigue siendo la base de nuestra comprensión de la genética actual.

En 1953, Crick y Watson dilucidaron la estructura de doble hélice del ADN junto con los pares de nucleótidos que les valieron el Premio Nobel. Esto llevó a la interpretación de secuencias de nucleótidos como codones que codifican ciertos aminoácidos. Uno esperaría que un sistema de genes y secuencias de ADN que codifican para organismos eucariotas tan complejos requiriera una codificación muy precisa y exacta, pero desde entonces se ha demostrado que no existe. Por ejemplo, resulta que el triplete UUU codifica tanto para la fenilalanina como para la leucina, lo que es inconsistente con la falta de ambigüedad declarada de la codificación ADN-ARN de los aminoácidos en las proteínas. En consecuencia, Crick desarrollaría la hipótesis de la oscilación de la Tierra para explicar que el tercer nucleótido en los codones es algo fluido porque hay una variedad de codones diferentes dentro del ADN que no corresponden a un solo aminoácido.

El Dr. Craig Venter dirigió el Proyecto Internacional del Genoma Humano que redactó la primera secuencia del genoma humano. Llegaron a la conclusión de que solo alrededor del 5% de los tripletes codificadores de ADN se utilizan para dirigir nuestra construcción y función. El resto se consideraba ADN «basura», aunque esta idea ha sido revisada desde entonces[26].

Independientemente de esta comprensión ahora imprecisa del ADN que indica que debe haber otros factores en su funcionamiento, no ha impedido que se confíe en esta comprensión limitada considerar que solo a través del empalme de genes con tecnología como CRSIPR se pueden alterar nuestros genes y, por lo tanto, ciertas características físicas y/o funcionales. Por tanto, devendría equívoco considerar que CRISPR no permite tales cambios en un nivel, ello sobre la base de que tenemos una comprensión incompleta de cómo funciona el ADN, tampoco podemos tener una comprensión completa de

---

[26] Consorcio Internacional de Secuenciación del Genoma Humano: Secuenciación Inicial y Análisis del Genoma Humano, Nature, Vol 409 pp 860-921. 2001.

todas las implicaciones de tales tecnologías de empalme y edición de genes, incluida la nueva ola de «vacunas» de ARNm.

El panel de científicos rusos tomaría una perspectiva de investigación diferente para llegar a su comprensión del ADN que los científicos occidentales habrían ignorado. Así en 1925, A.A. Lubishchev[27] reconoció que nuestro ADN y nuestros genes no son el código del organismo vivo en sí mismos, sino que son el vínculo con nuestro campo de bioinformación, donde esta información reside y opera a nivel cuántico como ondas y campos. Esto confirmó lo que el AG Gurvich ya había propuesto. Otro ruso, N. Beklemishev[28], llegó a la misma conclusión a través de su trabajo unos años más tarde.

Cuando el Dr. Peter Gariaev, miembro de la Academia Rusa de Ciencias, así como de la Academia de Ciencias de Nueva York, reunió a su equipo para investigar el ADN, ya reconoció que no se trataba solo de secuenciar los nucleótidos y codones. Adoptó un enfoque más amplio e incluyó en su equipo de investigación a biofísicos, biólogos moleculares, embriólogos e incluso expertos en lingüística. Llegaron a la conclusión de que el supuesto ADN basura que ha sido completamente denostado por la ciencia occidental dominante no era un residuo redundante de la evolución en absoluto. Los estudios lingüísticos revelaron que la secuenciación de los codones del ADN «no codificante» sigue las reglas de la sintaxis gramatical que da contexto al ADN codificante. El equipo del Dr. Gariaev descubrió que hay una estructura y una lógica definidas en la se-

---

27 Biofotónica y Sistemas Coherentes en Biología por L. V. Beloussov (editor), V. L. Voeikov (editor), V. S. Martynyuk (editor), Springer Science+Business Media, LLC., 2007, Nueva York.

28 Principles of comparativa anatomy of invertebrates, Tradujo al inglés en 1969 bajo el título Principios de anatomía comparada de los invertebrados (Univ. of Chicago Press, 2 v. xxx + 490 p. vii + 529 p.) y traducido a muchos idiomas.

cuencia de estos tripletes, que crearían un lenguaje biológico tal que los codones forman efectivamente palabras y oraciones, al igual que nuestro lenguaje hablado sigue las reglas gramaticales[29].

El Dr. Gariaev continuó su investigación sobre la función del ADN y llegó a la conclusión de que, debido a su base ondulatoria y de partículas y en línea con sus características lingüísticas, el ADN funciona a nivel electromagnético y acústico y, por lo tanto, puede reprogramarse utilizando la frecuencia como sonido y palabras[30].

En relación a ello llevó a cabo un singular experimento en el que proyectó un láser de baja potencia a través de algunos embriones de salamandra, extrayendo su espectro, en un recipiente sobre algunos embriones de rana en otro recipiente separado. Los embriones de rana se convirtieron en salamandras adultas. Esto demostró que no solo el ADN tiene un aspecto informativo que determina su expresión, sino que es posible recoger y transferir esta información utilizando láseres, y que después de la transferencia esta información sigue siendo coherente por su capacidad para dirigir con éxito los embriones de rana para expresar la información del ADN de la salamandra.

---

29 LEONOVA-GARIAEVA, Y GARIAEV, PETER Y FRIEDMAN, MARK Y LEONOVA-GARIAEVA, EKATERINA. (2011). Principios de Genética de Ondas Lingüísticas. Diario de Desciframiento de ADN.

30 GARYAEV P.P., VASILIEV A.A., BEREZIN A.A., (1991). El genoma como ordenador holográfico, HIPÓTESIS. N1, 1991-1992g.g., c. 24-43; 49-64.

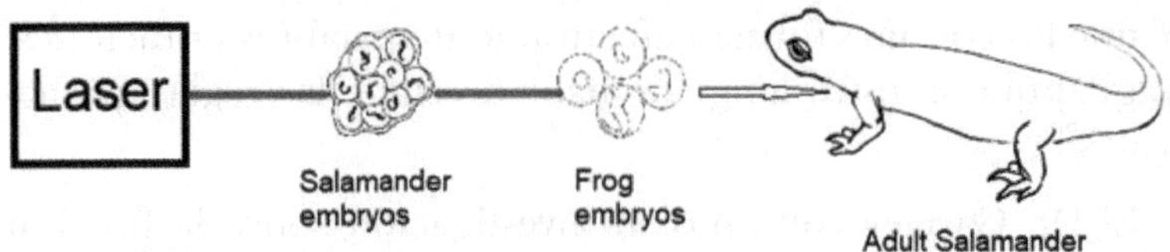

Garaiev- Roger S Meacock

El Dr. Gariaev postuló que el genoma es multidimensional y existe en un continuo cromosómico, una onda estable que viaja por todo el organismo a lo largo del ADN de doble hélice altamente estructurado y contiene la información genética en forma de hologramas electromagnéticos y acústicos. Consideró que estos hologramas que crean nodos en el holograma universal como registro de todo lo que es y ha sido, son el verdadero registro de nuestro mapa genético.

El Dr. Gariaev realizó otro experimento en el que a ratas de laboratorio se les administró una toxina pancreática llamada aloxano que indujo un estado diabético. Un tercio de estas ratas no fueron tratadas como grupo de control y ninguna sobrevivió después de 4-6 días. Justo antes de morir, las ratas tratadas fueron expuestas a la información de ADN capturada del páncreas de una cría de rata sana. Más del 90% de las ratas tratadas sobrevivieron y recuperaron su función pancreática al día 10, incluido un grupo que estaba a 20 km de la fuente de la matriz[31]. Con este experimento, el Dr. Gariaev demostró que la información recopilada de los órganos que funcionan correctamente se puede utilizar para dirigir los órganos enfermos

31 GARIAEV, P.P., KOKAYA, A.A., MUKHINA, (2007). I.V. et al. Efecto de la radiación electromagnética modulada por bioestructuras en el curso de la diabetes mellitus inducida por aloxano en ratas. Bol Exp Biol Med 143,197–199. https://doi.org/10.1007/s10517-007-0049-3.

para que se reparen y recuperen la función. Del mismo modo, la información curativa dentro de los productos curativos naturales, como hierbas, jalea real, etc., que ayudan a instruir al cuerpo sobre cómo autocurarse, también se puede capturar utilizando esta técnica láser y convertirla en sonidos.

El ADN también está muy estrechamente ligado en su estructura de doble hélice al agua. Luc Montagnier reconoció que el espacio entre una vuelta de la doble hélice es tal que una sola molécula de agua se encuentra entre cada vuelta. Publicó una variación del experimento del Dr. Gariaev de 2003 que demostró que el ADN funciona a nivel ondulatorio e informativo. El Dr. Montagnier utilizó diluciones homeopáticas de ADN bacteriano que habían transferido su frecuencia de firma a agua pura «en blanco», de modo que la PCR pudo reconstruir una réplica casi exacta de la secuencia de ADN bacteriano. Esta capacidad de generar el ADN por PCR se mantuvo incluso después de que la señal electromagnética se enviara por correo electrónico a un laboratorio distante antes de reconstruir el ADN[32].

Con estos y otros experimentos, el Dr. Gariaev demostró que los datos genéticos y la información contenida a nivel cuántico pueden ser capturados, transferidos e influenciados mediante ondas electromagnéticas y acústicas.

El Dr. Gariaev llegaría a afirmar que no ve por qué la gente no podría tener una vida longeva de 1000 años p. ej. Si alguien puede o quiere hacerlo es otra cuestión que sólo el tiempo

---

32 MONTAGNIER L, DEL GIUDICE E, AÏSSA J, LAVALLEE C, MOTSCHWILLER S, CAPOLUPO A, POLCARI A, ROMANO P, TEDESCHI A, VITIELLO G. (2015). Transducción de información de ADN a través del agua y las ondas electromagnéticas. Electromagn Biol Med.; 34(2):106-12. 2015. https://doi.org/10.3109/15368378.2015.1036072 . PMID: 26098521.

dirá[33]. Y ciertamente aplicando la proyección de sus teorías y experimentos no deviene ilógico plantear que el origen de enfermedades neurodegenerativas como el Alzheimer puedan tener una mayor comprensión y, por ende, tratamiento, que desde la perspectiva y etiología actualmente formulada tratada.

3. NEURODERECHO Y RELACIÓN GENÓMICA CON LA IA

Cuando hablamos de Neuroderecho y relación genómica con la IA, como si se tratase de conceptos separados, y ciertamente, habríamos de entender, desde el punto de vista de la genómica, se trataría de un mismo concepto, de un mismo patrón expresándose en distintas identidades.

Habido que conforme a la teoría de genética de onda de Petrovich, la genética tiene una expresión extra corpórea susceptible de manipulación.

En los últimos años, se han producido avances asombrosos en el campo de la Inteligencia Artificial (IA) y la neurociencia. Pero, ¿qué impacto pueden tener estos avances en la sociedad? Vamos a explorar esta interesante intersección.

La asociación entre la neurociencia y la IA comenzaría hace décadas. Las redes neuronales artificiales, introducidas en la década de 1950, permitieron a las máquinas aprender y optimizar resultados por sí mismas. Esto marcó un cambio significativo en la computación y abrió puertas en diversos campos, incluyendo la astronomía, la genética y la neurociencia.

33 GARIAEV P.P. (2015).Otra comprensión del modelo_de análisis teórico del código genético. Revista Abierta de Genética 5, 92-109. 2015. Publicado en línea en SciRes. .

El cerebro está protegido por piel, hueso y otras capas de células, lo que dificulta el acceso directo para su estudio. Sin embargo, gracias a la tecnología y la capacidad de procesamiento, la IA ha revolucionado la neurociencia. Aunque analizar los datos deviene desafiante, obtenerlos es aún más complicado.

Los avances en machine learning, deep learning y neurotecnología han dado lugar a una nueva categoría legal: los neuroderechos. Estos derechos deben examinarse y distinguirse de los derechos tradicionales para regular adecuadamente los desarrollos innovadores de la IA.

Los desafíos relacionados con los neuroderechos y las aplicaciones prácticas de la IA son especialmente relevantes en entornos laborales. En este sentido la relación entre empleadores y trabajadores se basa en la dependencia de estos últimos, debiéndose garantizar su protección legal.

En materia legislativa Chile habría sido pionero al incluir los neuroderechos en su legislación constitucional. Estos derechos buscan proteger la integridad mental frente al avance de la IA.

En definitiva, la intersección entre la neurociencia y la IA plantea importantes desafíos y oportunidades y deviene crucial abordar estos temas desde una perspectiva legal y ética, estableciendo parámetros de garantía, en un estadio venidero en el que la tecnología beneficie a la humanidad sin comprometer que ello comprometa la salud mental y los derechos fundamentales de los sujetos.

El neuroderecho es un concepto relativamente nuevo que se refiere a los derechos humanos que se relacionan con el cerebro y la mente. Estos derechos están directamente vinculados a la protección de la privacidad, la igualdad y la dignidad de las personas en relación con el avance de la tecnología y las neurociencias.

España se encuentra en pleno desarrollo del enfoque específico, y aunque no existe una legislación específica sobre ello, se han realizado avances significativos en la protección de la privacidad y la seguridad de los datos humanos, especialmente con respecto a la neurotecnología y el uso de la inteligencia artificial.

Es importante tener en cuenta que los neuroderechos plantean importantes desafíos éticos y legales. La relación entre la tecnología y el cerebro humano plantea cuestiones sobre la autonomía y el consentimiento informado, así como sobre la discriminación y el acceso igualitario a estas tecnologías. Resultando una temática emergente que busca proteger los derechos fundamentales relacionados con el cerebro y la mente en la era digital. En España, se estarían llevando a cabo sendas investigaciones y debates para desarrollar regulaciones que salvaguarden la dignidad y la privacidad de las personas en relación con el avance de las neurociencias.

Y aunque no existe una ley de neuroderechos en España que los regule, como hemos apuntado anteriormente, pero sí que están contemplados en la Carta de Derechos Digitales publicada por el Gobierno en verano de 2021 y que supone una hoja de ruta para el desarrollo de futuras leyes en torno a la garantía de estos derechos[34].

La asociación entre neurociencia e IA tendría comienzo prácticamente en los inicios de esta última. John McCarthy habría acuñado el término Inteligencia Artificial en 1956, y el 1957 ya se hablaba de redes neuronales artificiales en computación, intentando acortar las distancias entre ambas

---

[34] «Derechos Digitales en Entornos Específicos», «XXVI – Derechos digitales en el empleo de las neurotecnologías».

ciencias[35]. Estas redes supusieron un cambio en el paradigma de la computación, ya que permitieron a las máquinas optimizar por sí solas los resultados que obtenían ante un problema. Por tanto, desde entonces a las máquinas se les pudo atribuir una característica reservada hasta entonces a los seres vivos.

Con el paso del tiempo y la mejora tecnológica, los ordenadores fueron ganando capacidad de procesamiento y de memoria, lo que permitía estudiar sistemas cada vez más complejos. De este modo se abrieron sendos y diversos frentes en diferentes campos de estudio. Entre ellas destaca la astronomía o la genética, donde los diferentes programas informáticos permiten ordenar y dotar de sentido las enormes cantidades de datos que manejan y así obtener conclusiones fiables. Algo similar se produjo en neurociencia, pero en este caso lo realmente difícil no es analizar los datos, sino obtenerlos.

Así definiría la Constitución de Chile el objetivo de los neuroderechos, resultando el primer país en incluirlos en su legislación[36];

> "Proteger la integridad y la indemnidad mental en relación con el avance de la inteligencia artificial".

---

35 https://inteligenciaartificial.science/john-mccarthy-y-el-nacimiento-del-termino-inteligencia-artificial/ En 1956 organizó una conferencia sobre IA junto con otros investigadores como Marvin Minsky y Claude Shannon. Esta conferencia es considerada por muchos como el punto de partida oficial para la investigación moderna sobre inteligencia artificial.

36 DECRETO 100 FIJA EL TEXTO REFUNDIDO, COORDINADO Y SISTEMATIZADO DE LA CONSTITUCION POLITICA DE LA REPUBLICA DE CHILE MINISTERIO SECRETARÍA GENERAL DE LA PRESIDENCIA https://www.bcn.cl/leychile/navegar?idNorma=242302

Resultando los neuroderechos un conjunto de normas y leyes que protegerían que la tecnología manipule la mente humana y el posible uso pernicioso de estas técnicas, ante las cuales las personas se encuentran desprotegidas.

En este sentido se hace necesaria la consolidación de normativa, habida la evolución de las investigaciones en materia de neurotecnología e inteligencia artificial. Resultando necesario en consenso de un marco jurídico internacional de derechos humanos destinados a proteger el cerebro y su actividad, la cual está siendo expuesta desde hace varios años, habida la existencia de dispositivos que, instalados en el cerebro, leen su actividad y la envían a ordenadores capaces de decodificar la información extraída. Con capacidad de amplificar nuestros sentidos o modificar recuerdos. Mediante estas tecnologías la ciencia estaría avanzando en técnicas destinadas a la salud. Así pues, proyectos como neuralink [37], en que convergen la inteligencia artificial y las interfaces cerebro-ordenador, trabajan en proyectos que auspician capacidad para otorgar autonomía y capacidad de visión a personas invidentes, y/o ayudar a pacientes con parálisis a utilizar un ordenador o un teléfono móvil mediante su actividad cerebral.

El proyecto BRAIN, cuyo principal impulsor es el neurocientífico español Rafael Yuste, director del Centro de Neurotecnología de la Universidad de Columbia (Estados Unidos), realiza una ambiciosa investigación que pretende 'mapear' el cerebro humano para descifrar su funcionamiento y poder encontrar la cura de enfermedades como el alzhéimer, el párkinson y la depresión.

---

37 ELON MUSK. https://neuralink.com/

Yuste publicó en 2019 un experimento que conseguía que unas ratas vieran cosas que en realidad no estaban ahí[38], mediante electrodos implantados en su cerebro. Es decir, estaban controlando la actividad de su cerebro. Según científicos en todo el mundo, es solo cuestión de tiempo que se pueda hacer algo similar con seres humanos.

Otro proyecto es Neuralink, empresa de Elon Musk, tiene como objetivo desarrollar una interfaz bidireccional capaz no solo de estimular partes del cerebro, sino también de recibir e interpretar las señales que provienen de él. Una vez establecida esta conexión y mediante el uso de inteligencia artificial, sería posible identificar emociones, controlar dispositivos e inducir diferentes estados.

Entre los daños perniciosos que la neurociencia puede generar se prevé el análisis de esta información por medio de técnicas de big data y la capacidad de influir en las personas y proporcionar herramientas para el llamado neuromarketing, que induce a realizar compras e interviene en asuntos políticos y sociales.

En la utilización de estos avances y la potencialidad desmedida de resultados que generan, es donde nace la necesidad de establecer los límites éticos que se pretenden regular, establecidos en el marco de la cuarta generación, que desde la Declaración de los Derechos del Hombre y del Ciudadano de 1789 hasta la actualidad, la concepción de los derechos humanos se ha ampliado y transformado. Así la cuarta generación de los derechos humanos emerge como una respuesta a los desafíos del mundo contemporáneo, caracterizado por la globalización, la interdependencia económica y la transformación tecnológica.

---

38 https://neurorightsfoundation.org/

Una comunidad internacional de neurocientíficos lleva años luchando para que los avances en inteligencia artificial no vulneren los derechos de los humanos. Desde el mismo proyecto BRAIN surgió el concepto, que ha sido desarrollado por la plataforma NeuroRights Initiative (NRI)[39].

Desde NRI proponen cinco neuroderechos:

- El derecho a la privacidad mental.
- El derecho a la identidad personal.
- El derecho al libre albedrío.
- El derecho al aumento de la neurocognición.
- El derecho a la protección de sesgos.

La organización pretende conseguir el reconocimiento internacional de los cinco neuroderechos y añadirlos a la Declaración Universal de Derechos Humanos de Naciones Unidas. Trabajando al mismo tiempo en el desarrollo de un código deontológico para los científicos implicados en neurotecnologías, y proponen una especie de juramento hipocrático aplicado a las grandes empresas tecnológicas, como Google, Amazon y Facebook.

El proyecto de Chile habría sido acogido de manera positiva por instituciones y países extranjeros. La Organización de las Naciones Unidas, la Organización para la Cooperación y el Desarrollo Económicos y la Organización de las Naciones Unidas para la Educación, la Ciencia y la Cultura (UNESCO) habrían observado el desarrollo de este proyecto de ley. Y así otros países posteriores ya habrían diseñado su propio proyecto de ley, como Brasil, Uruguay, México o en el estado estadounidense de Colorado.

---

[39] https://neurorightsfoundation.org/

Por otro lado, la Secretaría de Estado de Digitalización e Inteligencia Artificial de España presentó el pasado 17 de noviembre 2023 el primer borrador de su Carta de Derechos Digitales[40], una «declaración de intenciones no vinculante», por el momento.

Rafael Yuste prevé que en 10 o 20 años habrá tecnología para manipular el cerebro, así como advertiría a la sociedad de la necesidad de preparar las leyes para regular ese futuro escenario:

> «Si no afrontamos esto con cautela, se nos puede llevar por delante ya que puede cambiar la esencia del ser humano».

Yuste es el principal impulsor del proyecto ‹Brain› (cerebro), en el que el Gobierno de Estados Unidos habría invertido 6.000 millones de dólares.

> «El cerebro humano tiene tantos nodos o conexiones como tres veces todo el Internet de la Tierra. El objetivo principal de estas investigaciones hacia tecnologías que permitan adentrarse en el cerebro humano es la búsqueda de soluciones y tratamientos a enfermedades como el Alzhéimer, el Parkinson, la depresión, la epilepsia, la esquizofrenia»,

Refería Yuste, significando que este avance también supondrá, en palabras del experto, conocer más sobre qué es el ser humano y por qué actúa cómo lo hace, aunque ha matizado que todavía quedan algunos pasos por dar, como

---

40 España impulsa la cooperación y la convergencia regulatoria de la Inteligencia Artificial entre Europa, Latinoamérica y el Caribe. 17.11.2023. La presidencia española del Consejo de la Unión Europea ha promovido una declaración suscrita por Argentina, Colombia, Chile, México, Uruguay, Panamá, República Dominicana, Alemania, Eslovenia, Estonia, Bélgica y España. https://www.lamoncloa.gob.es/serviciosdeprensa/notasprensa/asuntos-economicos/Paginas/2023/171123-inteligencia_artificial.aspx.

herramientas ópticas o acústicas, para lograr la finalidad del proyecto[41].

Por último, María Emilia Casas ha afirmado que las neurociencias «tienen una capacidad de invasión en la dignidad humana aún mayor que la digitalización» y avisa que los límites deben llegar antes que la ciencia cumpla con el proyecto[42].

Así como predican sendas teorías en neurociencia, tales como Benjamin Libet, y Robert Sapolsky, de la no existencia del libre albedrío, así otras, tales como la teoría del desdoblamiento, de J.P. Garnier, el entrelazamiento cuántico de las partículas, del físico francés Alain Aspect, premio Nobel 2022 [43], etc, como del propio Nicola Tesla, que ya venía postulando que;

---

41 https://efe.com/ciencia-y-tecnologia/2024-03-01/rafael-yuste-entrevista-efe-neurotecnologia/

42 https://www.fundacionareces.es/fundacionareces/es/comunicacion/noticias/rafael-yuste-en-20-anos-tendremos-tecnologia-para-acceder-al-cerebro-y-manipularlo.html

43 El comité Nobel acaba de anunciar que el físico francés Alain Aspect era uno de los laureados del premio Nobel de Física 2022. Comparte su recompensa con el Americano John F. Clauser y el Austriaco Anton Zeilinger para sus trabajos sobre las tecnologías cuánticas. Según la ministra francesa de educación superior e investigación, que saluda con entusiasmo el laureado, este premio Nobel reconoce "una carrera excepcional y la excelencia de la investigación fundamental francesa". Tal como su prestigiosa predecesora Marie Curie, que también ha recibido un primer premio Nobel de Física en 1903, Alain Aspect es uno de los grandes investigadores franceses que se ha distinguido desde hace numerosos años en este campo científico.
Después de haber recibido la Medalla de oro del CNRS (Centro nacional de la investigación científica) en 2005, el premio Wolf en 2010 y la medalla Albert-Einstein en 2012, Alain Aspect ha sido recompensado por sus años de "investigaciones pioneras en el campo clave de la física que son las tecnologías cuánticas". El investigador

> 'Mi cerebro es un mero receptor; en el universo hay un núcleo el cual obtenemos conocimiento, fuerza e inspiración. No he penetrado en los secretos de este centro, pero sé que existe'

Así como tecnologías que fueron denostadas en su momento la de Georges Lakhovsky, Royal Raymond Rife, en consonancia con las teorías de Petrovich Garaiev, y Alain Aspect, Luc Montagnier.

Y que hoy tenemos que recurrir a ellas, para entender el comportamiento de nuestra propia biología.

Muchos científicos a lo largo de la historia se vieron obligados a subsumir ante la comunidad científica, afirmando haber incurrido en un supuesto error con sus teorías. Como es el caso del propio Einstein, en su Teoría de la relatividad general, la cual predice que las órbitas enlazadas de un objeto alrededor de otro no están cerradas, como en la gravedad newtoniana, sino que tienen un movimiento de precesión[44] hacia adelante en el plano de movimiento. Teniendo que reconocer ante la comunidad científica, 'estaba equivocado', para transcurrido un siglo después, pueda afirmarse que efectivamente tenía razón, demostrándose el cambio en la longitud de onda

---

francés ha en efecto descubierto, según el CNRS que detalla su carrera y sus investigaciones, "la capacidad de dos fotones a actuar como un sistema cuántico único, incluso a distancia uno del otro, cuando han interactuado en el pasado". Un descubrimiento que constituye un progreso mayor, que ha abierto el camino en el campo de "las nuevas tecnologías cuánticas, que revolucionan hoy el tratamiento y la comunicación de la información".

44 Cambio en la orientación del eje de rotación de un cuerpo giratorio.

de la luz de S2 [45], al girar alrededor de Sagitario A[46] coincidió de manera precisa con la que él predijo en su teoría de la relatividad general.

He aquí un momento de necesaria parada, en donde deviene preciso analizar los planteamientos dogmáticos y el ego científico, para posteriormente encauzar un entendimiento transparente que nos acerque a la realidad de hoy.

La dogmaticidad en el contexto de la ciencia es un tema interesante. Por un lado, el dogmatismo científico, que se refiere a la aceptación sin cuestionamiento de principios dentro de un paradigma científico específico.

Estos principios son considerados verdaderos y no se ponen en duda dentro de la comunidad científica.

Sin embargo, es importante destacar que el dogmatismo científico siempre está sujeto a prueba. A lo largo de la historia, diferentes paradigmas científicos han coexistido y evolucionado.

En definitiva, el dogmatismo científico implica la aceptación de conceptos y teorías establecidos, pero siempre debe estar abierto al escrutinio y la revisión.

En el ámbito de la ciencia jurídica, también se ha debatido sobre su dogmaticidad. La pregunta central es si la ciencia jurídica es una disciplina dogmática y, en qué sentido.

---

45 La órbita de la estrella S2 en torno al agujero negro supermasivo del centro de nuestra galaxia tiene forma de rosetón como predijo la relatividad general de Einstein, y no de elipse, como decía la teoría de la gravedad de Newton. https://www.agenciasinc.es/Noticias/La-danza-de-una-estrella-alrededor-de-un-agujero-negro-vuelve-a-dar-la-razon-a-Einstein.

46 El agujero negro supermasivo más cercano a la Tierra, llamado Sagitario A*, ubicado a 26.000 años luz de distancia, en el centro de la Vía Láctea.

Tradicionalmente, se ha asumido que la ciencia jurídica no cuestiona lo ordenado por el legislador, similar a cómo un teólogo no duda de los textos sagrados.

Sin embargo, el jurista italiano Francesco Galgano propuso una idea interesante: los dogmas de la ciencia jurídica no serían las normas legislativas, sino algunos de los conceptos jurídicos[47].

Estos conceptos, construidos por la propia ciencia jurídica, pueden surgir a partir de términos legales o como creaciones originales de estudiosos del derecho positivo.

En definitiva, la dogmaticidad en la ciencia jurídica se relacionaría con la aceptación y construcción de conceptos legales más que con las normas en sí.

En el marco de la discusión acerca de la teoría de la ciencia jurídica, uno de los temas sobre los que más se ha discutido ha sido si la ciencia jurídica constituiría, y en qué sentido, una disciplina dogmática (Atienza 2014: 115 ss.). Más allá de cuál sea el preciso significado que debamos atribuir a esta expresión, aquí el paralelismo con la teología parece claro: del mismo modo que el teólogo no puede dudar acerca de la corrección del correspondiente texto sacro, tampoco la ciencia jurídica como una disciplina dogmática podría poner en cuestión lo ordenado por el legislador. De esta forma, parece que aquello que sería objeto de aceptación o no cuestionamiento serían las normas de la autoridad teológica o jurídica[48].

En el marco de dicha controversia sobre la dogmaticidad de la ciencia jurídica, es conveniente rescatar una idea del jurista italiano, Francesco Galgano. Según Galgano (2010: 14),

---

47 file:///C:/Users/Usuario/Downloads/14298-Texto%20del%20art%C3%ADculo-56905-1-10-20151116.pdf

48 Conceptos dogmáticos: una visión iusrealista. https://journals.openedition.org/revus/3805

aquello que constituiría los dogmas –el objeto de aceptación– de la ciencia jurídica no serían las normas del legislador, sino (algunos de) los conceptos jurídicos. En particular aquellos que, bien a partir de los términos empleados por el legislador (dotando a aquellos de significado vía interpretación), bien como creación ex novo de los estudiosos del derecho positivo, son construidos por parte de la propia ciencia jurídica.

En definitiva, la ciencia no habría de ser dogmática, sino más bien un espacio de constante cuestionamiento y búsqueda de conocimiento.

¿Y qué estaría ocurriendo entretanto en el mundo de la neurociencia?

El verdadero neurocientífico de hoy, ya estaría 'jugando' con el cerebro, desarrollando importantes avances, y no habría tenido, para ello, que estudiar medicina, ni obtener ninguna licencia, ni pasar décadas de ensayo en un laboratorio. Sencillamente habría iniciado su punto de partida en otro itinerario que lejos de los protocolos de la medicina convencional, le permitiría sigilosamente adentrarse sin restricciones, y plenamente desapercibido, en el fascinante mundo de la mecánica de las neuronas desde una perspectiva de comportamiento cuántico.

La tecnología de hoy, conocedora presumiblemente, que la genética tiene como base y patrón fundamental el campo cuántico, así como igualmente el circuito neuronal, y a través de la IA, sin tan siquiera tocar el cuerpo físico, conseguirían incidir en los pensamientos, en la conducta y el comportamiento del ser humano.

La inteligencia artificial (IA) es un campo en constante evolución que ha demostrado su capacidad para influir en la conducta humana de diversas maneras. Aunque no "toca" físicamente a las personas, su impacto es significativo. Podemos citar distintos modos en que se puede afectar el comportamiento humano:

Los algoritmos de recomendación utilizados en plataformas como Netflix, Amazon y YouTube analizan nuestros patrones de comportamiento y preferencias para ofrecer contenido específico, lo que influiría en nuestras elecciones y decisiones.

La IA se utiliza para segmentar anuncios y mostrarlos a audiencias específicas, lo que afectaría a nuestras decisiones de compra y preferencias.

Los algoritmos de redes sociales seleccionan qué contenido vemos en función de nuestras interacciones previas, mediante la cual se estarían creando burbujas de filtro, donde solo vemos información que confirma nuestras creencias existentes.

La automatización basada en IA puede cambiar la dinámica laboral y afectar la forma en que las personas realizan sus tareas. Esto puede influir en la satisfacción laboral y la productividad.

La interacción con asistentes virtuales y chatbots estarían afectando nuestra comunicación y comportamiento. Estos sistemas estarían proporcionando respuestas, sugerencias y apoyo emocional.

Ciertamente, aunque la IA no toca físicamente, en estos ejemplos citados, a las personas, su presencia y efectos son innegables en nuestra sociedad actual. Es importante considerar cómo se implementa y regula para garantizar un impacto positivo en la conducta humana.

La necesidad de regular los neuroderechos no comenzaría con el proyecto de Elon Musk, en la investigación de la interfaz cerebro-máquina con Neuralink[49],

---

49 Crear una interfaz cerebral generalizada para restaurar la autonomía de aquellos con necesidades médicas insatisfechas hoy y desbloquear el potencial humano mañana. https://neuralink.com/

Ni con Sam Altman de OpenAI[50] y ChatGPT, o los supercomputadores de Huang de Nvidia[51], que tienen como cometido remodelar nuestro mundo a través de la disrupción tecnológica.

Sino que la necesidad de regular los cambios, sin medida, que la tecnología ha venido salvajemente implantando sin discriminación en todos los aspectos y áreas de nuestra vida, con una finalidad puramente comercial, extra muros de todo código moral, ético y legal.

La sociedad de hoy estaría notablemente preocupada por los susceptibles cambios en la genética, habido el potencial alcance de las técnicas nacientes de CRISPR entre otras, y sin embargo, y paradójicamente, no habrían reparado en la singular importancia, de la arbitraria irrupción ocasionada en su epigenética, sometida a un constante cambio intrusivo y de marcado carácter adverso en multitud de vertientes. Producido por el entorno y ecosistema del que estaría siendo inconscientemente cautivo el ser humano, resultando su voluntad una mera ilusión.

Pues la tecnología, en los citados ejemplos anteriores, habría sometido al ser humano a una invasión sin precedentes habido el masivo alcance de la misma en las redes sociales, plataformas, publicidad adaptada al consumo, etc. Con especial incidencia en dinámicas del entorno laboral, familiar y educativo.

Resultando ser, el conjunto de la sociedad partícipe del propio experimento de escala masiva. Lo que dificulta la medición, investigación y estudios comparativos de rasgos sustantivos entre los afectados y los no afectados.

---

[50] https://openai.com/chatgpt

[51] https://www.nvidia.com/es-es/

Aunque la primera reunión multidisciplinar para tratar el tema de los neuroderechos tuvo lugar en 2002, la actividad de la Neurorights Foundation a partir de 2017 y diversas publicaciones relacionadas con los avances neurotecnológicos y sus posibles implicaciones para el ser humano, han tenido la capacidad de trasladar el debate desde los círculos académicos especializados hasta el conjunto de la sociedad. Esto se debe a la atención de los medios y al señalamiento de los riesgos derivados de un uso descontrolado de las modernas capacidades tecnológicas sobre la intimidad del cerebro humano[52].

La ciencia de los neuroderechos no es novel. A medida que la investigación científica perfeccionó el estudio del cerebro mediante tecnologías no invasivas, en los años noventa surgió una preocupación multidisciplinar en torno a los desafíos éticos de las neurotecnologías y también sobre la regulación de los usos y aplicaciones de los nuevos dispositivos. En el año 2002, la Dana Foundation convocó en San Francisco a más de 150 neurocientíficos, bioéticos, psiquiatras, psicólogos, filósofos y profesores del ámbito jurídico y de la especialidad de políticas públicas, para discutir, debatir y definir el terreno de juego de la nueva disciplina de la neuroética.

Sin embargo, este interesante debate colectivo e interdisciplinar tan propio de nuestro tiempo, ha permanecido durante muchos años intra muros de los centros de investigación y los departamentos universitarios. Siendo que, en los primeros meses de 2023, el planteamiento de los neuroderechos ha tomado auge en los medios de comunicación y en la sociedad, especialmente por determinados acontecimientos que revisten el mayor interés.

---

52 Neuroderechos: el debate de nuestro tiempo. POR ENRIQUE JAVIER BENÍTEZ PALMA https://telos.fundaciontelefonica.com/neuroderechos-el-debate-de-nuestro-tiempo/

Entre ellos destaca la publicación del libro The Battle for Your Brain, de la profesora Nita Farahany, de la Universidad de Yale, en Estados Unidos. Farahany es doctora en derecho, y ya había publicado dos artículos de gran interés sobre la invisible invasión de nuestra privacidad cerebral, la última frontera de la intimidad del ser humano. Su libro ha causado furor y motivado sendas entrevistas en distintos medios, permitiendo retomar el concepto de 'libertad cognitiva'. El derecho a la libertad cognitiva, vinculado al derecho a la autodeterminación sobre nuestro cerebro y nuestras experiencias mentales, y se entrecruza con otros tres (neo)derechos humanos: el derecho a la privacidad mental; el derecho a la libertad de pensamiento, que se refiere a los pensamientos complejos y las imágenes visuales; y la autodeterminación, en el sentido de no manipulación externa, consciente o inconsciente. Un dispositivo que explora, interviene o manipula nuestro cerebro se puede usar para hacer el bien, pero también con fines espurios.

La propuesta de Farahany se superpone con los postulados que en 2022 lanzó la Neurorights Foundation[53], a la que pertenece el científico español Rafael Yuste, en que enumeraba (Yuste) los cinco neuroderechos que ya quedaron definidos en 2017 en el campus de Morningside, en la Universidad de Columbia, y que considera que deben sumarse a los derechos humanos ya existentes (Yuste, 2023, pp. 17-23). El primero es el derecho a la privacidad mental, que propone que el contenido de la mente no pueda ser descifrado sin el consentimiento de la persona afectada. En segundo lugar, menciona el derecho a nuestra identidad personal, de manera que las neurotecnologías no puedan modificar nuestra personalidad o nuestra conciencia. El tercer derecho hunde sus raíces en los derechos humanos universalmente aceptados, ya que es el derecho al libre albedrío, a la capacidad de decidir con libertad.

---

53 Disponible en: https://plum-conch-dwsc.squarespace.com/mission

Los dos últimos neuroderechos proponen un acceso universal a las mejoras derivadas de la investigación neurocientífica -de manera que no haya seres humanos de primera y de segunda categoría- y la protección frente a los sesgos algorítmicos.

Otro hito importante que alimenta el interés mediático viene dado por la publicación de los resultados de una investigación sobre la posible decodificación de la actividad cerebral (Tang et alia, 2023). Esta investigación, publicado en la revista Nature Neuroscience, ha generado un gran interés y preocupación[54] en relación a la lectura que podría hacer la máquina de los pensamientos con un solo escáner cerebral[55]. Aunque ciertamente el artículo señala el largo camino pendiente hasta alcanzar ese hito, ha propiciado un fúlgido interés en los medios y las personas y su audiencia.

La neurociencia, y la genética no son disciplinas tan distintas, básicamente estarían trabajando en el mismo patrón de información.

Actualmente nos encontramos en la necesidad de regular la neurociencia, los neuroderechos, habiendo sido pionero en este aspecto Chile[56].

---

54 Disponible en: https://www.nature.com/articles/d41586-023-01486-z

55 Más información: https://www.technologyreview.com/2023/05/01/1072471/brain-scans-can-translate-a-persons-thoughts-into words/#:~:text=In%20a%20new%20study%2C%20published,looking%20at%20their%20brain%20activity

56 Chile, pionero en la protección de los "neuroderechos". El país está en proceso de convertirse en el primero del mundo en legislar sobre las neurotecnologías e inscribir en su Constitución los "derechos del cerebro"31 de marzo de 2022. En 2021 el Senado chileno aprobó por votación unánime un proyecto de ley que modifica la Constitución para proteger los derechos del cerebro o "neuroderechos". La Cámara de Diputados revisó y votó esta legislación en

Al ser humano le preocupa regular todos los aspectos relacionados con la genética desde que se pone al alcance de las personas, la exposición y riesgo, la vulnerabilidad a la que podemos ser sometidos, sin consentimiento. Que viene a ponerse de relieve a través de los distintos experimentos y sus potencialidades resultados.

Así, nace la emergente necesidad de regular los neuroderechos. Sin embargo, nada existe en relación al origen conceptual de la neurociencia, y donde habría de parametrizar su regulación.

Realmente poco sabemos hoy, en el año 2024, en relación al funcionamiento del cerebro. En palabras del neurobiólogo Rafael Yuste, no podemos explicar lo más elemental: cómo procesa el cerebro un pensamiento, una noción, una sensación o una acción. Para comprenderlo, necesitaremos mapear las redes del cerebro y entender cómo se transmite la información a través de esas redes. Este desafío requerirá el desarrollo de nuevas tecnologías y teorías que aún no poseemos[57].

Rafael Yuste, pionero en el conocido proyecto Brain, ha propuesto la creación del mapa cerebral más completo antes realizado. A través de este proyecto, se han logrado mapear estructuras nerviosas desde pequeños gusanos hasta moscas enteras, y ahora están enfocados en el cerebro de ratones, que contiene 100 millones de neuronas. Pero aquí viene la revelación más sorprendente: mapear el cerebro no solo permite "leer" su actividad, sino también "escribir" en él. Los neurocientíficos ya han alterado la actividad cerebral y el comportamiento de

septiembre de este año. Ahora tiene que ser promulgada por el presidente de la República. https://courier.unesco.org/es/articles/chile-pionero-en-la-proteccion-de-los-neuroderechos.

57 https://proacomunicacion.es/blog/como-funciona-cerebro/

ratones, y es solo cuestión de tiempo antes de que podamos hacerlo con humanos.

Hemos pasado más de cien años, desde Cajal, estudiando las neuronas por separado, su composición y funcionamiento, sin embargo, ello no ha contribuido a resolver el gran enigma, así como tampoco ha resultado de ayuda para mapear el complejo circuito neuronal y su funcionamiento.

Y nace aquí la gran pregunta; ¿Nadie se ha planteado regular el mundo cuántico, en el que trabajan las grandes tecnológicas como base neurálgica y punto de partida del procesamiento de sus proyectos?

¿Y cómo vamos a regular el mundo cuántico, si la realidad en este mundo subatómico cambia cuando la medimos? [58].

Ciertamente nos encontramos ante un desafío épico que lejos de eludir por su complejidad, se hace necesario ampliar las miras, instruirnos en la materia y comprender más allá de las fronteras de lo metodizado, hasta alcanzar una regulación adaptada a la revolución que nos asiste.

Desde un enfoque conceptualista de las teorías científicas, el problema del cambio de mundo se desprende de las tesis sobre revoluciones científicas y paradigmas inconmensurables presentadas por Thomas Kuhn[59]. Este problema aborda cómo

---

58 Principio de superposición de la física cuántica, que deduce que antes de cualquier medición u observación, resulta que la partícula puede estar en varios estados a la vez. https://royalsocietypublishing.org/doi/10.1098/rstl.1802.0004

59 El problema del cambio de mundo: un enfoque conceptualista De las tesis sobre las revoluciones científicas y la inconmensurabilidad de los paradigmas de Kuhn parece derivarse un problema conocido como el cambio de mundo. Aquí intentamos elucidar en qué consiste ese problema -el cual tiene faces tanto semántica como ontológica-, para mostrar que la solución taxonómica debida

conceptualizamos la parcela del mundo físico que estudiamos dentro de una disciplina científica. En otras palabras, ¿cómo cambia nuestra concepción del mundo cuando ocurre una revolución científica?

Kuhn propone una solución semántica, argumentando que el problema surge debido a un cambio conceptual local que afecta nuestra visión del mundo. La inconmensurabilidad entre paradigmas conduce a esta transformación[60].

Por otro lado, Ian Hacking ofrece una solución ontológica, sugiriendo que una ontología formada por individuos concretos (en contraste con entidades abstractas) es suficiente para comprender el cambio de mundo durante una revolución científica.

En resumen, el cambio de mundo no solo es un fenómeno semántico, sino también ontológico. La realidad, en este contexto, se modifica a medida que evolucionamos nuestras concepciones y paradigmas científicos[61]. Como mencionó Ha-

---

a Kuhn y la solución nominalista propuesta por Hacking, no sólo son compatibles sino complementarias, ofreciendo conjuntamente una solución dual, ontosemántica. http://scielo.org.co/scielo.php?script=sci_arttext&pid=S0120-46882021000200011

60 http://scielo.org.co/scielo.php?script=sci_arttext&pid=S0120-46882021000200011

61 Hemos intentado hacer ver que la cuestión de que los paradigmas involucrados en una transición revolucionaria postulen distintas e incompatibles ontologías —es decir, que afirmen que existen mundos que son diferentes—, plantea un problema ontológico sólo para los filósofos realistas quienes consideran que el mundo es de cierto modo, y que hay una, y sólo una, teoría verdadera acerca del mismo. Desde un enfoque conceptualista, las tesis kuhnianas no envuelven problema ontológico alguno por una doble razón: primero, porque sólo desde un paradigma, teoría o marco teórico podemos afirmar cómo es el mundo, y, segundo, porque no hay base para afirmar que un paradigma, teoría o marco teórico sea verdadero,

cking, ¿estamos hablando de lenguaje, del mundo o de cómo conceptualizamos el mundo?

Ciertamente el ser humano se enfrenta a un salto evolutivo desafiante como pocos precedentes se le habrían planteado hasta ahora.

Muchas cuestiones se plantean de carácter ético y jurídico en relación a la revolución de la ciencia, que nos asiste en Genómica y en IA. Sin embargo, pocas o ninguna, abarcan la verdadera magnitud del concepto, habido que para ello previamente habría que tomar plena conciencia de cual es verdaderamente la naturaleza de lo que estamos regulando. Ello en un estadio anterior a establecer medidas restrictivas basadas en infundadas intuiciones aleatorias, o permisivas complejamente injustificadas.

Lo que es claro, ciertamente es que no se pueden obviar las leyes que nos gobiernan, las verdaderas (las leyes de la Física Cuántica), pues ello únicamente nos sume en un caos indeterminado en la búsqueda sesgada de soluciones individualistas que no satisfacen ni responden a la autorrealización.

En palabras de Teresa Versyp, la Física Cuántica nos ofrece un marco de pensamiento holístico basado en estos campos de energía que son importantísimos en el comportamiento del Universo, en las propiedades de la materia observable

---

puesto que no tenemos un acceso epistémico al mundo que sea independiente de aquéllos, un acceso privilegiado que nos permitiera decir que el mundo es tal y como lo afirma una teoría dada, ya que corresponde al modo en que el mundo es realmente. Las tesis del realista científico están imbuidas en una concepción absolutista del conocimiento científico que resulta irreconciliable con la posición relativista al mismo del enfoque conceptualista adoptado aquí. Las propuestas de solución de Kuhn y Hacking ofrecen ideas claves para dilucidar qué está involucrado en el problema del mundo nuevo. http://scielo.org.co/scielo.php?script=sci_arttext&pid=S0120-46882021000200011

e incluso en nuestra salud y bienestar. El ser humano es un sistema de energías en vibración continua. Somo emisores y receptores de una gama muy diversa de frecuencias. El organismo no es un mosaico de órganos y moléculas independiente sino un conjunto coherente, un campo de interconexión altamente ordenado y orquestado.

La Física Cuántica defiende la existencia de un indeterminismo inherente y de un universo subjetivo en que la realidad no se puede separar del observador. La realidad, antes de ser observada y medida, presenta un espectro de múltiples posibilidades potenciales.

El Principio de Superposición[62] y la No-Localidad Cuántica[63] nos conducen a una nueva forma, ingeniosa, increíble de

---

[62] El principio de superposición es un concepto de la física que afirma que un sistema se encuentra en todos los estados posibles al mismo tiempo, hasta que se mide y se reduce a uno de ellos. Este principio se aplica también a los circuitos lineales, donde se puede resolver un circuito sumando los efectos de cada fuente de voltaje por separado. https://www.principiode.com/principio-de-superposicion/

[63] La no-localidad cuántica es uno de los aspectos más intrigantes de la mecánica cuántica. Se refiere a la capacidad de las partículas cuánticas de influirse mutuamente instantáneamente, incluso cuando están separadas por grandes distancias. Aquí hay algunos puntos clave sobre la no-localidad cuántica: Debate histórico: La no-localidad fue objeto de un debate intenso entre Niels Bohr y Albert Einstein. Einstein estaba incómodo con la idea de que la información pudiera viajar más rápido que la velocidad de la luz, mientras que Bohr defendía la no-localidad como una característica fundamental de la mecánica cuántica. Teorema de Bell: El físico John Bell formuló un teorema en la década de 1960 que demostraba que las predicciones de la mecánica cuántica no podían explicarse mediante teorías locales realistas. Los experimentos posteriores confirmaron la no-localidad cuántica. Experimento de Aspect: En la década de 1980, el físico Alain Aspect realizó un experimento que demostró la no-localidad cuántica de manera concluyente. Utilizando partículas

ver la realidad. La interconexión instantánea recuerda a una concepción holográfica de la realidad.

Recordemos el trabajo de PETROVICH GARAIEV, que modifica el ADN mediante frecuencias, no siendo necesario tocar el cuerpo físico, ni editar un gen del modo que se sigue mediante CRISPR, sino que deviene mucho más sencillo.

La necesidad de regular, Neuroderechos. Deviene imperante y prevalente a la continuidad de cualquier tipo de ensayo, resultando insuficiente una guía (la actual), y siendo que el alcance ha de tener un espectro muchísimo más amplio del que hasta el momento se habría planteado. En tanto que la regulación integral habría de abarcar el conocimiento del campo cuántico y sus probabilidades, todas ellas puestas de manifiesto por la ciencia en diversos experimentos. De no ser así, las grandes tecnológicas de IA, de AGI, tales como las desarrolladas por Elon Musk y sus homónimos, físico e ingeniero de formación, seguirán llevando a la práctica sus experimentos, sin procedimentales previos, sirviendo de propio ejemplo experimental la respuesta estadística de la población usuaria. Y mientras el 92% del mundo se encuentra inmerso en debates épicos de carácter ético, moral y jurídico, en relación a si debería o no ser permisivo la práctica, el 8% restante, sin formación en medicina, neurociencia, o genética convencional, habitualmente formados en física y diversas ingenierías, se dedica a llevar a cabo meticulosos proyectos de ingeniería mental, que modificarían los hábitos y la conducta del sujeto usuario de forma inconsciente, pues no puede denominarse involuntaria, habido

---

entrelazadas, mostró que las mediciones en una partícula afectaban instantáneamente a su pareja, incluso si estaban separadas por grandes distancias. Premio Nobel: En reconocimiento a su trabajo en este campo, Alain Aspect recibió el Premio Nobel de Física en el año 2022.

que la voluntad no tendría un papel determinante en este tipo de programas.

4. TEORÍA ASASAW.

En el seno de esta investigación, y como parte final, queremos destacar la teoría aSASAw, que acuñamos por primera vez en este trabajo, habido que ha nacido como propuesta a colación de la puesta en común de las investigaciones apuntadas en este trabajo.

aSASAw tiene su génesis en el análisis de la base del comportamiento humano, a su vez devenido de su expresión génica, aplicado a todas las áreas de la vida, especialmente hace mención esta fase del proyecto al comportamiento del sujeto en su cotidianeidad, que considera supuestamente predecible, y que tendría aplicación en procedimientos que consideramos no tangibles.

Se pretende identificar un procedimiento determinado, aplicado en cualquier área, imaginemos la salud, así como en cualquier estructura de negocio. Que una vez identificada y editada, sería sometida a distintos métodos de predicción, siguiendo las teorías reseñadas por Benjamin Libet, Robert Sapolsky, de la no existencia del libre albedrío, así otras, tales como la teoría del desdoblamiento, de J.P. Garnier, el entrelazamiento cuántico de las partículas, del físico francés Alain Aspect, premio Nobel, J.P. Garnier Malet y Petrovich Garaiev.

Existen experimentos, que sometidos a los parámetros del actual método científico nos llevarían a confusiones e indeterminaciones, desnaturalizando su finalidad, como p ej. en experimentos de la doble rendija, el observador altera lo observado, o el gato de Schrödinger, cuyos experimentos quedan redimidos a paradoja, por la relación que ahora sabemos con el campo cuántico y la no- localidad como rasgo más característico.

Y su relación con la genética/ el adn no codificante el denominado basura. El Doctor Gariaev y su equipo, desarrollaron la Teoría Ondulatoria del Genoma demostrando el carácter vibracional del ADN, según su teoría el ADN emite radiación electromagnética extremadamente coherente, constituyendo un sistema de información esencial a lo largo del organismo, lo que se podría traducir a que el 98 % del adn, comúnmente denominado basura, es pura información proyectada de forma holográfica en un complejo patrón de códigos, que podría aplicarse a todo proceso de vida, humana, vegetal, y de procesos.

Tradicionalmente conocemos los enlaces químicos que se producen en la naturaleza, generado por las interacciones atractivas entre átomos y moléculas, mediante los cuales confiere estabilidad a los compuestos químicos diatómicos (2 átomos) y poliatómicos (más de dos átomos). La explicación de tales fuerzas atractivas es un área compleja que está descrita por las leyes de la química cuántica. P. Ej. Enlaces de hidrógeno, carbono, oxígeno, etc. todos los existentes y conocidos.

Este es un hecho que damos por sentado y a partir de cuya base de conocimiento interactuamos con ellos, sin embargo, nada se describe en relación a los enlaces químicos que se producen entre los átomos en la naturaleza de un proceso de información.

Sabemos que hay adn no codificante, y adn en el aire, y átomos, y sin embargo nada extraemos de naturaleza coherente por el momento.

¿Qué enlaces químicos se producen entre los átomos en la naturaleza de un proceso o procedimiento de información cualquiera?

En el contexto de la computación clásica, la ley física de la información se basa en el concepto de bits, que son las unidades básicas de información y pueden tomar solo uno de dos valores: 0 o 1. Sin embargo, en la computación cuántica, la unidad de información es el *qubit,* que se diferencia de los bits clásicos por propiedades como la superposición y el entrelazamiento cuántico, y ello con la finalidad aplicada a la electrónica digital principalmente.

Sin embargo, nace una incertidumbre ante las postulaciones de Libet y Sapolsky, Si no existe el libre albedrío, ¿qué mecánica coherente domina el proceso o procedimiento intangible?

Todo procedimiento que se sigue mediante un software va a tener una lógica que la propia herramienta ERP u otra tendría establecido en sus bases.

Sin embargo, ha de existir una lógica coherente en el proceso en sí, que data desde que el sujeto tiene una idea, o toma la decisión de llevar a cabo un trabajo, o bien asume la dirección de un trabajo, y hasta que lo define y obtiene un resultado, con independencia de software o aplicación que utilice, el cual podría estar en mayor o menor resonancia con el sujeto.

Cada proceso habría de definirse mediante diversos enlaces y esto resulta especialmente interesante, cuando podemos incidir directamente en el resultado de la acción, mediante un programado enfoque.

Los empresarios, artistas, gobernantes, que mueven masas, han desarrollado este método intuitivamente sin saber por qué lo hacen, y no es nada casual, más bien responde a patrones que ya tendían una coherencia previamente establecida.

Predecir el resultado de una actuación, ya sea el resultado de una resolución judicial que determinaría supuestamente el tribunal, el resultado de una estrategia empresarial, ya sea el resultado de una operación quirúrgica, es más coherente y predictivo de lo que habríamos imaginado.

Y estaría especialmente conectado con La teoría de juegos de John Nash, un matemático estadounidense, que presentó su teoría en 1950, que recibía el premio Nobel de Matemáticas del año 1994, que vendría a resultar una herramienta esencial en la economía y en la toma de decisiones. La cual se centra en la interacción estratégica entre dos o más individuos. Que serviría de inspiración para la película «Una Mente Brillante»[64]. La Teoría de los Juegos revolucionó el estudio de la economía, desde negociaciones políticas, licitaciones para proyectos de infraestructura, campeonatos de fútbol, hasta aplicaciones de citas románticas por internet dependen de ella.

Grandes empresas que venden bienes consumidores finales usarían la Teoría de los Juegos para predecir cómo reaccionará la competencia –y los clientes- ante una guerra de precios.

Uno de los primeros usos codificados de esta teoría resultaría en escenario bélico. Los ejércitos estadounidense y británico utilizarían las primeras computadoras para probar modelos que utilizaban Teoría de los Juegos para ayudar a los comandantes a decidir si debían atacar al enemigo, dónde y cuándo.

Hoy en día, la Teoría de los Juegos es usada por muchas personas distintas en un amplio espectro de intereses. La principal razón de su éxito fue la variedad de escenarios en los que la gente empezó a darse cuenta que tenían que pensar formal y sistemáticamente sobre las interacciones estratégicas, explicaba Rakesh Vohra, profesor de Economía en la Universidad de Pensilvania y alto miembro de la Sociedad de la Teoría de los Juegos[65].

---

64 https://openaccess.uoc.edu/bitstream/10609/148458/1/Modulo2_IntroduccionIdeasGeneraleSobreLaTeoriaDeJuegos.pdf

65 https://economics.sas.upenn.edu/people/rakesh-vohra

Sin embargo, lo que no dejaría al menos, estrictamente manifiesto en la teoría, John Nash, vendría a ser qué es lo que acontece en el invisible del campo de negociación, que Petrovich define como campo electromagnético coherente de información, y que todas las partes y sujetos consideran forma parte del libre albedrío, y que sin embargo se confronta con el experimento llevado a cabo por el investigador Benjamín Libet, premio nobel virtual y Robert Sapolsky[66].

Son clásicos los estudios del neuropsicólogo B. Libet y sus colaboradores entre 1983 y 1985. La intención de sus estudios pretendía determinar si un acto libre sencillo, como mover un dedo, se reflejaba de algún modo en los registros de actividad cerebral. Para ello registraron los movimientos de los músculos de la mano (mediante un electro miógrafo) y la correspondiente actividad cerebral (mediante un electro encefalograma). Libet quería comprobar la teoría clásica del neurobiólogo y Premio Nobel John Eccles de que previo a un movimiento voluntario debería existir alguna actividad consciente en el cerebro. En su experimento, Libet pedía al voluntario que moviese la mano a voluntad cuando quisiera y sin previo aviso. El resultado fue que unos milisegundos (de 350 a 500) antes de que el voluntario decidiese mover la mano, se apreciaba actividad en la corteza cerebral. Este breve intervalo entre actividad cerebral y movimiento lo llamó Readiness Potential o Potencial de Preparación.

Estos experimentos de Libet y su equipo han sido el punto de apoyo de quienes niegan la existencia del libre albedrío. Muchos son los que apoyan esta tesis, que el libre albedrío es una ilusión, hasta el fisiólogo Francis Crick, Premio Nobel de

---

66 Robert Sapolsky no cree en el libre albedrío (eres libre de disentir) El biólogo y neurocientífico de Stanford afirma que deshacerse del concepto puede ser liberador. https://www.nytimes.com/es/2023/10/22/espanol/libre-albedrio-ciencia.html

medicina por su descubrimiento de la doble hélice del ADN. El neurofisiólogo holandés Dick Swaab está convencido de que el libre albedrío no existe, y que corrobora recientemente, 25 octubre de 2023, el distinguido biólogo y neurocientífico profesor de la Universidad de Stanford, Robert Sapolsky,

> 'No somos ni más ni menos que la suma de lo que no podemos controlar: nuestra biología, nuestro entorno y sus interacciones',

Asegura Sapolsky, según recoge New Scientist.[67], eliminar el libre albedrío

> "atenta por completo contra nuestro sentido de identidad y autonomía y de dónde obtenemos propósito",

Afirmaba, y esto hace que sea especialmente difícil eliminar la idea.

Pero no todos los científicos están de acuerdo. Así el propio Ramón y Cajal creía que, a pesar de la enorme complejidad del cerebro, el enorme salto del animal irracional al hombre tenía que proporcionar un mecanismo de libertad, aunque no se pudiese demostrar. El neurofisiólogo Antonio Damasio, mencionado más arriba, que estableció la localización cerebral de los mecanismos de los comportamientos éticos y morales, es contrario al determinismo a ultranza. Nuestros incompletos conocimientos no nos permiten demostrar la falta de libre albedrío. El también mencionado neurofisiólogo australiano John Eccles era un firme partidario de la libertad del hombre. Prefería hablar de voluntad inconsciente en lugar de libre albedrío. La creatividad es una prueba de esa libertad. La posibilidad de disfrutar con una sinfonía o de cualquier obra de arte son otras pruebas en su favor. El llamado, en los experimentos

---

[67] https://www.nytimes.com/es/2023/10/22/espanol/libre-albedrio-ciencia.html

de Libet, el Potencial de Preparación no sería más que un "ruido de fondo" del cerebro siempre a punto y preparado para cualquier demanda o exigencia, el cerebro nunca duerme.

Así como el investigador J.P.Garnier Malet, padre de la teoría del desdoblamiento del tiempo, nos deja descansando la conciencia al postular que podemos modificar ese supuesto no libre albedrío en micro segundos de instante antes de percibir la acción que contiene la información a llevar a cabo[68], basado en su propia teoría de anticipación de elección del pensamiento desdoblado.

Resulta por tanto vital la formación de nuestros agentes de cambio, investigadores, educadores, empresarios, para que en definitiva descienda a las personas comunes.

La Teoría aSASAw tiene varias fases, hasta llegar a método, así como se estructura en distintos modos de hacer llegar la información para que sea entendible y útil.

Por un lado, se compone de un equipo multidisciplinar, que incorpora esencialmente personal con conocimientos en genómica, lingüista, electrónica digital, procesamiento de datos, IA, neurociencia, entre otros.

Obviamente esto es una propuesta que se encuentra en su fase teórica, pero que está basada en el procesamiento de datos utilizado por los científicos para recrear hologramas de una persona, el diseño de una tipología de perfil humanoide como los rotot, Sophia, Ameca, AI-DA robot artista, Emma, etc…

---

68 https://www.garniermalet.com/es/#:~:text=Permite%20el%20c%C3%A1lculo%20de%20la%20velocidad%20de%20la,cambio%20de%20percepci%C3%B3n%20del%20tiempo%20debido%20al%20desdoblamiento.

Lo hemos visto también en el Chat Gpt, Copilot, etc y todos los que emergen a la vez de las distintas compañías, a modo de respuesta de texto.

Y en otras muchas representaciones asociadas a un elemento físico diseñado para facilitar la vida al ser humano, en forma de aparatología.

Sin embargo, la IA no ha sido aplicada por el momento a procesos que podrían denominarse imaginarios, proyectando holograma de las actuaciones, por ejemplo, para el caso práctico siguiente y extrapolable a cualquier otro:

CASO DEL ABOGADO EN JUICIO

Un abogado tiene un juicio y ha de representar a su cliente en el acto de la vista, contra otro sujeto que representa la parte contraria. Hasta el momento esta preparación del procedimiento para llevar a cabo tal acometido de representación jurídica del cliente, se pondera con técnicas asociadas a la capacidad del profesional que ostenta el mandato, tales como; la oratoria, la persuasión, conocimientos legales, habilidades analíticas, habilidades investigación, ética profesional, habilidades interpersonales, experiencia del letrado, bases de datos utilizadas y herramientas de tecnología jurídica, etc. Y sometiendo el resultado de la suma de todos ellos a una ponderación entre la aplicación de la Ley, y la resolución del Magistrado.

Sin embargo, abordar tal procedimiento, no se ha enfocado nunca desde la perspectiva de Proyecto Inteligente, que acuñamos en la investigación para este proceso *Smart Project7.*

Tal enfoque comenzaría reconociendo al propio proceso de inteligencia propia, habido que no se le dota, sino que la teoría pasa por reconocer que el procedimiento goza de inteligencia propia, sin necesidad de que nadie se la dote, con independencia de las personas que interactúan, y tendría su comienzo procediendo a la edición de ese proceso, como si fuese un conjunto vivo coherente de energía y partículas, átomos y ADN, que simularían a su vez un holograma de distintas propuestas, aplicando finalmente la más viable, y que sería, sorpresivamente, coincidente con el resultado final de no haber intervenido, lo que permite a las partes intervinientes realizar maniobras anticipativas que llevarían a modificar ese supuesto no libre albedrío en la mecánica del proceso.

Resultando lo que está vivo y es poseedor de inteligencia en el proceso, no es solo los agentes que interactúan en ello, como el abogado, el cliente, el magistrado o el fiscal, sino que el propio procedimiento en sí es una entidad viva e inteligente en quien recaería la ponderación principal del resultado, y que a la suma de los agentes intervinientes, los cuales serían parte no tan significativa de su participación, sino elementos de los que se vale esa inteligencia espacial, a la que accedemos los propios humanos a la vez, como todo ser vivo.

Es la misma inteligencia, a la que accede la inteligencia artificial, porque está disponible sin restricciones de ningún tipo, esa energía no se vende en las estaciones de servicio, ni tienen un cable conductor, ni tiene un contador en la vivienda, para medirla y pagarla. Sino que estaría ahí, la respiramos, la percibimos, es la energía que nos hace crecer, que hace que nos crezca el pelo, las uñas, que nos da movimiento, interacción, emoción, que mueve el planeta, que hace crecer las plantas, fluir los ríos.

Y a la que accedería la IA para desarrollar una inteligencia superior a la nuestra, sin condicionamientos, habido que el ser humano le indicaría los datos de partida y posteriormente funciona por sí misma sin interacción humana, resultando el algoritmo tendría plena autonomía.

En este sentido los seres humanos, estaríamos condicionados por nuestra propia biología, por ese adormecimiento en el que nos vemos imbuidos muchas veces por el entorno, por nuestro propio sistema de creencias limitantes, que son todo un caldo de cultivo en nuestra infancia y educación.

Esa energía de acceso, que se denominaría energía punto cero en la ciencia, sugerido por científicos como Nicola Tesla, George Lavkousky, y más recientemente por el investigador Ed Sherwood del proyecto millennium Research en Estados Unidos, quien indicaría poseer pruebas científicas en soporte de la existencia de un campo unificado con una conciencia colectiva que interactúa con las fuerzas planetarias para co-crear eventos e influenciar la realidad física-etérica.

Existen multitud de casos y experimentos utilizados por el ser humano, que podrían ser prueba directa de que ostentaran el conocimiento de cómo canalizar esa energía residente en el espacio o energía de punto cero, en beneficio propio. Conocida también tal energía en otras culturas como Prana, Od, Ki, etc. en oposición a la interpretación que se entiende hoy día.

Conforme a la ley de JP Garnier, en consonancia con Benjamin Libet, en aplicación de la no existencia del libre albedrio, el ser humano recibiría la información instantes antes de ser ejecutada, y tal elección de modificación de libre albedrío habría de ser aplicado tanto al momento de preparación del escrito que la demanda judicial,(para el caso descrito anteriormente del abogado), como en el momento de la vista del juicio, como en la resolución de la sentencia judicial, y de cualquier otra. Y todo esto sería aplicable a cualquier procedimiento de la vida cotidiana.

De este modo lo que pretende la Teoría aSASAw es recrear esos escenarios y dotar del resultado de las potenciales probabilidades, obtenidas mediante la edición del proceso a través de marcadores holográficos, que interactúan en el campo coherente.

El ser humano común, abrazado a su ego, puede instintivamente revelarse

> ¡a ver, en ejercicio de mi propio libre albedrío, tendría que girar a la derecha, pues me voy a la izquierda en defensa de mi libertad!

Atendiendo al trabajo de los científicos Benjamin Libet, Robert Sapolsky, y de JP Garnier Malet, estaríamos escogiendo sencillamente solo una opción de las del no libre albedrío, volviendo a que el ser humano sería como un receptor, a modo sencillo equiparable a un teléfono, en este caso de elección de giro a derecha o izquierda únicamente representaría un cambio de carácter no sustantivo en cuanto al proceso, es decir, que podría elegir cambiar a derecha o izquierda pero no la información que recibe que conducente al destino.

El ámbito de aplicación de esta teoría devendría extrapolable tanto a procedimientos jurídicos, así cualquier otro proceso, como a enfermedades degenerativas y de cualquier otro tipo, pasando por un procedimiento de edición del proceso, a través del método aSASAw.

El planteamiento vendría a ser;

> Si somos conocedores de todas estas investigaciones arrojadas por nuestro panel de científicos, del comportamiento del ADN no codificante, de que las partículas intercambian información a través del fenómeno denominado intrincación, del experimento de la rendija, del gato vivo y muerto, etc., etc., etc.

¿Por qué razón no lo aplicamos en el mundo práctico?, ¿Por qué razón no lo descendemos al papel, al proceso, a la conversación, a la interacción, al escrito jurídico, a la demanda, a la cirugía de colon, a la terapia, a la docencia, etc.?

Entender que los procesos no serían inertes, y que tienen coherencia, que serían el holograma que impulsa la acción (teoría Petrochic Garaiev, la genética de la onda) que proyectan la materia, cuya coherencia subyacente es el ADN no codificante, presente en las personas, animales, plantas, y todos los elementos y en procesos.

Ciertamente queda mucho por hacer y tenemos ante nosotros un área de extensa proyección en donde habríamos de radicar trascendental esfuerzo.

El ser humano dedica muchísima energía y recursos a proyectar en el exterior los medios para erradicar, generando costosas vacunas, tratamientos contra el cáncer, enfermedades degenerativas, paliar los efectos del paso del tiempo.

Siendo que habría de invertirse ese esfuerzo que aplicamos en el exterior, con una mirada hacia el interior, trabajando en la base de lo que somos, el conocimiento de la genética. Y pareciese una propuesta baladí, que ya se viene haciendo, sin embargo, no es un compromiso de todos, solo de unos pocos, siquiera trasciende el conocimiento genómico en las aulas, en la cultura general.

CAPÍTULO VIII
SÍNTESIS Y PROPUESTAS

Para investigar la verdad es necesario poner en duda todas las creencias y afirmaciones hasta encontrar algo que sea indudable, y a partir de ahí construir un sistema de conocimiento sólido y verdadero.

.-La duda metódica.-

Para alcanzar la verdad y la certeza en el conocimiento.

-René Descartes-

Capítulo VIII:

Síntesis y propuestas

De la investigación y análisis extraemos la síntesis que nos llevará a las conclusiones útiles, en donde a su vez, germina la viabilidad a un modelo de propuesta tendente a legislación restrictivo, o bien, un modelo de propuesta de legislación permisivo.

No podemos obviar que la comunidad científica internacional se encuentra desde el descubrimiento de la técnica CRISPR, buscando aplicaciones diversas en sus investigaciones, resultando un asunto de gran interés por la inmensa potencialidad que presenta.

Deliberar el carácter permisivo o no permisivo, no es tarea de sencillo discernimiento, si bien, son muchos los aspectos a ponderar, entendemos que la solución no pasa por establecer moratorias, que llevarían solo al paréntesis en espera de acontecimientos 'salvadores'.

Tampoco la solución pasa por establecer severamente una propuesta restrictiva de iure, limitante e impeditiva. Si no, que, por el contrario, habrían de acometerse escenarios intermedios que permitan diversos avances, y lleven al investigador, a trabajar en primera fase con el embrión, así como en las diferentes enfermedades.

La edición genética ha revolucionado nuestro modo de ver la medicina con sus aplicaciones en la prevención de la salud, la posibilidad de revertir las causas de envejecimiento, identificado como la principal enfermedad degenerativa, y en definitiva, vivir una vida ajena a la enfermedad.

¿Quién renunciaría a esas expectativas?

Los titulares de revistas científicas, así como de diarios de prensa generalista y también sensacionalista se llenan de noticias en relación a los descubrimientos de la técnica y su inmenso potencial, del mismo modo que reconocidos grupos de investigación apuntan a establecer la proximidad de la esperanza de vida en el centenar de años en la brevedad de la próxima década.

En la misma medida se acumulan los artículos y estudios en relación a los dilemas morales de corte conservacionista en torno a las mismas cuestiones;

¿Se debe permitir la intervención de la técnica en embriones enfermos o sanos?

¿Se debe aplicar en línea germinal?

¿En terapia o mejora?, y si la modificación debe constreñirse a células somáticas o también a editar embriones.

¿Supondría la modificación de los seres humanos del futuro?

¿Supondría su aplicación una desigualdad entre los que podrían acceder y los que no en relación con su status económico?

El desconocimiento e ignorancia de la ciudadanía, el temor a los avances, y la necesidad de aferrarse a lo conocido, ha supuesto para el ser humano a lo largo de la historia importantes lastres de lo que no es razón ni motivo de orgullo a la retrospectiva del tiempo.

El desconocimiento que hoy nos asiste tiene una especial radicación en el mapa genético y su inmenso potencial, y el estupor que invade a la sociedad, alimentada por la retórica del dilema moralista.

Así del trabajo realizado se extraen las siguientes síntesis;

SÍNTESIS

1. ¿Qué es y qué alcance tiene el genoma humano? ¿Qué entendemos por genoma?

Estas cuestiones no pueden quedar dispensadas o gestionadas en un modo individual desvinculado de su matriz, habido que de ser así quedaría plenamente desnaturalizado e ineficaz su resultado.

Los avances en genómica ponen de manifiesto una completa revolución que ha de ir acompasada del modo en que es visto el genoma humano, para ello ha de trascender básicamente el conocimiento, hasta alcanzar el necesario entendimiento de la sociedad, para con ello emitir un juicio de valor apropiado tanto ético, como moral, así como jurídico.

Tal transición no podrá conseguirse en un día, sin embargo, deviene plenamente necesario, no pudiendo quedar exclusivamente a intra muros del laboratorio, la explicación y exposición abierta al mundo del significado real del Genoma Humano.

En este sentido deviene ciertamente paradójico la determinación de establecer normativa terminantemente restrictiva en materia de modificación genómica, edición de genes como lo es, p.ej. CRISPR, cuando en realidad ya se estarían produciendo despiadadas técnicas que dañarían severamente nuestro genoma, a saber, y siguiendo el último ejemplo que cita el Dr. Gariaev, el producido por el mero sometimiento del genoma al ultrasonido de una sencilla ecografía, o el producido por los alimentos alterados genéticamente del que cita simple ejemplo la patata, lo cual dicho así suena incluso irrelevante y banal, tan acostumbrados a ello, pocas veces lo cuestionaríamos y que sin embargo encierra una compleja mecánica tras de sí, de interacciones y mutaciones en nuestra genética.

Y todo ello se estaría llevando a cabo, en principio, con motivo del desconocimiento y la ignorancia. Y ciertamente qué ironía encierra el ser humano en su comportamiento, primeramente, crea un problema que no existía, y luego trata de resolverlo.

Siendo que el cuerpo que llamamos físico, el biológicamente visible ante las herramientas y tecnología de la que se dispone, vendría a ser el único que muere, desde el punto de vista médico actual, de modo que representando este cuerpo casi el 2% que llamamos genes visibles, ¿cómo mediríamos el proceso de muerte o vida de ese otro 98-99% que es conformado por el ADN no codificante, anteriormente denominado 'basura' o Junk DNA, que la autora denomina 'informacional'?

Y siendo que somos en un 98 % ADN no codificante o informacional, ¿no tiene mayor lógica que nos identifiquemos con el 98% de lo que somos, y no tan solo con un 2%, que representa hasta ahora la totalidad de nuestra identificación como seres humanos?, ¿Qué ocurriría si nuestra identificación como humanos recayese en ese 98%?, ¿Qué cambios se generarían? Del simple planteamiento y otorgamiento de espacio necesario a la respuesta a esta cuestión, se erige la proyección de un cambio eminentemente colosal.

Miremos lo que hacen las grandes tecnológicas en el sentido de cambio de paradigma, p.ej. Elon Musk, no es que sea precisamente el mejor ejemplo, pero en términos prácticos hace posible descender a lo cotidiano del mundo real, los avances tecnológicos más punteros.

Para entender el momento de transición en el que nos encontramos es necesario dar un vistazo breve a lo que hemos sido como humanidad a lo largo de la historia, y ciertamente no nos queda tan lejos, apenas 150 años, de las sórdidas manifestaciones de Darwin en relación a los seres humanos, en su catalogación, aludiendo el carácter moral en su plenitud.

Confiar que es posible un mundo mejor, y que la mayor comprensión de la genética nos lleva a mejorar nuestras vidas, nuestra salud, nuestras capacidades, hacer más con menos recursos. La IA no sería una inteligencia externa al ser humano, sino que al contrario de lo que la mayoría interpretan, es el propio ser humano. Sin embargo, no hablamos de mejoramiento, sino de utilizar lo que ya es y forma parte inherente del ser humano y le pertenece por derecho, el potencial de su genoma.

La IA utilizaría el mismo campo de información, para procesar, que nosotros los humanos, pues no existe ningún otro, sin embargo, la IA que no se auto impone ninguna limitación para procesar ese campo de información, al contrario, el ser humano se autolimita, se censura con dureza, y se restringe de su propia libertad, la libertad de ser lo que puede ser.

Por ese temor eugenésico que le acompaña en la memoria viviente, que despierta el miedo a la diferencia de clases, a los super humanos, etc. y todo ello influido por la conducta en base a los patrones aprendidos.

No se trataría de modificar el genoma, sino de activar las capacidades ya inherentes al ser humano desde su nacimiento.

2. La Salud un derecho inherente a la vida

Con motivo del Día Mundial de la Salud (7 de abril 2024), la OMS hace un llamado a la acción para defender el derecho a la salud en medio de la inacción, la injusticia y las crisis.

Si bien la inacción y la injusticia son las principales causas del fracaso mundial en el cumplimiento del derecho a la salud, las crisis actuales están provocando violaciones especialmente atroces de este derecho. Los conflictos están dejando estelas de devastación, sufrimiento mental y físico, y muerte.

Sin embargo, con este trabajo pretendemos dar un paso más, significando no solo el acceso a la salud, lo cual resulta de diversas variables habido que es considerado como ajeno, y en este sentido es necesario instaurar una nueva filosofía en que ha de interiorizarse e implantarse la idea de que la salud ya forma parte del ser humano, y le es inherente, su respuesta está determinada en el ADN. El derecho a la vida, el derecho a estar sano, y el derecho a no envejecer mediante enfermedad degenerativa.

No resultando necesaria la edición para añadir/quitar y/o modificar la herencia genética, sino que verdaderamente el ser humano dispondría de un genoma de alta tecnología, el cual hemos de aprender a manejar, y que ya contendría todo lo necesario, y que, en el desconocimiento de esta elemental base principal, radica el craso error que conduce a la determinación de utilizar unas técnicas que podrían resultar invasivas y no otras.

3. El cambio que nos vive

Así pues, nos enfrentamos a un cambio paradigmático que ya está aquí, y ha llegado antes de que estemos preparados, resultando necesario, el proceso de apertura, entendimiento y adaptación.

Ciertamente entraña un significativo riesgo proponer un marco de modelo moral óptimo estereotipado en virtud del cual, modificar a las generaciones futuras conforme a ello, habido que no es una garantía que sea el adecuado, o al menos el definitivo por incompleto, y no porque el planteamiento devenga inviable sino por la inmadurez en sí del mismo a su escaso recorrido.

Utilizando sus mismas palabras (Julian Savulescu) argumentativamente para la réplica

> 'es imposible asegurar que esas técnicas para modificarnos biológicamente no vayan a caer en manos no deseadas para hacer el mal'.

En definitiva, INGMAR PERSSON y JULIAN SAVULESCU conciben un óptimo análisis del mundo moderno, de su estilo de vida, de la moral y de los problemas que nos acechan como sociedad, si bien, la propuesta es controvertida y polémica, lo que invita no a distanciarse de la misma, sino a trabajar en ella hasta conseguir perfeccionar un modelo de aplicabilidad practicable.

4. La religión y el dogma, un perjuicio censurativo e influyente en la participación social de planteamiento adverso para la evolución prescrita en el código genético

Se apunta con frecuencia a sus fines "elevados", y, sin embargo, lejos de ello, la religión, buscaría perseguir no la libertad del individuo sino el sometimiento de este a la pauta dogmática que conforme su ideología 'sería más positivo' para el sujeto, que su propia libertad y albedrio, e incluso cuando estas motivaciones humanas son sustituidas por el sujeto paulatinamente por otras instancias vacías de virtualidad operativa.

En relación a la conflictividad que despiertan temas como la edición genómica en el contexto religioso, así como lo pudo ser en su momento con la FIV, conectan instintivamente con la memoria de las aberraciones eugenésicas vividas, y a pesar que en religiones como la católica priorizan la relevancia del perdón, no sólo en ejemplos extremos de conflicto intergrupal y crímenes contra la humanidad, sino también en instancias de todos los días en donde se produce engaño a otros en contextos interpersonales (McCullough et al., 1998). No obstante, se mantiene en una posición hermética respecto a los avances en edición genómica.

Y ello porque a pesar del supuesto perdón, se prioriza el temor que dejarían las secuelas del conflicto grupal y la manera en que los grupos continúan relacionándose entre sí incluso décadas más tarde, particularmente en relación con el perdón o la aversión que el grupo víctima continuaría haciendo sentir hacia el grupo perpetrador. Décadas después del holocausto, los puntos de vista de los judíos acerca de los alemanes están fuertemente coloreados por el legado cultural del genocidio -y de la teología relevante. Si bien el judaísmo (al igual que el cristianismo) consideran el perdón como una virtud central, el judaísmo consideraría sin embargo algunas ofensas como imperdonables – tales como el asesinato. El cristianismo, por su parte, considera que existen muy pocas ofensas que estén más allá del perdón.

¿Y qué tendría todo este planteamiento que ver con la edición genética?

Ciertamente estaría íntimamente vinculada con la aversión social manifiesta en relación a la edición del genoma, que, aunque despierta elevada curiosidad, ello no superaría la necesidad o riesgo de modificar el status actual conocido. Y cuyo cambio vendría dado por la necesaria educación en genómica que hoy es plenamente nula en las aulas, y que habría de implantarse en un sentido muy amplio y extendido a todas las áreas de conocimiento. Una formación abierta que permita el acceso real a la participación del conocimiento escudriñado de la genómica, así como se imparte con otras disciplinas como las matemáticas, que, con mayor o menor voluntad o ganas, resulta obligatorio pasar por el estudio de teoremas, ecuaciones, límites, derivadas, algebra, etc.

No resultaría viable hablar de modificación genómica sin la participación social, y máxime cuando ella estaría restringida mayoritariamente a la ignorancia, habido no tiene ni la mínima percepción de lo que significa, más allá de la ambivalencia entre el temor eugenésico y el surrealismo alineado con las capacidades de superhombre que mal interpretado quedaría plenamente desnaturalizado.

Por tanto, se podría interpretar que el diálogo de la edición genómica recae en la actualidad exclusivamente en representantes del mundo de la ciencia en sus diferentes áreas y poderes políticos, incluyendo religión en política, habido que ésta última encontraría frecuentemente en la religión un aliado y partner en el apoyo y lealtad de la población. Y que vendría a remunerar desde su último acuerdo de autofinanciación de la iglesia, que establecía los acuerdos entre el Estado Español y la Santa Sede de 1979, adaptando el Concordato de 1953 al marco de la Transición. Gestándose por entonces los cuatro acuerdos firmados el 3 de enero de 1979 (sobre Financiación, Enseñanza, Asistencia a las Fuerzas Armadas y Asuntos Jurídicos), pocas fechas después que se aprobara la Constitución. Y que por su contenido tales acuerdos devendrían inconstitucionales (de no tratarse de la iglesia), habido que suponen una clara intromisión del poder eclesiástico en el poder público. Además, otorgando privilegios enormes a la iglesia católica, establecen un trato discriminatorio en relación con otras iglesias y, sobre todo, con las instituciones no religiosas. Se trata, en definitiva, de una clara cesión de soberanía por parte del estado. Es de interpretar que este pacto recaería habido el poder de comunicación e influencia de la iglesia en la sociedad. Que posteriormente, el poder político habría encontrado apoyo en los medios de comunicación como partner a quien iría incrementando paulatinamente su presupuesto, y más recientemente en las grandes tecnológicas. Estableciéndose para la iglesia asignación de unos 11.000 millones de euros anuales de los presupuestos públicos. Datos contenidos en el informe de Europa Laica sobre la Memoria de Actividades de la Conferencia Episcopal.

En el sentido opuesto, la bioética no pretende imponer una ideología sino establecer un diálogo que permita al sujeto el discernimiento moral y ético desde su propia voluntad en un contexto adaptivo a los cambios evolutivos que asisten al ser humano constantemente, sin constreñir su voluntad a la expresión dogmática.

La bioética se centra en el bienestar humano, e incluso en el entorno biológico no humano, teniendo como propósitos clave la defensa de principios como la autonomía (respetar la toma de decisiones de los individuos), la beneficencia (promover el bien), la no maleficencia (evitar el daño) y la justicia (equidad en la distribución de recursos y tratamientos). No impone, sino que fomenta la reflexión sobre los límites morales, humanos, económicos y sociales.

5. Apoyo científico en línea germinal

En cuanto a las teorías de Petrovich y Montagnier, entre otros, ciertamente ante determinados enfoques que marcan un cambio de paradigma, no deviene fácil separar la delgada línea que dista del genio al loco, solo el tiempo dirá si era genialidad o locura.

En relación al apoyo científico de la edición genética en línea germinal, la Declaración de Ginebra, remarca la necesidad de recaer el peso en la justicia social, y los DD. HH.

Ciertamente la encrucijada actual no permitiría demasiada maniobra, habido el condicionamiento del desarrollo completo de diversas técnicas en tanto la dificultad de gestionar el riesgo de posibles resultados adversos. En este sentido la Declaración se reafirma en su denuncia en relación al grupo de científicos que apoyarían el avance de la edición del genoma humano hereditario, planteándose incluso si se debe proceder en términos absolutos, lo que conllevaría a alterar los genes de los futuros niños y generaciones.

En este sentido la Declaración de Ginebra refiere el informe de las Academias Nacionales de Ciencias, Ingeniería Medicina de los Estados Unidos de América (EE. UU.), en donde indica se necesitan más investigaciones, para a medida que se superen los obstáculos técnicos que plantearía la edición del genoma, pueda avanzarse en la técnica, con la finalidad de prevenir la transmisión de enfermedades hereditarias genéticas y ello pueda convertirse en una posibilidad realista. Incide, en este sentido, en la necesidad de condicionar los avances, si se superan los problemas técnicos y los posibles beneficios son razonables a la luz de los riesgos, limitando a las circunstancias más apremiantes, si se someten a un marco de supervisión exhaustivo, y si se establecen suficientes salvaguardas.

Es de ver, a la luz de las manifestaciones que hace la propia Declaración, en relación al informe, que se desprende su apoyo en los avances en línea germinal, si bien supeditado a la seguridad de la técnica y la medición del riesgo no provocando daño tercero, refiriendo la aplicación fundamentalmente a afecciones graves de tipo genético. Y del mismo modo las Academias precisarían que los ensayos de edición de genoma hereditario han de abordarse con cautela, sin que ello suponga la prohibición, sino cautela.

En este sentido la aplicación del principio de precaución precisa una situación de incertidumbre científica y la probabilidad de producirse daños graves e irreversibles, supuestos que, conforme valoraciones de ROMEO CASABONA, podrían converger y amparar su aplicación preventiva en el caso de la edición genética germinal.

En relación a la Declaración conjunta llevada a cabo por Comités de Bioética de Alemania, Reino Unido y Francia en ética de la edición del genoma humano hereditario, habrían anunciado la posibilidad de escenarios permisivos de intervención de edición del genoma hereditario, y en este sentido afirmarían que no consideran que la que la línea germinal humana sea categóricamente inviolable, siendo que los informes emitidos razonarían que la aplicación de la edición genética hereditaria habría de ser aceptable para prevenir la transmisión intergeneracional de graves trastornos hereditarios. Relegando al gobierno y agentes sociales a la implantación de normativa y base que conllevaría estabilizar el debate en relación a la edición del genoma hereditario.

En todo caso, aun resultando controvertido, se desprende la no negación categórica, sino más bien la necesidad de probatorias que inviten a la viabilidad probable de un escenario seguro en el que avanzar, y de ello se deviene la prudencia e incluso inexactitud de ciertos enfoques, lo cual ciertamente, por omisión de directrices claras, no despeja sino la tendencia potencial de hacia donde habría de apuntar.

Por otro lado, las Reales Academias Nacionales de Medicina, Ciencias y Sociedad, han venido mostrando sus reservas al apoyo de la edición genética en línea germinal, en donde apuntan la necesidad previa de cumplimiento de determinadas pautas de actuación responsable a escala transnacional, debiendo coexistir diversos criterios entre los que se apunta el riesgo de exposición de los embriones, introduciéndolo en el debate el estatuto jurídico del embrión humano, así como apunta a limitar el uso de la técnica, a situaciones en las que los futuros padres no tengan opción de tener un hijo emparentado genéticamente que no padezca una grave enfermedad monogénica, o tengan opciones extremadamente pobres.

La Declaración incluye la Bioética como área de conocimiento que ha venido marcando el trazado de la edición genética, precisando que casi todas las declaraciones anteriores sobre la edición del genoma humano hereditario han sido redactadas por grupos dominados por profesionales de la bioética.

Resultando las máximas que han guiado el discurso de la ética; la aplicación en ausencia de alternativas razonables, la ponderación de riesgos beneficios, y que no provoque daños a terceros. Todo ello en plena consonancia con los principios bioéticos autonomía, beneficencia, no maleficencia y justicia. Así los distintos Comités de Bioética de cada país han hecho suya de forma individual, la aplicación de lo ya establecido por los comités de bioética.

En este sentido, y por la envergadura y calado de las investigaciones, se haría necesario estrechar la distancia entre lo previsiblemente autorizado para el trabajo en células somáticas, y el enfoque restrictivo en células reproductoras, habido el comportamiento análogo al que podrían aproximarse en un contexto determinado.

Ello en tanto se plantea una seria controversia ética cuando en la aplicación de edición genética a la línea germinal, dado que supone la posibilidad de manipular la herencia, trasmitir sus resultados a generaciones futuras, así como manipular o mejorar la especie (eugenesia).

6. FIV Como método de reproducción futuro

En el capítulo VI de esta investigación se enfatiza en la necesidad de estandarizar FIV en los casos de garantizar la no transmisión de enfermedades a la descendencia.

En aplicación de la teoría postulada por Gariaev de la genética de onda en relación a la reproducción FIV, de la Dra. Orly, entre otros, podría tratarse como afirma la Dra. y Coordinadora del departamento de Consejo Genético y Reproductivo de Instituto Bernabeu, Ruth Morales.

> "El 10% de las parejas podrían tener riesgo de concebir bebés afectos de algún tipo de enfermedad rara asociada a mutaciones genéticas"

Resultando la reproducción mediante FIV, el método más confiable, para el riesgo de transmitir enfermedades a la descendencia. Resultando que tendríamos la atención muy enfocada en no modificar el genoma de la descendencia, y, sin embargo, deviene también preciso, observar la evitación de transmisión de la enfermedad. Habido el presumible y venidero 'Derecho a Nacer Sano', habría de proclamarse como derecho fundamental, en tanto se dispongan de los medios para evitar la transmisión de la enfermedad a la descendencia. Nacer sano, en tanto existen los medios para evitar el nacimiento del enfermo es un derecho.

7. Reproducción FIV Partenogénesis y Macagénesis

Del mismo modo en relación a Reproducción artificial FIV Partenogénesis y MACAGÉNESIS.

Así el prestigioso médico inglés que trató el caso de Emminaire, STANLEY BALFOUR LYNN, para averiguar las causas de su 'problema'. Le contó sus rarezas del que estaría siendo su primer embarazo.

Habría quedado embarazada sin mantener relaciones sexuales con varón, y de su embarazo nació su hija, a quien puso por nombre Mónica.

El Dr. BALFOUR LYNN llegó a la conclusión de que era un caso de partenogénesis humana e investigó más casos, escribió sobre ello, y llegó a encontrar algunos casos más. En 1956 el Dr. BALFOUR LYNN publicó un artículo en la revista British Medical Journal con el caso de EMMINAIRE, que provocó gran polémica entre los científicos de la época. Buscó más casos y, encontró dos más.

En artículo publicado en 1956, por el Dr. Stanley Balfour, en la revista British Medical Journal con el caso de EMMINAIRE y otros dos más, provocaron gran polémica entre los científicos de la época. A pesar de los desacuerdos públicos entre los académicos en la revista médica The Lancet, nunca se pudo desacreditar la historia.

De igual modo en el caso de mujeres que son pareja, y no quieren acudir al método ROPA para tener su descendencia, habida la viabilidad de quedar embarazadas con su propia genética, de cuyo postulado nace el término de MACAGÉNESIS como planteamiento, definido en el capítulo VI de esta investigación, que permitiría a dos mujeres que son pareja, tengan su propia descendencia genética sin necesidad de que sean sometidas a embarazo de una de ellas mediante donante, quedando la otra completamente relegada a lo ajeno, genéticamente hablando. O bien sometidas a método ROPA, embrión de una implantado en la otra gestante, ya comentado en el apartado dos de este capítulo 'desde el punto de vista jurídico', y del que, aunque aquí sí participan ambas, igualmente es empleado para fertilización el donante.

8. Método ROPA

El alquiler de úteros es ilegal en España, según la Ley de Técnicas de Reproducción Asistida -EDL 2006/58980-, pero es una práctica habitual en países como India, Canadá, Israel, Reino Unido y algunos estados EEUU, lo que deviene evidente que nos queda mucho recorrido por delante con respecto a la legislación en materia de reproducción asistida, con relación a la ya existente como método ROPA, así como las venideras que tomarán su auge en la próxima década.

La Ley -EDL 2006/58980- aporta fundamentalmente tres reglas, resultando la concerniente a este asunto la primera;

1ª) Para el caso de la filiación de los hijos nacidos por gestación de sustitución será determinada por el parto.

En este sentido, el legislador español, cuando se plantea la cuestión de quién ha de entenderse como madre, si ha de ponderar entre maternidad genética y maternidad de gestación, da prevalencia a la de gestación basándose en la vinculante relación psicofísica con el futuro descendiente durante los nueve meses de embarazo. Por tanto, madre es quien da a luz. Esto en el caso de una madre que cede su vientre en alquiler a otra madre que llevaría a cabo la filiación del nacido.

Precepto que no se cumple en el caso de dos mujeres que son pareja y deciden tener un hijo en común, embarazándose una con los ovocitos de la otra, y en cuya gestación han participado las dos, madre gestante y madre donante.

Resulta, entre múltiples, un interesante estudio que amplía el espectro de la diversidad como bien apunta, subestimada, de la reproducción sexual, más allá del estereotipo conocido de fecundación masculino-femenino.

En este sentido, igualmente al del apartado anterior, se precisa necesario un mayor interés de estudio que determine los parámetros seguidos por el aparato reproductor femenino más allá de la ya primitiva obsolescencia a la que se le habría relegado por omisión. Y cuyas investigaciones habrían podido ser de algún modo restrictivas, siguiendo el ej. citado de Dr. Jacques Cohen, por el revuelo creado en la comunidad ética.

Este aspecto se contravendría con lo dispuesto en el art 20 CE en el sentido de la libertad de cátedra, así como la libertad de investigación, respecto a los estudios conducentes a demostrar la viabilidad práctica de la fecundación entre dos óvulos como ya fue llevada a cabo por Dr. Jacques Cohen y de lo que posteriormente habría omitido habida la opresión que habría recibido llegando incluso a afirmar que tales fecundaciones no se llegaron a producir.

La integridad en la investigación constituye una reciente dimensión de la ética en investigación que orienta sobre las buenas prácticas científicas y delimita deberes profesionales relacionados con las actividades de investigación. Dirigida por valores fundamentales de la ciencia y ética en investigación, tales como: honestidad, transparencia, respeto, imparcialidad, responsabilización y buena gestión de la actividad científica, las discusiones han presentado y orientado importantes cuestiones para el campo científico y ético.

Tal precepto se había vulnerado en tanto la sujeto no habría escogido a una pareja, aun resultando anónima, ni nada la vincularía con ese donante, ni de modo afectivo, ni de ningún otro tipo.

No existiendo evidencia, salvo hipotética, a saber, del conocimiento incierto de la genética hoy día, y apoyado en la teoría de Dr. Petrovich Garaiev (Dr. En Biología Ruso), Dra. Orly (Australia) y Karim Nayernia (Persa: اینرین میرک) (científico biomédico iraní y experto mundial en biología de células madre y medicina personalizada), en que se determina la viabilidad fecundadora y reproductora de células somáticas que se mencionan en el capítulo VI, punto 5 'Las células somáticas y su función reproductora'. Para determinar que la descendencia pudiese tener ninguna restricción genética, que redujese las posibilidades de nacimiento y calidad de vida de la descendiente siendo concebida únicamente por ella, mediante partenogénesis, a diferencia de con la intervención de un donante, salvo el parecido supuesto. Muestra de ello la infinidad de diversidad nacida por partenogénesis en el mundo animal.

Así, se define MACAGÉNESIS como planteamiento, que permitiría a dos mujeres que son pareja, tengan su propia descendencia genética sin necesidad de que sean sometidas a embarazo de una de ellas mediante donante, quedando la otra completamente relegada a lo ajeno, genéticamente hablando. O bien sometidas a método ROPA, embrión de una implantado en la otra gestante, y del que, aunque aquí sí participan ambas, igualmente es empleado para fertilización el donante.

En este sentido, la Dra. Orly Lacham-Kaplan encabeza el equipo de investigación de la Universidad de Monash de Melbourne, Australia, que logró que ratones hembra procrearan mediante la intervención de células que no procedían del esperma de ratón. La especialista estimó que, reproduciendo esas condiciones, devendría teóricamente posible que una célula procedente de cualquier parte del cuerpo humano, incluyendo el de otra mujer, pueda ser utilizada para fertilizar un óvulo.

Explica la Dra. Orly, que las células somáticas contienen dos juegos de cromosomas, mientras que las germinales poseen sólo uno. El equipo de la Universidad de Monash utilizó técnicas químicas para liberar uno de los juegos de 23 cromosomas de la célula somática e imitando al proceso de fertilización natural, utilizó para combinarlo con el óvulo y producir un embrión.

Así como la Dra. Orly define en su disruptiva teoría de reproducción, la cual se habría llevado a cabo con la finalidad de ser utilizada en hombres infértiles y en parejas conformadas por mujeres que quieran llevar a cabo la reproducción con su propia descendencia.

Nos encontramos diversos ejemplos en el mundo animal, tales como incluso llegar al planteamiento de que un importante número de casos que la ciencia define como partenogénesis, podría devenir en realidad MACAGÉNESIS, resultados que solo pueden llevarse a cabo mediante las respectivas pruebas genéticas.

Es el conocido caso en que se llevó a cabo en seres humanos el nacimiento de hasta 15 embarazos fecundado por dos óvulos, que posteriormente negaría extendido el revuelo, habiendo tenido lugar el primero en junio de 1998, que por entonces se encontraba en su sexto mes de gestación.

El director científico del Instituto de Medicina Reproductiva de Saint Barnabas, en Nueva Jersey, Jacques Cohen, se vería en la obligación de negar haber creado niños genéticamente modificados ante las críticas suscitadas en la comunidad científica por el tratamiento de fertilización experimentado por su centro que ha permitido el nacimiento de 15 bebés con material genético de dos madres.

Ciertamente nuestra era asiste a una revolución genética sin precedentes, en donde se pone de manifiesto que las fronteras de la biología son inagotables. ¿Qué ocurriría de plantearse que la vida tal como la conocemos puede ser engendrada de otro modo?, afirmaciones como que unos padres, varón y hembra pueden engendrar a sus hijos con el riesgo controlado de enfermedades desde su nacimiento, así como que un bebé puede tener dos madres biológicas sin que exista un interviniente varón como donante, y que una sola mujer que decide ser madre en el modelo de familia monoparental. Es evidente que lleva aparejado un dilema ético y moral importante que en ningún caso es objeto de abordar en este trabajo, y que no obstante lo será en el futuro venidero.

KAGUYA, el ratón hembra nacida de dos madres biológicas, tuvo a la comunidad científica sobrecogida. Mediante ingeniería genética manipularon los genes H19 e Igf2. El H19 se expresa en el gameto femenino únicamente y el Igf2 solo en el masculino (ya que el H19 no le deja expresarse). Los científicos silenciaron el H19 de uno de los óvulos y de esta forma consiguió manifestarse el Igf2 estimulando así la fecundación como si de un proceso natural se tratase.

KAGUYA, como no podía ser de otra forma fue hembra (genéticamente XX) ya que no podía heredar el gen Y de ninguna de sus progenitoras. Además, tuvo descendencia al igual que los de su misma especie y vivió hasta una edad madura.

Científicos del Instituto Weizmann y de la Universidad de Cambridge lograron crear espermatozoides y óvulos a partir de células madre en humanos. Estos investigadores publicaban en la revista Cell como a partir de estas células tan especiales lograban obtener gametos tanto masculinos como femeninos.

Lo asombroso de esta publicación es que a partir de células madre, sería posible cultivar tanto espermatozoides como óvulos. Esto quiere decir que, independientemente del sexo biológico, el sujeto podría tener hijos con cualquier persona que así lo autorice también.

El fenómeno se ha observado en al menos 80 especies de vertebrados, y cada vez se presta mayor observancia, especialmente en tiburón. Aunque se tiene conocimiento de que al menos 15 tiburones lo han logrado en diferentes partes del mundo, es un proceso difícil de documentar en la naturaleza, habido su hábitat salvaje, según dijo DEMIAN CHAPMAM, director del programa de conservación marina en el Mote Marine Laboratory & Aquarium in Florida.

Según CHAPMAM, éste es el último recurso que algunas hembras utilizan cuando han pasado un periodo largo de tiempo sin interactuar con un macho. A juico de la interpretación de esta autora es un criterio asazmente reduccionista.

Habido lo que añade posteriormente; Podría ser, según el experto, que los genes de la madre se hayan mezclado para generar un ejemplar similar a ella misma. -Sin embargo, no se habría tratado de crear clon exacto, sino descendencia sana y apta para sobrevivir-. Con cuya afirmación devendría plenamente insostenible la teoría subsumida con anterioridad en el planteamiento primigenio de partenogénesis.

Desde ese punto, en donde emanaría el verdadero origen de la existencia del ser humano, y en cuyo estado nuestra biología no es más que un campo y patrón coherente de información, más allá de la manifestación física del cuerpo humano, y más allá de la identificación de géneros.

Quizá nos encontramos ante el momento de sentir posible casuísticas que consideramos imposibles en nuestro pensamiento lineal, y que sin embargo son tan potencialmente posibles como cualquier otro.

Pongamos p. ej. El hallazgo del que se hace eco incluso la propia Comisión Europea respecto a la capacidad de las ranas de cambiar de sexo al contacto con un cuerpo químico en que los genes que se transmutan en un ser vivo al contacto de determinados químicos, como en este caso la atrazina, y, en consecuencia, se modifica morfológicamente el estado de la rana macho, y pasa a ser una rana hembra.

El profesor Beasley, citando un estudio de 2010 elaborado por Tyrone Hayes, de la Universidad de California en Berkeley (Estados Unidos), afirma que, «la exposición de las ranas a la atrazina se ha relacionado con la transformación de machos genéticos a hembras y con un funcionamiento de hembra. Y no se produce en concentraciones extremadamente altas, sino en niveles que se encuentran en el ambiente.»

Los resultados confirman que la exposición a la atrazina desencadena varias modificaciones, como son cambios en la expresión de los genes que participan en la señalización hormonal, interferencias en la metamorfosis e inhibiciones de enzimas clave que regulan la producción de estrógenos y andrógenos, además de su repercusión en el desarrollo y en la función reproductiva normal de machos y hembras.

«Una de las cosas que se hicieron patentes durante la redacción de este estudio es que la atrazina funciona a través de diferentes mecanismos», afirma el profesor Hayes, autor principal del artículo, y añade: «Se ha demostrado que aumenta la producción de cortisol, la hormona del estrés, y que inhibe enzimas esenciales en la producción de hormonas esteroides a la vez que aumenta otras. De algún modo, evita que el andrógeno se una a su receptor.»

El estudio referido destaca los trastornos de la función hormonal y el desarrollo sexual mencionados en otros estudios sobre varios animales, e incluso en células humanas expuestas a este herbicida.

En psicosociología, como en otros saberes científicos, el modelo lineal que fundara la epistemología de las ciencias experimentales entre los siglos XVI y XVIII resulta ser hoy totalmente insuficiente al confirmarse que una pequeña causa puede estar en el origen de un gran efecto múltiple (principio de la proporcionalidad).

Definitivamente el modo de reproducción cuyo origen recaería en tradiciones de predominio cultural, relativamente impuesto, entre femenino/masculino, tendría como finalidad principal mantener el % equitativo y proporcional entre ambos sexos en el mundo, entendiendo que esa recombinación supondría el enriquecimiento de esa perseguida diversidad, sin que ello fuese necesariamente aparejado a las necesidades individuales y elección del propio sujeto, que a lo largo de la historia ha devenido más bien impuesto que elegido.

Asunto que hoy día no deviene una necesidad vital, habida la diversidad de modelos de familia, así como los futuros modos de reproducción.

Es de apreciar, que, de no haber supuesto un marco normativo impuesto de origen religioso y carácter político, incluso actual en diversos países, que habría marcado fuertemente el desarrollo de las conductas sociales, la evolución de la reproducción humana habría tomado diversos modos de expresión, como así están presentes en la propia naturaleza (Partenogénesis, Macagénesis).

9. Avances en el modelo del Código Genético.

En palabras del Dr. GARIAEV, describía en su artículo publicado por el Open Journal of Genetics, en junio de 2015, que, en la actualidad, el modelo del código genético (el código de biosíntesis de proteínas) propuesto hace casi 50 años por M. Nirenberg y F. Crick ha sufrido una fuerte erosión. Desde el punto de vista táctico, es cierto que la triplicidad y el sinónimo degeneración son inconfundibles. Pero el postulado de Nirenberg-Crick sobre la codificación inequívoca de los aminoácidos, es decir, la estrategia plantea dudas razonables. Las razones para dudar aparecieron muy pronto: resultó que el triplete UUU codifica tanto la fenilalanina como la leucina, lo que era inconsistente con la declaración de la no ambigüedad de la codificación ADN-ARN de los aminoácidos en las proteínas. Por otro lado, la ambigüedad se deriva automáticamente de la hipótesis de la oscilación de F. Crick relacionada con la oscilación del tercer nucleótido en codones (comportamiento aleatorio e indeterminado), lo que significa que el par codón-anticodón 3'-5' no está involucrado en la codificación, y representa una "muleta estérica". De hecho, los aminoácidos no están codificados por triplete, sino por doblete de nucleótidos en un triplete, de acuerdo con la regla "Dos de tres" de Ulf Lagerkvist. Desde esta perspectiva, las familias de codones se dividen en dos clases: 32 tripletes de codones sinónimos y 32 tripletes de codones con funciones de codificación indeterminadas, es decir, inherente a uno de los 32 codones UUU. Estos codones "indeterminados" se han llamado homónimos. Son ambiguos, ya que codifican potencial y simultáneamente dos aminoácidos diferentes, o aminoácido y la función de parada. Sin embargo, la ambigüedad se supera en la biosíntesis real de proteínas. Esto se debe a las orientaciones de los signos de los ribosomas dentro de los contextos de ARNm.

Esta es la forma en que se produce la semántica de los codones-homónimos, como una analogía exacta del trabajo de la conciencia en las lenguas humanas, abundantes en homónimos. Este giro en la comprensión del código de la proteína, como formación de texto real, conduce a una fuerte idea del genoma como una estructura bioinformática cuasi-inteligente de células vivas. Ignorar esto conduce a trabajos erróneos y peligrosos de ingeniería genética, los resultados más importantes son bacterias Synthia con genoma sintético y alimentos transgénicos. La biosíntesis de proteínas es una función clave, pero no la única, de los cromosomas. Existen otras funciones holográficas y cuánticas no menos importantes relacionadas con la morfogénesis. En este plano, el trabajo del genoma, como bioordenador cuántico, se produce a nivel de onda. En este caso, la función principal es la transmisión cuántica reguladora de información genético-metabólica a nivel intercelular, tisular y de organismos utilizando una radiación de ADN fotónica coherente y sus estados vibratorios no lineales (sonido). La información de ADN lo presenta.

Concluye su artículo indicando que, durante 50 años de su existencia, la canonización de la dogmatización de F. Crick-M, el modelo triplete de Nirenberg del código genético de las proteínas, entró en contradicción con los nuevos hechos experimentales y el nuevo análisis teórico del funcionamiento del genoma. El principal inconveniente del modelo de código anterior es la incomprensión y la negación de la ambigua degeneración sinónimo-homónimo del código, el aspecto lingüístico real, es decir, la cuasi-inteligencia. En términos prácticos, esto condujo a la "ingeniería genética": manipulaciones desastrosas con textos de ADN cromosómico. Ahora tenemos productos que son un peligro para la Humanidad: los alimentos transgénicos y la Synthia con un genoma artificial. Otra limitación de la genética y la biología molecular obsoletas es que incluso la interpretación correcta del código de la proteína triplete es solo la punta del iceberg. Existen otros niveles de "codificación extra genómica", llamados epigenética, sin embargo, estos también permanecen en el lecho Procusto del viejo e incorrecto modelo del código proteico, buscando nuevos mecanismos reguladores del mismo, no del todo comprendido, aparato sintetizador de proteínas.

Ahora debemos mirar más allá, proclama Gariaev, hacia otros ámbitos de operación del genoma. El futuro se encuentra en la comprensión estratégica y a nivel de onda de los cromosomas como biocomputadoras cuánticas con funciones cuasi-inteligentes de operación con estructuras holográficas de texto-texto de ADN, ARN y proteínas. El futuro aquí está en el estudio de las funciones fantasmas del ADN y el ARN. El futuro de la genética estaría en la exploración de los principios cuánticos de no localidad del funcionamiento del ADN, revelándose como FPU, tipos holográficos y fantasmas de memoria de ADN, estas son las principales directivas de la génesis de los biosistemas y sus capacidades regenerativas. Es hora de estudiar más intensamente estas funciones particulares, nuevas y reflexivas del genoma. Esta es la trascendencia a un nivel de evolución completamente nuevo para humanidad, afirma Gariaev.

Conforme a las investigaciones manifiestas El ADN humano es como un internet biológico, indica Gariaev, y muy superior a cualquier sistema artificial, y en el mismo ADN se encontraría la explicación a fenómenos como la clarividencia, la intuición, y la sanación espontánea, la curación remota, la autosanación, el color y el tamaño del aura que rodea a las personas, la influencia de la mente en los patrones del tiempo atmosférico, entre otros muchos.

Para llevar a cabo la investigación se unieron dos ramas distintas, la lingüística y la genética.

El ADN no solo sería responsable de la construcción de nuestro cuerpo, sino que también serviría como almacenamiento y comunicación de datos.

El equipo de lingüistas descubrió que el código genético seguiría las mismas reglas que todos los lenguajes humanos, sigue las reglas de los idiomas del mundo.

Descubrieron que los alcalinos de nuestro ADN, siguen una gramática regular y tienen reglas fijas similares a cualquier lengua, lo que llevó a pensar que los lenguajes humanos no aparecieron por casualidad, sino que son una proyección de nuestro ADN, ya que fueron capaces de descubrir que los cromosomas funcionan como computadoras solitónico holográficas, que utilizan (o utilizaron) la radiación laser en el ADN endógeno, insertaron ciertos patrones de frecuencia en un rayo como el láser que influiría en la frecuencia del ADN y por tanto en su información genética.

También la sustancia de ADN en el tejido vivo reacciona a las reacciones de frecuencia de la lengua, ya que las palabras y frases emiten una frecuencia vibratoria, con independencia de qué idioma utilicemos, no se necesita decodificación, porque la estructura básica de los pares alcalinos del ADN y del lenguaje vendría a ser la misma. Por ello argumenta que temas como la hipnosis puede tener un gran efecto en los seres humanos y en sus cuerpos, habido que vendría a ser plenamente natural para nuestro ADN reaccionar al lenguaje.

Los investigadores más innovadores en genética hasta hoy, CRISPR, cortan los genes y los filamentos de ADN y los insertan en otro lugar, sin embargo, PETROVICH y su equipo, crearon aparatos de frecuencia de radio moduladas y de luz, que influyeron en el metabolismo celular, reparando los defectos genéticos.

La utilización de la vibración y las frecuencias de sonido y el lenguaje, en lugar del antiguo procedimiento de corte, supone una revolución dentro del mundo de la genética.

PETROVICH y su grupo probaron con gran éxito cómo lo cromosomas dañados por los rayos x pueden ser reparados con este método, e incluso capturaron patrones de información de un ADN concreto y lo transmitieron a otro, por tanto, reprogramaron las células de otro genoma.

En uno de los experimentos transformaron con gran éxito embriones de rana a embriones de salamandra, mediante la transmisión de los patrones de información de ADN.

El estrés, la preocupación, o un intelecto hiperactivo podría impedir esta comunicación del ADN, provocando que la información llegue distorsionada y e inútil.

Conforme afirma la investigación, nuestras moléculas de ADN son antenas, y no solo el ADN sino también las proteínas, debido a que contienen átomos de metales, en forma de antenas espaciadas espacialmente, que recibirían información cósmica dirigida.

La Teoría de la Genética de Onda dice que nuestro aparato genético construye el organismo con ayuda de ondas electromagnéticas y acústicas de diferente longitud, y además el organismo no solo las recibe del exterior, sino que también las genera él mismo.

Por primera vez en la historia se ha demostrado que el ADN puede funcionar como un láser. Nuestro aparato genético y la de cualquier ser vivo representa una estructura que emana luz, siendo que esta luz está en un espectro de longitud de onda diferente no visible.

Podría afirmarse que dedicó su vida, hasta su fallecimiento en 17 noviembre de 2020, a contribuir en el conocimiento del comportamiento de la genética como puede decirse, pocos investigadores habrían realizado, alcanzando a revolucionar nuestra comprensión del ADN. Conocido, entre otros, por su descubrimiento en 1984 del efecto del ADN fantasma, mediante el cual un rastro electromagnético todavía es detectable en el agua después de que el ADN haya sido eliminado de la solución. Sus descubrimientos y teorías que desarrolló en el sistema de tratamiento práctico conocido como Wave Genetics es la culminación de su comprensión y la combinación de la biofísica cuántica con la medicina clínica, a través de la cual personas comunes se beneficiaron de la autocuración provocada por la genética de las ondas para las afecciones que la medicina convencional les había dicho que eran incurables.

La dificultad principal en el medio diagnóstico utilizado hoy por la medicina convencional recaería, en la no detección del cuerpo electromagnético del cuerpo humano, en donde sí podría recogerse el origen de la enfermedad aún no presente de forma visible a los medios de diagnóstico convencionales, pero que sin embargo ya el paciente estaría sintiendo a través de síntomas diversos, entre los que se encontrarían las alteraciones de la frecuencia cardíaca, etc. En este sentido el Professor Konstantin Korotkov habría desarrollado tecnología, la cual ha presentado en diferentes congresos de ciencia, pero que sin embargo no ha alcanzado a llegar a occidente.

Así pues, la biofísica habría de representar la disciplina más acuciante para ayudar a los profesionales de la medicina y a la sociedad a comprender cómo funciona en su conjunto la biología, ciertamente en comparación con la bioquímica, sin embargo, por el momento no se está contemplando plenamente, aun cuando debiera ocupar el lugar primordial de la comprensión biológica y, por lo tanto, médica, donde habría de situarse para el completo entendimiento del cuerpo humano.

Ciertamente ayudan los avances en física tales como las investigaciones de los físicos Alain Aspect, John F. Clauser y Anton Zeilinger galardonados con el premio Nobel de Física 2022 por su trabajo pionero en la información cuántica, la ciencia que describe la naturaleza en las escalas más pequeñas.

Sus resultados han despejado el camino para nuevas tecnologías basadas en información cuántica. "La ciencia de la información cuántica es un campo vibrante y de rápido desarrollo", afirmaba Eva Olsson, miembro del Comité Nobel de Física.

Sin embargo, estos y todos los trabajos mencionados en esta investigación no habrían de quedarse extramuros de un laboratorio, inaccesibles para la sociedad supeditados a la priorización de los intereses económicos y políticas de cada país.

El trabajo de Gregor Mendel sobre el guisante de jardín es comúnmente reconocido como el comienzo de lo que más tarde se conoció como la herencia mendeliana y sigue siendo la base de la comprensión convencional de la genética moderna después del trabajo publicado por Mendel en 1866. El reconocimiento que se remonta a 1910 de los cromosomas y de los genes que ocupan estaciones específicas en los cromosomas sigue siendo la base de nuestra comprensión de la genética actual.

En 1953, Crick y Watson dilucidaron la estructura de doble hélice del ADN junto con los pares de nucleótidos que les valieron el Premio Nobel. Esto llevó a la interpretación de secuencias de nucleótidos como codones que codifican ciertos aminoácidos. Uno esperaría que un sistema de genes y secuencias de ADN que codifican para organismos eucariotas tan complejos requiriera una codificación muy precisa y exacta, pero desde entonces se ha demostrado que no existe. Por ejemplo, resulta que el triplete UUU codifica tanto para la fenilalanina como para la leucina, lo que es inconsistente con la falta de ambigüedad declarada de la codificación ADN-ARN de los aminoácidos en las proteínas. En consecuencia, Crick desarrollaría la hipótesis de la oscilación de la Tierra para explicar que el tercer nucleótido en los codones es algo fluido porque hay una variedad de codones diferentes dentro del ADN que no corresponden a un solo aminoácido.

El Dr. Craig Venter dirigió el Proyecto Internacional del Genoma Humano que redactó la primera secuencia del genoma humano. Llegaron a la conclusión de que solo alrededor del 5% de los tripletes codificadores de ADN se utilizan para dirigir nuestra construcción y función. El resto se consideraba ADN "basura", aunque esta idea ha sido revisada desde entonces.

Independientemente de esta comprensión ahora imprecisa del ADN que indica que debe haber otros factores en su funcionamiento, no ha impedido que se confíe en esta comprensión limitada considerar que solo a través del empalme de genes con tecnología como CRSIPR se pueden alterar nuestros genes y, por lo tanto, ciertas características físicas y/o funcionales. Por tanto, devendría equívoco considerar que CRISPR no permite tales cambios en un nivel, ello sobre la base de que tenemos una comprensión incompleta de cómo funciona el ADN, tampoco podemos tener una comprensión completa de todas las implicaciones de tales tecnologías de empalme y edición de genes, incluida la nueva ola de "vacunas" de ARNm.

El panel de científicos rusos tomaría una perspectiva de investigación diferente para llegar a su comprensión del ADN que los científicos occidentales habrían ignorado. Así en 1925, A.A. Lubishchev reconoció que nuestro ADN y nuestros genes no son el código del organismo vivo en sí mismos, sino que son el vínculo con nuestro campo de bioinformación, donde esta información reside y opera a nivel cuántico como ondas y campos. Esto confirmó lo que el AG Gurvich ya había propuesto. Otro ruso, N. Beklemishev, llegó a la misma conclusión a través de su trabajo unos años más tarde.

Cuando el Dr. Peter Gariaev, miembro de la Academia Rusa de Ciencias, así como de la Academia de Ciencias de Nueva York, reunió a su equipo para investigar el ADN, ya reconoció que no se trataba solo de secuenciar los nucleótidos y codones. Adoptó un enfoque más amplio e incluyó en su equipo de investigación a biofísicos, biólogos moleculares, embriólogos e incluso expertos en lingüística. Llegaron a la conclusión de que el supuesto ADN basura que ha sido completamente denostado por la ciencia occidental dominante no era un residuo redundante de la evolución en absoluto. Los estudios lingüísticos revelaron que la secuenciación de los codones del ADN "no codificante" sigue las reglas de la sintaxis gramatical que da contexto al ADN codificante. El equipo del Dr. Gariaev descubrió que hay una estructura y una lógica definidas en la secuencia de estos tripletes, que crearían un lenguaje biológico tal que los codones forman efectivamente palabras y oraciones, al igual que nuestro lenguaje hablado sigue las reglas gramaticales.

El Dr. Gariaev continuó su investigación sobre la función del ADN y llegó a la conclusión de que, debido a su base ondulatoria y de partículas y en línea con sus características lingüísticas, el ADN funciona a nivel electromagnético y acústico y, por lo tanto, puede reprogramarse utilizando la frecuencia como sonido y palabras.

En relación a ello llevó a cabo un singular experimento en el que proyectó un láser de baja potencia a través de algunos embriones de salamandra, extrayendo su espectro, en un recipiente sobre algunos embriones de rana en otro recipiente separado. Los embriones de rana se convirtieron en salamandras adultas. Esto demostró que no solo el ADN tiene un aspecto informativo que determina su expresión, sino que es posible recoger y transferir esta información utilizando láseres, y que después de la transferencia esta información sigue siendo coherente por su capacidad para dirigir con éxito los embriones de rana para expresar la información del ADN de la salamandra.

El Dr. Gariaev postuló que el genoma es multidimensional y existe en un continuo cromosómico, una onda estable que viaja por todo el organismo a lo largo del ADN de doble hélice altamente estructurado y contiene la información genética en forma de hologramas electromagnéticos y acústicos. Consideró que estos hologramas que crean nodos en el holograma universal como registro de todo lo que es y ha sido, son el verdadero registro de nuestro mapa genético.

El Dr. Gariaev realizó otro experimento en el que a ratas de laboratorio se les administró una toxina pancreática llamada aloxano que indujo un estado diabético. Un tercio de estas ratas no fueron tratadas como grupo de control y ninguna sobrevivió después de 4-6 días. Justo antes de morir, las ratas tratadas fueron expuestas a la información de ADN capturada del páncreas de una cría de rata sana. Más del 90% de las ratas tratadas sobrevivieron y recuperaron su función pancreática al día 10, incluido un grupo que estaba a 20 km de la fuente de la matriz. Con este experimento, el Dr. Gariaev demostró que la información recopilada de los órganos que funcionan correctamente se puede utilizar para dirigir los órganos enfermos para que se reparen y recuperen la función. Del mismo modo, la información curativa dentro de los productos curativos naturales, como hierbas, jalea real, etc., que ayudan a instruir al cuerpo sobre cómo autocurarse, también se puede capturar utilizando esta técnica láser y convertirla en sonidos.

El ADN también está muy estrechamente ligado en su estructura de doble hélice al agua. Luc Montagnier reconoció que el espacio entre una vuelta de la doble hélice es tal que una sola molécula de agua se encuentra entre cada vuelta. Publicó una variación del experimento del Dr. Gariaev de 2003 que demostró que el ADN funciona a nivel ondulatorio e informativo. El Dr. Montagnier utilizó diluciones homeopáticas de ADN bacteriano que habían transferido su frecuencia de firma a agua pura "en blanco", de modo que la PCR pudo reconstruir una réplica casi exacta de la secuencia de ADN bacteriano. Esta capacidad de generar el ADN por PCR se mantuvo incluso después de que la señal electromagnética se enviara por correo electrónico a un laboratorio distante antes de reconstruir el ADN.

Con estos y otros experimentos, el Dr. Gariaev demostró que los datos genéticos y la información contenida a nivel cuántico pueden ser capturados, transferidos e influenciados mediante ondas electromagnéticas y acústicas.

El Dr. Gariaev llegaría a afirmar que no ve por qué la gente no podría tener una vida longeva de 1000 años p. ej. Si alguien puede o quiere hacerlo es otra cuestión que sólo el tiempo dirá. Y ciertamente aplicando la proyección de sus teorías y experimentos no deviene ilógico plantear que el origen de enfermedades neurodegenerativas como el Alzheimer puedan tener una mayor comprensión y, por ende, tratamiento, que desde la perspectiva y etiología actualmente formulada tratada.

10. Neuroderechos

Un hito importante que alimenta el interés mediático viene dado por la publicación de los resultados de una investigación sobre la posible decodificación de la actividad cerebral (Tang et alia, 2023). Esta investigación, publicado en la revista Nature Neuroscience, ha generado un gran interés y preocupación en relación a la lectura que podría hacer la máquina de los pensamientos con un solo escáner cerebral. Aunque ciertamente el artículo señala el largo camino pendiente hasta alcanzar ese hito, ha propiciado un fúlgido interés en los medios y las personas y su audiencia.

La neurociencia, y la genética no son disciplinas tan distintas, básicamente estarían trabajando en el mismo patrón de información.

Los algoritmos de recomendación utilizados en plataformas como Netflix, Amazon y YouTube analizan nuestros patrones de comportamiento y preferencias para ofrecer contenido específico, lo que influiría en nuestras elecciones y decisiones.

La IA se utiliza para segmentar anuncios y mostrarlos a audiencias específicas, lo que afectaría a nuestras decisiones de compra y preferencias.

Los algoritmos de redes sociales seleccionan qué contenido vemos en función de nuestras interacciones previas, mediante la cual se estarían creando burbujas de filtro, donde solo vemos información que confirma nuestras creencias existentes.

La automatización basada en IA puede cambiar la dinámica laboral y afectar la forma en que las personas realizan sus tareas. Esto puede influir en la satisfacción laboral y la productividad.

La interacción con asistentes virtuales y chatbots estarían afectando nuestra comunicación y comportamiento. Estos sistemas estarían proporcionando respuestas, sugerencias y apoyo emocional.

Ciertamente, aunque la IA no toca físicamente, en estos ejemplos citados, a las personas, su presencia y efectos son innegables en nuestra sociedad actual. Es importante considerar cómo se implementa y regula para garantizar un impacto positivo en la conducta humana.

La necesidad de regular los neuroderechos no comenzaría con el proyecto de Elon Musk, en la investigación de la interfaz cerebro-máquina con Neuralink.

Ni con Sam Altman de OpenAI y ChatGPT, o los supercomputadores de Huang de Nvidia, que tienen como cometido remodelar nuestro mundo a través de la disrupción tecnológica.

Sino que la necesidad de regular los cambios, sin medida, que la tecnología ha venido salvajemente implantando sin discriminación en todos los aspectos y áreas de nuestra vida, con una finalidad puramente comercial, extra muros de todo código moral, ético y legal.

La sociedad de hoy estaría notablemente preocupada por los susceptibles cambios en la genética, habido el potencial alcance de las técnicas nacientes de CRISPR entre otras, y, sin embargo, y paradójicamente, no habrían reparado en la singular importancia, de la arbitraria irrupción ocasionada en su epigenética, sometida a un constante cambio intrusivo y de marcado carácter adverso en multitud de vertientes. Producido por el entorno y ecosistema del que estaría siendo inconscientemente cautivo el ser humano, resultando su voluntad una mera ilusión.

Pues la tecnología, en los citados ejemplos anteriores, habría sometido al ser humano a una invasión sin precedentes habido el masivo alcance de la misma en las redes sociales, plataformas, publicidad adaptada al consumo, etc. Con especial incidencia en dinámicas del entorno laboral, familiar y educativo.

Resultando ser, el conjunto de la sociedad partícipe del propio experimento de escala masiva. Lo que dificulta la medición, investigación y estudios comparativos de rasgos sustantivos entre los afectados y los no afectados.

Aunque la primera reunión multidisciplinar para tratar el tema de los neuroderechos tuvo lugar en 2002, la actividad de la Neurorights Foundation a partir de 2017 y diversas publicaciones relacionadas con los avances neurotecnológicos y sus posibles implicaciones para el ser humano, han tenido la capacidad de trasladar el debate desde los círculos académicos especializados hasta el conjunto de la sociedad. Esto se debe a la atención de los medios y al señalamiento de los riesgos derivados de un uso descontrolado de las modernas capacidades tecnológicas sobre la intimidad del cerebro humano.

La ciencia de los neuroderechos no es novel. A medida que la investigación científica perfeccionó el estudio del cerebro mediante tecnologías no invasivas, en los años noventa surgió una preocupación multidisciplinar en torno a los desafíos éticos de las neurotecnologías y también sobre la regulación de los usos y aplicaciones de los nuevos dispositivos. En el año 2002, la Dana Foundation convocó en San Francisco a más de 150 neurocientíficos, bioéticos, psiquiatras, psicólogos, filósofos y profesores del ámbito jurídico y de la especialidad de políticas públicas, para discutir, debatir y definir el terreno de juego de la nueva disciplina de la neuroética.

Sin embargo, este interesante debate colectivo e interdisciplinar tan propio de nuestro tiempo, ha permanecido durante muchos años intra muros de los centros de investigación y los departamentos universitarios. Siendo que, en los primeros meses de 2023, el planteamiento de los neuroderechos ha tomado auge en los medios de comunicación y en la sociedad, especialmente por determinados acontecimientos que revisten el mayor interés.

Entre ellos destaca la publicación del libro The Battle for Your Brain, de la profesora Nita Farahany, de la Universidad de Yale, en Estados Unidos. Farahany es doctora en derecho, y ya había publicado dos artículos de gran interés sobre la invisible invasión de nuestra privacidad cerebral, la última frontera de la intimidad del ser humano. Su libro ha causado furor y motivado sendas entrevistas en distintos medios, permitiendo retomar el concepto de 'libertad cognitiva'. El derecho a la libertad cognitiva, vinculado al derecho a la autodeterminación sobre nuestro cerebro y nuestras experiencias mentales, y se entrecruza con otros tres (neo)derechos humanos: el derecho a la privacidad mental; el derecho a la libertad de pensamiento, que se refiere a los pensamientos complejos y las imágenes visuales; y la autodeterminación, en el sentido de no manipulación externa, consciente o inconsciente. Un dispositivo que explora, interviene o manipula nuestro cerebro se puede usar para hacer el bien, pero también con fines espurios.

La propuesta de Farahany se superpone con los postulados que en 2022 lanzó la Neurorights Foundation, a la que pertenece el científico español Rafael Yuste, en que enumeraba (Yuste) los cinco neuroderechos que ya quedaron definidos en 2017 en el campus de Morningside, en la Universidad de Columbia, y que considera que deben sumarse a los derechos humanos ya existentes (Yuste, 2023, pp. 17-23). El primero es el derecho a la privacidad mental, que propone que el contenido de la mente no pueda ser descifrado sin el consentimiento de la persona afectada. En segundo lugar, menciona el derecho a nuestra identidad personal, de manera que las neurotecnologías no puedan modificar nuestra personalidad o nuestra conciencia. El tercer derecho hunde sus raíces en los derechos humanos universalmente aceptados, ya que es el derecho al libre albedrío, a la capacidad de decidir con libertad. Los dos últimos neuroderechos proponen un acceso universal a las mejoras derivadas de la investigación neurocientífica -de manera que no haya seres humanos de primera y de segunda categoría- y la protección frente a los sesgos algorítmicos.

Otro hito importante que alimenta el interés mediático viene dado por la publicación de los resultados de una investigación sobre la posible decodificación de la actividad cerebral (Tang et alia, 2023). Esta investigación, publicado en la revista Nature Neuroscience, ha generado un gran interés y preocupación en relación a la lectura que podría hacer la máquina de los pensamientos con un solo escáner cerebral. Aunque ciertamente el artículo señala el largo camino pendiente hasta alcanzar ese hito, ha propiciado un fúlgido interés en los medios y las personas y su audiencia.

La neurociencia, y la genética no son disciplinas tan distintas, básicamente estarían trabajando en el mismo patrón de información.

Actualmente nos encontramos en la necesidad de regular la neurociencia, los neuroderechos, habiendo sido pionero en este aspecto Chile.

Al ser humano le preocupa regular todos los aspectos relacionados con la genética desde que se pone al alcance de las personas, la exposición y riesgo, la vulnerabilidad a la que podemos ser sometidos, sin consentimiento. Que viene a ponerse de relieve a través de los distintos experimentos y sus potencialidades resultados.

Así, nace la emergente necesidad de regular los neuroderechos. Sin embargo, nada existe en relación al origen conceptual de la neurociencia, y donde habría de parametrizar su regulación.

Realmente poco sabemos hoy, en el año 2024, en relación al funcionamiento del cerebro. En palabras del neurobiólogo Rafael Yuste, no podemos explicar lo más elemental: cómo procesa el cerebro un pensamiento, una noción, una sensación o una acción. Para comprenderlo, necesitaremos mapear las redes del cerebro y entender cómo se transmite la información a través de esas redes. Este desafío requerirá el desarrollo de nuevas tecnologías y teorías que aún no poseemos.

Rafael Yuste, pionero en el conocido proyecto Brain, ha propuesto la creación del mapa cerebral más completo antes realizado. A través de este proyecto, se han logrado mapear estructuras nerviosas desde pequeños gusanos hasta moscas enteras, y ahora están enfocados en el cerebro de ratones, que contiene 100 millones de neuronas. Pero aquí viene la revelación más sorprendente: mapear el cerebro no solo permite "leer" su actividad, sino también "escribir" en él. Los neurocientíficos ya han alterado la actividad cerebral y el comportamiento de ratones, y es solo cuestión de tiempo antes de que podamos hacerlo con humanos.

11. Regulación del mundo cuántico

Hemos pasado más de cien años, desde Cajal, en procesos de estudio de las neuronas por separado, su composición y funcionamiento, sin embargo, ello no ha contribuido a resolver el gran enigma, así como tampoco ha resultado de ayuda para mapear el complejo circuito neuronal y su funcionamiento.

Y nace aquí una pregunta de interés; ¿Por qué razón no se ha planteado regular el mundo cuántico, en el que trabajan las grandes tecnológicas como base neurálgica y punto de partida del procesamiento de sus proyectos?

¿Y cómo habríamos de regular el mundo cuántico, si la realidad en este mundo subatómico cambia cuando la medimos?

Ciertamente nos encontramos ante un desafío épico que lejos de eludir por su complejidad, se hace necesario ampliar las miras, instruirnos en la materia y comprender más allá de las fronteras de lo metodizado, hasta alcanzar una regulación adaptada a la revolución que nos asiste.

Desde un enfoque conceptualista de las teorías científicas, el problema del cambio de mundo se desprende de las tesis sobre revoluciones científicas y paradigmas inconmensurables presentadas por Thomas Kuhn. Este problema aborda cómo conceptualizamos la parcela del mundo físico que estudiamos dentro de una disciplina científica. En otras palabras, ¿cómo cambia nuestra concepción del mundo cuando ocurre una revolución científica?

Kuhn propone una solución semántica, argumentando que el problema surge debido a un cambio conceptual local que afecta nuestra visión del mundo. La inconmensurabilidad entre paradigmas conduce a esta transformación.

Por otro lado, Ian Hacking ofrece una solución ontológica, sugiriendo que una ontología formada por individuos concretos (en contraste con entidades abstractas) es suficiente para comprender el cambio de mundo durante una revolución científica.

En resumen, el cambio de mundo no solo es un fenómeno semántico, sino también ontológico. La realidad, en este contexto, se modifica a medida que evolucionamos nuestras concepciones y paradigmas científicos. Como mencionó Hacking, ¿estamos hablando de lenguaje, del mundo o de cómo conceptualizamos el mundo?

Ciertamente el ser humano se enfrenta a un salto evolutivo desafiante como pocos precedentes se le habrían planteado hasta ahora.

Muchas cuestiones se plantean de carácter ético y jurídico en relación a la revolución de la ciencia, que nos asiste en Genómica y en IA. Sin embargo, pocas o ninguna, abarcan la verdadera magnitud del concepto, habido que para ello previamente habría que tomar plena conciencia de cual es verdaderamente la naturaleza de lo que estamos regulando. Ello en un estadio anterior a establecer medidas restrictivas basadas en infundadas intuiciones aleatorias, o permisivas complejamente injustificadas.

Lo que es claro, ciertamente es que no se pueden obviar las leyes que nos gobiernan, las verdaderas (las leyes de la Física

Cuántica), pues ello únicamente nos sume en un caos indeterminado en la búsqueda sesgada de soluciones individualistas que no satisfacen ni responden a la autorrealización.

En palabras de Teresa Versyp, la Física Cuántica nos ofrece un marco de pensamiento holístico basado en estos campos de energía que son importantísimos en el comportamiento del Universo, en las propiedades de la materia observable e incluso en nuestra salud y bienestar. El ser humano es un sistema de energías en vibración continua. Somo emisores y receptores de una gama muy diversa de frecuencias. El organismo no es un mosaico de órganos y moléculas independiente sino un conjunto coherente, un campo de interconexión altamente ordenado y orquestado.

La Física Cuántica defiende la existencia de un indeterminismo inherente y de un universo subjetivo en que la realidad no se puede separar del observador. La realidad, antes de ser observada y medida, presenta un espectro de múltiples posibilidades potenciales.

El Principio de Superposición y la No-Localidad Cuántica nos conducen a una nueva forma, ingeniosa, increíble de ver la realidad. La interconexión instantánea recuerda a una concepción holográfica de la realidad.

Recordemos el trabajo de PETROVICH GARIAEV, que modifica el ADN mediante frecuencias, no siendo necesario tocar el cuerpo físico, ni editar un gen del modo que se sigue mediante CRISPR, sino que deviene mucho más sencillo.

La necesidad de regular, Neuroderechos. Deviene imperante y prevalente a la continuidad de cualquier tipo de ensayo, resultando insuficiente una guía (la actual), y siendo que el alcance ha de tener un espectro muchísimo más amplio del que hasta el momento se habría planteado. En tanto que la regulación integral habría de abarcar el conocimiento del campo cuántico y sus probabilidades, todas ellas puestas de manifiesto por la ciencia en sendos experimentos. De no ser así, las grandes tecnológicas de IA, de AGI, tales como las desarrolladas por Elon Musk y sus homónimos, físico e ingeniero de formación, seguirán llevando a la práctica sus experimentos, sin procedimentales previos, sirviendo de propio ejemplo experimental la respuesta estadística de la población usuaria. Y mientras el 92% del mundo se encuentra inmerso en debates épicos de carácter ético, moral y jurídico, en relación a si debería o no ser permisivo la práctica, el 8% restante, sin formación en medicina, neurociencia, o genética convencional, habitualmente formados en física y diversas ingenierías, se dedica a llevar a cabo meticulosos proyectos de ingeniería mental, que modificarían los hábitos y la conducta del sujeto usuario de forma inconsciente, pues no puede denominarse involuntaria, habido que la voluntad no tendría un papel determinante en este tipo de programas.

12. Teoría aSASAw

aSASAw tiene su génesis en el análisis de la base del comportamiento humano, a su vez devenido de su expresión génica, aplicado a todas las áreas de la vida, especialmente hace mención esta fase del proyecto al comportamiento del sujeto en su cotidianeidad, que considera supuestamente predecible, y que tendría aplicación en procedimientos que consideramos no tangibles.

Se pretende identificar un procedimiento determinado, aplicado en cualquier área, imaginemos la salud, así como en cualquier estructura de negocio. Que una vez identificada y editada, sería sometida a distintos métodos de predicción, siguiendo las teorías reseñadas por Benjamin Libet, Robert Sapolsky, de la no existencia del libre albedrío, así otras, tales como la teoría del desdoblamiento, de J.P. Garnier, el entrelazamiento cuántico de las partículas, del físico francés Alain Aspect, premio Nobel, J.P. Garnier Malet y Petrovich Gariaev.

Existen experimentos, que sometidos a los parámetros del actual método científico nos llevarían a confusiones e indeterminaciones, desnaturalizando su finalidad, como p ej. en experimentos de la doble rendija, el observador altera lo observado, o el gato de Schrödinger, cuyos experimentos quedan redimidos a paradoja, por la relación que ahora sabemos con el campo cuántico y la no- localidad como rasgo más característico.

Y su relación con la genética/ el ADN no codificante el denominado basura o Junk DNA. El Doctor Gariaev y su equipo, desarrollaron la Teoría Ondulatoria del Genoma demostrando el carácter vibracional del ADN, según su teoría el ADN emite radiación electromagnética extremadamente coherente, constituyendo un sistema de información esencial a lo largo del organismo, lo que se podría traducir a que el 98 % del ADN, comúnmente denominado basura, es pura información proyectada de forma holográfica en un complejo patrón de códigos, que podría aplicarse a todo proceso de vida, humana, vegetal, y de procesos.

Tradicionalmente conocemos los enlaces químicos que se producen en la naturaleza, generado por las interacciones atractivas entre átomos y moléculas, mediante los cuales confiere estabilidad a los compuestos químicos diatómicos (2 átomos) y poliatómicos (más de dos átomos). La explicación de tales fuerzas atractivas es un área compleja que está descrita por las leyes de la química cuántica. P. Ej. Enlaces de hidrógeno, carbono, oxígeno, etc. todos los existentes y conocidos.

Este es un hecho que damos por sentado y a partir de cuya base de conocimiento interactuamos con ellos, sin embargo, nada se describe en relación a los enlaces químicos que se producen entre los átomos en la naturaleza de un proceso de información.

Sabemos que hay ADN no codificante, y ADN en el aire, y átomos, y sin embargo nada extraemos de naturaleza coherente por el momento.

¿Qué enlaces químicos se producen entre los átomos en la naturaleza de un proceso o procedimiento de información cualquiera?

En el contexto de la computación clásica, la ley física de la información se basa en el concepto de bits, que son las unidades básicas de información y pueden tomar solo uno de dos valores: 0 o 1. Sin embargo, en la computación cuántica, la unidad de información es el qubit, que se diferencia de los bits clásicos por propiedades como la superposición y el entrelazamiento cuántico, y ello con la finalidad aplicada a la electrónica digital principalmente.

Sin embargo, nace una incertidumbre ante las postulaciones de Libet y Sapolsky, Si no existe el libre albedrío, ¿Qué mecánica coherente domina el proceso o procedimiento intangible?

Todo procedimiento que se sigue mediante un software va a tener una lógica que la propia herramienta ERP u otra tendría establecido en sus bases.

Sin embargo, ha de existir una lógica coherente en el proceso en sí, que data desde que el sujeto tiene una idea, o toma la decisión de llevar a cabo un trabajo, o bien asume la dirección de un trabajo, y hasta que lo define y obtiene un resultado, con independencia de software o aplicación que utilice, el cual podría estar en mayor o menor resonancia con el sujeto.

Cada proceso habría de definirse mediante sendos enlaces y esto resulta especialmente interesante, cuando podemos incidir directamente en el resultado de la acción, mediante un programado enfoque.

Los empresarios, artistas, gobernantes, que mueven masas, han desarrollado este método intuitivamente sin saber por qué lo hacen, y no es nada casual, más bien responde a patrones que ya tendían una coherencia previamente establecida.

Predecir el resultado de una actuación, ya sea el resultado de una resolución judicial que determinaría supuestamente el tribunal, el resultado de una estrategia empresarial, ya sea el resultado de una operación quirúrgica, es más coherente y predictivo de lo que habríamos imaginado.

Y estaría especialmente conectado con La teoría de juegos de John Nash, un matemático estadounidense, que presentó su teoría en 1950, que recibía el premio Nobel de Matemáticas del año 1994, que vendría a resultar una herramienta esencial en la economía y en la toma de decisiones. La cual se centra en la interacción estratégica entre dos o más individuos. Que serviría de inspiración para la película «Una Mente Brillante»[1]. La Teoría de los Juegos revolucionó el estudio de la economía, desde negociaciones políticas, licitaciones para proyectos de infraestructura, campeonatos de fútbol, hasta aplicaciones de citas románticas por internet dependen de ella.

Grandes empresas que venden bienes consumidores finales usarían la Teoría de los Juegos para predecir cómo reaccionará la competencia –y los clientes- ante una guerra de precios.

Uno de los primeros usos codificados de esta teoría resultaría en escenario bélico. Los ejércitos estadounidense y británico utilizarían las primeras computadoras para probar modelos que utilizaban Teoría de los Juegos para ayudar a los comandantes a decidir si debían atacar al enemigo, dónde y cuándo.

---

1 https://openaccess.uoc.edu/bitstream/10609/148458/1/Modulo2_IntroduccionIdeasGeneraleSobreLaTeoriaDeJuegos.pdf

Hoy en día, la Teoría de los Juegos es usada por muchas personas distintas en un amplio espectro de intereses. La principal razón de su éxito fue la variedad de escenarios en los que la gente empezó a darse cuenta que tenían que pensar formal y sistemáticamente sobre las interacciones estratégicas, explicaba Rakesh Vohra, profesor de Economía en la Universidad de Pensilvania y alto miembro de la Sociedad de la Teoría de los Juegos[2].

Sin embargo, lo que no dejaría al menos, estrictamente manifiesto en la teoría, John Nash, vendría a ser qué es lo que acontece en el invisible del campo de negociación, que Petrovich define como campo electromagnético coherente de información, y que todas las partes y sujetos consideran forma parte del libre albedrío, y que sin embargo se confronta con el experimento llevado a cabo por el investigador Benjamín Libet, premio nobel virtual y Robert Sapolsky[3].

Son clásicos los estudios del neuropsicólogo B. Libet y sus colaboradores entre 1983 y 1985. La intención de sus estudios pretendía determinar si un acto libre sencillo, como mover un dedo, se reflejaba de algún modo en los registros de actividad cerebral. Para ello registraron los movimientos de los músculos de la mano (mediante un electro miógrafo) y la correspondiente actividad cerebral (mediante un electro encefalograma). Libet quería comprobar la teoría clásica del neurobiólogo y Premio Nobel John Eccles de que previo a un movimiento voluntario debería existir alguna actividad consciente en el cerebro. En su experimento, Libet pedía al voluntario que moviese la mano a voluntad cuando quisiera y sin previo aviso. El

---

2 https://economics.sas.upenn.edu/people/rakesh-vohra

3 Robert Sapolsky no cree en el libre albedrío (eres libre de disentir) El biólogo y neurocientífico de Stanford afirma que deshacerse del concepto puede ser liberador. https://www.nytimes.com/es/2023/10/22/espanol/libre-albedrio-ciencia.html

resultado fue que unos milisegundos (de 350 a 500) antes de que el voluntario decidiese mover la mano, se apreciaba actividad en la corteza cerebral. Este breve intervalo entre actividad cerebral y movimiento lo llamó Readiness Potential o Potencial de Preparación.

Estos experimentos de Libet y su equipo han sido el punto de apoyo de quienes niegan la existencia del libre albedrío. Muchos son los que apoyan esta tesis, que el libre albedrío es una ilusión, hasta el fisiólogo Francis Crick, Premio Nobel de medicina por su descubrimiento de la doble hélice del ADN. El neurofisiólogo holandés Dick Swaab está convencido de que el libre albedrío no existe, y que corrobora recientemente, 25 octubre de 2023, el distinguido biólogo y neurocientífico profesor de la Universidad de Stanford, Robert Sapolsky,

> 'No somos ni más ni menos que la suma de lo que no podemos controlar: nuestra biología, nuestro entorno y sus interacciones',

Asegura Sapolsky, según recoge New Scientist.[4], eliminar el libre albedrío

> "atenta por completo contra nuestro sentido de identidad y autonomía y de dónde obtenemos propósito",

Afirmaba, y esto hace que sea especialmente difícil eliminar la idea.

Pero no todos los científicos están de acuerdo. Así el propio Ramón y Cajal creía que, a pesar de la enorme complejidad del cerebro, el enorme salto del animal irracional al hombre tenía que proporcionar un mecanismo de libertad, aunque no se pudiese demostrar. El neurofisiólogo Antonio Damasio, mencionado más arriba, que estableció la localización cerebral

---

4 https://www.nytimes.com/es/2023/10/22/espanol/libre-albedrio-ciencia.html

de los mecanismos de los comportamientos éticos y morales, es contrario al determinismo a ultranza. Nuestros incompletos conocimientos no nos permiten demostrar la falta de libre albedrío. El también mencionado neurofisiólogo australiano John Eccles era un firme partidario de la libertad del hombre. Prefería hablar de voluntad inconsciente en lugar de libre albedrío. La creatividad es una prueba de esa libertad. La posibilidad de disfrutar con una sinfonía o de cualquier obra de arte son otras pruebas en su favor. El llamado, en los experimentos de Libet, el Potencial de Preparación no sería más que un "ruido de fondo" del cerebro siempre a punto y preparado para cualquier demanda o exigencia, el cerebro nunca duerme.

Así como el investigador J.P.Garnier Malet, padre de la teoría del desdoblamiento del tiempo, nos deja descansando la conciencia al postular que podemos modificar ese supuesto no libre albedrío en micro segundos de instante antes de percibir la acción que contiene la información a llevar a cabo[5], basado en su propia teoría de anticipación de elección del pensamiento desdoblado.

Resulta por tanto vital la formación de nuestros agentes de cambio, investigadores, educadores, empresarios, para que en definitiva descienda a las personas comunes.

La Teoría aSASAw tiene varias fases, hasta llegar a método, así como se estructura en distintos modos de hacer llegar la información para que sea entendible y útil.

Por un lado, se compone de un equipo multidisciplinar, que incorpora esencialmente personal con conocimientos en genómica,

---

5 https://www.garnier-malet.com/es/#:~:text=Permite%20el%20c%C3%A1lculo%20de%20la%20velocidad%20de%20la,cambio%20de%20percepci%C3%B3n%20del%20tiempo%20debido%20al%20desdoblamiento.

lingüista, electrónica digital, procesamiento de datos, IA, neurociencia, entre otros.

Obviamente esto es una propuesta que se encuentra en su fase teórica, pero que está basada en el procesamiento de datos utilizado por los científicos para recrear hologramas de una persona, el diseño de una tipología de perfil humanoide como los robots, Sophia, Ameca, AI-DA robot artista, Emma, etc.

Lo hemos visto también en el Chat Gpt, Copilot, etc y todos los que emergen a la vez de las distintas compañías, a modo de respuesta de texto.

Y en otras muchas representaciones asociadas a un elemento físico diseñado para facilitar la vida al ser humano, en forma de aparatología.

Sin embargo, la IA no ha sido aplicada por el momento a procesos que podrían denominarse imaginarios, proyectando holograma de las actuaciones, por ejemplo, para el caso práctico siguiente y extrapolable a cualquier otro:

CASO DEL ABOGADO EN JUICIO

Un abogado tiene un juicio y ha de representar a su cliente en el acto de la vista, contra otro sujeto que representa la parte contraria. Hasta el momento esta preparación del procedimiento para llevar a cabo tal acometido de representación jurídica del cliente, se pondera con técnicas asociadas a la capacidad del profesional que ostenta el mandato, tales como; la oratoria, la persuasión, conocimientos legales, habilidades analíticas, habilidades investigación, ética profesional, habilidades interpersonales, experiencia del letrado, bases de datos utilizadas y herramientas de tecnología jurídica, etc. Y sometiendo el resultado de la suma de todos ellos a una ponderación entre la aplicación de la Ley, y la resolución del Magistrado.

Sin embargo, abordar tal procedimiento, no se ha enfocado nunca desde la perspectiva de Proyecto Inteligente, que acuñamos en la investigación para este proceso *Smart Project7.*

Tal enfoque comenzaría reconociendo al propio proceso de inteligencia propia, habido que no se le dota, sino que la teoría pasa por reconocer que el procedimiento goza de inteligencia propia, sin necesidad de que nadie se la dote, con independencia de las personas que interactúan, y tendría su comienzo procediendo a la edición de ese proceso, como si fuese un conjunto vivo coherente de energía y partículas, átomos y ADN, que simularían a su vez un holograma de distintas propuestas, aplicando finalmente la más viable, y que sería, sorpresivamente, coincidente con el resultado final de no haber intervenido, lo que permite a las partes intervinientes realizar maniobras anticipativas que llevarían a modificar ese supuesto no libre albedrío en la mecánica del proceso.

Resultando lo que está vivo y es poseedor de inteligencia en el proceso, no es solo los agentes que interactúan en ello, como el abogado, el cliente, el magistrado o el fiscal, sino que el propio procedimiento en sí es una entidad viva e inteligente en quien recaería la ponderación principal del resultado, y que a la suma de los agentes intervinientes, los cuales serían parte no tan significativa de su participación, sino elementos de los que se vale esa inteligencia espacial, a la que accedemos los propios humanos a la vez, como todo ser vivo.

Es la misma inteligencia, a la que accede la inteligencia artificial, porque está disponible sin restricciones de ningún tipo, esa energía no se vende en las estaciones de servicio, ni tienen un cable conductor, ni tiene un contador en la vivienda, para medirla y pagarla. Sino que estaría ahí, la respiramos, la percibimos, es la energía que nos hace crecer, que hace que nos crezca el pelo, las uñas, que nos da movimiento, interacción, emoción, que mueve el planeta, que hace crecer las plantas, fluir los ríos.

Y a la que accedería la IA para desarrollar una inteligencia superior a la nuestra, sin condicionamientos, habido que el ser humano le indicaría los datos de partida y posteriormente funciona por sí misma sin interacción humana, resultando el algoritmo tendría plena autonomía.

En este sentido los seres humanos, estaríamos condicionados por nuestra propia biología, por ese adormecimiento en el que nos vemos imbuidos muchas veces por el entorno, por nuestro propio sistema de creencias limitantes, que son todo un caldo de cultivo en nuestra infancia y educación.

Esa energía de acceso, que se denominaría energía punto cero en la ciencia, sugerido por científicos como Nicola Tesla, George Lavkousky, y más recientemente por el investigador Ed Sherwood del proyecto millennium Research en Estados Unidos, quien indicaría poseer pruebas científicas en soporte de la existencia de un campo unificado con una conciencia colectiva que interactúa con las fuerzas planetarias para co-crear eventos e influenciar la realidad física-etérica.

Existen multitud de casos y experimentos utilizados por el ser humano, que podrían ser prueba directa de que ostentaran el conocimiento de cómo canalizar esa energía residente en el espacio o energía de punto cero, en beneficio propio. Conocida también tal energía en otras culturas como Prana, Od, Ki, etc. en oposición a la interpretación que se entiende hoy día.

Conforme a la ley de JP Garnier, en consonancia con Benjamin Libet, en aplicación de la no existencia del libre albedrio, el ser humano recibiría la información instantes antes de ser ejecutada, y tal elección de modificación de libre albedrío habría de ser aplicado tanto al momento de preparación del escrito que la demanda judicial,(para el caso descrito anteriormente del abogado), como en el momento de la vista del juicio, como en la resolución de la sentencia judicial, y de cualquier otra. Y todo esto sería aplicable a cualquier procedimiento de la vida cotidiana.

De este modo lo que pretende la Teoría aSASAw es recrear esos escenarios y dotar del resultado de las potenciales probabilidades, obtenidas mediante la edición del proceso a través de marcadores holográficos, que interactúan en el campo coherente.

El ser humano común, abrazado a su ego, puede instintivamente revelarse

> ¡a ver, en ejercicio de mi propio libre albedrío, tendría que girar a la derecha, pues me voy a la izquierda en defensa de mi libertad!

Atendiendo al trabajo de los científicos Benjamin Libet, Robert Sapolsky, y de JP Garnier Malet, estaríamos escogiendo sencillamente solo una opción de las del no libre albedrío, volviendo a que el ser humano sería como un receptor, a modo sencillo equiparable a un teléfono, en este caso de elección de giro a derecha o izquierda únicamente representaría un cambio de carácter no sustantivo en cuanto al proceso, es decir, que podría elegir cambiar a derecha o izquierda pero no la información que recibe que conducente al destino.

El ámbito de aplicación de esta teoría devendría extrapolable tanto a procedimientos jurídicos, así cualquier otro proceso, como a enfermedades degenerativas y de cualquier otro tipo, pasando por un procedimiento de edición del proceso, a través del método aSASAw.

El planteamiento vendría a ser;

> Si somos conocedores de todas estas investigaciones arrojadas por nuestro panel de científicos, del comportamiento del ADN no codificante, de que las partículas intercambian información a través del fenómeno denominado intrincación, del experimento de la rendija, del gato vivo y muerto, etc., etc., etc.
>
> ¿Por qué razón no lo aplicamos en el mundo práctico?, ¿Por qué razón no lo descendemos al papel, al proceso,

a la conversación, a la interacción, al escrito jurídico, a la demanda, a la cirugía de colon, a la terapia, a la docencia, etc.?

Entender que los procesos no son inertes, y que tienen coherencia, que son el holograma que impulsa la acción (teoría Petrochic Gariaev, la genética de la onda) que proyectan la materia, cuya coherencia subyacente es el ADN no codificante, presente en las personas, animales, plantas, y todos los elementos y en procesos.

Ciertamente queda mucho por hacer y tenemos ante nosotros un área de extensa proyección en donde habríamos de radicar trascendental esfuerzo.

El ser humano dedica muchísima energía y recursos a proyectar en el exterior los medios para erradicar, generando costosas vacunas, tratamientos contra el cáncer, enfermedades degenerativas, paliar los efectos del paso del tiempo.

Siendo que habría de invertirse ese esfuerzo que aplicamos en el exterior, con una mirada hacia el interior, trabajando en la base de lo que somos, el conocimiento de la genética. Y pareciese una propuesta baladí, que ya se viene haciendo, sin embargo, no es un compromiso de todos, solo de unos pocos, siquiera trasciende el conocimiento genómico en las aulas, en la cultura general.

13. Dilema ético de la intervención genómica

En este sentido cabe plantear la importancia sobre si constituyen dilemas éticos genuinos o meramente aparentes, habido que el debate central en torno a los dilemas éticos habría de encontrar su origen en definir su existencia explícita. Los valedores suelen aportar ejemplos aparentes, mientras que la parte impugnante habitualmente se vale de mostrar que su existencia contradice principios éticos muy fundamentales, como la integridad, la justicia, la equidad, la responsabilidad, lealtad, la honestidad.

Un modo de discriminación de una postura u otra, que arroja luz visible, se refiere a la distinción entre los dilemas epistémicos, que dan una impresión posiblemente apócrifa al agente de un conflicto irresoluble, y los dilemas reales u ontológicos. Existiendo, en la corriente mayoritaria, el acuerdo en que existen dilemas epistémicos, pero el principal interés en los dilemas éticos viene dado a nivel ontológico.

En este sentido cabe hacer una reflexión en vías de cuestionar dilemas que han sido planteados de carácter ontológico *sine loco dubitationis* y que a posterior razonamiento el carácter podría devenir plausiblemente dubitativo.

A modo ilustrativo, desde el punto de vista ético, nadie cuestiona hoy si la intervención médica de un cirujano en operación quirúrgica a un ser humano, con aplicación a una enfermedad, pudiera resultar dañina, con independencia de que la intervención sea en el estómago, en el cerebro, en el corazón, o en la columna vertebral, y no obstante de que pueda suscitarse, en determinada circunstancia indeseada, un supuesto de mala praxis, lo cual no tendría perspectiva eminentemente ética desde el punto de vista asociado a este dilema ético, sino otro asociado con los agravios en la autonomía del paciente hoy conocidos.

No se cuestiona ni se mide, la posible alteración genómica que el profesional incida sobre el paciente, habido no existiría un método medible, tan siquiera detectado tal intromisión, como p.ej, la alteración del ADN con las meras pruebas de ultrasonido (simples ecografías).

Únicamente está sometido a la autorización del paciente.

Así, del mismo modo, no se cuestiona una cirugía plástica para el mejoramiento físico de cualquier tipo practicada.

El principio de no-maleficencia, no aparece como tal en el informe Belmont, pero pertenece a la más antigua tradición de la ética médica. Su formulación clásica, *primum non nocere,* está notoriamente señalada en el Juramento Hipocrático. Beauchamp y

Childress admiten que intuitivamente la obligación de no ocasionar un daño sería previa a la de causar un beneficio. Sin embargo, en determinadas situaciones las obligaciones de beneficencia tendrían prioridad sobre las de no-maleficencia.

En este sentido cabría plantearse la definición de medicina que presumiblemente abarcaría la materia en la próxima década, y que en poco o nada habría de parecerse a cómo hoy día la entendemos.

Así como de la intervención del profesional en el genoma como cuestión sustantiva para el tratamiento de la enfermedad.

Y de la transición que iría de un planteamiento actual identificador de dilema desde el punto de vista ético y moral, de dimensión colectiva, que ponen en conflicto las reglas morales. A dilema cerrado o de análisis, habido que la situación conflictiva habría sido resuelta.

El derecho a la vida no debe interpretarse en sentido restrictivo. Se refiere al derecho de las personas a no ser objeto de actos u omisiones cuya intención o expectativa sea causar su muerte prematura o no natural, así como a disfrutar de una vida con dignidad. El artículo 6 del Pacto Internacional de Derechos Civiles y Políticos, relativo al derecho a la vida garantiza este derecho a todos los seres humanos, sin distinción de ninguna clase, incluidas las personas sospechosas o condenadas por los delitos más graves. El párrafo 1 del artículo 6 del Pacto dispone que nadie podrá ser privado de la vida arbitrariamente y que el derecho estará protegido por la ley. En él se sientan las bases de la obligación de los Estados parte de respetar y garantizar el derecho a la vida, darle efecto por conducto de medidas legislativas y de otra índole y proporcionar recursos y reparación efectivos a todas las víctimas de violaciones del derecho a la vida.

En este sentido cabe preguntarnos ¿Supondría la privación de aplicación CRISPR, así como las técnicas avanzadas en genómica expuestas en este trabajo, aplicado en enfermedades, una violación del derecho a la vida, por omisión, conocido que la aplicación de la técnica permitiría al individuo vivir y/o, por el contrario, no aplicarla, y morir?

En este sentido el principio de justicia alcanzaría un sentido mayor, que actualmente deviene el más alejado de la ética médica clásica. Así Beauchamp y Childress[6] relacionan este principio con el problema de la justicia distributiva y sus consecuencias, en que el profesional médico se visualiza como gestor obligado a seleccionar los enfermos que pueden acceder a una determinada prestación o a racionar bienes sanitarios escasos.

Habida la no existencia de jerarquía entre los principios, con cierta asiduidad colisionan entre los mismos, siendo que de producirse conflicto entre los principios habría de realizarse un análisis de la importancia de cada uno, conforme a las circunstancias específicas y mediante, la denominada especificación, establecer códigos menos indeterminados, más cercanos a la dificultad moral específica con la intención de facilitar la determinación moral. El modo de fundamentar este planteamiento se hace mediante la moralidad común, lo que las personas corrientes entienden e interpretan sobre la vida moral y sus normas. Así, el principialismo es uno método para poder afrontar las dificultades estructuradas con un fundamento moral tan frágil que lo permite alcanzable por planteamientos filosóficos muy diferentes y opuestos.

Parece evidente que el principialismo presenta lagunas difícilmente salvables. Su valor como teoría que sustente las

---

6 3. Beauchamp T, Childress J. Principios de ética biomédica, Barcelona, Masson, 1999. (Traduce la 4a edición norteamericana de 1994). https://www.bioeticayderecho.ub.edu/es/comentarios-al-libro-principios-de-etica-biomedica-de-t-beauchamp-y-j-childress

decisiones clínicas es endeble, sin embargo, su utilidad como método deviene incuestionable.

Y en torno a todos estos cuestionamientos, el dilema moral conservacionista presente en nuestro tiempo, ejerciendo una fuerte resistencia a permitir la edición genética germinal o embrionaria, en virtud y en tanto que se resuelvan cuestiones técnicas como la eficacia, los riesgos genéticos y la posibilidad de alteraciones en el genoma.

Sin embargo, ciertamente existen avances a los que hemos de incorporarnos, en aras de evitar que estos mismos nos releguen al mero espectador. La humanidad tiene mucho que aportar en relación a estos descubrimientos, y habría de gozar de la libertad de investigación permisiva y prudente.

Resulta curioso a la vez que alarmante, observar cómo se destruyen millones de vidas al año, en nuestro planeta, como fruto de actuaciones verdaderamente abominables, intolerables, tiránicas y realmente inmorales como las guerras, la pobreza y el hambre, las enfermedades con cura no accesible a determinados ciudadanos que ven ultrajados y abusados sus derechos más esenciales.

Proclama la Declaración Universal de Derecho Humanos, en su Artículo 3:

> Todo individuo tiene derecho a la vida, a la libertad y a la seguridad de su persona

Sin embargo, no por falta de debate internacional, de sabido conocido, no ha requerido en cantidad suficiente la apuesta y esfuerzo por unificación de normativa que sea capaz de erradicar el conflicto de la guerra y el hambre en el mundo.

El ser humano es compasivo en su naturaleza cuando vibra y sintoniza en benevolencia, sin embargo, dedica sus mayores esfuerzos a lo largo de su vida a lo que supone el verdadero estímulo, la conquista y propósito de su vida, acabando por acostumbrarse, con relativa facilidad al telón de fondo, de la guerra y el hambre, y sin apenas participación, pudiendo acomodar una vida en la tierra a conocimiento pleno de que a tan sólo 3.699 km de España, en países como Nigeria, por ejemplo, miles de personas han muerto en manos del grupo terrorista Boko Haram, que habría secuestrado y torturado a miles de mujeres y niñas en los últimos años. Algunas de esas mujeres y niñas han muerto y otras han sido liberadas. Las que han logrado sobrevivir, han huido junto a su familia hacia lugares como los campos de refugiados de Níger. Según los datos de ACNUR, 200.000 refugiados nigerianos viven en países fronterizos y 2,4 millones de personas viven desplazadas respecto a los lugares de conflicto. Por citar un solo ejemplo de los muchísimos en la era que nos asiste y de la que somos parte.

Así como los niños que son fruto del tráfico humano en el mundo. El número de niños entre las víctimas de trata se ha triplicado en los últimos 15 años, y el porcentaje de niños se ha multiplicado por cinco, asegura un nuevo informe publicado este martes por la Oficina de las Naciones Unidas contra la Droga y el Delito (UNODC) [7].

---

[7] En 2018, 148 países detectaron y denunciaron alrededor de 50.000 víctimas de trata de personas. Sin embargo, dada la naturaleza oculta de este delito, el número real de víctimas es mucho mayor.
El Informe muestra que los traficantes de aprovechan de los más vulnerables, como los migrantes y las personas sin trabajo, y es probable que la recesión inducida por el COVID-19 haya puesto a más personas en riesgo. "Millones de mujeres, niños y hombres en todo el mundo están sin trabajo, sin escolarizar y sin apoyo social en la continua crisis del COVID-19, lo que los deja en mayor riesgo de trata de personas. Necesitamos acciones específicas para evitar que los traficantes criminales se aprovechen de la pandemia para explotar a los vulnerables", expresó en un comunicado la directora ejecutiva de UNODC, Ghada Waly. Agregó que el informe, junto con la asistencia técnica que brinda la UNODC a través de sus programas mun-

A lo que también se suma debates como el Código Penal en determinados países que aplican la pena de muerte[8].

Y sin desviarnos de nuestra investigación, tan solo se cita en comparativa del interés general mostrado en relación a cuando una comunidad o sociedad alienta valores alejados de la ética, la resolución de los diferentes dilemas morales que surjan entre los ciudadanos sería resueltos con bajos niveles de desarrollo prosocial, lo que conllevará un clima poco solidario, de escasa empatía y con altos niveles de conflictividad.

Así conforme a la síntesis extraemos las siguientes conclusiones;

---

diales y su red de campo, tiene como objetivo recabar las respuestas de los gobiernos contra la trata, poner fin a la impunidad y apoyar a las víctimas como parte de los esfuerzos integrados para avanzar de la pandemia. https://news.un.org/es/story/2021/02/1487422

8 En 2019, un total de 142 países habían abolido la pena de muerte en la ley o en la práctica y 56 seguían aplicándola. En ese año se registraron 657 ejecuciones en 20 países con más de 25.000 personas condenadas a muerte. China no se incluye en ellos, ya que sus datos están clasificados como secreto de estado, pero se estima que se llevaron a cabo miles de ejecuciones. El número de ejecuciones en 2019 fue el más bajo de la última década, por debajo de 690 en 2018 y 993 en 2017.
Alrededor del 86% de todas las ejecuciones registradas en 2019, según los datos que maneja Amnistía Internacional, tuvieron lugar en sólo cuatro países: Irán, Arabia Saudita, Irak y Egipto.
En Asia, en el mundo árabe y en los Estados Unidos existe una fuerte oposición para abolir la pena de muerte. Sin embargo, el 80% de los 55 países africanos la han prohibido aplican moratorias.
https://www.europarl.europa.eu/topics/es/article/20190212STO25910/la-pena-de-muerte-en-europa-y-en-el-mundo-datos-clave#:~:text=La%20pena%20de%20muerte%20en%20el%20mundo.%20La,con%20m%C3%A1s%20de%2025.000%20personas%20condenadas%20a%20muerte.

CONCLUSIONES Y PROPUESTAS

CONCLUSIONES

PRIMERA. - Con este trabajo pretendemos dar un paso más, significando no solo el acceso a la salud, lo cual resulta de diversas variables habido que es considerado como ajeno, y en este sentido es necesario instaurar una nueva filosofía en que ha de interiorizarse e implantarse la idea de que la salud ya forma parte del ser humano, y le es inherente, su respuesta está determinada en el ADN. El derecho a la vida, el derecho a estar sano, y el derecho a no envejecer mediante enfermedad degenerativa.

No resultando necesaria la edición para añadir/quitar y/o modificar la herencia genética, sino que verdaderamente el ser humano dispondría de un genoma de alta tecnología, el cual hemos de aprender a manejar, y que ya contendría todo lo necesario, y que, en el desconocimiento de esta elemental base principal, radica el craso error que conduce a la determinación de utilizar unas técnicas que podrían resultar invasivas y no otras.

SEGUNDA. - A la luz de las manifestaciones que hace la propia Declaración de Ginebra, en relación al informe, que se desprende su apoyo en los avances en línea germinal, si bien supeditado a la seguridad de la técnica y la medición del riesgo no provocando daño tercero, refiriendo la aplicación fundamentalmente a afecciones graves de tipo genético. Y del mismo modo las Academias precisarían que los ensayos de edición de genoma hereditario han de abordarse con cautela, sin que ello suponga la prohibición, sino cautela.

TERCERA. - No resultaría viable hablar de modificación genómica sin la participación social, y máxime cuando ella estaría restringida mayoritariamente a la ignorancia, habido no tiene ni la mínima percepción de lo que significa, más allá de la ambivalencia entre el temor eugenésico y el surrealismo alineado con las capacidades de superhombre que mal interpretado quedaría plenamente desnaturalizado.

Ciertamente estaría íntimamente vinculada con la aversión social manifiesta en relación a la edición del genoma, que, aunque despierta elevada curiosidad, ello no superaría la necesidad o riesgo de modificar el status actual conocido. Y cuyo cambio vendría dado por la necesaria educación en genómica que hoy es plenamente nula en las aulas, y que habría de implantarse en un sentido muy amplio y extendido a todas las áreas de conocimiento. Una formación abierta que permita el acceso real a la participación del conocimiento escudriñado de la genómica, así como se imparte con otras disciplinas como las matemáticas, que, con mayor o menor voluntad o ganas, resulta obligatorio pasar por el estudio de teoremas, ecuaciones, límites, derivadas, algebra, etc.

CUARTA. - En palabras del Dr. GARIAEV, describía en su artículo publicado por el Open Journal of Genetics, en junio de 2015, que, en la actualidad, el modelo del código genético (el código de biosíntesis de proteínas) propuesto hace casi 50 años por M. Nirenberg y F. Crick ha sufrido una fuerte erosión. Desde el punto de vista táctico, es cierto que la triplicidad y el sinónimo degeneración son inconfundibles. Pero el postulado de Nirenberg-Crick sobre la codificación inequívoca de los aminoácidos, es decir, la estrategia plantea dudas razonables.

QUINTA. - El Dr. Gariaev postuló que el genoma es multidimensional y existe en un continuo cromosómico, una onda estable que viaja por todo el organismo a lo largo del ADN de doble hélice altamente estructurado y contiene la información genética en forma de hologramas electromagnéticos y acústicos. Consideró que estos hologramas que crean nodos en el holograma universal como registro de todo lo que es y ha sido, son el verdadero registro de nuestro mapa genético.

El Dr. Gariaev realizó otro experimento en el que a ratas de laboratorio se les administró una toxina pancreática llamada aloxano que indujo un estado diabético. Un tercio de estas ratas no fueron tratadas como grupo de control y ninguna sobrevivió después de 4-6 días. Justo antes de morir, las ratas tratadas fueron expuestas a la información de ADN capturada del páncreas de una cría de rata sana. Más del 90% de las ratas tratadas sobrevivieron y recuperaron su función pancreática al día 10.

SEXTA- Ahora debemos mirar más allá, conforme proclama Gariaev, hacia otros ámbitos de operación del genoma. El futuro se encuentra en la comprensión estratégica y a nivel de onda de los cromosomas como biocomputadoras cuánticas con funciones cuasi-inteligentes de operación con estructuras holográficas de texto-texto de ADN, ARN y proteínas. El futuro aquí está en el estudio de las funciones fantasmas del ADN y el ARN. El futuro de la genética estaría en la exploración de los principios cuánticos de no localidad del funcionamiento del ADN, revelándose como FPU, tipos holográficos y fantasmas de memoria de ADN, estas son las principales directivas de la génesis de los biosistemas y sus capacidades regenerativas. Es hora de estudiar más intensamente estas funciones particulares, nuevas y reflexivas del genoma. Esta es la trascendencia a un nivel de evolución completamente nuevo para humanidad, conforme afirma Gariaev.

SÉPTIMA- Conforme afirma la investigación, nuestras moléculas de ADN son antenas, y no solo el ADN sino también las proteínas, debido a que contienen átomos de metales, en forma de antenas espaciadas espacialmente, que recibirían información cósmica dirigida.

La Teoría de la Genética de Onda postula que nuestro aparato genético construye el organismo con ayuda de ondas electromagnéticas y acústicas de diferente longitud, y además el organismo no solo las recibe del exterior, sino que también las genera él mismo.

OCTAVA. - La dificultad principal en el medio diagnóstico utilizado hoy por la medicina convencional recaería, en la no detección del cuerpo electromagnético del cuerpo humano, en donde sí podría recogerse el origen de la enfermedad aún no presente de forma visible a los medios de diagnóstico convencionales, pero que, sin embargo, ya el paciente estaría sintiendo a través de síntomas diversos, entre los que se encontrarían las alteraciones de la frecuencia cardíaca, etc. En este sentido el Professor Konstantin Korotkov habría desarrollado tecnología, la cual ha presentado en diferentes congresos de ciencia, pero que sin embargo no ha alcanzado a llegar a occidente.

Así pues, la biofísica habría de representar la disciplina más acuciante para ayudar a los profesionales de la medicina y a la sociedad a comprender cómo funciona en su conjunto la biología, ciertamente en comparación con la bioquímica, sin embargo, por el momento no se está contemplando plenamente, aun cuando debiera ocupar el lugar primordial de la comprensión biológica y, por lo tanto, médica, donde habría de situarse para el completo entendimiento del cuerpo humano.

NOVENA. - Resultando las máximas que han guiado el discurso de la ética; la aplicación en ausencia de alternativas razonables, la ponderación de riesgos beneficios, y que no provoque daños a terceros. Todo ello en plena consonancia con los principios bioéticos de autonomía, beneficencia, no maleficencia y justicia. Así los distintos Comités de Bioética de cada país han hecho suya de forma individual, la aplicación de lo ya establecido por los comités de bioética.

En este sentido, y por la envergadura y calado de las investigaciones, se haría necesario estrechar la distancia entre lo previsiblemente autorizado para el trabajo en células somáticas, y el enfoque restrictivo en células reproductoras, habido el comportamiento análogo al que podrían aproximarse en un contexto determinado.

Ello en tanto se plantea una seria controversia ética cuando en la aplicación de edición genética a la línea germinal, dado que supone la posibilidad de manipular la herencia, trasmitir sus resultados a generaciones futuras, así como manipular o mejorar la especie (eugenesia).

DÉCIMA- Proyecto Inteligente, que acuñamos en la investigación para este proceso Smart Project7. Tal enfoque comenzaría dotando al propio proceso de inteligencia propia, y más bien sería reconocer su propia inteligencia, habido que no se le dota, sino que la teoría pasa por reconocer que el procedimiento goza de inteligencia propia, sin necesidad de que nadie se la dote, con independencia de las personas que interactúan, y tendría su comienzo procediendo a la edición de ese proceso, como si fuese un conjunto vivo coherente de energía y partículas, átomos y ADN, que simularían a su vez un holograma de distintas propuestas, aplicando finalmente la más viable, y que sería, sorpresivamente, coincidente con el resultado final de no haber intervenido, lo que permite a las partes intervinientes realizar maniobras anticipativas que llevarían a modificar ese supuesto no libre albedrío en la mecánica del proceso.

Y estaría especialmente conectado con La teoría de juegos de John Nash, un matemático estadounidense, que presentó su teoría en 1950, que recibía el premio Nobel de Matemáticas del año 1994, que vendría a resultar una herramienta esencial en la economía y en la toma de decisiones. La cual se centra en la interacción estratégica entre dos o más individuos.

El ámbito de aplicación de esta teoría devendría extrapolable tanto a procedimientos jurídicos, así cualquier otro proceso, como a enfermedades degenerativas y de cualquier otro tipo, pasando por un procedimiento de edición del proceso, a través del método aSASAw.

DECIMOPRIMERA.- Conforme a la ley de JP Garnier, en consonancia con Benjamin Libet, en aplicación de la no existencia del libre albedrio, el ser humano recibiría la información instantes antes de ser ejecutada, y tal elección de modificación de libre albedrío habría de ser aplicado tanto al momento de preparación del escrito que la demanda judicial,(para el caso descrito anteriormente del abogado), como en el momento de la vista del juicio, como en la resolución de la sentencia judicial, y de cualquier otra. Y todo esto sería aplicable a cualquier procedimiento de la vida cotidiana.

DECIMOSEGUNDA. - Hemos pasado más de cien años, desde Cajal, estudiando las neuronas por separado, su composición y funcionamiento, sin embargo, ello no ha contribuido a resolver el gran enigma, así como tampoco ha resultado de ayuda para mapear el complejo circuito neuronal y su funcionamiento. En tanto reconocidos neurobiólogos (Yuste R), reconocen que no es posible entender el funcionamiento del mapa neuronal estudiando las neuronas por separado, en lo que se ha empleado tantísimo tiempo y recursos, lo que compara en analogía al estudio de los pixeles de una imagen, habido que el estudio de un solo pixel y no en su conjunto, nunca llegaría a conformar la imagen propiamente. Y, sin embargo, para poder entender el funcionamiento neuronal se hace preciso, a la luz de las investigaciones traídas en este trabajo, previamente entender el funcionamiento del ADN no codificante, en tanto que en su composición radicaría el patrón de funcionamiento neuronal (Garaiev).

Y su relación con la genética/ el ADN no codificante el denominado basura o Junk DNA. El Doctor Gariaev y su equipo, desarrollaron la Teoría Ondulatoria del Genoma demostrando el carácter vibracional del ADN, según su teoría el ADN emite radiación electromagnética extremadamente coherente, constituyendo un sistema de información esencial a lo largo del organismo, lo que se podría traducir a que el 98 % del ADN, comúnmente denominado basura, es pura información proyectada de forma holográfica en un complejo patrón de códigos, que podría aplicarse a todo proceso de vida, humana, vegetal, y de procesos.

DECIMOTERCERA. - A colación del anterior nace aquí la gran pregunta; ¿Por qué razón no se ha planteado regular el mundo cuántico, en el que trabajan las grandes tecnológicas como base neurálgica y punto de partida del procesamiento de sus proyectos?

¿Y cómo habríamos de abordar la regulación del mundo cuántico, si la realidad en este mundo subatómico cambia cuando la medimos?

Ciertamente nos encontramos ante un desafío épico que lejos de eludir por su complejidad, se hace necesario ampliar las miras, instruirnos en la materia y comprender más allá de las fronteras de lo metodizado, hasta alcanzar una regulación adaptada a la revolución que nos asiste.

DECIMOCUARTA. -La Física Cuántica nos ofrece un marco de pensamiento holístico basado en estos campos de energía que son importantísimos en el comportamiento del Universo, en las propiedades de la materia observable e incluso en nuestra salud y bienestar. El ser humano es un sistema de energías en vibración continua. Somo emisores y receptores de una gama muy diversa de frecuencias. El organismo no es un mosaico de órganos y moléculas independiente sino un conjunto coherente, un campo de interconexión altamente ordenado y orquestado.

La Física Cuántica defiende la existencia de un indeterminismo inherente y de un universo subjetivo en que la realidad no se puede separar del observador. La realidad, antes de ser observada y medida, presenta un espectro de múltiples posibilidades potenciales.

El Principio de Superposición y la No-Localidad Cuántica nos conducen a una nueva forma, ingeniosa, increíble de ver la realidad. La interconexión instantánea recuerda a una concepción holográfica de la realidad.

Recordemos el trabajo de PETROVICH GARAIEV, que modifica el ADN mediante frecuencias, no siendo necesario tocar el cuerpo físico, ni editar un gen del modo que se sigue mediante CRISPR, sino que deviene mucho más sencillo.

DECIMOQUINTA.- La necesidad de regular, Neuroderechos. Deviene imperante y prevalente a la continuidad de cualquier tipo de ensayo, resultando insuficiente una guía (la actual), y siendo que el alcance ha de tener un espectro muchísimo más amplio del que hasta el momento se habría planteado. En tanto que la regulación integral habría de abarcar el conocimiento del campo cuántico y sus probabilidades, todas ellas puestas de manifiesto por la ciencia en sendos experimentos. De no ser así, las grandes tecnológicas de IA, de AGI, tales como las desarrolladas por Elon Musk y sus homónimos, físico e ingeniero de formación, seguirán llevando a la práctica sus experimentos, sin procedimentales previos, sirviendo de propio ejemplo experimental la respuesta estadística de la población usuaria.

DECIMOSEXTA. - Si somos conocedores de todas estas investigaciones arrojadas por nuestro panel de científicos, del comportamiento del ADN no codificante, de que las partículas intercambian información a través del fenómeno denominado intrincación, del experimento de la rendija, del gato vivo y muerto, etc., etc., etc.

¿Por qué razón no lo aplicamos en el mundo práctico?, ¿Por qué razón no lo descendemos al papel, al proceso, a la conversación, a la interacción, al escrito jurídico, a la demanda, a la cirugía de colon, a la terapia, a la docencia, etc.?

Entender que los procesos no son inertes, y que tienen coherencia, que son el holograma que impulsa la acción (teoría

Petrochic Garaiev, la genética de la onda) que proyectan la materia, cuya coherencia subyacente es el ADN no codificante, presente en las personas, animales, plantas, y todos los elementos y en procesos.

DECIMOSÉPTIMA- Cabe preguntarnos ¿Supondría la privación de aplicación CRISPR, así como las técnicas avanzadas en genómica expuestas en este trabajo, aplicado en enfermedades, una violación del derecho a la vida, por omisión, conocido que la aplicación de la técnica permitiría al individuo vivir y/o, por el contrario, no aplicarla, y morir?

DECIMOCTAVA. - La Dra. Orly Lacham-Kaplan encabeza el equipo de investigación de la Universidad de Monash de Melbourne, Australia, que logró que ratones hembra procrearan mediante la intervención de células que no procedían del esperma de ratón. La especialista estimó que, reproduciendo esas condiciones, devendría teóricamente posible que una célula procedente de cualquier parte del cuerpo humano, incluyendo el de otra mujer, pueda ser utilizada para fertilizar un óvulo.

Explica la Dra. Orly, que las células somáticas contienen dos juegos de cromosomas, mientras que las germinales poseen sólo uno. El equipo de la Universidad de Monash utilizó técnicas químicas para liberar uno de los juegos de 23 cromosomas de la célula somática e imitando al proceso de fertilización natural, utilizó para combinarlo con el óvulo y producir un embrión. De este modo, así como los diversos planteados en este trabajo, puede cuestionarse la función reproductora de las células somáticas, con respecto a la herencia de las mismas.

DECIMONOVENA.-No existiendo evidencia, salvo hipotética, a saber, del conocimiento incierto de la genética hoy día, y apoyado en la teoría de Dr. Petrovich Garaiev (Dr. En Biología Ruso), Dra. Orly (Australia) y Karim Nayernia (Persa: کریم نیرنیا) (científico biomédico iraní y experto mundial en biología de células madre y medicina personalizada), en que se determina la viabilidad fecundadora y reproductora de células somáticas que se mencionan en el capítulo VI, punto 5 'Las células somáticas y su función reproductora'. Para determinar que la descendencia pudiese tener ninguna restricción genética, que redujese las posibilidades de nacimiento y calidad de vida de la descendiente siendo concebida únicamente por ella, mediante partenogénesis, a diferencia de con la intervención de un donante, salvo el parecido supuesto. Muestra de ello la infinidad de diversidad nacida por partenogénesis en el mundo animal.

Así, se define MACAGÉNESIS como planteamiento, que permitiría a dos mujeres que son pareja, tengan su propia descendencia genética sin necesidad de que sean sometidas a embarazo de una de ellas mediante donante, quedando la otra completamente relegada a lo ajeno, genéticamente hablando.

VIGÉSIMA- Definitivamente el modo de reproducción cuyo origen recaería en tradiciones de predominio cultural, relativamente impuesto, entre femenino/masculino, tendría como finalidad principal mantener el % equitativo y proporcional entre ambos sexos en el mundo, entendiendo que esa recombinación supondría el enriquecimiento de esa perseguida diversidad, sin que ello fuese necesariamente aparejado a las necesidades individuales y elección del propio sujeto, que a lo largo de la historia ha devenido más bien impuesto que elegido.

Asunto que hoy día no deviene una necesidad vital, habida la diversidad de modelos de familia, así como los futuros modos de reproducción.

Es de apreciar, que, de no haber supuesto un marco normativo impuesto de origen religioso y carácter político, incluso actual en diversos países, que habría marcado fuertemente el desarrollo de las conductas sociales, la evolución de la reproducción humana habría tomado diversos modos de expresión, como así están presentes en la propia naturaleza (Partenogénesis, Macagénesis).

VIGESIMOPRIMERA- "El 10% de las parejas podrían tener riesgo de concebir bebés afectos de algún tipo de enfermedad rara asociada a mutaciones genéticas".

Habido la reproducción mediante FIV, el método más confiable, ante el riesgo de transmisión enfermedades a la descendencia. Resultando que tendríamos la atención muy enfocada en no modificar el genoma de la descendencia, y, sin embargo, deviene también preciso, observar la evitación de transmisión de la enfermedad. Habido el presumible y venidero 'Derecho a Nacer Sano', habría de proclamarse como derecho fundamental, en tanto se dispongan de los medios para evitar la transmisión de la enfermedad a la descendencia. Nacer sano, en tanto existen los medios para evitar el nacimiento del enfermo habría de ser un derecho.

VIGESIMOSEGUNDA. - El equipo de Garaiev, consideró hacer una lectura diferenciada de la información. Imaginando nuestro cuerpo como un conjunto celular masivo, que consta de cientos y cientos de miles de millones de células, cada una de estas células intercambia dados acerca de su estado con todas las células vecinas, ¿ cómo se administra esta acción?, tal vez por el sistema nervioso, sin embargo los procesos nerviosos circulan con una velocidad muy baja, de 8-10 metros por segundo, no es suficiente para asegurar el funcionamiento normal del estado de las células, incluso la velocidad de la luz no es suficiente para distribuir toda la información a cientos de miles de millones de células, de lo contrario nuestro desarrollo habría terminado en el nivel bacteriano, donde no es necesario entregar la información a través de las células habido que solo hay una célula.

Sin embargo, en nuestro cuerpo, la información sobre todas las células se distribuye entre ellas al instante. ¿cómo se resuelve ese problema de comunicación superrápida? Petr Gariaev y sus colegas realizaron un trabajo teórico y experimental, que les permitió introducir la idea de que las células continuamente intercambian información con una velocidad indefinidamente elevada. Los investigadores basaron su trabajo en el atributo predicho por Einstein y sus discípulos Boris Podolsky y Nathan Rosan, en 1935.

VIGESIMOTERCERA.- En relación a la anterior, y en aquel momento, predijeron que cuando dos fotones entrelazados se separan, y uno de ellos cambia sus parámetros, por ejemplo, se tropieza con algo, desaparece, pero la información se desplaza instantáneamente al otro fotón. Por lo tanto, un fotón se convierte en el otro. Más tarde este atributo de los eventos cuánticos fue llamado teletransporte.

En 1997 los científicos austríacos demostraron experimentalmente que un fotón puede ser teletransportado, esto significa ser trasladado instantáneamente de un lugar a otro, y, lo que, es más, con toda la información conservada. Habiendo demostrado claramente que los fotones pueden ser teletransportados.

Nuestro ADN, nuestros cromosomas trabajan con fotones, nuestras células se comunican entre sí con una velocidad infinitamente elevada, y en este nivel el concepto del tiempo desaparece, la información llega a ser conocida a la vez.

Todos los procesos metabólicos complejos en los cientos de miles de millones de nuestras células suceden porque las células saben la una de la otra a la vez, sin tiempo de por medio, de forma instantánea, gracias a la información suministrada por los fotones, los cuales están entrelazados, y este concepto de 'entrelazamiento', deviene a ser la clave para explicar esta comunicación instantánea de nuestro cuerpo. Ello nos lleva a una base principalmente diferente para la comprensión de la biología y entender el funcionamiento del aparato genético y de los seres vivos

PROPUESTAS

La finalidad de este estudio recae en el cuestionamiento de la validez de las herramientas jurídicas actuales y la necesidad de adaptación de las mismas a los tiempos que nos asisten. El legislador tradicionalmente se ha visto en la obligación de legislar regulando para proteger y prevenir, resultando muchas veces un impedimento limitativo para el avance y el progreso.

No nos olvidemos que dedicamos muchos esfuerzos a construir enormes muros de contención para evitar una modificación genética en línea germinal o embrionaria. Cuando en realidad se habría demostrado que la línea de las células somáticas también se hereda.

Así como se ha demostrado que las mayores interferencias en el genoma no codificante estarían siendo influenciado, modificado, por agentes completamente ajenos a la medicina y la genética (genetistas) propiamente conocida, y de donde nace la emergente necesidad de regular los neuroderechos.

Es por ello que planteamos las siguientes propuestas que tienen su nacimiento en el estudio del escenario actual y la potencialidad de los hitos identificados.

1. Tendente a Legislación permisiva

Propuesta a Legislador en relación a la modificación genética precisando la libertad de actuación en ensayos determinados, enfocados a prevenir las enfermedades. Tendente a legislación permisiva, sometida a determinados controles periódicos y particularmente definidos.

Protegiendo el derecho a la vida desde el nacimiento, como derecho fundamental a nacer sano en tanto se conocen los medios de evitación del nacimiento de niño enfermo.

Es de ver, a la luz de las manifestaciones que hace la propia Declaración de Ginebra, en relación al informe, que se desprende su apoyo en los avances en línea germinal, si bien supeditado a la seguridad de la técnica y la medición del riesgo no provocando daño tercero, refiriendo la aplicación fundamentalmente a afecciones graves de tipo genético. Y del mismo modo las Academias precisarían que los ensayos de edición de genoma hereditario han de abordarse con cautela, sin que ello suponga la prohibición, sino cautela.

La propuesta estaría enfocada, principalmente en enfermedades degenerativas, resultando el envejecimiento la principal enfermedad degenerativa conocida.

Resulta obvio pensar que la vida pasa muy rápido, y que una persona con setenta años, de encontrase con la misma vitalidad física y energética que cuando tenía cuarenta años, evitaría pensar que se encuentra viviendo, con apenas setenta años, la última fase de su vida con bienestar y salud. Hemos de ser conscientes que tenemos en nuestras manos la mejora en la esperanza de vida, y que de nosotros depende la aplicación o no de las herramientas disponibles.

2. FIV como método generalista de reproducción ante enfermedades genéticas hereditarias con diagnóstico como medida de contención de la propagación de la enfermedad

Por citar un ejemplo clásico común, la cardiopatía hipertrófica es una enfermedad que se hereda, aunque existen formas esporádicas de miocardiopatía hipertrófica, lo más frecuente es que se herede de manera autosómica dominante. Esto significa que el 50 por ciento de la descendencia heredará esta alteración, dos de cuatro hijos desarrollarían una miocardiopatía hipertrófica, afectando por igual a hombres y mujeres, teniendo una expresividad variable, no teniendo que ser idéntica la enfermedad del hijo con respecto del padre o madre, pudiendo ser tanto de mayor como de menor gravedad, y pudiendo manifestarse antes o después[9].

Los hijos de una persona afectada por un trastorno autosómico dominante tienen una probabilidad del 50% de ser afectados por ese trastorno a través de la herencia de un alelo dominante. Por el contrario, en el trastorno autosómico recesivo, se necesitan dos copias del gen con la mutación (una de cada progenitor) para manifestar el trastorno. La enfermedad de Huntington es un ejemplo de trastorno genético autosómico dominante[10].

Resultando en estos casos, la reproducción mediante FIV, el método más confiable, para la contención del riesgo de transmitir enfermedades a la descendencia. Resultando que tendríamos la atención muy enfocada en no modificar el genoma de la descendencia, y, sin embargo, deviene también preciso, observar la evitación de transmisión de la enfermedad. Habido el presumible y venidero 'Derecho a Nacer Sano', habría de proclamarse como derecho fundamental, en tanto se dispongan de los medios para evitar la transmisión de la enfermedad a la descendencia. Nacer sano, en tanto existen los medios para evitar el nacimiento del enfermo deviene un derecho.

En el transcurso de un tratamiento de FIV con DGP, después de haber obtenido los resultados, siguiendo el procedimiento habitual, se desechan los embriones diagnosticados con la alteración genética. Solamente los embriones sanos libres de mutaciones serán transferidos al útero materno o vitrificados para su futuro uso.

---

9 Fundación Española del Corazón, Miocardiopatía Hipertrófica https://fundaciondelcorazon.com/informacion-para-pacientes/enfermedades-cardiovasculares/cardiopatias-familiares-y-genetica/miocardiopatias/miocardiopatia-hipertrofica.html#:~:text=En%20la%20gran%20mayor%C3%ADa%20de,posibilidades%20de%20heredar%20la%20enfermedad.

10 National Human Genome Research Institute, Autosómico dominante. https://www.genome.gov/es/genetics-glossary/Autosomico-dominante

El diagnóstico genético preimplantacional ha permitido el nacimiento de miles de niños libres de enfermedades genéticas en todo el mundo y, técnica aprobada por la Ley 14/2006 en España.

3. Método Ropa, suprimir obligatoriedad de contraer matrimonio por la pareja conformada por dos mujeres.

Propuesta modificación Legislador Método Ropa, no obligatoriedad de estar casadas dos mujeres que son pareja y deciden tener un hijo mediante método ROPA, en tanto tal sometimiento deviene contrario a derecho.

El último apartado del art. 8 de la Ley -EDL 2006/58980- impide una posible reclamación de paternidad por parte del donante que, aunque ha de ser anónimo, en los supuestos excepcionales contemplados en el art. 5, puede revelarse su identidad. Y se dice que la;

> "revelación de la identidad del donante, no implica en ningún caso determinación legal de la filiación".

En este sentido habríamos de añadir un supuesto que, aunque inicialmente no habría contemplado el legislador, y que se reformó a posteriori, en consecuencia, de sendos conflictos planteados, se modifica la LTRHA -EDL 2006/58980- y añade un punto tercero al art. 7, que alude al consentimiento en el caso del matrimonio formado por dos mujeres:

> «Cuando la mujer estuviere casada, y no separada legalmente o, de hecho, con otra mujer, esta última podrá manifestar ante el Encargado del Registro Civil del domicilio conyugal, que consiente en que cuando nazca el hijo de su cónyuge, se determine a su favor la filiación respecto del nacido».

Esta dotación de la filiación materna de la casada con la madre gestante tiene lugar por primera vez en nuestro ordenamiento jurídico por la Ley 3/2007 -EDL 2007/9733-.

El Registro Civil de Alicante fue el primero de España en registrar los hijos de dos mujeres como hijos matrimoniales, inscribiéndolos en el libro de familia del matrimonio con la acepción progenitor A y progenitor B.

No obstante, a lo anterior, se produce de forma más novedosa el método ROPA (Recepción de óvulos de la pareja, para el caso de matrimonio entre dos mujeres).

El método ROPA es una técnica de reproducción asistida que se lleva a cabo en dos pasos:

Primero se extraen los óvulos de una las mujeres (la madre biológica) y se fecundan en el laboratorio con semen procedente de donante masculino.

Después se implanta el embrión obtenido en la otra mujer (la madre gestante), que es la que va a llevar el feto en su interior y quien dará a luz.

Al igual que ocurre en cualquier técnica de reproducción asistida, la madre biológica se somete a un proceso de estimulación ovárica, y una vez comprobado mediante una ecografía y otras pruebas, que el número y tamaño de los óvulos es el adecuado, se le realiza a una punción folicular para extraerlos. Esta intervención se lleva a cabo en el quirófano y con sedación. Una vez obtenidos los óvulos, se cultivan en el laboratorio junto al semen del donante.

Tras la fecundación de los embriones, entra en escena la madre gestante, quien previamente ha estado siguiendo una medicación a base de estrógenos para preparar su endometrio.

Entre el tercer y el quinto día de la fecundación a la madre gestante se le realiza la transferencia embrionaria, depositando mediante una cánula el embrión o embriones (no más de 3, que es lo que permite la legislación española) en el endometrio.

Si todo va bien y se produce la implantación y el consiguiente embarazo, el embrión se desarrollará en el útero de la madre gestante hasta el momento del parto.

Por tanto, con el método ROPA se consigue una doble maternidad puesto que el bebé es fruto de los óvulos de una de sus madres y ha sido gestado por la otra.

Solo puede someterse a esta técnica una pareja de dos mujeres que estén casadas legalmente. En este caso, no es válido ser pareja de hecho. La razón de este requisito viene recogida en la Ley 14/2006 sobre Técnicas de Reproducción Humana Asistida, que permite que los gametos (células que tienen una función reproductora) de una persona puedan ser usados por ella o por su cónyuge, de ahí la necesidad del matrimonio legal. Por tanto, el trámite burocrático imprescindible en España para tramitar la opción método ROPA, es el certificado de matrimonio.

De no producirse bajo el régimen de matrimonio, legalmente casadas, se incurriría, conforme al ordenamiento jurídico español, en un supuesto de vientre de alquiler no reconocido legalmente en España. Lo que somete a la pareja formada por dos mujeres, que quieren concebir a su descendiente mediante MÉTODO ROPA, a la obligatoriedad de someterse al matrimonio, no dejando la opción de elección, siendo modificado necesariamente el estado civil sin su plena voluntad, en beneficio único de poder someterse a la maternidad.

Tal precepto vulnera derechos fundamentales ya abolidos y desacostumbrados, y que se remontan a la constitución del Derecho tradicional de Familia y sus líneas directrices, a través de las cuales se trataron el fenómeno de filiación con una tradición jurídica muy antigua, que partía dotaba de una radical distinción de los hijos en dos diferentes grupos, atendiendo a su origen, y dependiendo de éste los hijos tenían más o menos derechos[11].

---

11 DIEZ-PICAZO, L. y GULLÓN, (2012). A. Sistema de Derecho Civil. Tecnos, Volumen IV, T. I, Madrid, pp. 233-234.

Ello venía diferenciándose principalmente en que los hijos hubieran sido engendrados después del matrimonio de sus padres, en cuyo precepto se entendía filiación legítima. Y en caso contrario, filiación ilegitima, en sentido amplio.

Es de ver que el término ilegítimo tiene un trasfondo peyorativo y despreciativo a los efectos de la interpretación de la norma llevada a ese tiempo.

En este sentido, conforme la traducción que aporta la RAE al concepto "legítimo/a" resulta;

> "1. adj. Conforme a las leyes.
> 2. adj. Lícito (justo).
> 3. adj. Cierto, genuino y verdadero en cualquier línea"[12]

Puede afirmarse en traducción literal, lo ilegítimo o no legítimo, la filiación ilegítima vendría a considerarse la que está en contra de las leyes; es ilícita o injusta; o por último es falsa.

Se desprende de lo anterior que la realidad de la filiación fuera del matrimonio no puede ser asociada ni vinculada, ni definida, por conceptos de ilícito o ilegítimo, por lo que el término empleado era totalmente impropio e inadecuado, y así se erradicó en las modificaciones que realizó la Ley de 1981.

Así pues, no puede aceptarse tal obligatoriedad a contraer matrimonio para que los hijos sean nacidos dentro del matrimonio, y reconocidos como legítimos en el supuesto de una pareja formada por dos mujeres que se someten a método ROPA para traer al mundo a sus hijos, habido pues se confronta con la evolución histórica del sistema matrimonial español. Y es que, en definitiva, de la evolución hacia un sistema matrimonial más acorde con la mentalidad y progresismo nacido

---

12 Definición legítima, vigésimo tercera edición del Diccionario de la Real Academia Española de la Lengua

del Concilio en el aspecto religioso y la nueva situación política del país, es decir, hacia la culminación de un verdadero sistema de matrimonio civil facultativo, no sólo de hecho, sino plenamente de derecho.

Este sistema de libre elección quedó definitivamente consolidado por una vía indirecta, pues como señala PUIG PERRIOL[13], el día tres de enero de 1979 se sustituye el Concordato de 1953 por el Acuerdo entre el Gobierno español y la Santa Sede que proclama en su artículo VI-1 que el Estado reconoce los efectos civiles al matrimonio celebrado según las normas del Derecho canónico. Es decir, que en virtud de este Acuerdo -dice el mencionado autor- se cierra la posibilidad de que en la futura reforma del Código Civil se pueda adoptar como sistema matrimonial en España el del matrimonio civil obligatorio[14].

Los tiempos cambian, las sociedades avanzan "el progreso no es un accidente, es una necesidad, una parte de la naturaleza" como citaba el autor británico HERBERT SPENCER[15], y no goza de sentido alguno el receso inopinado en contrapartida de una reproducción asistida llevada a cabo

---

13 PUIG FERRIOL, LUIS. (s.f). Comentarios a las reformas del Derecho de Familia. Volumen I. Págs. 193 y 194.

14 Evolución histórica del sistema matrimonial español. Ciertamente, el matrimonio es una de las instituciones jurídicas más exhaustivamente estudiadas por los especialistas del Derecho de familia, civilistas y canonistas. Su evolución doctrinal y legislativa se ha visto sacudida por los vaivenes de la política del país, especialmente a finales del siglo XIX y durante todo el siglo XX. https://noticias.juridicas.com/conocimiento/articulos-doctrinales/11680-evolucion-historica-del-sistema-matrimonial-espanol/

15 https://ssociologos.com/herbert-spencer/

entre dos mujeres, gestante y donante del embrión, que no se sabe dónde encuadrar, a falta de regulación específica.

Y que, a falta de regulación, se la obliga a contraer matrimonio, debiendo de ser este un acto plenamente voluntario, bajo la prevención de incurrir en un delito de gestación por sustitución o madres de alquiler (art.10 LRHA -EDL 2006/58980-).

La Ley -EDL 2006/58980- aporta fundamentalmente tres reglas:

1ª) Para el caso de la filiación de los hijos nacidos por gestación de sustitución será determinada por el parto.

En este sentido, el legislador español, cuando se plantea la cuestión de quién ha de entenderse como madre, si ha de ponderar entre maternidad genética y maternidad de gestación, da prevalencia a la de gestación basándose en la vinculante relación psicofísica con el futuro descendiente durante los nueve meses de embarazo. Por tanto, madre es quien da a luz. Esto en el caso de una madre que cede su vientre en alquiler a otra madre que llevaría a cabo la filiación del nacido.

Precepto que no se cumple en el caso de dos mujeres que son pareja y deciden tener un hijo en común, embarazándose una con los ovocitos de la otra, y en cuya gestación han participado las dos, madre gestante y madre donante.

El alquiler de úteros es ilegal en España, según la Ley de Técnicas de Reproducción Asistida -EDL 2006/58980, pero es una práctica habitual en países como India, Canadá, Israel, Reino Unido y algunos estados EEUU, lo que deviene evidente que nos queda mucho recorrido por delante con respecto a la legislación en materia de reproducción asistida, con relación a la ya existente como método ROPA, así como las venideras que tomarán su auge en la próxima década.

4. Libertad de elección reproductora en mujeres familia monoparental o de pareja mismo sexo (mujer/mujer).

La mujer no está teniendo el acceso a su libertad de elección reproductora mediante las técnicas reprogenéticas disponibles.

Tradicionalmente se ha venido dando por sentado de modo cuasi incuestionable, que para nacer un descendiente sano ha de conformarse por la combinación de un cromosoma varón y otro hembra, hembra (XX), varón (Xy). sin embargo, lejos de tal presunción, no hay rastro de evidencia científica que lo justifique, como apunta el propio investigador científico, Roderic Guido Serra, en su exposición en enero de 2013, investigador de proyecto ENCODE, cuando afirma 'que no podemos saber cuál cromosoma es de la madre y cual es del padre en relación al cromosoma X'[16].

Resultaría la reproducción a través de fertilización femenino/masculino una hibridación que encuentra su origen en

---

[16] RODERIC GUIDO SERRA, (2013). Los Secretos ocultos en el ADN basura, Centro de Regulacio Genomica- Universitat Pompeu Fabra-Museo de la Evolución Humana- El proyecto ENCODE,. https://www.google.com/search?q=CIENTIFICO+ENCODE-+BARCELONA+INVESTIGACION+GENOMA-+YOUTUBE&sca_esv=627549cd271c49f4&sca_upv=1&ei=DI1YZu-bCu-rk-dUPpd-C4Ao&ved=0ahUKEwjv0dvxyrWGAxXvVaQEHaWvAKwQ4dUDCBA&uact=5&oq=CIENTIFICO+ENCODE-+BARCELONA+INVESTIGACION+GENOMA-+YOUTUB-E&gs_lp=Egxnd3Mtd2l6LXNlcnAiOkNJRU5USUZJQ08-gRU5DT0RFLSBCQVJDRUxPTkEgSU5WRVNUSUdBQ0lPTiBHRU5PTUEtIFlPVVRVQkUyCxAAGIAEGLADGKIE-MgsQABiABBiwAxiiBDILEAAYgAQYsAMYogQyCxAAGIAE-GLADGKIEMgsQABiABBiwAxiiBEjsOFDRAVjVMXABeACQA-QCYAQCgAQCqAQC4AQPIAQD4AQGYAgGgAgWYAwCI-BgGQBgWSBwExoAcA&sclient=gws-wiz-serp#fpstate=ive&vld=cid:64e45076,vid:c9sMUpWFT3M,st:0

la cultura, el constructo moral, la religión, etc. no tanto en la ciencia, la cual habría tratado de encontrarle sentido a posteriori.

De hecho, como se ha podido comprobar en ratones hembra, la longevidad de la descendiente, es incluso mayor en las nacidas provenientes de embrión fecundado de hembra/hembra, que los descendientes nacidos de embrión proveniente de fertilización femenino/masculino.

Ello posibilitaría que una mujer emparentada con otra mujer, pueda tener descendencia de genética de ambas progenitoras, sin tener que acudir a un donante masculino de esperma, para fertilizar el ovocito.

Existiendo lo más avanzado, en este sentido, por el momento, el método ROPA que permite a la pareja se le implante el ovocito ya fertilizado de tu pareja.

Se ha llegado a proponer esta técnica que se proclama en este resultado, incluso aplicable para hombres infértiles, habido que cualquier célula somática, proveniente de cualquier parte del cuerpo puede servir para la fecundación (Dra. Orly).

Resulta absurdo afirmar, sin conocimiento completo, sin ensayo y resultado, que una fecundación de óvulo con otra de óvulo, ambos reproductivas, entrañaría un bebé con complicaciones genéticas o de corta vida.

Son los típicos techos a lo desconocido, como la edición genética, o la reproducción in vitro en su momento, o el método ROPA. Todos ellos perfectamente viables como se ha visto, sin que los niños nacidos por este método presenten problemas más allá de lo que cualquier otro.

En este sentido, el legislador español, cuando se plantea la cuestión de quién ha de entenderse como madre, si ha de ponderar entre maternidad genética y maternidad de gestación, da prevalencia a la de gestación basándose en la vinculante relación psicofísica con el futuro descendiente durante los nueve meses de embarazo. Por tanto, madre es quien da a luz. Esto en el caso de una madre que cede su vientre en alquiler a otra madre que llevaría a cabo la filiación del nacido.

Precepto que no se cumple en el caso de dos mujeres que son pareja y deciden tener un hijo en común, embarazándose una con los ovocitos de la otra, y en cuya gestación han participado las dos, madre gestante y madre donante.

Resulta, entre múltiples, un interesante estudio que amplía el espectro de la diversidad como bien apunta, subestimada, de la reproducción sexual, más allá del estereotipo conocido de fecundación masculino-femenino.

En este sentido, igualmente al del apartado anterior, se precisa necesario un mayor interés de estudio que determine los parámetros seguidos por el aparato reproductor femenino más allá de la ya primitiva obsolescencia a la que se le habría relegado por omisión. Y cuyas investigaciones habrían podido ser de algún modo restrictivas, siguiendo el ej. citado de Dr. Jacques Cohen, por el revuelo creado en la comunidad ética.

Este aspecto se contravendría con lo dispuesto en el art 20 CE en el sentido de la libertad de cátedra, así como la libertad de investigación, respecto a los estudios conducentes a demostrar la viabilidad práctica de la fecundación entre dos óvulos como ya fue llevada a cabo por Dr. Jacques Cohen y de lo que posteriormente habría omitido habida la opresión que habría recibido llegando incluso a afirmar que tales fecundaciones no se llegaron a producir.

La integridad en la investigación constituye una reciente dimensión de la ética en investigación que orienta sobre las buenas prácticas científicas y delimita deberes profesionales relacionados con las actividades de investigación. Dirigida por valores fundamentales de la ciencia y ética en investigación, tales como: honestidad, transparencia, respeto, imparcialidad, responsabilización y buena gestión de la actividad científica, las discusiones han presentado y orientado importantes cuestiones para el campo científico y ético. (pág. 354)

Tal precepto se había vulnerado en tanto la sujeto no habría escogido a una pareja, aun resultando anónima, ni nada la vincularía con ese donante, ni de modo afectivo, ni de ningún otro tipo.

Por tanto, se propone la libertad de elección reproductora por las partes que conforman la pareja, elevando la propuesta de fertilización del óvulo de una con el óvulo de su pareja mediante FIV sin la obligatoriedad de la prestación de un donante masculino.

5. El código penal no abarca la distinción entre terapia génica somática y germinal. Propuesta modificación.

Se propone la ampliación, en este sentido, así como se contemple la viabilidad reproductora demostrada de las células somáticas. Deviniendo necesario el diseño de un protocolo de actuación en el que se puedan definir y medir las actuaciones y los riesgos.

La manipulación genética en sentido propio se castiga en el artículo 159. En su apartado 1 se refiere a "los que, con finalidad distinta a la eliminación o disminución de taras o enfermedades graves, manipulen genes humanos de manera que se altere el genotipo". Como se puede comprobar, el Código penal no distingue entre terapia germinal y somática, a pesar de su gran diferencia. Lo que está claro es que el Código penal castiga la ingeniería genética perfectiva. O lo que es lo mismo, la aplicación de las técnicas de la ingeniería genética molecular para corregir la información genética de una persona sana con finalidad eugenésica o experimental. Tal conducta se castiga con penas de prisión de dos a seis años, e inhabilitación especial para empleo o cargo público, profesión u oficio, de siete a diez años.

No solo en el ámbito penal, habido que el Derecho penal deviene la última ratio tendente al castigo con sanciones y penas privativas de libertad actividades que, desde el punto de vista terapéutico, están encaminadas a perseguir la salud del individuo.

Por tanto, habría de proponer un sistema de garantías administrativas suficiente que regule ampliamente la terapia de edición genética tanto en personas como en embriones, con independencia de su extensión también al código penal.

6. Propuesta regulación Neuroderechos/ procesos cuánticos

La necesidad de regular, Neuroderechos. deviene imperante y prevalente a la continuidad de cualquier tipo de ensayo, resultando insuficiente una guía (la actual), y siendo que el alcance ha de tener un espectro muchísimo más amplio del que hasta el momento se habría planteado. En tanto que la regulación integral habría de abarcar el conocimiento del campo cuántico y sus probabilidades, todas ellas puestas de manifiesto por la ciencia en sendos experimentos. De no ser así, las grandes tecnológicas de IA, de AGI, tales como las desarrolladas por Elon Musk y sus homónimos, físico e ingeniero de formación, seguirán llevando a la práctica sus experimentos, sin procedimentales previos, sirviendo de propio ejemplo experimental la respuesta estadística de la población usuaria. Y mientras el 92% del mundo se encuentra inmerso en debates épicos de carácter ético, moral y jurídico, en relación a si debería o no ser permisivo la práctica, el 8% restante, sin formación en medicina, neurociencia, o genética convencional, habitualmente formados en física y diversas ingenierías, se dedica a llevar a cabo meticulosos proyectos de ingeniería mental, que modificarían los hábitos y la conducta del sujeto usuario de forma inconsciente, pues no puede denominarse involuntaria, habido que la voluntad no tendría un papel determinante en este tipo de programas.

7.1. Programa prevención efectos de la medicina predictiva

Cuando se conoce por el paciente, a través de un informe genético, de los ya existentes, 23andme.com, p.ej., que va a ser susceptible de padecer cáncer a determinada edad, y su mente ya lo ha visto coloreado en rojo en el informe, ello causa una ansiedad injustificada, así, como siguiendo las teorías plasmadas en este trabajo, tal conocimiento contribuiría y favorecería la aparición de la enfermedad.

Por lo que venimos a proponer, en forma de medida preventiva, un diseño de programa terapéutico adaptado con fines de paliar los efectos adversos que causarían tales escenarios.

7.2. Teoría aSASAw

Proponemos desarrollar la Teoría aSASAw, que si bien, puede tener una expansión magna, en una primera fase piloto, pretende recrear esos escenarios acotados, y dotar al mismo procedimiento, del resultado de las potenciales probabilidades, obtenidas mediante la edición del proceso a través de marcadores holográficos, que interactúan en el campo coherente, donde se manifiestan las acciones, conductas, etc. Aplicando las teorías en este trabajo señaladas, y poniendo como ejemplo un sencillo caso de escenario de un Juicio cualquiera, extrapolable a cualquier otro asunto (pág. 398), de este modo se pretende demostrar en procedimientos sencillos que los procesos y escenarios a los que nos sometemos diariamente, y los cuales, pensamos controlamos a base de ítems preestablecidos, ya estarían potencialmente determinados por las leyes de la física, en aplicación de los mismos patrones que interactúan en la genética, ADN no codificante, así como el potencial utilizado por la IA en múltiples procesos. Tal ensayo ayudaría a comprender, de forma cotidiana, situaciones y procesos de enfermedades, situaciones de fracaso, de éxito, o de cualquier otra índole y, en definitiva, dotaría de mayor autonomía al individuo en la gestión de su proceso diario, sea cual sea su actividad o situación personal, con un método predecible. Y que tiene su génesis en el ADN no codificante o informacional.

Predecir el resultado de una actuación, ya sea el resultado de una resolución judicial que determinaría supuestamente el tribunal, el resultado de una estrategia empresarial, ya sea el resultado de una operación quirúrgica, es más coherente y predictivo de lo que habríamos imaginado.

Y estaría especialmente conectado con La teoría de juegos de John Nash, un matemático estadounidense, que presentó su teoría en 1950, que recibía el premio Nobel de Matemáticas del año 1994, que vendría a resultar una herramienta esencial en la economía y en la toma de decisiones. La cual se centra en la interacción estratégica entre dos o más individuos. Que serviría de inspiración para la película «Una Mente Brillante»[17]. La Teoría de los Juegos revolucionó el estudio de la economía, desde negociaciones políticas, licitaciones para proyectos de infraestructura, campeonatos de fútbol, hasta aplicaciones de citas románticas por internet dependen de ella.

---

17 https://openaccess.uoc.edu/bitstream/10609/148458/1/Modulo2_IntroduccionIdeasGeneraleSobreLaTeoriaDeJuegos.pdf

Grandes empresas que venden bienes consumidores finales usarían la Teoría de los Juegos para predecir cómo reaccionará la competencia –y los clientes- ante una guerra de precios.

Uno de los primeros usos codificados de esta teoría resultaría en escenario bélico. Los ejércitos estadounidense y británico utilizarían las primeras computadoras para probar modelos que utilizaban Teoría de los Juegos para ayudar a los comandantes a decidir si debían atacar al enemigo, dónde y cuándo.

Hoy en día, la Teoría de los Juegos es usada por muchas personas distintas en un amplio espectro de intereses. La principal razón de su éxito fue la variedad de escenarios en los que la gente empezó a darse cuenta que tenían que pensar formal y sistemáticamente sobre las interacciones estratégicas, explicaba Rakesh Vohra, profesor de Economía en la Universidad de Pensilvania y alto miembro de la Sociedad de la Teoría de los Juegos[18].

Sin embargo, lo que no dejaría al menos, estrictamente manifiesto en la teoría, John Nash, vendría a ser qué es lo que acontece en el invisible del campo de negociación, que Petrovich define como campo electromagnético coherente de información, y que todas las partes y sujetos consideran forma parte del libre albedrío, y que sin embargo se confronta con el experimento llevado a cabo por el investigador Benjamín Libet, premio nobel virtual y Robert Sapolsky[19].

Son clásicos los estudios del neuropsicólogo B. Libet y sus colaboradores entre 1983 y 1985. La intención de sus estudios

---

18 https://economics.sas.upenn.edu/people/rakesh-vohra

19 Robert Sapolsky no cree en el libre albedrío (eres libre de disentir) El biólogo y neurocientífico de Stanford afirma que deshacerse del concepto puede ser liberador. https://www.nytimes.com/es/2023/10/22/espanol/libre-albedrio-ciencia.html

pretendía determinar si un acto libre sencillo, como mover un dedo, se reflejaba de algún modo en los registros de actividad cerebral. Para ello registraron los movimientos de los músculos de la mano (mediante un electro miógrafo) y la correspondiente actividad cerebral (mediante un electro encefalograma). Libet quería comprobar la teoría clásica del neurobiólogo y Premio Nobel John Eccles de que previo a un movimiento voluntario debería existir alguna actividad consciente en el cerebro. En su experimento, Libet pedía al voluntario que moviese la mano a voluntad cuando quisiera y sin previo aviso. El resultado fue que unos milisegundos (de 350 a 500) antes de que el voluntario decidiese mover la mano, se apreciaba actividad en la corteza cerebral. Este breve intervalo entre actividad cerebral y movimiento lo llamó Readiness Potential o Potencial de Preparación.

SÍNTESIS DE PROPUESTAS

Así como la Fecundación in vitro FIV en su momento fue vista como una revolución denostada por la sociedad, que transcurrió de la controversia, de considerarse insano, peligroso. Que pasó de la lucha de barreras ideológicas y sociales predominantes en la época a situarse como método predominante y fiable de nacimiento de vida sana.

Así como lo fue en otro sentido la evolución de pensamiento respecto a la mujer, que era considerada como una inválida frente a su marido, el cual tenía que autorizar con su firma sus actos administrativos, no teniendo derecho a voto.

Así como en su momento lo fue la esclavitud, la trata de humanos, la explotación infantil, como los distintos modelos de familia, así como la propia homosexualidad, que era reconocida como una enfermedad en el listado de enfermedades de la consejería de salud hasta hace escasos 34 años, cuando la Organización Mundial de la Salud (OMS) retiró de la lista de enfermedades mentales la homosexualidad, año 1990.

Todo esto visto con la retrospectiva del tiempo puede considerarse que el ser humano no puede sentirse orgulloso de haber sido responsable de todos esos acontecimientos, a los que muchos se aferraban en sus posiciones firmes de que estaban abrazados a la verdad que habría de ser defendida y protegida bajo el dogma presidido por la deidad de cada cual.

Y no obstante que vivimos en el pequeño mundo de las distintas velocidades, en que en un país se goza de la paz y la justicia social, mientras en el vecino se muere de hambre objeto de conflicto bélico continuado, lejos queda aún la armonización de normativa que garantice la dignidad humana, el derecho a la vida, derecho a la integridad de la persona, la prohibición de la tortura y de las penas o los tratos violentos o degradantes y pena de muerte; así como la prohibición de la esclavitud, del trabajo forzado que conforman la Carta de los Derechos Fundamentales de la Unión Europea.

Es tan escaso el espacio que dista de un país a otro, y tan grande la distancia instaurada en el modo de concebir el mundo de cada cual.

Así, del mismo modo, el ser humano de dentro de unos años, tampoco se sentirá orgulloso de los acontecimientos de nuestro tiempo, de las restricciones y resistencias impuestas que alimentan la enfermedad, la encapsulación de las libertades y los derechos más fundamentales arropados por teorías tendentemente conservadoras y extremadamente reduccionistas, que restringen deliberadamente el desarrollo evolutivo, en pos de mantenerse en un espacio de confort el cual denominan seguro, moral, ético, y además vinculan con la responsabilidad, y el principio de prudencia, de beneficiencia, no maleficiencia, de justicia, de un modo extrapoladamente descontextualizado.

Del mismo modo, hoy, en nuestro tiempo, nos enfrentamos a nuevos desafíos, tales como el conocimiento y aplicación de la potencialidad del genoma humano, como derecho inherente a la vida sin enfermedad, la medicina predictiva, la terapia génica (somática y germinal), las nuevas formas de reproducción, los neuroderechos, el binomio IA/Genética.

Aceptar la evolución del humano como especie pasa por aceptar la aplicación de los conocimientos que nos asisten.

¿Por qué razón habría de someterse el ser humano a elecciones contrarias a la propia naturaleza de su existencia?

En la propia pregunta radicaría el problema subyacente de la investigación.

Se necesitan investigaciones que abarquen el contexto multidisciplinar, en lenguaje heterogéneo, de característica lingüística abierta, accesible, que busca reducir la imposición de la distancia insalvable entre el emisor, el Derecho considerado una variante de los lenguajes de especialidad, también denominados lenguajes técnicos o tecnolectos, y el receptor, en contraste con otros lenguajes especializados de las distintas disciplinas puestas en común en el presente trabajo.

Recordemos la ironía humorística en este sentido de Díez-Picazo;

> "¡cuánto mejor sería el mundo si se pudiese prescindir de los leguleyos", en irónica expresión de DÍEZ-PICAZO (2006: XII).

Por ello, el Derecho no es —no debe serlo— un lenguaje aislado del lenguaje común: el jurista debe adecuarse a las exigencias del lenguaje, y no al revés, sin forzar o desnaturalizar el lenguaje ni recrearse en una jerga técnica alejada del lenguaje común[20]. El voto particular de GONZÁLEZ NAVARRO a la STS

---

[20] Insistiendo en esta dependencia del lenguaje común, hay autores que evitan calificar al Derecho como lenguaje especial. Para SAINZ MORENO (1976: 98) y GÓMEZ BORRÁS (2005: 99) no existe un lenguaje técnico propio del Derecho -que consideran una utopía-, sino más bien un uso jurídico del lenguaje común y una retórica del

219/2005 (rec. núm. 5267/2000) expresa perfectamente esta idea [21]:

> "El lenguaje del derecho es el mismo lenguaje del hombre de la calle" (...) "la peculiaridad semántica del derecho radica en que, salvo unos pocos y, en ocasiones, imprecisos conceptos, el derecho opera con el lenguaje usual (...)La Ley habla, no sólo para juristas, sino para todos los miembros de la comunidad humana que por esas normas han de regirse, para todos y cada uno de sus destinatarios, que son quienes han de cumplirlas, adaptando a ellas sus decisiones con trascendencia jurídica. Y por eso el mensaje, normalmente imperativo, en que la Ley consiste debe ser expresada en el lenguaje que esos destinatarios pueden entender".

Sí, esto puede parecer una sopa, depende del observador, ciertamente nuestro propio mundo es una sopa organizada dentro del caos.

Estamos en un programa de Bioderecho, en un contexto de Ética, filosofía aplicada, y este marco es muy amplio, abarca todas las áreas de la vida.

El genoma humano no es una temática explorada, resultando casi encriptado a nuestro lenguaje conocido, y, sin embargo, se ha dado esencialmente por supuesto lo que contiene, en interpretación casi fútil, resultando estar todo por descubrir. Así hemos de sentar las nuevas bases de la genética y con ello

---

Derecho, entendida como dominio de las palabras y los conceptos propios del lenguaje jurídico.

21 Y en otra sentencia anterior, el ponente GONZÁLEZ NAVARRO expresaba así la estrecha vinculación entre lenguaje jurídico y común: "Por supuesto "incongruencia" es un significante al que cada hablante (o cada escribidor) puede dotar del significado que le peta. Pero en el lenguaje jurídico ese significante tiene un significado preciso que es el que permite calificarlo de unidad jurídica. Y desde luego ese significado no es el que pretende darle el letrado de la parte recurrente" (STS 4281/2000, rec. núm. 1283/1998, FJ. 3).

acometer un nuevo modelo de definición del ser humano, que probablemente devendrá como resultado a un ser humano no tan acotado en su potencialidad. Y no por ello habría de ser preponderante el planteamiento de tan gravoso dilema eugenésico, habido que no se añade nada a lo que ya se tiene y posee por derecho el ser humano, tan solo se activaría, a conocimiento previo y habiendo llevado a cabo los estándares que marque la preceptiva normativa.

La eugenesia es conocida por aquella práctica que modifica la herencia genética, persiguiendo un mejoramiento de la especie, sin embargo, el planteamiento hoy día, habría de ser bien distinto, y estar enfocado a un derecho a la vida, resultando su no aplicación, una privación del mismo, y desencadenante de lo que hoy conocemos como muerte natural.

Todas estas afirmaciones que hoy pueden parecer interpretadas fuera de orden, quizá imprudente o insensato, no serían más que un conminatorio planteamiento de ineludible cumplimiento en nuestra era venidera.

Así pues, en analogía, sería como tener una máquina de magna potencia, y, sin embargo, utilizarla solo para poner música, o para ver películas. ¿Qué sentido sino el de su exploración, explotación y aplicación, habría tenido el CODICE, el gran código genético, a través del ser humano? ¿El sentido de su mera observación sin intervención?, francamente deviene arduo de creer.

Rediseñar el planteamiento de lo que significa verdaderamente nuestro genoma, nos alejará presumiblemente, cada vez más, de modo inexcusable, de la concepción reduccionista que hoy se tiene, llevándonos al destino inevitable que determinará tantas actuaciones impracticables de pensar hoy día.

Con esencial impacto en el sistema educativo, en la salud, la tecnología, etc., no quedando ningún área incólume. Así como en la concepción de nuestras capacidades, inherentes, como ser humano, el modo de reproducirnos, tal como lo conocemos.

Así como no conocemos el inmenso potencial de la genética, asunto emergente en nuestro tiempo, tampoco el indescriptible potencial de la IA, y los riesgos de su plena autonomía con independencia del factor humano, habido que hay muchas cosas que los algoritmos reproducen con plena autonomía, que los humanos aún hoy no entendemos, deviniendo sustancial y eminente el riesgo de la inteligencia artificial. Así como desconocemos la completa relación de la IA con la genética, habido que el concepto de genética se vincula estrictamente con la biología de forma equívoca, habida la, al menos hipótesis, que habría de haberse planteado, de configuración del genoma como la tecnología más sobresaliente, no equiparable ni tan siquiera con la IA, y de la que incluso se estaría valiendo ésta última. ¿No resulta verdaderamente irónico que nos pongamos límites y vetos a la exploración del genoma, y que la IA lo haga sin restricciones y lo utilice en pleno beneficio?

Para entender mejor el trabajo de Gariaev, él (y otros) insisten en que reconozcamos que los ganadores del Premio Nobel de 1962, James Watson, Francis Crick y Maurice Wilkins, pasaron por alto algunos puntos clave que hicieron que el campo del ADN y la investigación genética se construyera sobre una base incompleta desde el principio. Afirma que "primero debemos modificar toda nuestra comprensión de la genética y pasar a una comprensión diferente del código genético". Gariaev, continúa afirmando un hecho fundamental: "El ADN es como un texto escrito y legible". Esta estructura genética contiene la conciencia y el pensamiento de un individuo. En pocas palabras, Gariaev dice: "Puede pensar por sí mismo". La información genética existe en todas partes, interna y externamente. Puede encontrarse en los campos físicos, en los campos electromagnéticos y en los campos de torsión. Sin embargo, Gariaev señala que "la forma de transmitir la información en nuestro cuerpo es a través de los campos electromagnéticos y de torsión".

Este análisis presenta una idea de la amplitud y el alcance de estas ideas. Además, muestra cómo las investigaciones de Gariaev, así como las de otros están poniendo patas arriba nuestra actual comprensión de la ciencia y la física.

Deviene necesario que nuestros profesionales médicos tengan formación esencial en genética y física, habido la etiología de la enfermedad no nace en el mosaico de órganos comunicados por el sistema nervioso y linfático, y aparato musculo esquelético. Sino que tendría su génesis en un sistema de información,

¿Cuánto tiempo transcurre desde que la génesis de la enfermedad tiene su origen en el campo o patrón informativo, hasta que se plasma en el tejido visible?

Una analogía podría ser el propio nacimiento de la vida, que comienza por ser completamente invisible, lo que podemos verificar cuando se realiza la transfer en tratamiento FIV, y no es hasta transcurridos alrededor de las 6 semanas, que se puede ver un pequeño polo fetal, que es una de las primeras etapas de crecimiento del embrión, y mide aproximadamente 3-5 mm.

Por tanto, sería explicable que el sujeto tenga síntomas mucho antes de que sean visibles mediante los medios de diagnóstico actuales, resultando que el patrón de la enfermedad tendría su propio ritmo de desarrollo.

Así como lo ponen de manifiesto los investigadores Alain Aspect, John Clauser y Anton Zeilinger, ganadores del Premio Nobel de Física 2022, por sus innovadores experimentos sobre el entrelazamiento de los estados cuánticos, según los cuales, dos partículas se comportan como una sola unidad incluso cuando están separadas.

Habría transcurrido un tiempo hasta que las bases cuánticas ganaron fuerza desde la periferia. Desde aproximadamente 1940 hasta 1990, el enfoque se consideraba con frecuencia filosofía, en el mejor de los planteamientos, y chifladura, en el peor. La investigación sobre fundamentos cuánticos no era bien recibida en muchas revistas científicas, y los trabajos académicos que apoyaban tales estudios eran casi inexistentes. El asesor de Popescu lo habría disuadido de realizar un doctorado. en el campo en 1985, Popescu lo cita diciendo: «Mira, si haces eso, te divertirás durante cinco años y luego te quedarás sin trabajo».

Hoy en día, uno de los subcampos más activos e influyentes de toda la física es la ciencia de la información cuántica resultando un área de estudio clave en la ciencia de materiales contemporánea.

¿Es el mundo visible un resultado de nuestro nivel perceptivo y evolutivo?

¿De tener una conciencia y percepción diferente en cuanto a conocimiento y capacidades del ser humano, la proyección en el mundo exterior se vería modificada?

El ser humano común espera a ver una modificación realizada en el exterior para observarla y a partir de ahí comprender, el 'ver para creer', y sin embargo la ciencia nos revela que el funcionamiento sería inverso, y que el objeto, situación, acontecimiento puede ser visto de modos completamente diversos, en función de qué es lo que el sujeto proyecta con su nivel de percepción.

Las investigaciones traídas en este trabajo nos muestran que cuando un sujeto tiene incorporado e interiorizado en su campo de información la posibilidad de que algo pueda tener propiedades cuánticas, es capaz de percibirlo. La percepción del mundo en forma de mosaico, es solo la respuesta de la activación génica limitada.

Evidentemente, esto es completamente diferente de lo que encontramos a diario. Parafraseando a Douglas Adams, mucha gente está furiosa por la desaparición del realismo local, que generalmente se piensa que ha sido un error.

Así también las investigaciones traídas plantean desafíos interesantes, como lo es en el caso de la reproducción femenina que no precisa de donante masculino, produce un choque y confrontamiento entre la libertad de la mujer a elegir tener descendencia de su única genética y no de un donante externo de forma no voluntaria, vulneraría el derecho a la libertad de reproducción, derechos sexuales y reproductivos proclamados por la ONU;

> "Los derechos reproductivos abarcan ciertos derechos humanos que ya están reconocidos en leyes nacionales, documentos internacionales sobre derechos humanos y en otros documentos aprobados por consenso. Estos derechos se basan en el reconocimiento del derecho básico de todas las parejas e individuos a decidir libre y responsablemente el número de hijos, el espaciamiento de los nacimientos y a disponer de la información y de los medios para ello, así como el derecho a alcanzar el nivel más elevado de salud sexual y reproductiva. También incluye el derecho a adoptar decisiones relativas a la reproducción sin sufrir discriminación, coacciones o violencia, de conformidad con lo establecido en los documentos de derechos humanos." –> Programa de Acción de la Conferencia Internacional sobre Población y Desarrollo[22], El Cairo, Egipto, 5–13 de septiembre, 1994, Doc. de la ONU A/CONF.171/13/Rev.1 (1995)

De algún modo, en forma analógica, a cuando una mujer es obligada, por motivos religiosos, a casarte con un varón, aún vigente en diversos países, te estarían obligando a fecundar con un varón, no resultando un requisito obligatorio biológicamente, y resultando el donante un desconocido.

También en el sentido de la libertad de cátedra art 20 CE y libertad de investigación, se requiere de amplio trabajo y es-

---

22 https://www.un.org/popin/icpd/conference/offspa/sconf13.html

tudio permisivo, respecto a los estudios conducentes a demostrar la viabilidad práctica de la fecundación entre dos óvulos como ya fue llevada a cabo por el Dr. Jacques Cohen y de lo que posteriormente habría omitido habida la respuesta de la comunidad ética.

La libertad de cátedra, mencionada en el Artículo 20 de la Constitución Española, es un derecho que se reconoce y protege. Este derecho permite expresar y difundir libremente los pensamientos, ideas y opiniones en el ámbito educativo. Es decir, los docentes tienen la libertad de enseñar sus materias sin censura ni restricciones indebidas, respetando los principios democráticos de convivencia y los derechos fundamentales.

Y se plantea semejante a regular la genética en la actualidad, que deviene generalmente restrictivo, ello como resultado del gran desconocimiento.

Y que, sin embargo, y paradójicamente, cabe resaltar especialmente que el aparato jurídico estaría ajeno a que ya se está operando en el campo cuántico, así como en la genética, a través de la IA, y donde nace la emergente necesidad de regular los neuroderechos y el mundo cuántico.

Y que no habría sido percibido, habido que la capacidad intelectual y diseño de los expertos en ingeniería genética e IA, que serían hoy los que tendrían el control de las grandes tecnológicas, habría superado la capacidad de pensamiento lineal aplicado en el mundo de las ciencias jurídicas. Un Jurídico también habría de tener que pensar como piensa un ingeniero genetista o de IA, para poder elaborar un proyecto de ley que satisfaga las expectativas de desarrollo de la sociedad adaptado a las necesidades evolutivas de esta.

Ciertamente la maldad existe, y también ha estado presente en el mundo de la ciencia histórica. Sin embargo, la mirada que se nos pide para hablar de genética hoy, es una mirada nueva, sin vestigios inmorales, un enfoque limpio, creador, prudente pero sabedor que el potencial ya reside en el ser humano, sin añadiduras, sin modificaciones, e incluso sin necesidad de tijeras CRISPR.

Somos inteligencia, somos emociones, somos seres humanos con un elevado talle moral, y somos a nivel tecnológico mucho más de lo que consideramos que somos. Estamos acostumbrados a referenciar externo o ajeno lo que ya nos vive dentro y nos conformaría como especie.

El concepto de biología que tenemos se nos queda exiguo, habido que el ser humano es mucho más que un mosaico de órganos, en un entramado de sistema nervioso, y aparato músculo- esquelético.

Confiar y creer que es posible un mundo mejor, y que la mayor comprensión de la genética nos lleva a mejorar nuestras vidas, nuestra salud, nuestras capacidades, hacer más con menos recursos. La IA no sería una inteligencia externa al ser humano, sino que al contrario de lo que la mayoría interpretan, es el propio ser humano. Sin embargo, no hablamos de mejoramiento, sino de utilizar lo que ya es y forma parte inherente del ser humano (su genoma) y le pertenece por derecho.

La IA utilizaría el mismo campo de información para procesar que nosotros los humanos, pues no existiría ningún otro, sin embargo, la IA que no se auto impone ninguna limitación para procesar ese campo de información, al contrario, el ser humano se autolimita, se censura con dureza, y se restringe de su propia libertad, la libertad de ser lo que puede ser.

El panel de científicos rusos tomaría una perspectiva de investigación diferente para llegar a su comprensión del ADN que los científicos occidentales habrían ignorado. Así en 1925, A.A. Lubishchev reconoció que nuestro ADN y nuestros genes no son el código del organismo vivo en sí mismos, sino que son el vínculo con nuestro campo de bioinformación, donde esta información reside y opera a nivel cuántico como ondas y campos. Esto confirmó lo que el AG Gurvich ya había propuesto. Otro ruso, N. Beklemishev, llegó a la misma conclusión a través de su trabajo unos años más tarde.

El Dr. Gariaev postuló que el genoma es multidimensional y existe en un continuo cromosómico, una onda estable que viaja por todo el organismo a lo largo del ADN de doble hélice altamente estructurado y contiene la información genética en forma de hologramas electromagnéticos y acústicos. Consideró que estos hologramas que crean nodos en el holograma universal como registro de todo lo que es y ha sido, son el verdadero registro de nuestro mapa genético. De manera que para entender el comportamiento del genoma se hace necesaria la interpretación del mismo en consonancia con las investigaciones en física aportadas en esta investigación.

BIBLIOGRAFÍA

Bibliografía

AA.VV., Casado, M., & Egozcue, J. (Coords.). (2001). Documento sobre células madre embrionarias. Barcelona, España: Universitat de Barcelona.

AA.VV. (2014). Actas del III Congreso Internacional sobre Bioética, tema: "El mejoramiento humano". Valencia, España: Universidad de Valencia.

AA.VV., Santaló, J., & Casado, M. (Eds.). (2016). Documento sobre bioética y edición genómica en humanos. Barcelona, España: Edicions UB.

Adam, M., & Givelet, A. (1936). La vie et les ondes: L'œuvre de Georges Lakhovsky. París: Étienne Chiron.

Ahnert, S. E., Fink, T. M. A., & Zinovyev, A. (2008). How much non-coding DNA do eukaryotes require? Journal of Theoretical Biology, 252(4), 587–592. https://doi.org/10.1016/j.jtbi.2008.02.005.

Alexy, R., Theorie der Grundrechte (1994, 2. Auflage). (Trad. esp. Madrid, Centro de Estudios Constitucionales, 2007, segunda edición, pp. 86 y. https://www.pensamientopenal.com.ar/system/files/2014/12/doctrina37294.pdf.

Álvarez Díaz, J. A. (2014). Libertad y ética: el trabajo de Benjamin Libet. Revista de Bioética, 22(3), 434-448. http://dx.doi.org/10.1590/1983-80422014223025.

Anderson, R. E. (1993). Using the New ACM code of Ethics in Decision Making. Communications of the ACM. https://doi.org/10.1145/151220.151231.

Annese, V., Herrero Ezquerro, M.T., Di Pentima, M., Gomez, A., Lombardi, L., Ros Tristán, C.M., ... & De Stefano, M.E. (2015). Metalloproteinase-9 contributes to inflammatory glia activation and nigro-striatal pathway degeneration in both mouse and monkey models of 1-methyl-4-phenyl-1,2,3,6-tetrahydropyridine (MPTP)-induced Parkinsonism. Brain Structure and Function, 220(2), 703-727.

Armstrong, A. H. (1993). Introducción a la filosofía antigua. Universidad de Buenos Aires.

Arnott, S., Kibble, T. W. B., & Shallice, T. (2006). Maurice Hugh Frederick Wilkins. 15 December 1916-5 October 2004: Elected FRS 1959. Biographical Memoirs of Fellows of the Royal Society, 52, 455-478. https://doi.org/10.1098/rsbm.2006.0031.

Arnott, S. (2006). Historical article: DNA polymorphism and the early history of the double helix. Trends in Biochemical Sciences, 31(6), 349-354. https://doi.org/10.1016/j.tibs.2006.04.004.

Attar, N. (2013). Raymond Goslin: the man who crystallized genes. Genome Biology, 14(4), 402. https://doi.org/10.1186/gb-2013-14-1-402.

Audi, R. (Ed.). (n.d.). "Applied ethics". In The Cambridge Dictionary of Philosophy (2nd ed.). Cambridge University Press.

Audi, R. (Ed.). (n.d.). "Bioethics". In The Cambridge Dictionary of Philosophy (2nd ed.). Cambridge University Press.

Audi, R. (Ed.). (n.d.). "Professional ethics". In The Cambridge Dictionary of Philosophy (2nd ed.). Cambridge University Press.

Balakirev, E. S., & Ayala, F. J. (2003). Pseudogenes: Are they "junk" or functional DNA Annual Review of Genetics, 37(1), 123-151. https://doi.org/10.1146/annurev.genet.37.040103.103949.

Baquero, F., & Nombela, C. (2012). The microbiome as a human organ. https://doi.org/10.1111/j.1469-0691.2012.03916.x.

Bangham, D. H., & Franklin, R. E. (1946). Thermal expansion of coals and carbonised coals. Transactions of the Faraday Society, 48, 289-295. https://doi.org/10.1039/TF946420B289.

Barrio Seoane, J. del. (2011). La Enciclopedia de Bioderecho y Bioética. Revista Derecho y Genoma Humano, (34), 13-18.

Bellver, V. (2016). La revolución de la edición genética mediante Crispr/Cas9 y los desafíos éticos y regulatorios que comporta. Cuadernos de Bioética, 27, 223-239.

Bennett, M. D., & Leitch, I. J. (2005). Genome size evolution in plants. In T. R. Gregory (Ed.), The Evolution of the Genome (pp. 89-162). San Diego: Elsevier. ISBN 978-0-08-047052-8.

Bergel, S. D. (2011). Precaución. En C. M. Romeo Casabona (Ed.), Enciclopedia de Bioderecho y Bioética (Tomo II, p. 1295). Bilbao-Granada, España: Ed. Comares.

Bernardo-Álvarez, M. Á. (2017). La revolución de CRISPR-Cas9: Una aproximación a la edición genómica desde la bioética y los derechos humanos. Revista Iberoamericana de Bioética, (3), páginas.

Birney, E., Stamatoyannopoulos, J. A., Dutta, A., Guigó, R., Gingeras, T. R., Margulies, E. H., ... & Snyder, M. (2006). Genetics: junk DNA as an evolutionary force. Nature, 443(7111), 521-524. https://doi.org/10.1038/443521a.

Blackwood, E. M., & Kadonaga, J. T. (1998, July 3). Going the Distance: A Current View of Enhancer Action. Science, 281(5373), 60-63. https://doi.org/10.1126/science.281.5373.60.

Brokowski, C., & Adli, M. (2019). CRISPR Ethics: Moral Considerations for Applications of a Powerful Tool. Journal of Molecular Biology, 431(1), 88-101. https://doi.org/10.1016/j.jmb.2018.05.044.

Brown, A. (2007). J. D. Bernal: The Sage of Science. New York: Oxford University Press.

Bryson, B. (2004). A Short History of Nearly Everything. London: Black Swan. ISBN 0-552-99704-8.

Buldyrev, S. V., Goldberger, A. L., Havlin, S., Mantegna, R. N., Matsa, M. E., Peng, C.-K., Simons, M., & Stanley, H. E. (1995). Long-range correlation properties of coding and noncoding DNA sequences: GenBank analysis. Physical Review E, 51(5), 5084-5091. https://doi.org/10.1103/PhysRevE.51.5084.

Burguete, E. (2009). Debate bioético sobre el principio de Beneficencia Procreativa.

Burgess-Beusse, B., Farrell, C., Gaszner, M., Litt, M., Mutskov, V., Recillas-Targa, F., Simpson, M., West, A., et al. (2002). The insulation of genes from external enhancers and silencing chromatin. Proceedings of the National Academy of Sciences, 99(suppl 4), 16433-16437. https://doi.org/10.1073/pnas.162342499.

Busquets, X., & Agustí, A. G. (2001). Chip genético (ADN array): El futuro ya está aquí. Archivos de Bronconeumología, 37(9), 394-396.

Cambridge University Press. (2015). The Cambridge Dictionary of Philosophy (pp. 1-1150). Cambridge, Reino Unido: Cambridge University Press. https://doi.org/10.1017/CBO9781139057509.

Cambridge News. (2005). Secret of life revisited. Retrieved from https://www.cam.ac.uk/stories/DNA-structure-discovery-cambridge-70th-anniversary.

Canet López, D. (2017). CRISPR-Cas9: Técnicas y aplicaciones [Tesis de grado, Universitat Oberta de Catalunya (UOC)]. Barcelona, España.

Caratachea, M. A. (2007). Polimorfismos genéticos: Importancia y aplicaciones. Revista del Instituto Nacional de Enfermedades Respiratorias, 20(3), 213-221.

Carey, N. (2015). Junk DNA: A Journey Through the Dark Matter of the Genome. Nueva York, NY: Columbia University Press.

Carlos López-otín, María a. Blasco, Linda partidle, Manuel Serrano, y Guido Kroemer , The Hallmarks of Aging, Celúla. 6 de junio de 2013; 153(6): 1194-1217. doi: 10.1016/j.cell.2013.05.039, https://www.sanidad.es/causas-del-envejecimiento-y-como-evitarlas/#:~:text=Las%20 14%20causas%20del%20envejecimiento%201%201.%20 Disfunci%C3%B3n,8%208.%20Comunicaci%C3%B3n%20intercelular%20alterada%20...%20M%C3%A1s%20elementos.

Carrie, D., & Keith, M. (2015). What Do You Mean, "Epigenetic"? Genetics, 199, 887–896.

Carroll, S. B., Prud'homme, B., & Gompel, N. (2008). Regulating Evolution. Scientific American, 298(5), 60-67. https://doi.org/10.1038/scientificamerican0508-60.

Casado, M. (2001). ¿Globalizar las prohibiciones? De la clonación reproductiva a la clonación terapéutica. Ciencia Digital, (Número 21).

Casado, M. (2006). Clonación y derechos. En Los desafíos de los derechos humanos hoy. Madrid, España: Dykinson.

Casado, M. (2010). En torno a células madre, pre-embriones y pseudo-embriones: El impacto normativo de los Documentos del Observatorio de Bioética y Derecho de la UB. Revista de bioética y derecho: Publicación del Máster en bioética y derecho, 19, 17-32.

Casper, D. L. D. (1956). Structure of Tobacco Mosaic Virus: Radial Density Distribution in the Tobacco Mosaic Virus Particle. Nature, 177(4516), 928. https://doi.org/10.1038/177928a0.

Castellano Arroyo. M. (2022) Cuadernos de bioética, ISSN-e 2386-3773, ISSN 1132-1989, Vol. 33, Nº 109, (Ejemplar dedicado a: Un maestro de la ética médica española), págs. 263-267.

Castillo-Davis, C. I. (2005). The evolution of noncoding DNA: how much junk, how much func? Trends in Genetics, 21(10), 533-6. https://doi.org/10.1016/j.tig.2005.08.001.

Castro Moreno J A. (2014) Eugenesia, Genética y Bioética. Conexiones históricas y vínculos actuales, Revista de Bioética y Derecho. ISSN 1886-5887

Cátedra de Derecho y Genoma Humano, Universidad del País Vasco (UPV/EHU). (1993).

Cavagnari, B. M. (2011). Terapia génica: Los ácidos nucleicos como fármacos, mecanismos de acción y vías de entrega a la célula. Archivos Argentinos de Pediatría, 109(3), 232-236.

Cavalleiri, L. F., & Rosenberg, B. H. (1961). The replication of DNA III. Changes in the number of strands in E. coli DNA during its replication cycle. Biophysical Journal, 1, 337–351. https://doi.org/10.1016/S0006-3495(61)86893-8.

Chomet, S. (Ed.). (1995). D.N.A.: Genesis of a Discovery. England: Newman-Hemisphere. ISBN 978-1-56700-138-9.

Chueca Rodríguez, R., (2015) «La marginalidad jurídica de la dignidad humana», en op. cit., pp. 27 y ss. https://www.researchgate.net/publication/280877527_La_marginalidad_juridica_de_la_dignidad_humana.

Churchill Archives Centre, Churchill College, Cambridge. (1927-2017). The Papers of Rosalind Franklin (FondsReference Code: GBR/0014/FRKN).

Cique Moya, A. (2015). Retos y desafíos de la biología sintética. Instituto Español de Estudios Estratégicos. Documentos Marco, 35.

Cobb, M., & Comfort, N. (2023). What Rosalind Franklin truly contributed to the discovery of DNA's structure. Nature, 616(7958), 657-660. PMID 37100935. https://doi.org/10.1038/d41586-023-01313-5. Consultado el 11 de mayo de 2023.

Cobb, J., Büsst, C., Petrou, S., Harrap, S., & Ellis, J. (2008). Searching for functional genetic variants in non-coding DNA. Clinical and Experimental Pharmacology and Physiology, 35(4), 372-375. https://doi.org/10.1111/j.1440-1681.2008.04880.x.

Comings, D. E. (1972). So Much "Junk" DNA in Our Genome. Gordon and Breach.

Comisión Nacional para la Protección de Sujetos Humanos de Investigación Biomédica y de Comportamiento. (2018). Informe Belmont: Principios éticos y directrices para la protección de sujetos humanos de investigación.

Comisión Nacional para la Protección de Personas Sujetas a Investigación Biomédica y Comportamiento. (1979). Informe Belmont.

Consejo de Europa. (1997). Convenio para la Protección de los Derechos Humanos y la Dignidad del Ser Humano con respecto a las Aplicaciones de la Biología y la Medicina: Convenio de Oviedo.

Consejo de Europa. (1997). Convenio para la protección de los derechos humanos y la dignidad del ser humano con respecto a las aplicaciones de la biología y la medicina: Convención sobre los derechos humanos y la biomedicina.

Consejo de Europa. (1997). Convenio para la protección de los derechos humanos y la dignidad del ser humano con respecto a las aplicaciones de la biología y la medicina: Convención sobre los derechos humanos y la biomedicina.

Consejo de HUGO. (1996). Declaración sobre los principios de actuación en la investigación genética. Aprobada por el Consejo de HUGO en Heidelberg, República Federal de Alemania.

Constitución Española. (1978). Boletín Oficial del Estado, núm. 311.

Creager, A. N. H. (2003). Reseña: Cristalizando una vida en la ciencia [Reseña del libro Rosalind Franklin: La Dama Oscura del ADN, de Brenda Maddox]. American Scientist, 91(1), 64-66. Publicado por Sigma Xi, Sociedad de Honor de Investigación Científica.

Crick, F. H. C., Watson, J. D., & Wilkins, M. H. F. (1962). Descubrimientos sobre la estructura molecular de los ácidos nucleicos y su significado para la transferencia de información en material vivo. Nobel Media AB. Recuperado de https://www.nobelprize.org/prizes/medicine/1962/summary/.

Crick, F. (1988). What Mad Pursuit: A Personal View of Scientific Discovery. New York: Basic Books. ISBN 0-465-09138-5.

Crick, F., & Watson, J. D. (1953). Molecular structure of nucleic acids. Nature, 171(4356), 737-738. https://doi.org/10.1038/171737a0.

Cruz Villalón, P., (1989) «Formación y desarrollo de los derechos fundamentales», en Revista Española de Derecho Constitucional, n.º 25, pp. 35-62.

Cuenca Burgos, M.L., Gil-Martínez, A.L., Sánchez, C., Estrada, C., Fernández-Villalba, E., & Herrero Ezquerro, M.T. (2019). Intoxicación aguda con MPTP en parkinsonismo experimental. ¿La edad importa? En IV Jornadas Doctorales Escuela Internacional de Doctorado de la Universidad de Murcia (Eidum) (pp. 166-170). ISBN 978-84-09-09200-0.

Cuenca Burgos, M.L., Gil Martinez, A.L., Cano Fernández, L., Sánchez Rodrigo, C., Estrada, C., Fernandez-Villalba, E., & Herrero Ezquerro, M.T. (2019). Parkinson's disease: A short story of 200 years. Histology and Histopathology: Cellular and Molecular Biology, 34(6), 573-591.

Cusanelli, E., & Chartrand, P. (2014). Telomeric noncoding RNA: telomeric repeat-containing RNA in telomere biology. WIREs RNA, 5(3), 407-419. https://doi.org/10.1002/wrna.1220.

Dainton, F., & Thrush, B. A. (1981). Ronald George Wreyford Norrish. 9 November 1897-7 June 1978. Biographical Memoirs of Fellows of the Royal Society, 27, 379-424. https://doi.org/10.1098/rsbm.1981.0016.

Da Silva, O., Araújo, T., Inagaki, A., et al. (2016). Role of miRNAs and their potential to be useful as diagnostic and prognostic biomarkers in gastric cancer. World Journal of Gastroenterology, 22, 7951-7962.

DeLisi, C. (s.f). The Human Genome Project. In Bevatron's Encyclopedia of Inventions: A Compendium of Technological Leaps, Groundbreaking Discoveries, and Scientific Breakthroughs (pp. 360–362).

DeLisi, C. (2008). Meetings that changed the world: Santa Fe 1986: Human genome baby-steps. Nature, 455 (7215), 876-877. https://doi.org/10.1038/455876a.

De la Torre Díaz, J., Junquera de Estéfani, R., Aparicio Rodríguez, L. C., & González Morán, L. (2010). Normas Básicas del Bioderecho. Universidad Comillas Madrid, UNED, Dykinson, S.L.

De Miguel Beriain, I., & Lazcoz Moratinos, G. (2018). El Convenio de Oviedo, veinte años después de su firma: Algunas sugerencias de enmienda. Quaestio Iuris, 11(1), 445-460.

De Miguel Beriain, I., & Armaza Armaza, Emilio José. (2018). Un análisis ético de las nuevas tecnologías de edición genética: El CRISPR-Cas9 a debate. Anales de la Cátedra Francisco Suárez, (52), 179-200.

Demian Chapmam. (2008). Partenogénesis en un tiburón réquiem de cuerpo grande (familia Carcharhinidae) Senior Scientist & director, Center for Shark Research. As a Senior Scientist in Mote's Research Division, Dr. Chapman also serves as the Manager for the Sharks & Rays Conservation Research Program and holds the title of Perry W.

Gilbert Chair in Shark Research. Chapman, DD, Firchau, B., Shivji, MS.Revista de biología de peces 73:1473-1477.

https://mote.org/staff/member/dr.-demian-chapman.

Devos, R. (2011). Expo 58: The Catalyst for Belgium's Welfare State Government Complex? Planning Perspectives, 26(4), 649-659. https://doi.org/10.1080/02665433.2011.599934.

Dickenson, D., & Darnovsky, M. (2019). Did a permissive scientific culture encourage the 'CRISPR babies' experiment? Nature Biotechnology. Advance online publication.

Dickerson, R. E. (2005). Present at the Flood: How Structural Molecular Biology Came about. Sunderland: Sinauer.

Diez-Picazo, L. Y Gullón, (2012) A. Sistema de Derecho Civil. Tecnos, Volumen IV, T. I, Madrid, pp. 233-234.

Dileep, V. (2009). The place and function of non-coding DNA in the evolution of variability. Hypothesis, 7(1), e7. https://doi.org/10.5779/hypothesis.v7i1.146.

Dixon, R. N., Agar, D. M., & Burge, R. E. (1997). William Charles Price. Biographical Memoirs of Fellows of the Royal Society, 43, 438.

DNA Learning Center, Cold Spring Harbor Laboratory. (2014, 28 de agosto). Rosalind Franklin (1920-1958). Recuperado de https://dnalc.cshl.edu/.

Dounce, A. L., Sarkar, N. K., & Kay, E. R. (1961). The possible role of DNA-ase I in DNA replication. Journal of Cellular and Comparative Physiology, 57(1), 47–54. https://doi.org/10.1002/jcp.1030570107.

Doolittle, W. F. (2013, 2 de abril). Is junk DNA bunk? A critique of ENCODE. Proceedings of the National Academy of Sciences, 110(14), 5294-5300. https://doi.org/10.1073/pnas.1221376110.

De Miguel Beriain, I., & Armaza Armaza, Emilio José. (2018). Un análisis ético de las nuevas tecnologías de edición genética: El CRISPR-Cas9 a debate. Anales de la Cátedra Francisco Suárez, (52), 179-200.

Des Jardins, J. (2001). Environmental Ethics: An Introduction to Environmental Philosophy. Wadsworth Group.

Devos, R. (2011). Expo 58: The Catalyst for Belgium's Welfare State Government Complex? Planning Perspectives, 26(4), 649-659. https://doi.org/10.1080/02665433.2011.599934.

Dickenson, D., & Darnovsky, M. (2019). Did a permissive scientific culture encourage the 'CRISPR babies' experiment? Nature Biotechnology. Advance online publication.

Dickerson, R. E. (2005). Present at the Flood: How Structural Molecular Biology Came about. Sunderland: Sinauer.

Dileep, V. (2009). The place and function of non-coding DNA in the evolution of variability. Hypothesis, 7(1), e7. https://doi.org/10.5779/hypothesis.v7i1.146.

Dixon, R. N., Agar, D. M., & Burge, R. E. (1997). William Charles Price. Biographical Memoirs of Fellows of the Royal Society, 43, 438.

Dounce, A. L., Sarkar, N. K., & Kay, E. R. (1961). The possible role of DNA-ase I in DNA replication. Journal of Cellular and Comparative Physiology, 57(1), 47–54. https://doi.org/10.1002/jcp.1030570107.

Doolittle, W. F. (2013). Is junk DNA bunk? A critique of ENCODE. Proceedings of the National Academy of Sciences, 110(14), 5294-5300. https://doi.org/10.1073/pnas.1221376110.

Doolittle, W. F., & Sapienza, C. (1980). Selfish genes, the phenotype paradigm and genome evolution. Nature, 284(5757), 601-603. https://doi.org/10.1038/284601a0.

Dugard, J. (2003). A grave injustice. Mail & Guardian Online.

Dulbecco, R. (1986). A turning point in cancer research: sequencing the human genome. Science, 231(4742), 1055-1056. https://doi.org/10.1126/science.3945817.

Dunham, I., Kundaje, A., Aldred, S. F., Collins, P. J., Davis, C. A., Doyle, F., ... et al. (2012). An integrated encyclopedia of DNA elements in the human genome. Nature, 489(7414), 57-74. https://doi.org/10.1038/nature11247.

Eddy, S. R. (2012). The C-value paradox, junk DNA and ENCODE. Current Biology, 22(21), R898-R899. https://doi.org/10.1016/j.cub.2012.10.002.

Ehret, C. F., & De Haller, G. (1963, 1 de octubre). Origin, development, and maturation of organelles and organelle systems of the cell surface in Paramecium. Journal of Ultrastructure Research, 9, 1-42. https://doi.org/10.1016/S0022-5320(63)80088-X.

El ADN basura protege. (2023). Revista Investigación y Ciencia, 25(3), 56-59.

El Mundo. (2000). Científicos de todo el mundo anuncian el primer borrador del genoma humano. Consultado el 3 de mayo de 2020.

Elgar, G., & Vavouri, T. (2008). Tuning in to the signals: noncoding sequence conservation in vertebrate genomes. Trends in Genetics, 24 (7), 344-352. https://doi.org/10.1016/j.tig.2008.04.005.

ENCODE Project Consortium. (2012). An integrated encyclopedia of DNA elements in the human genome. Nature, 489(7414), 57-74. https://doi.org/10.1038/nature11247.

España, Jefatura del Estado. (2018). Real Decreto-ley 7/2018, de 27 de julio, sobre el acceso universal al Sistema Nacional de Salud. Boletín Oficial del Estado, Núm. 183, pp. 76258-76264.

Everson, T. (2007). The Gene: A Historical Perspective. Westport, Connecticut: Greenwood Press.

Evo-devo and an expanding evolutionary synthesis: a genetic theory of morphological evolution. (2008). Cell, 134 (1), 25-36. https://doi.org/10.1016/j.cell.2008.06.030.

Evolution-Free Gospel of ENCODE. (2013). Genome Biology and Evolution, 5(3), 578-590. https://doi.org/10.1093/gbe/evt028.

Ferry, G. (2007). Max Perutz and the Secret of Life. London: Chatto & Windus. ISBN 0-701-17695-4.

Fieser, J. (2003). Ethics. Internet Encyclopedia of Philosophy. Recuperado de https://www.iep.utm.edu/ethics/.

Finch, J. (2008). A Nobel Fellow on Every Floor: A History of the Medical Research Council Laboratory of Molecular Biology. Cambridge: Medical Research Council Laboratory of Molecular Biology.

Gafo, J. (1992). Problemas éticos de la manipulación genética. Madrid, España: Ediciones Paulinas.

Gamboa-Bernal, G. (2017). Un empeño científico a gran escala: La eugenesia. Persona y Bioética.

Gann, A., & Witkowski, J. A. (2013). DNA: Archives reveal Nobel nominations. Nature, 496(7446), 434. https://doi.org/10.1038/496434a.

García Pelayo, M., «Derecho Constitucional comparado» (1950), en Obras Completas (I), Madrid, Centro de Estudios Constitucionales, 1991, pp. 352. También, ampliamente, Bobbio, N., L´Età dei Diritti, Torino, Einaudi, 1992, pp. 5-16.

Gariaev, P. P. (s.f.). Asombrosa investigación sobre la energía del ADN de P. Gariaev. Recuperado de https://teresaversyp.com/actualidad/investigacion-adn-gariaev/.

Gariaev, P. (s.f.). Peter Gariaev, un genetista de ondas ruso, es conocido por su trabajo en la genética de ondas lingüísticas. Recuperado de https://wavegenetics.org/es/.

Gariaev, P. P., Vasiliev, A. A., & Berezin, A. A. (1991-1992). The genome as a holographic computer. Hypothesis, 1, 24-43; 49-64.

Gariaev, P. P., Kokaya, A. A., Mukhina, I. V., et al. (2007). Effect of electromagnetic radiation modulated by biostructures on the course of alloxan-induced diabetes mellitus in rats. Bulletin of Experimental Biology and Medicine, 143, 197–199. https://doi.org/10.1007/s10517-007-0049-3.

Gariaev, P. P., Marcer, P. J., Leonova-Gariaeva, K. A., Kaempf, U., & Artjukh, V. D. (2011). DNA as Basis for Quantum Biocomputer. DNA Decipher Journal, 1(1), 25-46.

Gariaev, P. P. (2015). Another understanding of the model of genetic code: Theoretical analysis. Open Journal of Genetics, 5, 92-109.

Gariaev, P. P. (s.f) Birshtein, B. I., Iarochenko, A. M., Tertishny, G. G., Leonova, K. A., & Kaempf, U. (s.f.). The DNA-wave Biocomputer. Institute Control of Sciences Russian Academy of Sciences, Moscow, Russia. Recuperado de http://www.aha.ru/~gariaev.

Garaiev, P.P (2005). Some Aspects of Wave Gene Transmission. Journal | December 2015, Volume 5, Issue 3, pp. 155-173.

Korneev, A. A. & Gariaev, P. P., Some Aspects of Wave Gene Transmission.

https://www.researchgate.net/publication/292411121_Some_Aspects_of_Wave_Gene_Transmissio.

Garnier Malet, J.-P., & Garnier Malet, L. (s.f.). Cambia tu futuro. ISBN: 978-84-940168-0-6.

Garnier Malet, J.-P., & Garnier Malet, L. (s.f.). El Doble: ¿Cómo Funciona? ISBN: 978-84-940168-2-0.

Garnier Malet, J. P. (s.f.). Un Gran Descubrimiento. ISBN: 978-84-942181-1-8.

Gearing, D. (2006). Burn, and Rosalind: A Question of Life. London: Oberon Books.

Gibbons, M. G. (2012). Reassessing Discovery: Rosalind Franklin, Scientific Visualization, and the Structure of DNA. Philosophy of Science, 79, 63-80. https://doi.org/10.1086/663241.

Guillén Parra, M. (2006). Ética en las organizaciones. Construyendo confianza. Madrid: Pearson Educación, S.A.

G.I. Cátedra de Derecho y Genoma Humano, Universidad del País Vasco UPV/EHU & Fundación Instituto Roche. (2011). Enciclopedia de Bioderecho y Bioética.

Glynn, J. (2012). My Sister Rosalind Franklin. Oxford: Oxford University Press.

Glynn, J. (2012). Remembering my sister Rosalind Franklin. The Lancet, 379(9821), 1094-1095. https://doi.org/10.1016/S0140-6736(12)60452-8.

Glynn, J. (2008). Rosalind Franklin: 50 years on. Notes and Records of the Royal Society, 62(2), 253-255. https://doi.org/10.1098/rsnr.2007.0052.

Glynn, J. (1996). Rosalind Franklin, 1920-1958. In E. Shils (Ed.), Cambridge Women: Twelve Portraits (pp. 267-282). Cambridge: Cambridge University Press.

Goldim, J. R. (2009). Revisiting the beginning of bioethics: The contribution of Fritz Jahr (1927). Perspectives in Biology and Medicine, Summer, 377-380.

Gómez-Tatay, L., & Mejías Rodríguez, I. (2017). Con el descubrimiento de CRISPR/Cas9, la edición genética ha llegado para quedarse. Observatorio de Bioética.

Gonzaga Jáuregui. C, (2021) Hay en el mundo 7 mil enfermedades raras, del LIIGH de la UNAM, coautora y coordinadora de 15 expertos internacionales, Jul 29,

https://www.gaceta.unam.mx/hay-en-el-mundo-7-mil-enfermedades-raras/

González, I. B. (2018). CRISPR como herramienta de edición genética y sus aplicaciones en la salud humana. Trabajo de grado, Facultad de Farmacia, Universidad Complutense.

Graur, D., Zheng, Y., Price, N., Azevedo, R. B. R., Zufall, R. A., & Elhaik, E. (2013). On the Immortality of Television Sets: “Function” in the Human Genome According to the Evolution-Free Gospel of ENCODE. Genome Biology and Evolution, 5(3), 578–590. https://doi.org/10.1093/gbe/evt028.

Graur, D. (2017). The Origin of Junk DNA: A Historical Whodunnit. Genome Biology and Evolution, 9(11), 3080-3083. https://doi.org/10.1093/gbe/evx220.

Gregory, T. R. (2005). (Ed.). The Evolution of the Genome. San Diego: Elsevier.

Häberle, P., (1987) «Die Menschenwürde als Grundlage der staatlichen Gemeinshaft», en J. Isensee y P. Kirchhof (Hrsg.), Handbuch des Staatsrechts des Bundesrepublik Deutschland, Heildelberg, C.F. Müller, 2. Auflage, 1995, Band I, pp. 4 y ss.

Harding, S. (2006). "Sexist criticism of Watson's memoir". En Science and Social Inequality: Feminist and Postcolonial Issues (p. 71). Urbana: University of Illinois Press. ISBN 978-0-252-07304-5.

Hartocollis, A. (2014, 3 de diciembre). By Selling Prize, a DNA Pioneer Seeks Redemption. The New York Times. Recuperado el 13 de febrero de 2015.

Harold G. Koenig. (2021) Mecanismos: el impacto de la religión en la salud mental, DOI: 10.1093/med/9780198846833.003.0009, En libro: Espiritualidad y salud mental en todas las culturas (págs. 129-146)

Mechanisms: Religion's impact on mental health; https://academic.oup.com/book/35499/chapter-abstract/304497610?redirectedFrom=fulltext.

Häsler, J., Samuelsson, T., & Strub, K. (2007, 1 de julio). Useful 'junk': Alu RNAs in the human transcriptome. Cellular and Molecular Life Sciences, 64(14), 1793-1800. https://doi.org/10.1007/s00018-007-7084-0.

Hawkins, J. S., Kim, H., Nason, J. D., Wing, R. A., & Wendel, J. F. (2006). Differential lineage-specific amplification of transposable elements is responsible for genome size variation in Gossypium. Genome Research, 16(10), 1252-1261. https://doi.org/10.1101/gr.5282906.

Heman, P., Barcia González, C., Gómez-Durán, A., Ros Tristán, C.M., Ros Bernal, F., Yuste, J.E., ... Herrero Ezquerro, M.T. (2012). Nigral degeneration correlates with persistent activation of cerebellar Purkinje cells in MPTP-treated monkeys. Histology and Histopathology: Cellular and Molecular Biology, 27(1), 89-94.

Hendriks, S., Giesbertz, N. A. A., Bredenoord, A. L., & Repping, S. (2018). Reasons for being in favour of or against genome modification: a survey of the Dutch general public. Human Reproduction Open, 2018(3), hoy008. https://doi.org/10.1093/hropen/hoy008

Herrero Ezquerro, M. T. (2008). Investigación en enfermedades neurodegenerativas: Evitando la "epidemia silenciosa" del siglo XXI. Enfermería Global, 7(3), 1-10. https://doi.org/10.6018/eglobal.7.3.48211.

Herrero Ezquerro, M.T., Teil, M., Dovero, S., Bourdenx, M., Arotcarena, M.L., Camus, S., Porras, G., Thiolat, M.L., Trigo-Damas, I., Perier, C., Estrada, C., Garcia-Carrillo, N., Morari, M., Meissner, W.G., Vila, M., Obeso, J.A., Bezard, E., & Dehay, B. (2022). Brain injections of glial cytoplasmic inclusions induce a multiple system atrophy-like pathology. Brain, 145, 1-16. https://doi.org/10.1093/brain/awab374.

Herrero Ezquerro, M.T. (2013). Envejecimiento cerebral, inflamación y neurodegeneración. Anales (Reial Acadèmia de Medicina de la Comunitat Valenciana), (14), 3 págs.

Herrero Ezquerro, M.T. (2010). Enfermedad de Parkinson. Anales (Reial Acadèmia de Medicina de la Comunitat Valenciana), (11).

Herrero Ezquerro, M.T., & Cuenca Bermejo, L. (2020). Los circuitos cerebrales implicados en la sensación de fracaso y emociones asociadas. En R. Rabadán Anta, & P.J. Martín Castejón (Coords.), La gestión del fracaso: Manual práctico (pp. 235-248). ISBN 978-84-18146-55-8.

Herrero Ezquerro, M.T. (2015). Contaminación ambiental, inflamación y enfermedades neurodegenerativas. En M.M. Jordán Vidal, F. Pardo Fabregat, & A.B. Vicente Fortea (Eds.), Teófilo Sanfeliu Montolio. Más allá de la geología. Libro homenaje (pp. 361-364). ISBN 84-16356-16-5.

Hirschberger, J. (2011). Historia de la Filosofía (Tomo I: Antigüedad, Edad Media, Renacimiento). Barcelona: Herder.

Hobbes, Thomas. (1980). Leviatan o de la materia, forma y poder de una república eclesiástica y civil. (original en 1651). Fondo de cultura económica. https://filosofiaenlared.com/2022/12/el-leviatan-de-thomas-hobbes/.

Human Fertilisation and Embryology Act. (2008).1990, c. 37.

Human Fertilisation and Embryology (2001) (Research Purpose) Regulations 2001, SI 2001/188.

Hu, H., & Wu, M. (2021). Peter P. Gariaev (1942 - 2020): Discoverer of Phantom DNA Effect & Founder of "Wave Genetics". DNA Decipher Journal, 11(1).

Ingmar Persson, Julian Savulescu (2020) ¿Preparados para el futuro?: La necesidad del mejoramiento mora: La necesidad del mejoramiento moral; TEELL Editorial S.L., 2020, 189 pp.

https://revistas.unav.edu/index.php/anuario-filosofico/article/view/40377/34475.

International Human Genome Sequencing Consortium. (2001). Initial sequencing and analysis of the human genome. Nature, 409, 860-921.

Instituto de Bioética de la Pontificia Universidad Javeriana de Colombia. (s.f.). Selecciones de Bioética N° 15. Recuperado el 18 de marzo de 2012, de https://www.javeriana.edu.co/ins-bioetica.

Instituto de Zoología y Botánica de Estonia. (1973). Base de datos sobre el tamaño del genoma fúngico. Recuperado de Instituto de Zoología y Botánica de Estonia.

Jarvis Thomson, J. (1986) A Defense of Abortion. En P. Singer (ed) Applied Ethics. Oxford University Press, Oxford, pp37-56.

Jiménez Campo, J., «Artículo 10.1», en M.E. Casas Baamonde y M. Rodríguez-Piñero y Bravo-Ferrer (Dirs.), Comentarios a la Constitución española en su XXX aniversario, Madrid, 2008, pp. 178 y ss.

https://dialnet.unirioja.es/servlet/libro?codigo=728270.

Jiménez González. J (2017) El Diagnóstico Genético Preimplantacional: Aspectos biológicos, éticos y jurídicos. Tesis Doctoral Universidad de Murcia, Biblos-e Archivo https://digitum.um.es/digitum/bitstream/10201/55949/1/TESIS%20DOCTORAL-JOAQU%c3%8dN%20JIM%c3%89NEZ%20GONZ%c3%81LEZ.pdf

Jiménez González. J. (2022) Uso de las técnicas de edición del genoma en la línea germinal. Cuestiones científicas, éticas y jurídicas, Revista: DS : Derecho y salud, ISSN: 1133-7400, https://portalinvestigacion.um.es/documentos/655baefd1f819671967cbc76.

Jones, G.M., Cram, D.S., Song, B., Magli, M.C., Gianaroli, L., Lacham-Kaplan, O., Findlay, J.K., Jenkin, G., & Trounson, A.O. (2008). Gene expression profiling of human oocytes following in vivo or in vitro maturation. Human Reproduction. https://doi.org/10.1093/humrep/den085.

Johansen, S. D., & Emblem, Å. (2009). Group I introns: Moving in new directions. RNA Biology, 6(4), 375-383. https://doi.org/10.4161/rna.6.4.9334.

José María Porras Ramírez, (2018) Anuario de Derecho Eclesiástico del Estado, vol. XXXIV Universidad de Granada. https://www.boe.es/biblioteca_juridica/anuarios_derecho/abrir_pdf.php?id=ANU-E-2018-10020100223.

Judson, H. F. (1996). The Eighth Day of Creation: Makers of the Revolution in Biology (Edición ampliada). Plainview, N.Y.: CSHL Press.

"Junk DNA gets credit for making us who we are." (2010). New Scientist.

Kant, I. (1948) 'Groundwork of the Metaphysic of Morals'. En H.J. Paton (ed) The Moral Law. Hutchinson University Library, Londres, p85.

Karin, M. (1990). Too many transcription factors: positive and negative interactions. The New Biologist, 2(2), 126-131.

Kass L. (2005) La sabiduría de la repugnancia. En: Luna F, Rivera E, (comp.) Los desafíos éticos de la genética humana. México: UNAM, FCE; 183-198.

Keunsoo, K., Jin-Han, B., Kyudong, H., et al. (2016). A Genome-Wide Methylation Approach Identifies a New Hypermethylated Gene Panel in Ulcerative Colitis. International Journal of Molecular Sciences, 17, 1291. https://doi.org/10.3390/ijms17081291.

Kellis, M., Wold, B., Snyder, M. P., Bernstein, B. E., Kundaje, A., Marinov, G. K., ... Birney, E. (2014). Defining functional DNA elements in the human genome. Proceedings of the National Academy of Sciences, 111(17), 6131-6138. https://doi.org/10.1073/pnas.1318948111.

Khajavinia, A., & Makalowski, W. (2007). What is "junk" DNA, and what is it worth? Scientific American, 296(5), 104.

Khurana, E., Fu, Y., Colonna, V., Mu, X. J., Kang, H. M., Lappalainen, T., ... Gerstein, M. (2013). Integrative annotation of variants from 1092 humans: Application to cancer genomics. Science, 342(6154), 1235587. https://doi.org/10.1126/science.1235587.

Klug, A. (2004). The discovery of the DNA double helix. En T. Krude (Ed.), DNA: Changing Science and Society (pp. 5-27). Cambridge, UK: Cambridge University Press. https://doi.org/10.1017/CBO9780511823784.

Kukso, F. (2016). ¿Podemos corregir a la naturaleza? Tec Review, 1, 58-65.

Lander, E. S., Linton, L. M., Birren, B., Nusbaum, C., Zody, M. C., Baldwin, J., ... & Kerlavage, A. R. (2001). Initial sequencing and analysis of the human genome. Nature, 409(6822), 860-921. https://doi.org/10.1038/35057062.

Ley alemana sobre protección del embrión Nº 745/90. (1990).

Ley francesa N° 94-653. (1994).

Ley francesa N. 94-654. (1994).

Lewin, B. (1990). Genes IV (4th ed.). Oxford: Oxford University Press.

Labrador, A. (2015). Jürgen Habermas: acción comunicativa, reflexividad y mundo de vida. Acta Sociológica, 67, e24-e51.

Lakhovsky, G. (s.f.). El Secreto de la Vida. Recuperado de https://www.fundebien.org.mx/pdf/EL_SECRETO_LAKHOVSKY.pdf

Lakhovsky, G. (1925). L'Origine de la vie: La radiation et les êtres vivants.

Lakhovsky, G. (1926). Les ondes qui guérissent.

Lakhovsky, G. (1933). La Terre et Nous.

Lakhovsky, G. (1939). La civilisation et la folie raciste.

Lamprea Bermúdez, N., & Lizarazo-Cortés, Ó. (2016). Técnica de edición de genes CRISPR/Cas9: Retos jurídicos para su regulación y uso en Colombia. La Propiedad Inmaterial, 21, 79-110.

Lammoglia-Cobo, M. F., Lozano-Reyes, R., & otros. (2016). La revolución en ingeniería genética: sistema CRISPR/Cas. Investigación en Discapacidad, 5(2), 116-128.

Lacham-Kaplan, O., Camera, D., & Hawley, J. (2020). Divergent regulation of myotube formation and muscle function pathways by 17β-estradiol and n-3 polyunsaturated fatty acids in C2C12 myoblasts. International Journal of Molecular Sciences, 21(3), 1-18. https://doi.org/10.3390/ijms21030745.

Lacham-Kaplan O. (2001). Fecundación de ovocitos de ratón utilizando células somáticas como células germinales masculinas, BioMedicina reproductiva en línea 3(3):205-211; DOI: 10.1016/S1472-6483(10)62037-8. FuentePubMed https://www.researchgate.net/publication/10962673_Fertilization_of_mouse_oocytes_using_somatic_cells_as_male_germ_cells.

Latchman, D. S. (1997). Transcription factors: An overview. The International Journal of Biochemistry & Cell Biology, 29(12), 1305-1312. https://doi.org/10.1016/S1357-2725(97)00085-X.

León Correa, F. J. (2015). Bioética, deliberación y salud pública. En F. J. León Correa & P. Sorokin (Coords.), Bioética y Salud Pública en y para América Latina (pp. 9-15). Santiago de Chile: Felaibe.

Leonova-Gariaeva, & Gariaev, P., Friedman, M., & Leonova-Gariaeva, E. (2011). Principles of Linguistic-Wave Genetics. DNA Decipher Journal, 1.

Lolas, F. (2008). Bioethics and animal research: A personal perspective and a note on the contribution of Fritz Jahr. Biological Research, 41(1), 119-123. https://doi.org/10.4067/S0716-97602008000100013.

López Baroni, M. J. (2015). El debate sobre el mejoramiento humano en la bioética norteamericana. En El mejoramiento humano: Avances, investigaciones y reflexiones éticas y políticas (pp. 128-137). ISBN 978-84-9045-364-3.

López, J. V., Yuhki, N., Masuda, R., Modi, W., & O'Brien, S. J. (1994). Numt, a recent transfer and tandem amplification of mitochondrial DNA to the nuclear genome of the domestic cat. Journal of Molecular Evolution, 39(2), 174-190.

Ludwig, M. Z. (2002). Functional evolution of noncoding DNA. Current Opinion in Genetics & Development, 12(6), 634-639. https://doi.org/10.1016/S0959-437X(02)00355-6.

Luo, J., Padhi, P., Jin, H., Anantharam, V., Zenitsky, G., Wang, Q., Willette, A. A., Kanthasamy, A., & Kanthasamy, A. G. (2019). Utilization of the CRISPR-Cas9 gene editing system to dissect neuroinflammatory and neuropharmacological mechanisms in Parkinson's disease. Journal of Neuroimmune Pharmacology. Advance online publication.

Luna, F., Casado, M., Turner Saelzer, S., & Santaló, J. (2019). Genome editing in humans, a topic only for academics from industrialized countries? Revista de derecho y genoma humano: Genética, biotecnología y medicina avanzada, 51, 43-60.

Martín Fernández, J.J., Díes, R.C., Cañizares Hernández, F.G., Parra Pallarés, S., Avilés Plaza, F., Villegas Martínez, I., ... Herrero Ezquerro, M.T. (2010). Homocisteína y deterioro cognitivo en la enfermedad de Parkinson. Revista de Neurología, 50(3), 145-151.

Martínez Navarro. E, (2019). Tecnologías asistenciales y dignidad de las personas, Dilemata, ISSN 1989-7022. Pag 4. file:///C:/Users/Usuario/Desktop/TESIS%20MAYO%202024/Dialnet-TecnologiasAsistencialesYDignidadDeLasPersonas-7416193.pdf.

Maston, G. A., Evans, S. K., & Green, M. R. (2006). Transcriptional Regulatory Elements in the Human Genome. Annual Review of Genomics and Human Genetics, 7(1), 29-59. https://doi.org/10.1146/annurev.genom.7.080505.115623.

Mason, R. O. (1995). Applying ethics to information technology issues. Communications of the ACM, 38(12), Southern Methodist Univ., Dallas, TX. https://doi.org/10.1145/219663.219681.

Martínez Navarro, E. (1991): "La filosofía en el aula: por una democracia integral", Trabajo publicado en la revista Paideía, 13-14 (1991), pp. 137-145.

http://www.emiliomartinez.net/pdf/Filosofia_Aula_Democracia_Integral.pdf.

Mattick, J. S., & Dinger, M. E. (2013). The extent of functionality in the human genome. The HUGO Journal, 7(1), 2. https://doi.org/10.1186/1877-6566-7-2.

Max, E. E. (1986). Plagiarized errors and molecular genetics. Creation/Evolution Journal, 6 (3), 35-46.

Meilán, J., & Allende, I. (2000). El conocimiento del genoma revolucionará la medicina y la biología del ser humano. La Voz de Galicia. Consultado el 3 de mayo de 2020.

Meacock, R. S. (2022). Wave Genetics as Developed by the Late Professor Peter Gariaev. SG Cancer Book, 281. Retrieved from https://www.positivehealth.com/article/dna-gene-expression/wave-genetics-as-developed-by-the-late-professor-peter-gariaev.

Miguel M Álvarez, Josep Biayna & Fran Supek, (2022) TP53-dependent toxicity of CRISPR/Cas9 cuts is differential across genomic loci and can confound genetic screening, Nature Communications, (2022) DOI: 10.1038/s41467-022-32285-1.

Ministerio de Justicia. (2003). Ley Orgánica 15/2003, de 25 de noviembre, por la que se modifica el Código Penal español de 1995. Boletín Oficial del Estado, 281, 41642-41671.

Ministerio de Justicia. (2015). Ley Orgánica 1/2015, de 30 de marzo, de reforma del Código Penal. Boletín Oficial del Estado, 79, 28405-28453.

Ministerio de Justicia. (2015b). Ley Orgánica 2/2015, de 30 de marzo, de reforma de la Ley de Enjuiciamiento Criminal. Boletín Oficial del Estado, 79, 28454-28500.

Montagnier, L. (2017). New Science: DNA Begins as a Quantum Wave. The Mind Unleashed. Recuperado de http://themindunleashed.com.

Montagnier, L., Del Giudice, E., Aïssa, J., Lavallee, C., Motschwiller, S., Capolupo, A., ... Vitiello, G. (2015). Transduction of DNA information through water and electromagnetic waves. Electromagnetic Biology and Medicine, 34(2), 106-112. https://doi.org/10.3109/15368378.2015.1036072.

Montoliú, L. (2015). Herramientas CRISPR: regalo de las bacterias a la biotecnología. Revista del Colegio Oficial de Biólogos de la Comunidad de Madrid, (37), Cuatrimestre II.

Morris, K. V. (2012). Non-coding RNAs and epigenetic regulation of gene expression: Drivers of natural selection. Caister Academic Press.

Morris, K. V. (2012). cap7: Non-coding RNAs, Epigenomics, and Complexity in Human Cells. En Non-coding RNAs and Epigenetic Regulation of Gene Expression: Drivers of Natural Selection. Caister Academic Press. ISBN 978-1-904455-94-3. OCLC 727704222.

Muñoz, J. (2003). Diccionario Espasa Filosofía. Editorial Digital Titivillus.

Mundo. (2013). World's Record Breaking Plant: Deletes its Noncoding "Junk" DNA. National Geographic. Recuperado el 4 de junio de 2013, de https://www.nationalgeographic.com/science/article/flesh-eating-plant-cleaned-junk-minimalist-genome.

National Geographic España. (s.f.). Premio Nobel de Física 2022 para investigadores pioneros en entrelazamiento cuántico. Recuperado de https://www.nationalgeographic.com.es/ciencia/premio-nobel-fisica-2022-para-investigadores-pioneros-entrelazamiento-cuantico_18857.

Nelson, P. N., Hooley, P., Roden, D., Ejtehadi, H. D., Rylance, P., Warren, P., Martin, J., & Murray, P. G. (2004). Human endogenous retroviruses: Transposable elements with potential? Clinical & Experimental Immunology, 138 (1), 1-9. https://doi.org/10.1111/j.1365-2249.2004.02592.x.

Observatorio de Bioética UCV. (2016). Debate bioético sobre el principio de Beneficencia Procreativa.

Organización de las Naciones Unidas. (1948). Declaración Universal de los Derechos Humanos.

Organización Internacional del Trabajo. (2008). Declaración de Bilbao sobre la justicia social para una globalización equitativa.

Orgel, L. E., & Crick, F. H. C. (1980). Selfish DNA: The ultimate parasite. Nature, 284(5757), 604-607. doi:10.1038/284604a0.

Palazzo, A. F., & Gregory, T. R. (2014). The Case for Junk DNA. PLOS Genetics, 10(5), e1004351. doi:10.1371/journal.pgen.1004351.

Palazzo, A. F., & Lee, E. S. (2015). Non-coding RNA: what is functional and what is junk? Frontiers in Genetics, 6. https://doi.org/10.3389/fgene.2015.00002.

Parker, M. (2007). The best possible child. Journal of Medical Ethics, 33(5), 279-283.

Pascual Medrano, A. (2015), «La dignidad humana como principio jurídico del ordenamiento constitucional español», en R. Chueca Rodríguez (Dir.), Dignidad humana y derecho fundamental, op. cit., pp. 295-333; en especial, pp. 307 y ss.

https://www.researchgate.net/publication/278030915_La_dignidad_humana_como_principio_juridico_del_ordenamiento_constitucional_espanol.

Pennisi, E. (2012). ENCODE Project Writes Eulogy for Junk DNA. Science, 337(6099), 1159-1161. https://doi.org/10.1126/science.337.6099.1159.

Pérez, J. (2020). El rol del ADN no codificante en la regulación génica. Revista Galenus, 5(2), 45-50.

Pérez, M.A., (2013) «Ambigüedades normativas del concepto dignidad de la persona en la Constitución española de 1978» en Revista de Chapecó, vol. 14, n.º 3.

Petersen, T. S. (2015). The moral obligation to create children with the best chance of the best life. Journal of Medical Ethics, 41(10), 771-774.

Ponicsan, S. L., Kugel, J. F., & Goodrich, J. A. (2010). Genomic gems: SINE RNAs regulate mRNA production. Current Opinion in Genetics & Development, 20(2), 149-155. https://doi.org/10.1016/j.gde.2010.01.004.

Ponting, C. P., & Hardison, R. C. (2011). What fraction of the human genome is functional? Genome Research, 21(11), 1769-1776. https://doi.org/10.1101/gr.116814.110.

Portal de publicaciones en línea de la Cátedra de Derecho y Genoma Humano. (1993).

Rich, A. (2003). The double helix: a tale of two puckers. Nature Structural Biology, 10(4), 247-249. https://doi.org/10.1038/nsb0403-247.

Ritchie, J. (1940, octubre). "The Secret of Life". Nature, 146(3704), 538. https://doi.org/10.1038/146538a0

Roa, A. (1995). Modernidad y Posmodernidad: Coincidencias y diferencias fundamentales. Editorial Andrés Bello.

Robertson, J. A. (1994). Children of Choice: Freedom and the New Reproductive Technologies. Princeton University Press.https://press.princeton.edu/books/paperback/9780691036656/children-of-choice.

Rodríguez-Rodríguez, D. R., Ramírez-Solís, R., Garza-Elizondo, M. A., Garza-Rodríguez, M. L., & Barrera-Saldaña, H. A. (2019). Genome editing: A perspective on the application of CRISPR/Cas9 to study human diseases (Review). International Journal of Molecular Medicine. Advance online publication.

Romeo Casabona, Carlos María, (s.f) Protección de bienes jurídicos e intervención en el genoma humano, citado, pp. 134-135.

Romeo Casabona, Carlos María, (2001) Los genes y sus leyes. El derecho ante el genoma humano, p. 176. CAMBRÓN, ASCENCIÓN, "Patrimonio genético y derechos humanos colectivos", en ANSUÁTEGUI ROIG, FRANCISCO JAVIER (Ed.), Una discusión sobre derechos colectivos, Instituto Bartolomé de las Casas, Universidad Carlos III de Madrid-Dykinson, Madrid, p. 126.

Ronald Cárdenas Krenz. (2019), El Derecho ante la técnica de edición genética CRISPR; Acta bioeth. vol.25 no.2 http://dx.doi.org/10.4067/S1726-569X2019000200187 https://www.scielo.cl/scielo.php?script=sci_arttext&pid=S1726-569X2019000200187.

Rosas Jiménez, C. A. (2014). Compassion and Moral Guidance. Persona y Bioética, Chía. Consultado el 30 de agosto de 2017.

Rubio Llorente, F., Principios y valores constitucionales (dir.), Derechos fundamentales y principios constitucionales, Barcelona, Ariel, 1995, p. VIII. También, Ibidem, «Principios y valores constitucionales», en VVAA, Estudios de Derecho Constitucional. Homenaje al Profesor Rodrigo Fernández Carvajal, Murcia, Universidad, Volumen I, 1997, pp. 645 y ss. https://dialnet.unirioja.es/servlet/articulo?codigo=568069.

Salcedo Hernández, J. R. (2013). Derecho y Salud, Estudios de Bioderecho: Comentarios a la Ley 3/2009, de Derechos y Deberes de los Usuarios del Sistema Sanitario de la Región de Murcia (Tirant monografías No. 849). Editorial Tirant lo Blanch.

Salcedo Hernández, J. R. (2020). Bioderecho y derecho a la libertad de pensamiento, conciencia y religión. Derecho y Religión, 517-574. Edisofer.

Salcedo Hernández, J. R. (2014). La ciencia del Bioderecho. Bioderecho.es, 1(1), Murcia: Universidad de Murcia, Editum.

Salcedo Hernández, J. R. (2014). La ciencia del Bioderecho. Bioderecho.es, 1(1), 7 págs.

Salcedo Hernández, J. R. (2018). Biotecnología: una reflexión desde el bioderecho. En Bioética, bioderecho y farmacología (pp. 343-364). Centro Universitario de Ciencias Sociales y Humanidades.

Salcedo Hernández, J. R. (2014). La ciencia del Bioderecho. Bioderecho, (1), 7 páginas. Recuperado de https://revistas.um.es/bioderecho/article/view/209251.

Santaló, J., & Casado, M. (Coords.). (2016). Observatorio de Bioética y Derecho de la UB, Documento sobre bioética y edición genómica en humanos. Edicions UB.

Salvi Turró, (2003) Bondad Y Sabiduría En Kant; http://e-spacio.uned.es/fez/eserv/bibliuned:Endoxa-2004574A268A-382A-9CB5-918A-352CF0397C34/bondad_sabiduria.pdf.

Sanz J (2011), Los Suecos, Un Ejemplo Para Los Nazis.

https://historiasdelahistoria.com/2011/10/06/los-suecos-un-ejemplo-para-los-nazis

Savulescu, J. (2001). Procreative Beneficence: why we should select the best children. Bioethics, 15(5-6), 413-426.

Savulescu, J. (2007). In defense of procreative beneficence. Journal of Medical Ethics, 33(5), 284-288.

Savulescu, J., & Kahane, G. (2009). The moral obligation to create children with the best chance of the best life. Bioethics, 23(5), 274-290.

Savulescu, J. (2012). ¿Decisiones Peligrosas? Una bioética desafiante. Madrid, España: Tecnos.

Shinwari, Z. K., Tanveer, F., & Khalil, A. T. (2018). Ethical Issues Regarding CRISPR Mediated Genome Editing. Current Issues in Molecular Biology, 26, 103-110. https://doi.org/10.21775/cimb.026.103.

Singh, V., Braddick, D., & Dhar, P. K. (2017). Exploring the potential of genome editing CRISPR-Cas9 technology. Gene, 599, 1-18.

SINC (CSIC). (2011). Identifican las secuencias de ADN no codificante más antiguas que se conocen.

Siljak-Yakovlev, S., Muratović, E., Bogunić, F., et al. (2020). Genome size of Balkan flora: a database (GeSDaBaF) and C-values for 51 taxa of which 46 are novel. Plant Syst Evol, 306, 40. https://doi.org/10.1007/s00606-020-01670-y.

Slater, M. H. (2012). The Environment: Philosophy, Science, and Ethics. The MIT Press.

Smith, W. R., & Audi, R. (2021). Religious Accommodation in Bioethics and the Practice of Medicine. Journal of Medicine and Philosophy. Advance online publication. https://doi.org/10.1093/jmp/jhaa038.

Smith, M. A., Gesell, T., Stadler, P. F., & Mattick, J. S. (2013). Widespread purifying selection on RNA structure in mammals. Nucleic Acids Research, 41(17), 8220-8236. https://doi.org/10.1093/nar/gkt596.

Spaemann, R. (2003). Límites: Acerca de la dimensión ética del actuar (J. Mardomingo & J. Fernández, Trads.). Ediciones Internacionales Universitarias.

Spaemann, R. (2005). Ética: cuestiones fundamentales (7ª ed.). (J. M. Yanguas, Trad.). Eunsa.

Stojic, L., Niemczyk, M., Orjalo, A., Ito, Y., Ruijter, A. E. M., Uribe-Lewis, S., ... & Odom, D. T. (2016). Transcriptional silencing of long noncoding RNA GNG12-AS1 uncouples its transcriptional and product-related functions. Nature Communications, 7(1), 10406. https://doi.org/10.1038/ncomms10406.

Shufaro, Y., Lacham-Kaplan, O., Tzuberi, B.-Z., Mclaughlin, J., Trounson, A., Cedar, H., & Reubinoff, B. E. (2010). Reprogramming of DNA replication timing. Stem Cells. https://doi.org/10.1002/stem.303

Subirana, J. A., & Messeguer, X. (2010). The most frequent short sequences in non-coding DNA. Nucleic Acids Research, 38(4), 1172–1181. https://doi.org/10.1093/nar/gkp1094.

Teresa Versyp. (2016) Investigación sobre la energía del ADN de P. Gariaev, Posted on agosto 15, 2016 by T. Versyp, https://teresaversyp.com/actualidad/investigacion-adn-gariaev/.

Terriere, G., Oberlin, A., & Mering, J. (1967). Oxidation of graphite in liquid medium – observations by means of microscopy and electron diffraction. Carbon, 5(4), 431.

The First American Newspaper Coverage of the Discovery of the DNA Structure. (1953). The New York Times.

Thomas, C. A. (1971). The genetic organization of chromosomes. Annual Review of Genetics, 5, 237-256. https://doi.org/10.1146/annurev.ge.05.120171.00132.

Thomas Gutmann, (2017). Dignidad y autonomía. Reflexiones sobre la tradición kantiana, Doi: 10.17533/udea.ef.n59a11http://www.scielo.org.co/pdf/ef/n59/0121-3628-ef-59-00233.pdf.

Torres Martínez, S., & Navarro Martínez, M. D. (2016). Desafíos éticos y jurídicos de las técnicas de edición del genoma. Lus et Scientia, 2(2), 186-192.

UNESCO. (2003). Declaración Internacional sobre los Datos Genéticos Humanos.

UNESCO. (1997). Declaración Universal sobre el Genoma y los Derechos Humanos.

UNESCO. (1994). Declaración Universal de los Derechos Humanos de las Generaciones Futuras.

UNESCO. (2005). Declaración Universal sobre Bioética y Derechos Humanos.

Urruela Mora, A. (2008). La clonación humana ante la reforma penal y administrativa en España. Revista Penal, (21).

Valdés, E., & Puentes, L. V. (2014) Daño genético: Definición y doctrina a la luz del bioderecho. Revista de Derecho Público, 32.

López-Segura, V (2013) Memoria Epigenética Y Cáncer 25(suplemento 1):443-447.

Versyp, T. (2005). La Dimensión Cuántica: De la Física Cuántica a la Conciencia. ISBN: 84-609-4595-2.

Versyp, T. (2022). Coherencia Cuántica y Vida: De la Biología Cuántica al Universo Multidimensional. ISBN: 978-84-09-377695.

Versyp, T. (2012). Sobrevolando el Territorio del Quantum: Guía Didáctica del Mundo Cuántico. ISBN: 978-84-615-6998-4.

Vidal Casero. (2004). El Proyecto Genoma Humano. Sus ventajas, sus inconvenientes, y sus problemas éticos, Bioética web, 3 de febrero de,https://www.bioeticaweb.com/el-proyecto-genoma-humano-sus-ventajas-sus-inconvenientes-y-sus-problemas-acticos-dra-vidal-casero/.

Wakabayashi, K., Tanji, K., Odagiri, S., Miki, y., Mori, F., & Takahashi, H. (2013). The Lewy body inParkinson's disease and related neurodegenerative disorders. Molecular neurobiology, 47(2), 495–508. https://doi.org/10.1007/s12035-012-8280-y.

Walters, R. D., Kugel, J. F., & Goodrich, J. A. (2009). InvAluable junk: The cellular impact and function of Alu and B2 RNAs. IUBMB Life, 61(8), 831-837. https://doi.org/10.1002/iub.227.

Watson, J. D., & Crick, F. H. (1953). Molecular structure of nucleic acids; a structure for deoxyribose nucleic acid. Nature, 171(4356), 737-738. https://doi.org/10.1038/171737a0.

Wilkins, M. H. F., Stokes, A. R., & Wilson, H. R. (1953). Molecular structure of deoxypentose nucleic acids. Nature, 171(4356), 738-740. https://doi.org/10.1038/171738a0.

Wilkins, M. H. F. (1953). The Molecular Configuration of Sodium Thymonucleate. Nature, 171(4356), 738-740.

Wilkins, M. (2005). The Third Man of the Double Helix: The Autobiography of Maurice Wilkins. Oxford, Reino Unido: Oxford University Press.

Xiang, L., Jing, N., Qian, M., et al. (2016). MicroRNAs: Novel immunotherapeutic targets in colorectal carcinoma. World Journal of Gastroenterology, 21, 5317-5331.

Yrigollen, C. M., & Davidson, B. L. (2019). CRISPR to the Rescue: Advances in Gene Editing for the FMR1 Gene. Brain Sciences, 9(1), E17. https://doi.org/10.3390/brainsci9010017.

Yockey, H. P. (2004). Information Theory, Evolution, and The Origin of Life. New York: Cambridge University Press. ISBN 978-0-52-18029-32.

Yuancheng Ryan Lu, Xiao Tian , David A Sinclair, The Information Theory of Aging, Nat Aging. (2023) Dec;3(12):1486-1499. doi: 10.1038/s43587-023-00527-6. Epub 2, Dec 15.

Zallen, D. T. (2003). Despite Franklin's work, Wilkins earned his Nobel. Nature, 425(6953), 15. https://doi.org/10.1038/425015b.

Zheng, D., Gerstein, M. B., & Stašić, D. (2007). Pseudogenes in the ENCODE regions: consensus annotation, analysis of transcription, and evolution. Genome Research, 17(6), 839-851. https://doi.org/10.1101/gr.5586307.

NUEVOS TÉRMINOS ACUÑADOS EN EL TRABAJO:

- ADN Informacional: El denominado ADN no codificante.
- Macagénesis: Fecundación de óvulo con óvulo sin esperma masculino.
- Teoría aSASAw.
- Smart Project7.